U0123341

寶島大旅社
下
顏忠賢
YAN CHUNG HSIEN

目錄

〈上冊〉

〈下冊〉

寶島部（第8篇）做大水。

一

四姑說，不知道爲什麼所有的時光都停了，而且最後就停在做大水那一天。

其實她應該已經什麼都不記得了，妙子姑姑卻還一直說：沖走了。都沖走了……

大概因爲當年太慘了。因爲，發生得太快，而根本什麼都來不及了……

那上午還有另一個她親妹妹的較瘦的姑姑，本來要一起要跑。沒跑走……只有她活下來。那天，八七水災那一天，就在眼前，就在已經淹到胸口的很湍急的大水裡。來不及拉住……就這樣，眼睜睜地，看著她被水沖走。

只能看著窗口外，長壽街上……整條路都是大水。

連空氣的潮解都會令人不安地傳染。大水中使老房子顯得更吃力老，但活著的人也太衰弱地太老或太小地更吃力，下雨下太大下太久的收尾是所有的人都不免就放棄了。

四姑說，我在老家的神明廳頭，撐太久了，愈來愈疲憊不堪到全身沒力中，家裡的人太多而雨太大使淹進來的水太凶，所有勉爲其難躲藏的狀況都變得更爲困難。大水淹到騎樓走廊，淹到門廳頭門檻，過了幾小時淹進老家房屋裡頭，水還一直漲高得不像話，更後來還淹到神明廳的神明桌腳，慢慢地竟然又淹到八仙彩的高桌，甚至，連觀世音菩薩的佛祖金身都快淹沒了。

之前在外頭看到了長壽街頭幾家老店老房子都已然被淹沒了，太多漂流出來的附近家裡的老東西，鄰家姑婆舊花園的弧形扶手樟木椅，木工廠換帖玩伴阿雄家他祖母的放大門扇旁的小盆栽，對面米穀公會的頗大的老辦公桌竟然也都流出來了，所有的長壽街的景深裡的所有參考點般的老時代的老東西或鬼東西，都漂浮了起來地失重，好像天譴般地滅絕。

後來，從越來越大的滂沱大雨中看出去更遠方，因爲大水泥濘而骯髒的長壽街整條路旁走廊也都淹沒了，老磚頭砌成拱圈的舊騎樓裡還可以看到擁擠而勉強抱住廊柱害怕被沖走的老人小孩，還有街尾鄰近媽祖廟埕那一帶的賣肉圓和賣肉羹的幾家老攤販及其攤上破舊鍋碗瓢盆的半沉半浮地浮現，更多廟前賣爛貨的爛攤子，那漂流出來更多泡大水泡到發霉發爛瀰漫怪氣味的各種菜頭菜心菜尾，太多太多的既殘忍又不忍的殘留物都飄走了，所有長壽街太老太破的房子所被遺忘了的角落在這大水變成長河之中卻變得那麼難忘地滄桑，雖然那麼不堪地沉浸到大水流太快流成漩渦逆流的水底。一如，四姑說，她還眞的看到有些人家的神明廳的佛祖來不及救而竟然也流出來了，有種落難神明般的無情與無奈。那種老廟老街老神明也躲不了的大災，大水把所有的老地方都剝了皮，甚至剝了那一個老時代的皮，唉！四姑說，她看了好難過，只能一直哭，哭到好像被下了咒或煞到了壞東西那般地無力，在滂沱大雨中，在淹沒的大水裡，所有的人神共憤共愁也無法拯救回什麼，甚至神通都淹沒了，因此祂們和人們都慘了，都永遠無法逃離了。

更嚴重的遺憾，就是老家所有的老照片都來不及救，一波大水湧入的慌亂之中，你爸爸跌落水裡，大家急於救他，而神明廳後頭最高櫃倒了，來不及搶救，就垮塌到淹進來的大水中，就這樣，老高櫃裡深處好幾捧的所有老照片就跟著流走了。四姑說：那些是你們的祖父拍的，在他當日本小學校校長的時候拍的那些老時代照片，實在太難過了，完全無法挽回地令人傷心，因爲太危急了，也來不及去深究，只是每回想起來，都有一種很深的心痛，天啊！那是什麼樣的災難，什麼樣的現場。因爲所有的那時候的底片還是玻璃的，感光層感光在透明的玻璃片上，像是光學實驗的特殊器材，看高階顯微鏡才能用的大型標本玻璃片，像那個時代的碎片，用某種怪異的檔案科技的祕密保存下來。太多又太美，也太昂貴了……但也都因爲老玻璃片收了太久，有些都龜裂或破角或模糊了所有的顯影劑之後，出現了類似靈異照片的殘影。

但是，那畢竟是那個時代最偉大的發明……在那個時代，那個買一台萊卡相機可以買一棟房子的時代。那些玻璃片的底片，到底留下了多少祖父那個年代的光景，已然斑駁到很難描述。在山上被轟炸過的日本木頭和室校舍的教室廢墟的可憐又殘破，彰化火車站剛修過通車的那一天的開幕式的光彩的嚇人又動人，祖父著日本軍裝就任校長那年在校門口和全校師生的畢業照的太過氣派，長壽街的日本時代偷偷普渡的沿街的燒香的煙影繚繞。當年才七歲的叔公雕的一隻木頭水牛參賽得獎的頒獎典禮的得意揚揚，所有的家族的親戚在祖父祖母婚禮的合照的又盛大又拘謹。

所有的過去都流走了。

太多我們家族的故事裡的祖先，昏黃而繁華的太古老而太遙遠的那時代……都在裡頭。都流走了……

二

其實那一天怎麼可能遺忘……

四姑說……長壽街上都是屍體，雨到底有多大，大水到底有多大……都不曉得，只知道整條街都淹沒了，雨永遠都下不完……

我好像可以感覺到姑姑說的，淹死的……痛苦，死狀，牽連，衝擊，致死度。那些溺水的屍體那些窒息的瞬間是很痛苦的……那些親人鄰人在那回大水中的死狀也眞的很慘。她說她和妙子姑姑都作噩夢作了好幾年……一閉上眼都會看到。

這是她後來一輩子都在拜拜的原因，姑姑嘆了一口氣說……

四姑說，八七水災那天我們都起得很早，因爲雨下太大了，前一天下了一整晚，到了天亮，大雨還是一直下，以前從來沒有這麼大又這麼久。後來，大人們開始緊張了，我們也被叫起來，但是還不知道發生了什麼事……

其實醒來的時候，水已經淹到腳踝，那時候還不曉得，有一個大姑姑的小孩，就是你大表哥，來家裡住。他才幾個月大，小孩子們都被放在榻榻米上，可是水竟然就漲上來了，而且漲得太快。就在祖母的那間和室。後來，覺得不行了，就在榻榻米上再放了張矮桌，所有小孩站上去。沒多久就再放上一張高桌子，所有的兄弟姊妹全坐在那張桌上，至於祖父母、叔公和大姑姑就忙著搬著雜貨店裡的貨。

當時我們就住在現在長壽街這地方，在那時候米穀公會的對面，除了目前已成廢墟的有三層樓高之外，全部是平房，因此水一來，店裡的貨怎麼搬都沒用，根本就沒退路，到最後只有任其隨水漂走。

眼見水位愈來愈高，幸好鄰居的兒子，到我家來一手一個把我們抱去避難。那個晚上我們就像難民在那裡打地鋪睡覺，等水退。很多人抓住一塊木頭，就被大水沖走了……還漂過我們家門口。

好多在大水中只能呆站在屋頂上的人只能眼睜睜地看著大水沖倒房子，有的很慘，對面水龜嬸家……整個房子垮了。十一人只有一個女兒阿秀有救起來。死傷的人很可憐，可是活著的親人更是不能自已，爲了在災區的家人，即使各道路中斷，也要想盡辦法、跋山涉水來救……這是全島的受難。

那時候，死了好多人，有一個親戚……那時住在竹塘，水災之後就扛了一袋米，只能搭車到員林，接著就一路走到彰化。姑姑嘆了一口氣……說，還是有每天上香的八仙桌上的觀音菩薩保佑，我們家算是比較好的，除了家裡淹大水，並沒有家人在八七水災中淹死。因爲水退了之後，聽鄰人說……好慘。那時候好多廟口都堆著屍體待認。

長壽街上也好多屍體……

每一個長壽街的人都會記得，那一次大水，淹太深了。甚至，姑姑說，她記得我們家被水淹過的雜貨，在家人的努力下，也想辦法賤賣了全部賣光，那時候，那些泡水貨都泡爛了，黝黑皺紋的餅乾，雜糧，蔬菜……

太多太多乾貨看起來……也像屍體。

那時候，姑姑說，小學時她念的就是長壽街上的民生國小，當時還全是女校，因爲學校太低窪，所以過了幾天後回去上課。教室都可見八七水災留下的淹水痕跡，淹到比黑板還高的牆壁上，那是幾乎不可能的痕跡……泥濘到牆到清不掉了，而且就留下一整道很深的水痕。而且，聽說當時有一位當天在學校值班的老師也在那一次的水災中被水沖走。後來每逢下大雨，只要水淹到教室的走廊，學校就一定宣布放學。八七水災那時候我們都會有一種陰影……但是又可以放假……那是很難說的，心情是既很害怕又很高興……

但是，她永遠記得小學的操場，放了好多屍體……有些泡腫的臉還勉強認得出來，但是大多肉都泡爛了……屍臭很臭。而且還有很多蒼蠅在飛。

姑姑說，有的更慘……過了數日，才浮上來的屍體，其身體和臉都腫脹得連雙親都辨認不出來呈現皮膚剝落，陰囊膨脹得像氣球，身體生出青苔，有時手腳被亂咬，留有被切割的傷痕，肉則有被咬過的慘狀。在一度沉下水底的屍體中，不久就會浮上來。被打撈到的屍體，從口和鼻會吐出大量的小泡。如果屍體沒有很快浮上來，兩三天後，因體內產生的腐敗氣體而浮上來，腐敗氣體的上浮力是很大的，連栓有近十公斤重物的屍體也都浮上來過，不過下沉深度太深，會因水溫低而腐敗氣體蓄積不起來，水壓又壓縮氣體，有些屍體是不會浮上來的，好慘，之後，打撈起來也會完全腐爛到認不出臉……

四姑說，聽說，這樣溺水的……有的人一直往前游去就會順著大水流游。但是，不久就會累，但無法停下來，大水的波浪很大，喝水的次數增加，氣管裡進水嗆得厲害，在不斷地重複喝水、吐水、嗆水過程中，連接嘴和耳朵的耳管裡也進水了，然後就會邊咳邊嗆到慘死……

聽四姑說太多了……淹死的，都很慘……愈是想吸氣，氣管進的水就愈多而引起咽喉的痙攣，最後呼吸停止、失去知覺而沉入水底。會游的人遇到大水，也會淹死。因爲大部分不是因大量喝水窒息，而是在嗆水中間把水吸入氣管了，之後就會死得難看到完全臉色發青……

有一個住對面差點就溺死的叔公卻用一種看向遠方的半暈眩半傻笑的口氣說著，好美好美……那是一種近乎發瘋到不知所云地說話……他說到當時在大水中看到長壽街的情景：好美，真的好美……他在半沉半浮中。突然有一種他和自己的身體分割開來的感覺，獨自一人呆坐在一片空虛之中。他在那裡一動也不動，但他的身體卻在一公尺前面的水中浮沉。他是從右斜後方看到自己的身體。就算他的身體在一段距離外，他還是感覺到自己還是有著完整的身體，但是，心情竟然很鬆，好像變成了羽毛，也不知道怕了。就這樣，聲音完全沒有了，出奇地死寂……他看到一輩子都活在這裡的長壽街……更多的出奇衰敗的老房子，掩體旁荒涼的破防空洞，操場旁的民生國小舊教室，林外科的又大又慘白的醫院，屋頂有華麗古典建築山牆的米穀公會，都只剩下屋頂了。

整條街就淹沒到變成了一條又湍急又高漲的泥河，河上都是屍體啊……好美好美但是又好恐怖。

但是，也就是在那一年，四姑說……你哥哥，也就是我們長壽街那個老家的第一個小孩……在羊水破了來不及送出門的神明廳前頭，也就出生了。

三

妙子姑姑，她那麼胖……她那胖胖的身影太令人難忘了，在我童年的回憶裡的她，總是極激烈而發光的……極閃閃發亮到如果太仔細注視，就覺得眼睛快花了或快瞎了……那種炫然。

像那種每一個小動作都是戲……但是就喜歡演反派的當家花旦……她一出現就令人頭大但又眼睛為之發亮，像老是太搶主角戲了的配角，充滿暗喻的瘋婆子。或就是像費里尼或伍迪艾倫電影中那種典型的義大利或猶太人的神經兮兮歐巴桑，又胖又囉嗦，又太令人無法抗拒。

但是聽四姑說：她年輕的時候還沒發胖前其實很美，也很愛美……聰慧過人到令人難忘。所以就喜歡到處串門子……精力充沛極了。動作極大，走路極快，穿衣服極誇張，說話極大聲，像高八度，愛漂亮又愛熱鬧，說話又急又搶話，又愛笑又愛吵……那麼唬人又那麼驚人。

只要來家裡，即使所有別的姑姑阿姨很多人在廚房餐廳大桌前，還是就只聽到她的聲音，聽到她笑起來。咯！咯！咯！那種高音……那像是一個歌舞劇裡前幾幕中一定會出現的某個音階最廣最華麗到最搶戲的角色……出場的戲感，走路的特殊，話語的譏諷，眼神的犀利。或是，就像那種盛妝的有點豐腴的花腔女高音，高難度的脫口秀主持人，call in節目中鋒頭最健的特別來賓……那麼地突出到很難不注意到她……

因爲她那麼胖……那麼想抓住什麼，那麼地激烈，狂熱，衝動，那麼對人生有種過度熱烈的期待……的激情。

但是，其實，主要是她的這種個性，過度的修辭，不太讓步腔調的猖狂……太令我難忘，也因爲這種太猖狂的狀態和我小時候那個家族太講究規矩講究輩分講究禮貌的習氣，拘謹，溫馴……不免太格格不入。但是，因爲她們家和我們家住的很近，甚至就在長壽街斜對面不遠的街口那邊的地方，所以，往來很多也很親，畢竟她和沒嫁而和我們住一起的姑姑們是在同一條街上長大的……

但是，她的一生卻充滿了古怪的意外，一如她的所有個性使然的行徑的古怪，但是，最後一段，反而有點太尋常。那就是……她的兩個兒子兩個家都和她們老人家住一起了，而且就住在長壽街上的其中一棟透天厝。那一開始就像一個完美的寓言，一個全家福式的一家子很親愛很有教養故事的版本，難得地本格派的，應該就是如此：闔家團圓，闔家光臨，闔家觀賞……那般。是從小到老在這個地方長大、在這個地方讀書，生活，工作，變老，和自己的家族的所有人，應該要那樣子活著的樣本。

但是，這種狀態，在過去這麼多年這麼多家族都幾乎是不可能的……因爲，變遷太大了，人變了，家變了，整條街變了，整個城變了，甚至，整個時代都變了……變太多，變得我們都快認不出來了。這個時代那麼地善變到……我們連自己都快認不出來了。更何況是家人，家，不同的個性，行業，輩分。往往連兄弟姊妹因爲念不同的學校去不同的地方……在不同的長大過程……就已然長出完全不同的品種……

妙子姑姑她們家因此變成了另一種奇怪的活著的版本的樣本。但是，妙子姑姑好像始終都不開心，而且我已經大概有二三十年沒見過她了。最後一次，是在我爸爸的葬禮上。她有點恍惚，身體不好太久了。

她開始用一種完全逆轉的方式來折返她的人生，本來是最想要被所有人看到，鮮明，亮麗。在別人面前，自己永遠是聰明的，過人的，光亮的。但是，現在，她急速退化成完全另一種面貌，姿態。從過度的閃亮，激烈……變得過度的退縮，暗淡……變得憂心忡忡地憂鬱到近乎失語而眉頭深鎖。這使多年後的我們再看到她的時候，是那麼地不忍。

彷彿，那個我們的童年，那個時代，不是過去或消失了，反而是變了，是用完全走樣的模樣……重來一回。變質了，裡頭有些最值得懷念的，珍惜的什麼……完全變質成光影暈黃的幻影那麼虛幻。或許，也就過去我們記得的……完全都可能是記錯的或誤解的，被用某種不容易察覺的方法下了藥或修改記憶體式地出了問題而不自覺。

直到看到了妙子姑姑的古怪，才又被提醒或揭露出我們的過去的另一種古怪，讓我們不免因此發現了……我們的過去，是如此地既繁瑣頑強卻也又空虛脆弱地繁殖著……一如雜草攀爬的藤蔓纏生的並不只是牢牢繫入一棵極度古老的原生神木的永久，而也可能只是隨手綁住一根灰撲撲的廉價混凝土灌出的圓柱電線杆的意外……那種同時地無辜又無奈極了。

在家裡，四姑說，當年最愛漂亮的妙子姑姑……現在的衰弱的她甚至無法再自己選衣服穿，開始走路緩慢、退縮、變得很容易流淚、妄想、躁動不安……後來甚至需要兒子幫忙才能穿衣、洗澡及上廁所，而且大小便失禁，躁動，不安，說話都說不清了。

最後這幾年，她必須完全靠人照顧才行，能活下去，就不容易了……

有一陣子，除叫喊外，她沒辦法說話……而且連在床頭尾的隱約翻身都有點問題，皮膚長很多又骯髒又惡臭的褥瘡，令人不安又不忍，大多時候的夜晚還會四肢痙攣萎縮，到越來越枯萎瘦弱到像具乾屍。所有的去探望過她的親人都太不忍心了，一如我那時候所因而心痛地心想……因爲妙子姑姑已然失去了對所有事物的……激情。某種當年我們對她印象最深的……她的對峙或嘲諷老家的某種頑強又反叛的激情，某種近乎狂熱的，衝動的……想說的什麼或做的什麼……反派花旦那亦正亦邪的搶戲風采。

一如當年那做大水的神明廳前，她那麼激動不已的狀態……

四姑說：她近來狀況更差，大概只像空轉……或在撿拾那個時代的還有些更零碎的回憶的碎片。我一直在腦海裡閃現妙子姑姑那疾速說話所拉開的畫面的炫目，然後再快轉式微成太多後來的現在才發生一如追撞了太多事故災害以後的人事全非的枉然，那種種狀態的更支離破碎的零碎……

在那些零碎的灰暗陰沉畫面裡，還有她更晚期的病歷上寫的……語無倫次、不可理喻、喪失所有智力功能、智能明顯退化、逐漸不言不語、表情冷漠、肌肉僵硬、憔悴不堪……四姑說：妙子最後甚至開始覺得有人要害她，她媳婦要下毒在藥裡給她喝，她兒子把她帶到遠方遺棄就不要她了，她老公在神明廳養小鬼作法要害她，就是那種會胡思亂想的被迫害妄想的人格異常……她完全不知道自己病了。

四姑說到妙子姑姑時，近乎哽咽。堂姊妹的她們是一起長大，一起衰老，就都在長壽街上，過這一生，沒想到她晚景如此淒涼，如此離奇地古怪……

這幾年，狀況很慘，除了擔心，他們那長壽街上的透天厝，會出事，因爲住全家的兩個兒子和妙子姑姑姑丈的那四樓的房子……竟然一度被二媳婦她家破產倒了連累而要被拍賣，妙子姑姑病情急速惡化……後來拖了很久的糖尿病，又併發了，非常糟。憂鬱症那幾年更很嚴重地發病，最後，她那很孝順的兒子也沒辦法了……

才只好送去療養院了。

剛開始去，一直哭，一直鬧，一直說要回家。過年本來要回家過，但怕回來麻煩，會變得完全不想回去療養院了。最近一次，我去看她。床單又髒又臭，護士很不細心，食物很難吃……

那療養院的空氣中一直有某種令人難耐的氣味，牆壁過度潮濕而發的霉，便當餿了的腐敗。病人的病袍的血漬或汗漬……混合成的某種很不容易描述的極艱難極困頓的氣息。充斥極不容易明說的嗅覺和人的最低限的難過與寂然。

但是，四姑說，以前最計較最難照顧的她竟然完全不在乎了……現在竟然只是發呆。看著窗外的天空……發呆，也不吵不鬧了。

最後，竟然整個人奇幻般地瘦下來了。四姑說，她又瘦回她少女時代的樣子。

在八七水災做大水以前的漂亮的樣子……

但那更令人看了難過。四姑在掉眼淚……我心裡也極難過……

她忘了剛發生的事，但是只記得小時候的事。尤其……越早，越怪，發生過，越恐怖的事……才記得。

最後，就是完全地死寂般地……遺忘。

所以，最後就只停在做大水那一天，停在所有的家族的過去隨祖父的老玻璃底片完全消失了的那一天。

做大水死了太多人了……我一直都沒法子進入這種死亡，這種龐然到必然壓垮好不容易才活下來人們的死亡。餘生的種種，不是歡喜，反而都是折磨……

四姑一直往下說，我雖然還是忍住了好幾次，最後眼淚還是掉下來。

或許，不是災難的慘痛，而是更多對那些親人和老家的不捨與不忍。

不知爲何，小時候聽到姑姑她們說的八七水災做大水，還沒感覺到那種哀傷，因爲太小了，直到最近自己也進入自己人生的折磨才有感覺到那種所有的人大多都死了而活下來的人都只是倖存的可憐與可怕，那種活著就一定會陷入更沉浸於隱隱約約的罪惡感，或因之對人生必然更虛無以對的懷疑。

但是，後來的他們卻都變得那麼虛無地古怪，甚至更古怪的開心，或在那麼不免零星碎裂地活下來了，就反而不再悲傷地面對著那大時代大災的死，依賴著之後的面對餘生的感恩和驚恐，而刻意或不那麼刻意地遺忘，疏離，輕忽，甚至，以一種更荒誕的法子笑或鬧，更自暴自棄地活著，或就只是不認眞也不知如何是好地繼續故意恍惚地活下去。

因此，做大水以後，活下來的他們都變得那麼地荒誕，一生都那麼地像一定要荒唐一下才値得的餘生……

妙子姑姑嫁的那姑丈就是個這樣的怪人……

四姑說，姑丈從小家裡很窮，做大水那回，家人都淹死了，之後一生都怪怪的，雖然表面上還算安分地在鐵路局上班，但卻一直因爲個性古怪迷戀養怪壺收怪古物種種怪癖而常出事，也因而常遭到同事排擠，到後來退休了，才在你爸爸的工廠養鰻魚，每天都在看那魚塭的池，在一望無際的田，那破爛工寮就像是在一個荒涼無垠大湖邊的破土地公廟，或野祭墳頭旁寫著后土兩個字的小土丘，他在那麼地徜徉又死寂的時光裡永遠只能自己泡茶自己喝。

後來，又有流言傳開，有人說他偷殺鰻魚，也有人還謠傳姑丈還偷載養死的鰻魚去鹿港賣過，更謠傳他老是偷賺一些，偷存一些地過活。但是這個姑丈太古怪地正直了，大家都覺得那大概是他擋人財路，或又是當年的一些恩怨。

「尤其是在你爸爸過世以後……」所有的事，都變得完全不一樣了。

姑丈他後來變得很奇怪，本來就是一個胖胖的公務員歐吉桑，人很隨和，但是，自從我父親過世後，還有妙子姑姑得了越來越離譜的阿茲海默症……連他也不認得了。

後來，他很傷心，就很少回家，變得很不一樣，就常常自己一個人，在鰻魚池畔住工寮，每天都一早就開始念經，焚香，打坐，吃全素，瘦到完全地不像話，甚至近乎人乾般地仙風道骨，甚至留的灰白長鬍子長到腰，全身出奇地骯髒而邋遢，完全不洗的身子和衣服老傳出惡臭，或說就像印度苦修僧那麼地棄世而苦修。

那像一個極度沉湎困惑的結局，我好像看得到姑丈就像一個發瘋了但卻還是自以爲從容的老人，每天騎著一臺老腳踏車從池畔小路繞行那鰻魚池塭的所有水域的死寂，一如做大水的當年那種淹沒的始終沒有退的大水，所有的鰻魚的等待死亡的老糾結扭纏的身影，在酷刑日照下水光折射的波影混亂中，或許對他而言，其實是一如所有當年做大水死去或後來也慢慢跟著死去的那麼多親人及其無法挽回的不忍。

最後，就像是那一整個家族都慢慢死於大水的唯一殘活下來的可憐老人，就在家人的淹沒中，對他們默默地說，每一天，我都來看你們。

甚至，鰻魚池的其他人常常看到他對空中在很認真地說話……不是自言自語，而是在辯論些什麼佛經上的句子，常會聽到一些很難的字眼，臺語念的什麼般若、波羅密、涅槃……之類的別人都聽不懂的字眼……

姑丈後來動過一次心臟大手術，差點就過世了。之後，身體一直沒恢復，也就更瘦得不像話。

「在死去之前要再去一次大陸，去九華山，拜一個仙人！」在長壽街的那常走的巷子裡遇到時，那姑丈還認眞地跟四姑說的。「他兩眼都沒神了，我問他要走去哪裡？」四姑說。他說他要去鰻魚池。

但是，鰻魚池已然收掉好幾年了……

四

我老是會想起一部電影，也是做大水……一開始，就是那一個無心的女主角。本來，她只是在海灘度假，在街上無心地逛繞找尋送家人的禮物與紀念他們來過的紀念品，她沒想到，後來的那紀念那麼殘酷，也就是在那裡她意外地遇到那水淹過整個島嶼的海嘯天災，她在一瞬間就被淹沒了，整個人和那裡所有的人完全被滔天的海浪瘋狂地捲走，大水從海岸登陸，橫掃所有的建築而最後激烈地暴沖入一整條人最多的街。在狂亂咆哮的完全不可能生還的海嘯中跟著極強烈的浪潮旋浮漂流了很久，最後頭顱撞到倒下來的沉重斑駁的木屋殘塊，在暈過去太久的持續衝激狂流中，身體幾近九死一生地撞擊太多危險物，幸好被救起來，但是，之後，會一直看到那她在那街上所遇過的死去的小女孩，那是一個亡魂的迴光返照，還是一個幻影的驅之不散，但是她心裡明白地覺得那絕對不只是腦震盪的後遺症狀，而是一種更深刻的召喚，或更特殊的對她如何活下去的更具神諭的暗示。就這樣奇蹟般地死去了又活過來，她成爲那全球最知名的可怕海嘯的少數倖存者。

她後來才慢慢地明白，那是一種極不容易明說的瀕死經驗，關於來世，關於在死去一剎那的時候人可能可以多衰弱，所以那幻覺仍然無法無天地糾纏她，醫生跟她描述她的腦並無法在那種狀態創造出新的經驗。但是，後來有人跟她說，死亡天使還是會找到她，即使她躲在富人的城堡，但無須害怕。她需要重新深入地討論她的幻覺，因爲那裡沒有時間，沒有重量的感覺，只有光，只有孤立無援的領域，因爲那是祥和在心中的最深的死寂般的安靜。

我老是對做大水的後來還有點懷疑，只是覺得那種生還總是有些神通的保佑的可能。因爲那大水太可怕了，沒有人可能倖存的。無論是當年的八七水災，還是近年的恐怖海嘯。

所以，後來我也極懷疑那電影的另一個部分……也就是在說另一個人用另一種神通的保佑及其折騰，那是一個靈驗的靈媒的故事，平行於遇到做大水的女主角的遭遇，使得這個男主角用別的費心費力來想要逃離這種人生。他說他晚上都沒法睡好，他曾經是著名的通靈專家，甚至出過書，但放棄了。他放棄了原來的人生，反而，不做事或只做不重要的事，找自己的普通人一般的人生。但是他說他的人生正在面臨一個關鍵性的轉變，做一個重大的工作的決定，放棄之前的天賦……因爲，他小時候得了一種疾病，腦脊髓炎，八小時手術，之後，後來他有感應，醫生說，這種病叫做，被動精神分裂症，也就是，他可以看到清晰無比的幻影，別的人身邊的死去的人，感應到他們……那不是天分，而是詛咒，那阻斷了他過正常人生的所有可能。但是，他就是知道一切的事情，那還會阻斷他正常的生活。他常覺得他沒辦法承受了。一如他老是說，死亡不是結束，而是入口，開始，有一個找他的小孩常到教堂後的墓園，帶他死去哥哥的骨灰罈回家，對死去哥哥生前睡的空床說晚安，他需要時間來恢復，他不夠堅強，他不指望別人會了解，但他不會丟下的。但是他的胸口還是老是痛。一如，他聽到的太多過去的錄音所提醒的他人生的困惑……他希望被原諒，很久以前他做的事。他應該聽話，不要知道太多不好的事。不愉快的回憶像不速之客，一直來。像悲傷的歌謠，揮之不去。

最後，在海嘯中生還的女主角和放棄人生的靈媒男主角相遇了……從此之後，就在一起了。那女主角因爲親身看過，聽到，而教她不得不問起了更尖銳的問題。半年前，後來，她就失去一切，完全不一樣了。她覺得她有責任幫助別人，但是，她需要幫助的，是她自己。所以女主角最後寫的關於她在大水中淹沒的被啓發的這本書……就叫《來世》。

因爲，她老說她在那裡經歷了一些事，但還不是很清楚是什麼，但是那迫使災後的她好像有點更內在的無名的改變，自從那意外，回來太快，需要時間來恢復，來費心費力地改變她原來人生的死角，找尋全新的理解人生的困惑，及其更費解的任務……因爲在太狂亂而忐忑不安的昏迷過程中，她彷佛一直聽到有人跟她說：這裡需要你，你應該回來。

在看那部電影時，我想起了當年的一些線索。因爲，那些她聽到的……也是那個從八七水災奇蹟般生還的叔公後來說的類似的話，只是，他說那跟他說話的就是八卦山大佛，用一種很低沉而模糊的聲音，叫他回來，要他重新地做些什麼……他也沒聽清楚，但是，他很慶幸也很心虛，因爲他總覺得他欠大佛一條命，甚至，他沒聽到要還什麼……然而，大多的家人都覺得他只是嚇壞了，沒有人相信。

小時候的我其實一直不相信，還跟著很多長輩一起安慰他，或暗地裡嘲笑他因此變得很神經兮兮的……彷佛隨時有人要跟他把命要回去，不然就是要他去做什麼……

他常常跟小時候的我說，他從做大水被救醒來，就是來世了，所以，他用心地在等，等那大佛再來跟他說話，交代他去做用他的命換來的應該去做的什麼。

後來，他就每天爬八卦山去大佛的肚子裡的大殿佛祖前去拜拜念經到他過世。叔公在葬在大殿旁厝骨塔前還一直說他在做大水的昏迷中眞的看過大佛，但是，還是沒聽清楚祂到底跟他說了什麼。

五

那把鰻魚塭的水看成做大水的姑丈後來還做了很多怪事般的善事。

他說，養鰻魚去殺，本來就是作孽啊！

這句話老是讓我想到那個我媽媽生前的夢，那個鰻魚池裡都是血而我爸爸在裡頭出不來的夢……

那姑丈晚年一直在念經打坐，雖然他也很慘，但卻也想得開。這是因果！沒辦法。妙子姑姑病了又傻了，小孩長大了又出事了，使他即使存了一輩子，沒多少錢，但這麼老了，還是得要拿錢出來幫出事的兒女。甚至所有的亂刷的卡都是這個每天都只念經的姑丈在幫忙付，雖然這樣也不是辦法，但也無法解決，像某種冤冤相報的上輩子恩怨果報的循環來討債。那愁容難掩的姑丈老是說：「船沉，海也遭殃。」所以四姑也老跟著說了這一句姑丈說的臺語的諺語。「像當年，做大水，什麼人都跑不了……」

雖然，我還是聽不太懂。但是，姑丈始終覺得這些不幸都是因爲他當年和我父親一起養太多鰻去殺……所作的孽。

當年，那媳婦她們家本來是以講究品味著名的有點離譜的建設公司，和美的家族還有很多個兄弟做極大的藥廠，是極有錢的，極奢侈到甚至是當地的傳說……她所亂買的好多好多炫目而華麗到像孔雀般斑爛到極瘋狂的衣服包包……也都是最有名的最貴的行頭。後來，建設公司倒了，全家脫產搬去美國了。像某種花果飄零的朱門恩怨式的下場的悲慘，遺孤式的自憐自艾，當年的風光和氣派完全消逝了，只剩下了令人髮指而無法追回的幻滅，那是多麼辛酸的遽變，從極盛到極衰，白髮宮女重溫天寶年間的遺事那種遺憾，又完全無法挽回地出走，只留下她一個人留在夫家，就不得不和姑丈一家人仍住在長壽街這破房子。

當年她娘家建設公司極風光的以前生意做到最好的時候，這長得好看又好時髦的富家女媳婦剛嫁過來時，可是完全不一樣的姿態，甚至勢利到對姑丈家的所有狀況都很不屑而不滿。尤其是那媳婦的珠光寶氣媽媽到長壽街這房子來看的時候，顯得出奇地生氣……因爲，相對於他們所住所蓋的那些樣品屋式的臺中重劃區豪宅的極度光鮮亮麗，那妙子姑姑家的老透天厝房身的每一樓都那麼擠又那麼亂……房間很髒又很狹窄到好像是沒人住的舊貨倉庫，家裡如老古董的冰箱又吵又破舊，客廳房間的日光燈慘白還一直閃爍的燈光那麼暗淡，堆滿的廉價家具已然太破損糟糕到不太能用，連浴室老是地上水孔堵塞到淹沒成做大水。甚至，所有房間的老窗簾，花壁紙，舊裝潢都被親家母嫌實在是太難忍受地俗氣了……

她甚至還曾經刻薄地當面說過那妙子姑姑家的很不體面。「就像狗住的一樣……」

四姑說的更後來就更離譜，那二媳婦非但沒有更安分下來於離開繁華奢侈的幻覺而重新做人地回歸樸素，反而，進入了某種更病態的發作，躁鬱症的循環後座力地燥熱，所以，竟然就更失心瘋般地血拚，更一直刷卡買一些沒用的奢侈的鬼東西，有的，甚至買回來就沒打開過也沒有再穿或用……就只是還一直買，像發病一樣，說也不聽……而且，更可怕的近乎令人難以原諒的下場更是那現場的近乎災難的滿目瘡痍，那麼豪華而美麗的時髦行頭，一買回來就往家裡的死角亂扔亂放，所有的精品就這樣地失去光澤，一如美夢變成噩夢，失去了眼神中的神韻而變成了眼翳裡的混濁光影的蒙蔽。

就這樣所有的最珍貴的珠寶變成了最廢置的廢物，一如荒廢了太久的廢墟，快轉的成住壞空，快轉的人世盛衰的令人難料的極其荒謬，竟然，就在那老家的房間裡，四姑說，她也很難相信她看到的，那幾乎是不可能的光景，出現了前所未有的家裡客廳角落前，那麼多那麼著名的名牌的美麗紙袋，袋身紙質那麼精密細膩，袋裡掉落出好多性感奢靡的行頭，那麼昂貴華麗GUCCI的，那麼古典優雅ＬＶ的，更時髦講究的香奈兒的……種種時尚的鬼東西，有的是已拿出來袋身的貴氣窄版合身洋裝，絲質湘繡襯衫，手工的緹花長裙，別著蕾絲羽毛的各種淑女圓帽，太多太多的精心名品。

但是在那死角，卻完全走樣，嚴重發霉到斑斑駁駁的鱷魚皮或小羊皮種種手袋，已然歪歪扭扭地皺如乾菜而塞滿擁擠得不像話的衣裳，甚至又骯髒又混亂到像垃圾堆，甚至，有時候實在太雜多太難耐，心情一不好，一暴躁，甚至自己就草草率率地用漆黑色的大塑膠垃圾袋把所有的血拚的那心血般的行頭裝一裝，竟然就全部拿去丟掉……

我心裡想著，或許，她和姑丈和妙子姑姑都一樣，他們都太倔強地埋入某種太深沉的傷痛，心頭裡的某種經歷太大的人生的災後的廢墟就從來沒有再重來的可能。但是，就這樣二媳婦三天兩頭都會再發作，到那一陣子也仍然一天到晚還在發病也還在瘋。更後來，狀況越來越慘烈，那二媳婦更瘋了。有一次極深的半夜有一臺聲音極咆哮淒厲的救護車開進長壽街深處，閃爍的紅光劃破死寂的老街的騎樓底，就這樣，轟轟！很大聲又很持久地僵持著，搞到後來很多老鄰居都出來關心到底是出了什麼事。四姑說她也是在好久之後才又好奇又擔心地探頭出去看，就在不遠的長壽街上，那些人群緊張拉扯的現場不就是妙子她們家。後來，問很傷心的姑丈才知道，因爲實在三更半夜太瘋了也鬧得太凶了，所以只好叫醫院來把她載走。四姑說她在被送上救護車那死白金屬車廂和綁緊上冰冷的擔架前，還曾極激動地跪下來……她跪下來說，對不起，爸，媽，我折磨了你們那麼多年。一直抽搐還一直打自己的頭地啜泣地求家人說……

「我不吵了，你們別把我抓走！」

四姑說，她的這種起肖，對我們這個做布起家的家族，這彷彿是一種天譴，一種太過嘲諷的詛咒，因爲人生的太過分的期望與失望，或是那種無常，那種太難理解的荒謬。

那麼多漂亮的衣服就這樣都壞了或都發霉了……甚至有水漬成又髒又臭……丟在那邊，就像腐爛了的種種果肉廚餘般的殘骸……甚至，令人有種打從內心浮升的不甘與不忍。

這光景，這血拚後又一如血崩那般令人崩潰的光景，我想，竟然就像當年做大水淹過的那種所有活生生的都死光光了的那種滿目瘡痍。

一如四姑老不忍地說：眞是作孽啊！

六

難道我前一世就是死在那回的做大水裡……那些可怕的照片可以看到當年做大水的悲慘，那時代最恐怖的八七水災……所淹沒了的那個時代那些地方的悲慘。太多淹沒太久的悲慘在照片中出現了，其實那一直是我錯過的……

我還作過一個困在做大水的噩夢，那是在一個暴雨將至的下午，我被帶到一條波濤洶湧的河邊，被仔細地吩咐要誠心地受刑。

很荒唐的空曠場景引發的更爲荒唐，因爲，來了很久的我仍不知道是自己出了事，因爲得罪了些什麼要人，某些不能不尊敬的長官，還是不能不害怕的妖怪，甚至，連提都不能提的名字，就這樣，我被罰站在某一條大河邊的極小的木製棧台上，極小到僅僅能狼狽地站著或坐著。而且只能發呆，甚至餓了也只能吃泡麵果腹。

在夢中，不知爲何，我竟然穿著古代日本武士服，但是卻像落拓的浪人，手工老衣裳已然皺到破爛不堪，但是，我仍然穿在身上待命，就這樣繼續地等，但就是不能下來，好像被下了詛咒或下來會被嚴懲般地威脅，就這樣，我像一隻無辜猴子，被一條看不見的繩子綁住，就只好困在那裡，用盡一切身體的扭扭捏捏地翻身，或坐或躺或斜臥，而且難過而難看地老被路人笑，我變得極度難堪地狼狽。但還是走不了。雨越來越大，河水暴漲地淹沒了河岸，眼看八七水災就開始了，就要淹上我的棧台了，但是，我還是猶猶豫豫，做大水了，但是我能走嗎？

仍然一直困住，不知如何是好。一如多年後我所看到聖經時代的大洪水，還是最近可怕日本福島的海嘯，我始終都不明白那做大水的恐怖，一直到有一回我意外地看到了那一個關於八七水災的展覽。

但是，我在那些泡爛的屍橫遍野的屍體照片前，看到了一個彷彿我在夢中河旁邊的木棧台。看到了一個個站在河流水暴漲而困在那裡一如我的人們，臉色凝重而絕望，就出現在那黑白陰沉的照片裡。我心想，難道我前一世真的就是死在那回的做大水裡……

那展覽裡充滿了當年關於八七水災的驚人描述。「半個臺灣都泡在水裡了……當年的恐怖颱風帶來極強大到近乎瘋狂的西南氣流，在中南部降下前所未有的一千二百毫米雨量，苗栗縣以南至嘉義縣皆是出奇的災情慘重。當年的省主席視察災情，發現尤其是彰化及附近的溪洲、月眉、芬園許許多多的村莊幾乎完全被沖毀，那是一九五九年八月七日，就稱為『八七水災』。」

「八七水災」是臺灣六十多年來最嚴重水患，一九五九年八月七日從日本南方海面的艾倫颱風，因藤原效應作用，把東沙島附近的熱帶低壓引進臺灣，形成強大的西南氣流，並引起豪雨，導致於八月七日至九日連續三日臺灣中南部的降雨量高達八百至一千二百公釐，特別是八月七日一整天的降雨量已高達五百至一千公釐，接近其平均全年降雨量。由於地面積水難以消退，再加上山洪爆發，導致河川水位高漲決堤，造成空前的大水災，受災範圍包括臺灣所有的農業區域。八七水災災區範圍廣及十三個縣市，其中以苗栗縣、臺中縣、南投縣、彰化縣、雲林縣、嘉義縣及臺中市受災最為嚴重；實際受災面積達一千三百六十五平方公里，受災居民達三十餘萬人，死亡人數達六百六十七人，失蹤者四百零八人，受傷者九百四十二人，房屋全倒二萬七千四百六十六間，半倒一萬八千三百零三間。災區的交通通訊幾乎全部中斷，受損的農田十三餘萬公頃，總損失估計在新台幣三十七億元。甚至，還請求了外援部分，一如發生了最慘烈的戰況……美軍協防臺灣司令部則是於災後立即出動三架海軍直升機協助救災。甚至，美國華府於數日後下令直升機母艦「西地斯海灣號」自香港海域轉向搭載陸戰隊二六一中隊的二十一架H-34運兵直升機赴台救災。他們還特別把任務定名為「飢餓行動」（Operation Hunger）。

我始終記得，四姑說過，做大水的那時候，她們還眞的餓了好幾天。在更早的時代，唯一這麼慘的狀態，是更小的時候，那一回日本時代彰化被轟炸的那次……那種種最糟的慘狀。

但是，兩回的飢餓不一樣，那回是美軍飛機來炸，這回是美軍飛機來救。

但是，這兩回，觀世音菩薩都有出來救彰化。四姑說：還被拍了照片……即使，有太多近乎謠傳的說法……四姑還是很虔誠地相信，每次提到做大水，她就一直說……還一定會拿下長壽街老家神明廳的舊神明桌上那張泛黃多年的老照片，跟我們再說一回那個救苦救難的老故事……上頭泛黃的觀世音菩薩像，仍然和我小時候看到的一模一樣……四姑說：那在八七水災時，被人拍攝下來，還有印在雜誌上，後來相片就一再地被登和被畫，而且可以讓人拜拜。觀音菩薩確實是很靈驗……小時候，我就看過這張照片……因爲就在神明廳的神明桌上。她說，她從八七水災以後，放到現在。一如一個從做大水現場請回家的神像……使我多年來一直不曾懷疑過這種做大水裡神明的神通。那幾乎是我童年的一部分，一如諾亞方舟的大洪水及其神蹟……那麼地靈驗，而不容懷疑。

即使，我也看過更多關於這張照片的更多近乎謠傳的傳說。

多年來，我一直聽過但也一直不在乎……但是，在八七水災展覽現場竟然也展出了這張觀音的照片，也寫出了種種近乎神話的故事……但是，我看了卻還是那麼地願意跟著入迷般傾信地注視著那觀音像的栩栩如生啊！

「民國四十八年臺灣八七水災，中部受災最嚴重時，在彰化大肚溪上空，救苦救難觀世音菩薩在空中顯相，適有人發現雲彩奇異而拍攝下來。我們可清楚地看出觀音菩薩穿著白衣，右手拿楊柳枝，左手拿淨瓶，站在一條龍上。而且此照片係於民國六十二年六月十九日，美國飛行員駕駛戰機，在臺灣東北部上空，看見一股奇異的黑雲，經他照攝下來，相片沖洗後，發現觀音菩薩騎龍顯相神蹟。」但是，後來也有一學者辯駁著：「臺灣某地一處迷信的小廟宇出售一張黑白圖片，印有說明是某年某月某日的美軍飛機在臺灣東北上空，拍攝得此幅照片。圖中正是一位觀音菩薩站在一條蒼龍頸上，在重重黑雲中飛行。這張照片在臺灣頗為暢銷，很多人買回去膜拜。有人寄了一張來給我，叫我鑑別真偽。拜菩薩最重要在虔誠，勿拘泥於相。但此照真偽，拿這張六寸乘三寸的黑白照片明信片一看，很容易就看出這是一張在暗房內動了手腳的合併疊影照片！」

但是，多年之後，我並沒有跟姑姑說這觀音照片的故事的爭議……她太老了，也太相信了……

甚至，八十多歲了的她仍然還每天去拜神明廳放的那一張很舊的觀音菩薩騎龍顯相神蹟照。

那可是我從小就看過的一張黑白照片，因爲，我仍記得……仔細端詳照片右下角。還可以在觀音的白衣裙角所踏雲端下……彷彿仍看得到河流洶湧流過的……大水。

這個畫面讓我想起一個後來我被困住的另一個夢。

那是多年後的我回到了小時候的老家，一個仲夏夜的天剛黑的晚上，我剛從外頭回來，不知爲何，一說話，就被母親吩咐，要我隨後就去神明廳要跟一群忙忙碌碌又專注的大人們在觀音佛祖前念經上晚課，彷彿是爲了做大水在誦經，或是正在要開始進行著更重要的什麼法會或祀典，但是，我不清楚，因爲，在夢中，我還是太小的小孩子，而且就只好跟著準備要去大廳念經，水懺，那最陰森的關於超度累世冤親債主的人面瘡來報仇的故事。

但是，那時候，太小的我並不了解這些可怕的因果，而只是悄悄地走進了我小時候的房間，本來只是要換衣服，就這樣無心地打開衣櫥，但是，太令人不安地吃驚了，我竟然一找就找到好多這四十多年來買的古怪衣服，紐約SOHO潮店買的半透明蕾絲上頭有盤龍紋印花的刺青裝，米蘭找到的二次世界大戰時代的舊卡其軍裝大衣，京都廟前買的極細膩老絲綢的古著僧服，蘇州巷中老店裡找尋到的老湘繡花開富貴的華麗嫁衣，還有更多銀座買來的早年我看過媽媽和姑姑她們穿的精緻織工布身版型的日本洋裁做出的洋裝……最後，卻在衣櫃最深處，發現了還有那件照片裡觀世音菩薩穿的全身雪白的彷彿有神通的法身上長衫，還有更多更多我也不記得的行頭，滿滿的整個衣櫥，我家族的所有最體面的親戚和父母姑姑們那麼多那麼早年的舊衣服，這光景令我不知如何是好地楞住了，看到這些太美麗又太世故到充滿滄桑的驚人衣服，我完全不敢相信，到底發生了什麼事，我忘了，還是我還沒開始的人生找上門來了，我怎麼有這麼多衣服，這麼多怪衣服，就這樣，那時候還小的我就站在那裡，一直分心，一直在試穿，但是，仍然還一邊聽他們的上晚課梵唱的迷幻的聲音，所以，不知如何是好的我還是遲遲沒過去，因爲，法會進行好久了，媽媽一直在叫我，而我一直沒法子決定要穿什麼。最後，我醒來前的最後一個畫面是那麼地荒唐而令人不安而不解……因爲我竟然穿了那件謠傳照片裡觀世音菩薩穿的全身雪白的彷彿有神通的法身上的姑婆以前的長衫，在鏡前，覺得很好看，又覺得很可笑……卻就這樣地站在那裡，遲遲無法動彈。

顏麗子是如何把寶島大旅社蓋起來的（第15篇）那一世。

顏麗子對森山說了一個幻覺。那只像是某種爛電影快轉的腳本，在幻覺裡，所有的人和場景都太清晰也太模糊……太眞實也太奇幻。好像過了好幾世，好幾種不同的下場，最後的餘緒卻都雷同，都只是心頭微微再抽痛一回……

寶島大旅社是從古廟廢墟之中疾速地蓋起來了華麗的建築，但是卻也又疾速地壞毀傾倒下來了……她最後也老是看到寶島大旅社變成了傳說，在那一個建築山牆上現代的巨大時鐘裡，時鐘所變成的洞口一直有妖想出來又出不來地……吶喊而尖叫，哀號的陰森聲音忽遠忽近，鬼魅般的身影鬼鬼祟祟地呼之欲出……

但是始終沒有揭開封印地被死封在裡頭，他們逃出來了……

顏麗子在夢裡重溫了好幾世的好幾回蓋寶島大旅社的劫難，她太明白這個夢，始終是充滿了暗示，充滿了法力的高下，幻術的虛實，人面對妖的恐懼與不知恐懼……那種人間的暗示，一如所有的尋常人或妖的困境，兩難的是，看到的如何不害怕？看不到的又如何害怕？

在幻覺中，森山對顏麗子說：「這塊地死過太多人，有太多亡魂，我們不是他們的對手。」

一開始，他們打開寶島大旅社的沉重日式鑄銅的華麗大門。這一切都是怨念，都是寶島大旅社的妄念，但是其實是冤親債主。

在幻覺裡，某一世，所有寶島大旅社裡的人都是妖怪，也都是一家人。

甚至，在寶島大旅社還沒有蓋以前，妖怪們就住在裡頭，顏麗子那時候還不知道以後這裡要變成什麼樣子。

那時候，她還站在那塊地的荒廢前頭……擔心著如何從剛被日本人拆掉的破廟殘骸，那破廟荒痍的廟埕，那屋身傾圮而地上還破了大洞的廢墟……把它重新蓋成一個華麗的全新的寶島大旅社。

他們巧遇……故事開始時，顏麗子和森山他們在夢裡有過一段甜蜜的時光，他們在那古廟廢墟前相遇，更後來，就相戀。在寶島大旅社蓋的過程那許多年，他們就一起住在顏麗子把那廢墟旁的老房子所變成了的一個詩意的工寮，有時候，看了太多世了，她越來越不明白……也會越來越氣餒，遇到了那麼多困難……顏麗子在某一世時心裡會想，我們蓋寶島大旅社這一世這趟是不是來錯了，這一切值得這樣嗎？

一如，她會看到寶島大旅社的更多的後來，空襲中美軍B29那恐怖的大轟炸，八七水災的水淹的做大水……寶島大旅社蓋了那麼久，遇到那麼多劫難，甚至那好幾世裡……彰化恐怖地人煙死滅，整個城裡全出事了，路旁充斥棺材，病人，狼煙，屍體腐敗最後還化爲枯骨。

她在寶島大旅社的時光變幻的結界裡，不想出來了……她一直在想著，這一切值得嗎？

人爲什麼要這樣受難，寶島大旅社爲什麼要這樣壞毀……

最後，森山冒險走進了寶島大旅社中，要去找顏麗子……

在幻覺中，寶島大旅社已然在所有的劫難之後成爲了一個結界，而且是一個有封印的神通駐守的地方……太險太難，有太多冤親債主亡魂，沿巨大蟒蛇形的扶手，爬蜿蜒的彎曲樓梯而上樓。他爬上了建築的最高山牆上的瑞士巨大時鐘，但也在最後從巨大金屬指針放出收入鐘面圓洞中的很多怨念極深的亡魂，他受傷了。

寶島大旅社變成的建築全壞毀崩塌，所有的繁複華麗的蛇形柱列門廊亭台樓閣都爆裂而離散了，在空中，解體，又收回，重回一個古廟廢墟的現場。

她在夢中看到他們的最後下場……

因爲，對他們來說，再過幾世，再蓋寶島大旅社幾回也不可能會有好的下場。

就只是讓他們每回見最後一面，然後在寶島大旅社的廢墟前，心頭微微再抽痛一回……

旅社部（第8篇）中正紀念堂。

一

我對她說，師大路，對我而言，是一段段關於痛的回憶。

有一段是關於牙的更早的痛的回憶。我一直認爲師大路巷裡的那牙醫是我的恩人，客氣而溫暖，木訥到甚至有點口吃的他，顯得那麼令人值得託付。牙，或牙所暗示的心中的某種害怕，更微小但更深也更隱匿的害怕，不堪也或許不大但又逃不了……的單位更小更不容易明說的不好意思。這使得他的耐心和細心變得更值得感恩，他的牙醫院，小小的，二十多年來沒變過。

我從在附近念研究所時代來看牙至今種種。從補各種壞毀大小的蛀牙、牙齦潰瘍、多年來的洗牙……到修復斷了一半的門牙。到現在，仔細想想，對我的一口爛牙而言。彷彿一個探頭向下暗黑古井裡的所有巢穴洞窟的所有恐慌，彷彿一座蓋在地盤歪歪扭扭上頭的自己的寒舍小屋到處裂縫好像隨時會塌陷的心寒但是又搬不了的進退兩難之中……甚至，就是廟小妖風大的蘭若寺般的鬧鬼許久之後，終於來了一個捉妖兼捉漏的法師……令人感心而窩心。

怎麼想……那眞是一種好像有天使、菩薩、羅漢守護般的神通……也眞是我多年的肉身療癒的屢敗屢戰、邊逃邊打……而還是殘存賴活下來心存感激這些貴人們的最貼切隱喻！

上牙醫椅前的那天還有點痛……還有點忐忑不安，但是，後來就完全沒力沒心去掛念了……一如過去二十多年來的賴活，所以反而有種以暴制暴的自嘲的……還好。一如時光封凍住了的刑具般牙醫椅前的牆上的書櫃裡，仍然完全沒更動過的太多太多舊書。二十多年來都如此的光景，太尋常所以太不尋常……《如詩的鋼琴旋律之解說與樂譜》，《古典音樂入門》，《歌劇華格納全集》，《布拉姆斯室內樂大全》……灰塵滿布的種種舊式古典音樂琴譜、賞析、評論的老派典籍。

另外，就是更多又厚又精裝的舊醫學教科書。其實也都好舊、好久沒翻過的……灰皮《臨床診斷學》，暗紅色《病理學》，隸書字體《內科學》三大冊，最厚的《實用藥物治療手冊》，還有更多……《醫用生理學》、《急診醫學》、《公共衛生學》……之類的夾雜於其中的老時代的種種舊醫書。

但是，我印象最深的是一本是：《固定矯正裝置入門》。

因爲多年前的深讀過的怪異印象……有一回，我在等他前一個病人還沒看好的時光……就坐在那裡找到了這本名字有點奇怪暗示的書。本來以爲是一本有意思的可以聯想到當代裝置藝術之類的書。沒想到，完全不是……因爲，仔細拿起來看，才發現，那幾乎是一本像古生物學、人類考古學，加上高等機械機構學式的……太專業的科技書，裡頭充斥我看過的但卻完全沒法子理解的細節：主要是研究矯正器，固定在牙齒上或可脫卸的怪異設計，講究種種用於移動牙齒的、改變頜骨位置的或牙套摘除後將牙齒固定在最終位置上的任何裝置。

牙弓、上頜或下頜、弓絲，固定在托槽上用以移動牙齒的金屬絲、帶環、黏合在牙齒上增加強度和著力點的金屬環、黏結劑，用以將您的矯正器固定在各自的位置上。

在那書裡頭，牙套，不是現在少女喜歡用來變漂亮的某種花樣，而卻是一種百年前的醫學技術開發出來像工業革命蒸汽機般嚴謹的機器……

在那老時代的故事裡，牙套早年的研究竟然是爲了解決磨牙症。因爲磨牙通常是在睡覺的時候可能引起異常的牙齒磨損，並引起頜骨關節疼痛。書中還很仔細地描述牙套的頰側管，那是指托槽上一個焊接在磨牙帶環靠近臉頰的小型金屬部件。那種管子可能用來固定弓絲、嘴唇緩衝器、頭帽面弓或正畸醫師可能用來移動牙齒的其他矯正器。

但是，對我而言，那些圖形怎麼看都像刑具啊！這回我又坐在那等候的舊沙發上，一想起仔細看過的那書。還是覺得恐怖極了……因爲牙套。那種看似可愛又可笑的牙套……在這裡完全變了，變成了眞正的可憐又可怕的術語科學。我跟她說：你怎麼想像……

書裡的最完整術語描述是：

牙套：牙齒矯正器，又稱齒列矯正器或俗稱的牙套、牙箍，是齒列矯正所使用的一種裝置，用來校準牙齒至適當的咬合位置。矯正器通常被用來改善的咬合不良，包括戽斗、齙牙、哨牙錯咬、開咬、牙齒彎曲或其他各式各樣的齒顎方面的缺陷等等，其目的亦不論是美容或是結構上的調整。矯正器通常會配合其他齒列矯正的裝置，可能用來拉大上顎或下顎，製造牙齒間的空間；或是改變齒顎的外觀。大部分的齒列矯正患者是兒童或是青少年，然而，最近的趨勢是有愈來愈多的成人開始尋求齒列矯正的治療。原理。移動牙齒靠的是力量，力量的來源是藉由牙弓線將牙齒向特定方向推移，將壓力加諸牙周韌帶，牙周供血的改變所引發的生物性反應，透過一側的骨頭因造骨細胞產生，另一側的骨頭則被噬骨細胞再吸收，即可造成骨頭的重塑。骨頭吸收的模式可能有兩種。直接吸收，是從齒槽骨的內部細胞開始的；非直接吸收，或稱逆吸收，從其鄰近的骨髓開始產生噬骨細胞，牙周韌帶因為一段期間的巨大壓力而壞死之際，非直接吸收就會發生。如此一來，骨質吸收即會大於被創造出來的骨質。而骨頭的被吸收只發生在對牙周韌帶施加壓力的狀況。另一種有關牙齒移動的重要現象就是骨頭的沉澱，骨頭沉澱現象發生在轉向的牙周韌帶，骨頭若不產生沉澱，牙齒會鬆動，牙齒移動的方向會出現牙縫。牙齒通常在矯正期間會以每月一毫米的速度移動，但個案差異極大，齒列矯正師可以隨著這個速度修改，這也說明了齒列矯正改變的幅度可大可小。

我在那裡看著那書，越看就越害怕。害怕所有牙或牙套的被精密治療的技術的細節的講究……因爲，那就是我等一下就要遭遇的。因爲，那愈想就愈像極了電影《奪魂鋸》中那變態殺人狂……種種冷靜又精準地對受害者仔細描述著他之後要面對的所有細節。那段科學術語式的冷靜口白其實比那段後來瘋狂的虐殺……來得更爲恐怖。

我說……事實上，在那晚等太久了的害怕中，幸好有可笑極了的電視節目來分心。那時候正在重播老《倚天屠龍記》港片。正描述著一群俠客聚在武當山的受困，用某些輕浮對古代的解釋想像所拍出來的廉價動作片。男主角張無忌和女主角之一的小昭入洞，遇到惡人，被打落山下卻出奇巧合地練成九陽神功，全身中玄冥陰掌快死去的他卻竟然突然打通任督二脈。……我一邊回想早年看過原著小說的迂迴世故，但卻只能一邊注視著看那港片特效很可笑的動作武打橋段……最後，他和滅絕師太對決倚天劍時，還一直有很假的爆破畫面的火光……那幾乎是那時代的對玄奧武術想像的盡頭……但是，比起看到牙醫的書的恐慌，或許這種可笑，還是好的分心……

後來，換我看牙時，我跟牙醫師敘舊，提到師大路這二十多年來的變化……提到了這一帶發了又漲了。所有的不可思議地湧入師大路的人潮、夜店、各國料理店……但是，我來之前還是只去吃我學生時代那攤最老的巷口三十多年前開到今天的生炒花枝羹，而不是跟著時髦的人潮去逛潮店。更後來，我已經插管，不能說話了……他還憤憤不平地說……「這裡店開太多，房價漲太多，變太多，有些新開的店裝潢還甚至亂敲房子的柱梁，搞不好，以後這一帶房子不小心就會垮……你就找不到地方救你的牙痛。」他開始洗牙……我進入了自己的恐慌了，就無法去關心他的關於師大路這一帶的恐慌……但是，那時候已然太晚了，所有師大路上的聲音越來越小也越沉……這種令人不安的靜謐讓我發現更後來的電視上的HBO竟然接下去巧合地也播了另一部比較新的對玄奧武術想像盡頭的電影。那是成龍主演一部叫做《功夫夢》功夫小子式的好看又好炫目的好萊塢電影。我還是分心了……因爲那是一個在北京的黑人小孩學功夫的故事。開車出車禍害死妻兒的中年武功高人悔恨度日想要了其餘生……後來爲了救那黑人小孩反而也救贖了自己。整部電影的情節算是有點切題的迂迴……但是最有意思的部分還是他那些完全看似亂來的練功法門：脫衣服、打棉被、跳泥巴、踢桶子……種種古老又現代的發明。

甚至，就在我洗牙洗到嘴洞最暗最深角落時。電影裡的他們進行到所有練功的最迷人的一段……那是師傅帶徒弟邊練功夫邊上山的一段旅行。那正是最高的山路才能走到最遠最深入雲端的武當山。黑人小孩在看了很多古老院落、寺廟、合院中的老道士練劍、練太極拳的種種門路之後……電影中有一段神來之筆式的伏筆，但是那時候的我卻只能辛苦地邊歪嘴邊斜眼地看去……那是在一個懸崖邊的一個廟身出簷石雕上的一個中年怪道姑，她正單獨起身做出鶴形身影，純白的道袍衣帶飄逸於風中，彷彿打坐又彷彿打拳地極度專注……更怪異的光景是下一個近乎停格的畫面的奇幻，因爲，當她完全心無旁騖地注視著石雕末端的一條昂首也注視她的巨大響尾蛇時，一人一蛇竟然近乎同步般地凝神而入定了，身子一動也不動，但是她的頭卻隨著蛇首而悄然地也很緩慢地同時冥想或晃蕩……那時候，高空山林深處的廟身、人身、蛇身彷彿都隨著封閉的空氣而凍結了，凍結成一個空無的結界。

「武術的最終的……境界，是無形地……身隨意轉。」師傅跟他說……

那黑人小孩似懂非懂，只是仍然打量那奇異的光景，廟簷末端看出去斷崖與更遠方群山群嶺的蔓延……浮雲浮起，天空的天藍，陽光孤寂卻飽滿地放光……

那道姑仍然和那條蛇在那半空中最險的末端佇立……不搖，不打，甚至近乎不動……地動。好迷人的一刻……

我看到這一刻時，牙醫正開始要往更深的臼齒內頰縫洗牙。之後，我只好閉眼，也一邊在想那道姑與蛇的對決的無形武術的……境界的空鏡頭。但是，就在磨牙洗牙機械開始大聲地讓我全身用力地抵抗緊張時。那電影也彷彿進入了最後的決鬥，而一直有對打的功夫叫囂聲，我就這樣一面緊張地聽著武術不玄奧想像部分的廝殺聲，一面同時糾纏回自己的牙的痛的結界。一面想像，這裡不是古代，沒有無形，沒有身隨意轉的我的牙痛如何拮据地療癒……如何進入了更幽微更不堪更不起眼的……痛的結界。在師大路深夜深巷裡，我的恐慌只有託付出去了……像注視著蛇和注視牠身後的浮雲和遠山……牙痛到如此無助的我，也只能打從心裡地相信，不用力，不掙扎，不防衛，不提前準備。只能小心翼翼地緊張，就只能等待痛的心痛，即使痛沒有來或痛不是像我想像那樣痛，我都不能做什麼抵抗……唯一能做的，只能分心，只能更分心地去面對自己的更可怕或更可笑的……專心的擔心。

一如我姊勸我的……就交給主。永遠在專心地擔心自己人生挫敗的我或許是該交出去了。交給終極的……無形的……什麼。交給像這個老牙醫師般的寄託。託付出我的傷、我的痛。雖然我始終仍然沒有。仍然只在更多對自己的小心之中戒備而更害怕而把自己嚇得更不安。

我跟她說，那是一個太不安的夜……最後從牙醫院出來，已然半夜一點多了，全身因爲剛剛的太用力而有點無力地近乎虛脫。我心有餘悸，不太能動……最後，回家前，就只能坐在師大路旁的公園大樹下抽菸，爲了緩解那太多戒備害怕的餘緒……就在那時候，不知爲何，路上好熱鬧好喧譁，完全沒力的我就這樣呆坐在樹下，打量著那些從不知何處冒出來的外國人和年輕人，已然夜半了，但是他們正浸泡在他們狂歡式的週末夜。好多人群，好多笑聲。我只能繼續地呆坐在那裡……聽他們在大聲地有點醉地喊著說著一些有關或沒關的句子對話。你家烏龍派出所啊。你怎麼一直擦杯子都沒有喝吔。你去的那間廁所沒水。你超不眞誠的。你也差不多一點。你到底有沒有去觀景台。你在汀州路演得好生動我看了好想吐。你看起來累了但才三分鐘爬坡拍照。你酒喝完吧大家都要走了！你等一下去哪？你還要拍喔潮男。後來，來了另一群少女們，她們也在有點醉地彼此訴苦……而且我一仔細聽，才發現她們竟然全是空中小姐……我們空服員一飛要飛九十三小時半好可憐。我們昨天的班拉掉而且東南亞短班要不加班要休飛都很難。我們也有種種心酸像去印度有小孩來問要不要擦鞋我們說不擦進去看廟出來就發現鞋子被潑大便好噁心啊……我們去德里玩還有到處都有死貓死狗甚至是人的屍體上頭還有蒼蠅在飛也沒人多看一眼。我們後來看多了也沒感覺了，看到那麼多人髒兮兮地一整群躺在機場地上也不知是活人死人卻只想趕快閃……我們不怕警察尤其在機場沒有警局卻只是砂包圍出一個圈子讓他們穿著警衣的人就倒坐在裡頭打盹。我們太多人在那裡一吃就出事了感染太多不明病毒還掛急診。我們被交代連刷牙都要用臺灣自己帶來的礦泉水因爲那邊的礦泉水都是假的連瓶裡的水都是用假的水裝的一喝一定就拉。我們去太多國連過馬路都超危險連我有一次還在路上被車撞還躺了一個月……我們去過太多地方了去南非去里約去墨西哥去泰國曼谷淹水沒東西買超落後但是現在好多地方都太貴了……我們常常想再加一點就去歐洲因爲想一想還是歐洲好玩……那裡是全世界最好玩的地方。有一回我們接班機中間空了八天就待在維也納玩還跟朋友去了布拉格還繞到德國去好美的新天鵝堡住城堡裡頭。我們住的旅館好貴但是老是人家招待老是住的超好但是我室友都睡不著，她嚇壞了。

我一直到聽到她們的害怕與恐慌才回神過來……因爲聽到她說：我們第二天才有人說那一整晚一直有人在門外走來走去的腳步聲。但是她開了好多回門外根本沒人……那城堡在老時代死過太多人了，陰魂不散的鬼……太多了，但是好可惜……我們太累了，晚上太早睡了，竟然……什麼都沒看到。

我跟她說，我發現……在那晚上的師大路好奇怪。大榕樹黑蔭下，越晚卻人越來越多，蚊子也越來越多，咬得我的腳癢得難耐。但是，天氣難得地好，秋深長夜涼風，我只在那麼繼續發呆，抽菸。我仍陷入對剛才在牙醫院的所有一如幻念般的妄念……對種種驚心的收驚……的焦慮，所以更想要藉這些聽別的陌生路人的恐慌故事的分心來緩緩地緩解。

坐了更久，更仔細看，才發現，這些年輕的男人女人們竟是一整群。甚至本來是想要僞裝成某種……邪教的扮裝。那種看來像是會殺人血祭的傳教士或末世教派之類的那種團體的可怕……但是，後來卻有點荒腔走板了，其實他們好像覺得也無妨……也只是在玩……沒人在乎。

他們只是可笑地亂化妝，想要更濃烈或激烈，有的是黑一團的眼影眼圈，有的是小丑裝、熊貓裝、蝙蝠眼、留八字鬍或塗黑腮紅加烏青塊，有的是臉上有縫隙的紋裂，有的有刀疤或仿八家將臉譜的刺青飛賊或夜行者或暴走族種種……那麼誇張。

那些年輕男女只不過是一整群開心地穿黑夾克留小辮子的怪物，而且自我感覺良好極了。亂糟糟地偽裝的他們仍然彼此玩鬧……甚至彼此嘲笑地說：「到後來……！這樣的化妝都不知道誰是誰。但是殭屍們別擔心，這都只是特效，雖然你這樣卸臉會壞了，但超好笑。」

就這樣，我看到了他們的只是貪玩的扮裝夜遊的單車隊。群出的車燈詭異地閃藍紫光，背包輪框也閃。而且最後卻也商量起要回家了。

他們最後決定要去吃消夜，然後就整群穿著盛裝的扮相夜行暴走而去……

更後來，終於完全沒力的我才終於想到，他們所想的，所想扮的，其實是……鬼。後來，我想起來了，原來，那天竟然是……萬聖節。

關於師大路更早的牙的痛的回憶……我跟她說，這麼多年來，仍然那麼鮮明，一如那晚，我發現我的牙在頭髮已全白了的牙醫的老位子桌上……很多舊紙張上那手寫的診斷紀錄，種種我的治療過程信息，兩排牙床黑線圖形上的標示，牙的完整的歷史、牙齒和支持性結構的目視檢查、老式牙齒的石膏模型、蠟型咬合登記、口腔外部及內部的照片、全景和測顱X光照片。這些讓我想起更多……牙齒萌出、長正或長歪在口腔裡的生長，更怪更糟的牙。甚至，過去在這裡拔牙的所有的細節，太多太多……我的牙的病的史前史……都還在。

一如這個牙醫院仍然在的這師大路的巷中深處……對我而言這裡有點深有點神祕地守護是如此地珍貴……很費解地守護著我的牙、我的牙痛、我的過去那些痛，太隱密地隱藏的痛，一如師大路那裡，對我而言，就像古蹟，像藥師佛般更深地駐守。雖然，每回去，還是要坐上那慘白的牙醫椅，坐上那種冰冷，那種極度小心一如一種儀式、一種懷念、一種惡化的淨化。

或許，這麼多年某些更深部分的我好像沒離開過。

那天約得太晚……他還是答應救我，約晚上十一點，特別地寬容……在原來的病人之後再加診……因爲我說我前一晚牙齦奇怪地痛……很不安。

其實，我在去之前，已忙了一天到快累死了，但是還是撐著……到了那裡。因此，牙醫院裡的那椅、那光、那聲音……的種種尖銳就更尖銳了……

一如過去。每次那嘶嘶吱吱的聲音一開始，我就會全身緊張地用力抓緊椅扶手……來抵抗那種難耐的尖銳。

酸、痛、抽搐……種種一直持續下去的肉的折騰……刮、刺、挖掘……所用的怪金屬氣味的那些彎弧刀具，連座位旁那些染滿消毒藥水味的死白色圓燈、移桿、照具的種種都好像大刑伺候用的刑具。也都好像不斷提醒著更痛的什麼還可能發生……

甚至那些椅旁的許多許多的假牙的牙模堆。暗灰的慘白色、髒兮兮的石膏模。不規則的黏膜形……好怪又好多。一如戰時死去士兵被挖出的金牙的悲慘或CSI的驗屍間在更專注地找案情的……另一種專注與講究。我老想到人體大體實驗裡那種種骷髏頭的牙床骨骸的太眞實殘酷的更古老的也更深的肉身威脅……

甚至，想到當年我去過的西藏某些老市場裡擺攤在賣魚賣肉攤位旁的某些治牙郎中攤子……而且整條黝黑老街上的治牙舊木牌子可眞的很多。大多都有徒手畫的塗鴉式的齒形分布圖在一塊木頭上所貼的又舊又髒的紙上。手寫著。治牙。拔牙。我還看到市場裡一家遠一點角落一點的看牙攤子，有一個老人和一個小孩在喊著：打折拔牙……一顆五十、二顆八十。

整個畫面是難以名狀地荒誕，尤其是在老市場的最深巷中角落的暗處……空氣仍然腥臭而濃稠，燈光仍然昏黃而黝暗，帶血羊頭、動物內臟、糌粑、香環、草葉、藏藥……混合著爛掉的花、爛掉的動物的肉，本來就可怕的氣味混在一起就更令人做嘔……甚至就像屍臭那麼噁心。

這治牙拔牙攤子旁邊竟然還有附近的路邊老布衣、舊法器、古董店，越看越難以置信的我後來實在完全說不出話來……太驚人了，看了彷彿這些本來應該是有高科技診斷醫療的牙醫技術，在那裡，變成了郎中般仍然還停留在古代的可怕與可笑……

我跟她說……在臺北，在那一個高科技的牙醫院場景裡，所有的設備的狀態都那麼現代，連光和空氣都是擦拭而發亮的那麼小心翼翼地……但是，我仍然還是害怕，即使是在那裡。

或許，也因爲我突然想起過去二十多年來的回憶中的殘念式的片段，那些細節，每回來的種種畫面裡的關於痛的細節……咬合、塡補、上藥、磨牙、挖掘、打光……甚至只是某種更深入的洗牙，都會讓我更想到過去更多的難以明說的……痛。

其實那回的我還好。比起以前的狀態……牙根還好、蛀點還好、根管還好……比起有些以前蛀太深的地方出事而等到眞的痛得忍不了再來的恐怖，是眞的還好。

那回只是臼齒太裡頭的內縫牙齦發炎。先上藥，仔細地洗牙，再同時檢查了所有的牙縫洞口。

就在他施做洗牙的每個細節時……我突然感覺到，那些更幽微精密的一如蟲洞一如鐘乳石岩窟的繁複繁殖出的地形地貌轉折，就如同進入了無底洞般的山洞環生的種種不可思議地密密麻麻的……穴口、凹處、歪曲。

進入了迷宮般的同時是出口的入口的牙洞。那些牙洞的蛀，在這種打量中就變成像是古老石窟寺院的鬼斧神工……所有的腐朽爛毀出的牙貌也都變成是佛像飛天神祇雕花式的令人髮指的讚歎。

然而，整個過程唯一難耐難忍的……就只是痛。

這樣子精密地逐顆逐縫地用金屬儀器慢慢地檢查下來，還有大概五六個新的舊的蛀牙要治療……我其實早已昏到沒力了，剩半條命。他說，太晚了。其他下一回再來吧！我內心又開心也又擔心啊……因爲想到終於弄完了……但也想到今天弄不完了……竟然下次還要再來。我突然想起太多我在這裡做過的牙……門牙中縫做過假牙。那些所有齒冠齒根琺瑯質的白堊質象牙質……的一再洗又一再泛黃的工程。顎骨、齒髓組織微血管、牙肉、牙神經……都出過事。正門牙、側門牙、犬齒、第一大臼齒、第二大臼齒……都蛀過、崩過到令人難以想像。還有那種種藏納食物而導致蛀牙發炎的細胞組織、更多琺瑯質、象牙質、牙髓、牙齒核心包含神經線和血管那麼的脆弱的……都出過事也來這裡動過手腳。

但是，他洗太久了，我也太害怕了，害怕到連上排或下排，左或右都有點分不清了。在太疲憊的數小時折騰之後的暈眩裡，那些上刑椅的在眼前的特寫，椅旁的白瓷小圓水盆，吐出嘴裡的洗過牙的廢水，血花緩緩流開再曲弧地流下流入圓心金屬的底端，反光中的旁邊的水杯自動給水系統的金屬器，測重的水柱自動補充流出效應……都還是那麼地令人惶恐不安。

我其實再怎麼分心還是要張嘴，一如奪魂鋸般的無助，然而，有時候一閉眼不敢看，反而更糟，所有微小不起眼的聲音都變得異常地明顯了起來……有幫浦的小型機器聲，噗噗的冒水聲，插入舌下的塑膠彎管噴氣聲。都像一種……暗示。暗示這些無奈都還只是開始，彷彿更痛的還在後頭，使我不免一直在內心想著過去發生過更糟的狀態。

我更用力抵抗，也沒用，我突然因此而想起來，有一回，弄得太晚了，從晚上十點多竟弄到快凌晨三點……

我痛太久了，只好一直閉眼忍住……到了某些近乎完全封閉結界的時光。電視是一個佛教節目的法師用臺語在講《金剛經》。我心中一邊忍住他用機械在磨蛀牙蛀黑深處的痛和可怕聲響……一邊心想著……那經文中的無我相無人相無眾生相無壽者相……他用臺語念起來，好怪。

這時，我打開眼睛一看，竟然才發現牙醫師在打盹，他就這樣站著，動作完全停止。甚至，他可能也沒發現……

但是，機械仍然在轉動……我嚇壞了。但是，卻仍不好意思叫醒他……怕他不好意思，因爲他是爲了我才勉強加夜班幫我看牙的……我怎麼能怪他。

但是，另一方面，我怕他一失手，機械的尖頭稍有閃失而刺入牙齦肉中……即使只有一點點，我不就出事了……就這樣，我頭皮發麻，坐在那裡，一動也不能動……那是那麼多年前的事，我仍然記得那種可怕又可笑的……恐怖。就這樣，在更後來的這二十多年，我仍然只要牙齒有狀況就來找他，一直看到現在，甚至，今天我還是那麼晚才來，他還是看牙看那麼晚地……那麼令人心安又令人不安。我老是在後來二十多年某些重複作的夢裡回到那一瞬間……在那一剎那，我打開眼睛一看所發現牙醫師正疲憊過度地站著那裡動作完全停止在打盹，磨牙的尖銳機器卻仍然巨響而高速地刺入我的牙洞，在我來不及呼救時，牙肉已然血肉模糊地噴出……

二

後來，我還跟她說了一個我的一夜情的故事……那是一個黑女人。

她給我的地址是羅斯福路一段某個前面的號碼。那是我以前重考大學補習那年上課的那一帶。很不快樂的那年每天在那裡……

「蔣中正紀念堂的附近……」她用英文講的，在電話裡。我說，我知道……

我在一整晚的激烈做愛完離開時已經早上六七點了。好多上學的學生在路上，大概是附近金華女中國中的學生……天氣不好，陰天，還下著小雨，海上颱風警報發布後，颱風就轉向了。我很恍惚，計程車還不太容易叫……天色還未全亮。

在羅斯福路上等了一會兒的那段時間，我好像回到二十多年前的那段時光的陰霾……但，是不太一樣了，我覺得自己還只是在那時的一個春夢裡，沒有出來。

那隻狗跟著來開門，跑到房間裡，「出去！」她用中文說的……有點生硬……

那是頂樓加蓋的房子，有個鐵門從樓梯間走到陽台，然後才進房子，很常見的一種很臺灣的奇怪的建築……而且從陽台就可以看到中正紀念堂。

她留細辮子長髮，穿花長袍很漂亮的一個「女黑人」。

進門後，簡單的沙發，音樂，書桌上有一台電腦，我記得她寫給我的e-mail都像詩一樣……

「我在寫，」她說：「替一個網站。」

「你是一個作家？」

「不，我只是來學中文。」

我們有點客氣，因爲陌生也因爲好感，我想起在紐約遇到一些黑人藝術家，她們很有力量，有一種東方人的拘謹所難以出現的野與光芒。

客廳電視裡在播《異形》第三集那片子。

我看到的那一幕正是：那黑人神父用那種假裝凶狠又無情的口吻對明知自己胸中幼小異形隨時會破肉而出地死去的女主角說，你快走吧！上帝會幫你的，另一同時，又替她被另一隻撲過來的異形咬噬殉身……的那種奇特的犧牲時刻。

天快亮時，在這陌生人的家裡看到這幕覺得好奇怪。

好沉重的時刻，好沉重的幾句話，卻全然不同地出現在一邊，很嘲弄地嬉笑和一邊很惡毒地咒罵聲中……

「你想要我怎麼樣？」她把我衣服剝下時，問著。

我說：「Everything！」

她說：「告訴我。」

我突然有點楞住了……從來沒有女生這樣問的直接……

她沒有修飾也沒有誇張，很簡單而清楚地問……所以我反而覺得失措，我跪下來舔她的腿，抱住她的腰，爲了掩飾。

「你不要管我，我想要你開心。」她說。我有點不知道怎麼辦，她推倒我在床上。

「你快樂嗎？」她問。

「你這一生到底想做什麼？」

「現在早上四點，你躺在一個陌生人的床上，不用說謊了……」那時候，我們已經狂暴地做愛一個多小時了，正躺下來喘息，隨意聊著。

「我沒說謊，我眞的不知道……」

「我想寫一本好的小說，但時間……」「我還沒準備好」……

後來，她用力地打我時，我躬起自己把臀翹得更高，有種前所未有的亢奮，她一直打我的屁股的響亮聲……我還在想我還沒準備好……我怎麼會說。

「對我而言，你像個先知……」我突然想到在客廳沙發我們剛聊了一會兒時，我對她說的……

那時候，電視已經播完《異形》，而開始另一部不知名的港片。我看到黃秋生被綁起來逼供，另一個以很帥著名但卻理光頭演恐怖分子首領的男演員幫他打了一針「某禁藥」讓他中樞神經受損。

電視中接著出現他在幻覺中的和兒女去海邊的泛黃過去的畫面。在那過去有一幕關鍵的把那記憶卡放在廟的平安符裡的伏筆，而符就掛在那男孩和女孩的脖子上。再下一個畫面時已是那兒子、女兒殺進一個舊工廠裡，黃秋生被關進一個老機器裡，而且是泡在有顏色的液體裡，像培養皿。

兒子還跟一個凶殘而武功高強的人對打，而女兒則努力在機器旁邊哭邊找東西打那個機器的玻璃面。畫面拉得很長，但越來越模糊。

那使我疲倦極了……

「你害怕嗎？」她問。

「不，我喜歡……」我完全不猶豫地回答，「你好有力量。」我說，「有種神祕的東西在背後。」

「我去過日本十八個月……然後想學中文……」

「爲什麼來臺灣，不去大陸。」

「我去過上海，去過西藏……但還是決定在臺北，那邊眞的不好，我以後如果嫁給一個臺灣男人，我會跟我的小孩說，你們活在這邊眞幸福。」

「我已經好久沒有上床了，只是很想找人做愛……sex很好，但，有爵士，有酒會更好。」

我覺得有點遺憾，我到的時候已經四點多……而且本來是準備以後再見面的……但後來一說話，就覺得……很想。

她說她也是，她早上八點甚至還有課。

「九一一那天，在芝加哥……」她說她印象好深，在電視上放了畫面。

「有個阿拉伯小孩畫了的圖，飛機撞了雙子星大樓，她覺得好可憐，她說她不知道他在這裡要承擔多大的之後的困難……」

我看著她，在黑暗中，抱著對方的肉體……「好了；到此爲止，這時候不該說這些。」我們都笑了起來。「有一點想家了，臺灣不太適合外國人住……」她說。

「而且臺灣男人不太喜歡女黑人……」

「我了解……」

我說：「我在紐約遇到好多有意思的黑人，男的、女的都很美，很性感……很迷人……但，在臺灣，眞的有點難。」

我想到自己也是第一次和膚色是巧克力的女人做愛，也想到更多……

我靠在她的胳臂上……突然覺得自己一點都不快樂。

一直在想她問的話，「我想要什麼？」

「我想做愛？」「我想要一個自己的房子。」「我想要一直出國去旅行，住自己想住的旅館。」甚至腦中閃過，「我想要寫一本我的家族小說，然後拍成一部電影……」但我什麼也沒說，也越想越心虛……

但是，躺在她的身體上，我覺得前所未有的虛弱，因爲她的直接，因爲她的毫無姿態……我突然覺得自己眞的好假，好做作，至少好迂迴……迂迴到自己都弄不清楚自己想要什麼。

「我曾大病過的那一年，我一直在問自己，到底我想做什麼……」我對她說，「但是我也不確定，用力做了很多錯事……很後悔。」我看著她的在枕上的臉，天色漸漸發亮……她也看著我，用她依然發亮的眼神……我發現自己靠在床的牆邊，扭成一個不舒服的姿勢，在我回答她的不經意的問題時。

「告訴我，」她說：「如果你想躺下來或想再幹我……」

「你是一個好有sense的人，我覺得你的照片很棒。」她在黑暗中說著……

「不是身體露的一些部分，而是照片裡你的『身體』好像是廣告片的一部分，包括Fetish那些道具都是。」

我有點不好意思，也說：「我喜歡你e-mail裡那些像詩的句子，讀到押韻的地方，我竟然勃起了。」又躺了好一會兒……天色越來越亮了，隔著窗簾照進來。

「我已經沒辦法再勃起，對不起！」我說。

「你累了，我知道。」她安慰我。

我感到虧欠，抱著她，她卻把我翻過去，側躺著背對她，她手又伸到我的陰莖，緊緊地用身體纏住我……我把手指往後放入她的依然很濕的陰唇……。

「Finger me!」她繼續大聲地呻吟浪叫，我放入兩根手指，伸得很裡面，抽送得很快，她說：「好……」

我想到她剛一開始就很主動很矯健地拉住我，從客廳沙發走進房間，她把我推倒在床上，但並不讓我覺得粗暴……只是很順暢，很果斷地……發生了。

我想到在電話裡，我還猶豫要不要去她家，這是我第一次去一個在網路上認識的人的家……我有點多餘的顧慮。

她把我的腰翻起來時，我不再想我的顧慮，只是很乖地任她擺佈……

我喜歡她的細辮子滑過我的皮膚的奇怪的感覺。

她其實比我還壯……

有點小腹……但肌肉好結實……臀部緊得像運動員，胸部很大，有一種動物性的肉慾感……我從來沒遇過這麼有「力量」的身體，更何況，我還有病在身，手腕仍每兩天要去看一次醫生，持續的忙碌與疲憊，但我的虛弱讓我對她更好奇也更有好感。

有一小段時間，甚至我的受傷的手被壓在一個奇怪的角度，在她大腿內側與陰唇之間，我感覺她好濕，所以繼續撫弄她的陰蒂，仍然伸手指進去……帶傷的手腕也伸進去了，她的「有力量」的身體底下。

所以有點擔心，有幾分鐘，我甚至覺得我會被壓垮，被弄傷，被擊倒……但，我並沒有告訴她，也信任她，也信任這個遭遇……

力量，先知，信任可能都只是我的幻想，但陰莖的勃起與射精是眞實的，我甚至在她太主動問我想要怎麼做愛時，有過一陣小小的懷疑，「她是不是一個援交式的應召女郎。」

這個懷疑讓我有點不安與不快……但我想到她在那成人網站上留的個人資料上寫得自我介紹都像詩的句子，想到我是自己想來跑來的，而她那麼自然，那麼一點也沒有「風塵」味式地做作……

我深深爲我的誤解更難過，我眞的是在「臺灣」長大的那種很假很不知道自己要什麼的「男人」，她的善意與直接那麼珍貴，而我竟然用這麼虛僞地懷疑起她……

我很快地拭去我的幾分鐘的誤解……正如我也很快地拭去我的關於力量先知信任之類的幻想……

客廳電視已播完《異形》也已播完那部不知名光頭恐怖分子的港片。我一如也被打了一針「某禁藥」中樞神經受損。泡在像培養皿有顏色的液體裡的一整晚。所有幻覺般的畫面越拉越長，但越來越模糊。

親吻了一下她的額頭，然後帶上門，安靜地離開。從夢裡離開。離開時，我甚至還一直想到中間有一段很狂野的做愛是我們到了陽台，看著破曉中的中正紀念堂屋頂，我從後頭插入扶著女兒牆的她激烈地插送……

我離開時已經七點了，在羅斯福路上好像回到二十多年前的那段時光的陰霾……

我依然還很恍惚。所有幻覺般的畫面繼續在那段時光的陰霾越拉越長，但越來越模糊。

夢外頭，天氣依然不好，依然陰天下著小雨，海上颱風警報發布後，颱風依然就轉向了，在依然好多學生在中正紀念堂旁正要上學的路上……

三

「你的存在讓我很痛苦。」就像看到電影裡拍出來的《挪威的森林》。一開場，已然是女主角最後一次見面時對來找她的男主角說的這句話……

臺北的南邊，對我而言，就像那小說。是那麼難以描述地遙遠而接近。好像沒有消失過。對我而言，那幾乎是青春期最後才看到的。那時候我已經在台大念研究所，念波赫士、卡爾維諾、米蘭昆德拉，那些很遠又很抽象的小說，或羅蘭巴特、布希亞甚至是馬克思、李維史陀、德勒茲那種很難又很疏離的理論一起看的。在學校的最後，參與了野百合學生運動，接著就去當兵兩年……快轉所有「你的存在讓我很痛苦」那種應該是極緩慢而牽絆的精神狀態，因為在那時代的恍恍惚惚中，我異常地缺乏那小說裡頭最深入的陷溺於浪漫的對愛情和死亡的專注。

或說，臺北的南邊這一帶，一如這小說，對我而言，是一個紀念碑，一個惜別海岸的出海口，一個窠臼，一個怨念，一種幻聽，像文學的最後牽絆、最後的對那個時光的餘光，對那個六十七十年代的懷念。對運動、對左派，對那些搞不清楚就跟著去抗議上街的遊行，對那些相信可以改變這個世界的承諾，及其行動中的熱情。現在想起來，那些熱情，就像青春痘發作，像煙花太美的綻放……過了，就過了，就只殘存了某一些餘緒。某一些內傷般的不捨……一如小說裡頭還有早稻田校園全共鬥時代像我們野百合般天真的示威學生場子，突擊隊式的人生的恍恍惚惚。一如男主角幫女主角過的二十歲生日的那麼快樂又那麼哀傷，雖然，相對於那死去的人那消失的浪漫都只是過場……但是，對我們當年狼狽的青春而言，仍然是那麼地切題地栩栩如生。

我跟她說……那一回我們老朋友亂敘舊好久地那種古怪的心情還在，只是太多年沒見而大家都變了太多。

可是，那回奇怪的是，我的好多情緒卻好清晰地混亂……

那些當年一起在臺北南邊一起混的我們都老了，但是，昔日的交情有著好多難以明說的餘音繞梁……比較像一起出道的馬戲團特技童星，或實驗室裡編號相鄰的超能力少年，但後來卻不聽話而被趕走離散那種交情看了，我們都說不出話來，認識二十多年，大家都很ㄍㄧㄣ，有些太亂的變故，衝突，有的從友人變敵人，有的從情人變仇人，有的和解有的沒和解……。之後，我們都怪怪的，那好像有一種奇怪的默契被打破，像聊齋或MIB外星人拿開人皮露出眞身的妖，或王家衛的《手》或《2046》裡那最美最驕傲的主角露出破綻，還是《第五元素》女童或女高音的曲折到最後的現身，有些該歡呼，揶揄，吵或更激烈地被討論的，都只略略帶過，到後來，就像現場有點燃或燒焦了的味道，可是不確定，而假裝沒什麼，免得被嘲笑大驚小怪，或惹出別的，其實，應該說，什麼事也沒發生，只是，大家好像眞的沒事，有人講了自己家裡的很多快忘或已忘的細節，光影，角落，人的離散，搬，有的有桂樹的過度長枝撐破屋瓦，有拆除屋頂發現的吊在木梁的樟腦玻璃油瓶，還有，壁紙，藤椅，磨石子浴缸，還有我提到的更陰森的長壽街，那些場景的曝光過度，和更多我最近一再重回現場的波折，餘波，迴光返照種種，甚至，有一個老朋友竟還談起一件最怪的事，那是他爸爸在小時候的屋頂養的許許多多的怪禽怪鳥，悉心照顧，多年，但有一天，不知爲何，一早去看，竟，全不見了，她爸當場心臟病發……這事至今仍不知爲何發生也就發生，而且也就過了，像吉本芭娜娜的某一本書的故事的某一塊，崩潰了但沒人發現的壓縮時空的碎片，《沉睡的森林》，《沉默的羔羊》，很暴力又色情的大撕裂卻被封印起來，變成一部默片，泛黃，枯燥，膠捲半毀。

大家出過事的這一小小殘影，也就沒人再提起。

但，仍然繼續的是，我們還是菸抽很凶，外面雨下很大，天就黑了……

她說，她也來過南邊這一帶的太多咖啡廳，也聽過了太多故事……

有一個晚上，她說，她在永康街底那一個咖啡廳聽到吧台一個女生在跟那裡的朋友說話。

說到了兩個噩夢。太像是這一帶會發生的故事……

那吧台女生說：「我從小就很容易作噩夢。後來，更就是怕睡著。一個禮拜好幾天去找媽睡。」吧台的人纏著她：「說噩夢給我們聽。」

她有點無奈，說：「夢中一個穿長袍的怪人，裹布巾在頭上，就像一個阿拉伯人，他眼神很銳利，皮膚很粗獷，蓄鬍鬚，長得有點凶惡，是那種長年在惡劣氣候和地形中生活的武士。

細看，他那長繭的手上，還眞的都是風霜皺紋刀疤，而且，也還帶一柄老式的但卻是眞的波斯彎刀。就在我仔細地打量他時。他卻微笑地對我說：『我是來保護你的。』後來，在客廳裡說了一會兒的話，雖然，用英文說得很吃力。也不知他爲何會來這裡找我，但是，就這樣，再過了一會兒，後來就不太怕了，還想去端杯茶給他喝，就從廚房出去，這時候卻看到有球正滾來在腳邊跳。我低下頭來看，一點都沒有心理準備，一仔細看，竟然是小孩的人頭，人頭像球一般彈跳，那小孩，也不覺得痛或奇怪。甚至，他還在對著我笑。」

「另外，還有一個噩夢。有一次，到了一個朋友的家做客，因爲房子太大了，所以花了很長的時間，走了很多樓梯，經過很多走廊，庭院，看到很多門，精緻明亮而令人羨慕，但，都不能進去。

最後，大家到了有點陰沉的客廳，才停下來。整個木製的很多藏書櫃與明清古式太師椅凳與屏風中，竟就看到一個放在一張最顯眼長桌上的主人收藏的古董。

很不尋常，那應該是一個雕刻得像人的身體的象牙錦盒，半身，沒有腿。

但，細看，有雪白色的乳房，腰身，性器官栩栩如生，而且是完全眞人大小的尺寸。

那反而更誘人也更動人。因爲，雖然裸露，但卻一點都不色情，反而像中醫針灸的古模型人形，標示著穴位或點痣的字樣，只是更神祕，難懂。

我好奇地走近，趁沒人留意，就找了找扣環，在腰椎找到一個小鈕，一碰，竟就打開那女人的身體，砰的一聲，其他人也發現了，就一起靠了過來，裡頭，就更有意思了。竟然，在暖灰象牙盒側的黝黑中，有很複雜的像橫膈膜式的盒體裡，不可思議地，竟就看到好多的器官，在那些該在的部位。

不知為何，突然器官都開始流出不明的液體，所有的內臟都快速地腫脹而晃動，好像一種表演，顏色變幻炫目，光線華麗到難以逼視。

不知為何，在場的人，竟都開始鼓掌起來。

就在我開始懷疑起，我怎麼會在那裡？這到底是怎麼回事？而且，主人到底是誰？這古物到底是什麼鬼東西時……我就不敢作聲，只躲在人群裡了。

因為，就在那時候，就在那懷疑的一瞬間，我突然才開始眞正地害怕起來。而且，在害怕中，我才仔細看到那女體的頭部，才發現那女人的臉竟然就是我。

奇怪的是，不知為何，我心裡明白，那女人不是現在的我，而是二十年後的我。」

另外店裡她們熟識的朋友們穿了豹紋衣裙和鞋、獅子、熊貓、老虎造型布帽或圍巾，那天晚上是野獸趴，她們說。

有個去南部某大學藝術研究所念的老女人朋友回來：「那南部研究所很可怕，管得很離譜：做金工，很細，心也變小……分琺瑯從早上分到晚上十點。像女工，像工寮，甚至，每個人的座位都固定了，每天要去，有時候……空下來，那很老的老師還會問哪同學去哪裡玩了……」

她後來待了幾個月就逃回來了，不想念了！只是一直在換男人……越換越年輕也越俊美……

其他的女孩們一直在裝野獸，放小型煙火。外頭的座位擠滿了人，爬上三張桌子胡鬧，都不太穩了，人還一直上。很多外來的陌生人，也混進來，也一起喝……喝得一團混亂。

那咖啡廳變得很黑，暗暗的。但是大家都很開心……繼續裝野獸，但是一點也不野……

那藝術家女工對找她們問怎麼找男人的小女孩們說：「你們都問錯問題了。」

她說，像那個她提到的西門町腦殘妹，她問有沒有感情其實是想問有沒有人可以包養她？但她說，她問的其實不是她眞的想要的，她還出功課給她做，如何和遇到的男人說話，了解他在想什麼，喜歡什麼，爲什麼……買那種車，戴那種錶，吃那種菜，過那種日子？事實上，她是要腦殘妹離開自己的噩夢……因爲，不只是爲了要了解對方，其實是爲了幫她，幫她可以因此而了解自己！

但是，她印象比較深的，卻是另外有一個有點醉而對野獸趴少女們鬼扯的花美男說的……他說他以前住公館後頭寶藏巖那一帶，在台大後山那裡的原因就只是因爲荒涼，像藍鬍子公爵，從夜店帶女的回家。上了後就殺了，在附近荒地上找地方隨便就埋了，也不會有人發現，沒想到，現在變成了藝術村，公館河邊還蓋了很多新房子，甚至長出了什麼藝術村，甚至，還長出好多家7-11。

她說，她老記得那晚在那咖啡廳……最後，有一群人在做心理分析的遊戲。由其中的一個長得很像教主的長髮枯瘦又眼神極度神經質的女人在對同桌的那個有點憔悴的花美男說話，她很緩慢地安撫他的情緒，說了好久之後，她問他，好像是試探，想提出一種看起來太尋常又太不尋常的舉例。

她要求他說他曾經作過的關於尿急的夢。

但是，那一個花美男卻說，他的夢是坐在車上的。他上車後一直尿急，但是又不好意思說，只是假裝在看外面，過一會兒，司機說：先生你坐計程車如果完全說不出來要去哪裡，那要怎麼去。他問司機：我眞的沒有說要去哪裡嗎？他竟然忘了要去哪裡了……其實，那就是在臺北的南邊這一帶，明明每個地方他都很熟，台大，師大，永康街，中正紀念堂……但是，在夢中他是想回家，卻回不了家。尿急的他卻仍然一直想要先回家再上，但忘了家裡的地址，甚至忘了在哪裡。他跟司機說，回家要先經過一個有名的戲院，但他在夢裡卻戲院名字也想不起來。就這樣，一直開，一直找，又一直找不到。但是，他卻一路都一直尿急……

她認眞地對他說。解夢。尿急是指涉入現實的焦慮，姿態，反應成夢，意識重組成另外的經驗方式，情節，場景，動機，但可以解釋出每個人不同的面對方式，及其不同的困難。一如有人說他找不到廁所……有人的難過是因爲那廁所很髒，屎尿都流滿地了沒辦法上……有人是因爲廁所有人在等，沒辦法……有人是因爲沒穿鞋，擔心怎麼走進去……有人因爲有人一直在旁邊，不好意思……這些都是他的恐懼，或說就是他不願意承認他面對眞實世界困難的轉移……

她對那個花美男說，你的問題很大……他的尿急一直還在更離題地轉移……

因爲從小他一直都是萬人迷，她嘲弄他，因爲他以前曾經提到夢中被一個長得不好看而且靈魂也平庸的大學胖女同學追求而勉爲其難地跟她做愛了。但後來還好、沒那麼糟卻暖呼呼的。她用一種怪異的眼神看著他說，這是對醜和庸俗的某種同情，進而投入、轉移……或更複雜的對胖女孩的恐懼和更不願意承認的接受的某種災後後症候群。

一如她最後跟他說，因爲，他的問題不清楚，他還在躲躲藏藏……從回家都回不了，到連尿急都尿不了……

那時候，在旅館的我們已然不想做愛了……只是一直在看著窗外的臺北的南邊這一帶較老舊的風光敘舊。我對她說：天亮了，從當年在師大路的那一段懲罰的時光到現在這三十年來，我變了。我看到以前的種種心裡老是厭惡而害怕的盲點……或許，只在防守，停留，內在盤整……三十年來，並沒有想通，也沒有離開這個噩夢般的這一帶……或許，就只是分心，逃離，而自以爲不再那麼在乎以前在乎的了……

我跟她說：還有一年跨年晚上，我也是在永康街那一個小咖啡廳過的，或許，又是跟那幾個當年一起在這一帶混的老朋友敘舊。

那年的那裡竟然也是被一堆國高中生占領。玩大老二，捉鬼的，穿短裙長毛襪高跟bling bling鞋卻蹺腳一直抖腿的，玩牌手拍桌面一直緊張地拍，情侶當場抱在一起貼臉的，兩三個宅男互相炫耀手機的，穿的超緊低腰牛仔褲眼影超黑的服務生，音樂變芭樂極了的電音趴舞曲。鄰桌其中一個學號87048的高校女生一直尖叫，然後笑著把揉皺的衛生紙團丟在對面同學臉上。滬江。胸口V領深藍毛衣上繡著行書體的黃字。她們好幾個扭在一起，一起搔癢其中一個最乖的然後更大聲地笑！

後來，爲了不要遇到別的不熟的熟人，我們就反而坐進最遠的角落，最後，就落腳在那裡像是完全密室的另一個地方。

我們一直坐在那裡，發呆，抽菸，一如過去，只是那回，有一個太世故的也近來遭遇太多事的朋友說了好多，這幾年出太多事的和我們年紀相仿卻離了婚、離了職、還病了很慘的她一直笑，她說她已然不在這一帶混了，因爲，這一帶的這些咖啡廳都是假的，假的人，假的人生，假的故事……

她說，後來她根本不覺得我們長大了，因爲她是到離開大學離開臺北南邊這一帶，人生才眞的開始……

她說，什麼是眞的……我一直都不相信人生會有多慘，像有什麼噩夢是不會醒的，但是，這些年實在什麼都走樣了……

那才是眞的人生吧！

她笑著說，甚至，這一陣子實在太多事出事，那年七月她還被太擔心她的她媽媽架去找一個極有名的廟的高人問事情。

叫做……九天玄女。在宜蘭。之前還很辛苦地打電話預約，打了四十分鐘才預約到。那天問完還下大雨，一路上還淹大水，風波大到快回不了臺北，中午去，弄到半夜才到家。

一向太世故太聰明又太鐵齒的她竟然說：那個九天玄女太神了，幾乎求什麼問什麼都行，求保平安，可以在她的醫藥箱上寫字。求姻緣求功名求事業都可以想辦法……但是，說好說歹都一定要聽她的話。

那天，有人帶一堆地契文件，有二塊，她指了指，說沒有，那人說，我再找一找！她說：我都找不到你怎麼找得到。

那現場跟那個九天玄女都太有神通了，那天她現場看到了，她對一個很害羞的說想學作曲的女孩子說：「只要長大，比較不害羞，你就可以從事你想從事的娛樂業。」對一個憔悴而害怕的剛知道自己得癌症的病人說：「你開刀那天天氣很好，醫生那一天頭腦很好而且長得壯得跟牛一樣。」

在那個九天玄女的小廟裡，太黝黑而狹窄，問的信眾太多而擁擠，像是某個神明的神通看得到那麼密密麻麻的密室，混亂到近乎骯髒而破舊的木製爛攤子前，點香的氤氳和令人不安的暈眩的氣息，但是，長得很不起眼而瘦骨嶙峋的那中年婦人長相的仙女，在神明上身之後，眼神變得閃閃發光而咄咄逼人，說話聲音就變了，變得很尖，很急，很不饒人……即使她從頭到尾一直罵人。但是卻又一直很神準。大家都心甘情願地低頭讓她罵也讓她數落……

她看的時候，是一大本翻到舊舊的尋常簿冊，一頁翻一頁。之前電話打來登記的人，完全陌生……但是，她用手摸在頁面上，就可以精準說出所有的那人一生的細節，然後開示，罵人，甚至開玩笑，說話很神又很快。有時太快，還沒問到那個人幾句，就被罵，就下一個了。

最玄的是最後……她說，她媽媽問她的感情，被九天玄女冷嘲熱諷地說她是孤寡破的命，牽也沒用。後來，在咖啡廳裡的她一邊說一邊笑……彷彿是人生太荒誕了，但是又太難堪地看破。但是，世故的她說，幸好，這樣，我媽媽連要逼我嫁人都沒有藉口。

因爲從九天玄女廟出來的時候她媽媽很生氣地說：但是，爲什麼別人可以在那裡牽紅線，天啊！那裡的那種紅線很受歡迎，很神……甚至，有一種紅線要比較貴，因爲是牽了一定會結婚的……但是，她媽媽怨恨地說：爲什麼我女兒不行……還被說成命太硬到牽到她的男人一定死。

四

在這旅館裡，我覺得自己三十年來的人生正在這一陣子漸漸地因爲被自己有意無意的懲罰而出事、失控……而形成一個一如黑洞或絞肉機般的高速運轉。因爲想起太多當年自己在師大路這一帶發生的事，因爲，後來她也花力氣和我談她的一些當年的事，也算是種同樣歪歪扭扭但又極度貴重對我的安慰。仔細想……是聽起來像懲罰但是其實是賞賜的一種那麼貴重的給予。

「這些年，我的人生發生了一些事，內心有些不一樣了，我比較知道我在做什麼，或是我在做的是什麼意思。」其實，她一直說的是：「一如……現在可以跳脫出來之前的阻礙，知道餓是什麼意思，知道生氣是什麼意思；一如一個人開始吃素，去頂好超市看到的雖然都是肉的火腿、燻雞、鮭魚……但是會明白那些食物跟我沒有關聯，本來看到時會很難抵抗，很想吃，但，後來的現在卻是可以進化到肉是肉而我是我，可以不會跟以前的習慣走，而被限制住，而被困住……」

後來，她還開玩笑地舉了另一個更離譜的故事：「像一隻狗熱衰竭死的，牠因爲口吐白沫脫肛，被判這是在陽台曬太陽太久曬死的，主人在去上班前幫狗洗澡，還是愛狗的，但依動物保護法，狗的主人還是要受罰。因爲，狗是我，主人也是我……我被自己困住了，我被我自己懲罰……」

我說：「這個懲罰的故事讓我想到一個字，那一個字是「無明」不太像「無知」；意思是「沉溺在屏障裡，有些東西擋住了，而且是阻礙光進來」，英文翻成Ignoance，不太一樣，指的是沒受教育的，沒有足夠知識去了解的……無知。但是，她跟我說，我要原諒別人和我對自己的「無明」，像過去我對自己的不好，像人生的不順利、像你自己對種種性愛與其他欲望莫名的沉迷……都是。但現在才看到了，因爲過了這些年的人生發生的事，我們眼睛才打開了，會想起……如果不要浪費時間在那些東西，就可以多一點時間做自己眞的想要的。仔細想，很多東西我其實都不需要，這像禪，因爲要和你自己的不耐煩好好相處。

我跟她說：「我解釋我在師大路待過的當年到現在……好像不一樣了，但是卻好像沒有那麼不一樣……因爲，這三十年來，我老是覺得自己每十年都有很大的階段的用力的改變及其恐懼，但可能卻還是什麼都沒有變。只學到更擅於忍耐……害怕自己痛了，失控了，或，就是失敗了。」

她說：「你看，大多數的人，一如你的他們現在變成後來的這樣，但如果倒退三十年，重來一次，他們可能還是會做一樣的決定，如果他們覺得受不了，但是，你也只好還是也要接受他們，就像他們看你也很糟也還是接受你一樣。」

我笑著說：「每個人的狀況都不一樣，如果你像他們一樣，因爲，人是很可憐而可笑的……不是每個人都有能力會改變現狀。絕大多數的人都覺得自己很慘。因爲一個人如果決意要做自己，必然就要失去一些別的本來有的。沒法子……因爲，那是必然的犧牲。」

她說，她以前曾經是那麼天眞過……

「跟你談完以後很多很多過去忘了但仔細想想好像有趣的事情都浮現了，我突然想到我人生最挫敗的被懲罰的一次經驗……那是在念大學，我遇到一個男生，他是演藝圈裡面的人。只是小咖。那時候在讀書的時候他是我學長，我們認識，曾經住在一起。在某一天，晚上我累了我先去睡了，但是到了半夜，有可能是女性的第六感，我起床了。但是，我醒來後看到了驚人的一幕，我看到他在手淫，看著他電腦螢幕上的A片，我永遠記得那個A片女星，叫做草莓牛奶，那時候當紅，他臉上的表情很投入。那時候我喊了一聲babe，他放手滿臉驚恐，馬上把褲子拉起來，我內心糾葛，兩個我在跟我對話，一個我跟我說：啊！他一定是覺得你太累了，不忍心搖醒你。另外一個我說：天啊！你女性魅力，完全喪失，他寧願在旁邊手淫，但不願意叫醒你，那時候空氣好像凝結了，光線那麼地暗淡，我完全沒法子呼吸，而且他那時候跟我解釋了很久所說的話，我現在也完全不記得了，我只記得，在那幽暗的房間裡，在那段我也很幽暗的時光……最後，悲傷的我有種更內在的挫敗，甚至是絕望，那就是我覺得我眞的不再誘人了，因爲跟他相隔不到兩步的距離，在一間只有六坪大的房間，他選擇了草莓牛奶而不是我。

讓您知道爲什麼會那麼挫敗，因爲他其實是浪漫的雙魚座，當年他做了很多浪漫的事，像偶像劇裡才會出現的情節，一如每一天我上完課，回到租屋總會發現下面的公布欄上面，有人畫長得像我的卡通的臉，旁邊總是會寫著：嫁給我好嗎？

對於那時候還是少女處於不到二十歲夢幻的我，總是激動不已，那時候他有時候要去拍戲，但我回到家，我總是會看到一首情詩。我記憶最深的一首他是這樣寫的：「停在這裡，看看妳也看看自己，讓妳聽聽我的呼吸，告訴妳每天發生的事情，也許會有越來越多的事情，也許我的夢想沒有意義，可是我知道妳會在那裡，給我生命的風平浪靜，一切會有目的，眼看春夏交替美好就要來臨，我懂得妳的堅毅，從沒想過放棄，努力來鞏固我們的愛情，你要仔細聽，我每個心跳空隙都是妳。你看完他寫給我的情詩，一定會哈哈大笑。但是，在當年我可是很感動的……雖然，過了不久，最後他還是選擇了與草莓牛奶玩，讓我永遠的沉睡。」我安慰她說：他是不忍心叫醒你啦！只好找人爲這懲罰頂罪了。

五

我跟她說……我應該多麼厭惡這條路，多麼厭惡那一年。重考那一年。

即使在這個師大路旁的旅館裡，在三十年後……

她問我……你怎麼還會像過去那樣地想事情，那樣地使現在的你還是會痛苦。

你沒有發現你已經不是過去的那個自己。「狀態」也已完全的變好，只是那時候的你不承認也不接受。

我跟她說……或許，師大路上的那一年……只是一個我的幻覺。那可能是一個很好的故事，在說一種很清楚的我的困住了的「狀態」。或許，就是一種更不自覺的對自己的懲罰。這種厭惡，或說，這種懲罰……都像是一種憂鬱症的狀態。在住在師大路那一年的我變成了一種我也很難解釋的狀態：「看每個人都討厭！看整個世界都討厭！」

但是，憂鬱是一種病嗎？是一種懲罰嗎？而且是會變成循環性的情緒有問題的狀態嗎？或許，就像對花粉過敏的人，像天生的殘障或盲，或，像Gay，像舌頭捲不起來的人，在所有的人類中占幾個百分比，也躲不掉，就變成這樣子了。

甚至，在某些時刻會更嚴重，例如想起以前的事會變得很激動會批評到甚至想大罵出來，但是，沒有……我常常想到那一年的癌症開刀的去世前最後一年的父親，想到更多不愉快的回憶裡的種種細節的令人不安，會更不開心，整個人好像陷入一個封閉的狀態。

那一年，我每天從師大路走到羅斯福路頭……走到中正紀念堂旁邊的那個補習班。在那個龐大的補習班，在那一年的所有的狀態……都是極度渲染地陰沉……都像每堂近兩小時的課中間下課的十分鐘，那補習班門口的因爲太多學生擠出來抽菸而噴出來的在半空中所竟然形成的烏雲。

一如那二百多人的沒有窗戶的教室，中午全部的人一起趴在桌子上午睡時不小心提早醒來的那種令人不安的時光，空氣的混濁、彷彿眾人的仍然昏睡而我仍然沒有醒來……而陷入了的一個過渡的結界，在那裡，是全然的黑暗。但是，爲什麼只有我還意識清楚，還願意承認這種厭惡和懲罰……

回想那一年，有時好一點時，只會覺得那時像是被附身，而一直要到好像附在身上的魔鬼走了，才能想到……有沒有能力去面對的那一年的事，但是，還沒有能力，然而時間久了，就常常更容易就失去信心。

面對這些都還在的時候，即使有時沒有了，但也都還在，只是還沒發作。

「重考……一如那一年發生的那些事，都不是我的錯。」「像那一年的面對失敗的經驗都還在，甚至，我只覺得那一年就像生大病或像時間拖太久的痛……」到後來心裡覺得身子一定不會好了。

這樣想的話，就更絕望了。會發現自己整個面對它決戰時刻的決心，也只是一種幻覺，因爲到頭來還是很怕。變成只是吃一種藥，沒有變快樂，只是讓鬼走了，還是暫時而已，只要有些神經傳導物質突然過量，就會一直召喚鬼回來，沒辦法。

這種「性質」就是會這樣，像有正義感的人面對不正義的事一樣糟，那就是，雖然看不過去，但也不能怎麼樣。像不怕冷的人，雖然不怕冷，但還是容易感冒，只好還是所有時候都還就帶著一件外套在身上，就這樣，從憂鬱的沉浸到底的經驗裡去學習。和這種「狀態」相處，一旦開始吃那藥，人就會開始變緩慢，變得不一樣，變得容易接受……變得雖然不會愛上一般人的他們，但也不會太討厭他們的不可取。或許，就只是不對抗了。這已經是很大的進步了。

但去重考，本來就像吃藥，老擔心著會不會有副作用，吃多了會不會成癮，或是會不會依賴，或，甚至會因而改變個性。雖然「狀態」變好了，考上了，但自己也因爲變好了而變成另外一種人……或，甚至另外一個人。

那一年……我一邊重考，一邊看心理醫生……撐住了。在師大路那一年。

那時候，所有的狀態都那麼混濁，但是，聽了我的敘述，醫生開給我的還是很客氣，那只是很小的劑量，一般吃1000-1100mg，我才吃200mg，所有的「狀態」來自我的腦袋裡沒有舞台，沒有自己的角色，因爲太年輕就遇上了太重要的困境，我從小可以當機立斷看出人的問題。以前可以做很久很不可思議的強悍而聰明的考試以外的事，但後來不行了，對那一年而言，這就是過敏原。對過敏原的迴避，對「過敏」這狀態的小心，對「狀態」的更小心也更抽象的理解。面對重考，面對失敗……如果要改變那種狀態，就會發生一些事，甚至，有些只是好笑；但有些不只是好笑。

一如心理醫生會提醒那一年的我……他老是安慰著……只要你可以更深更小心地接近這「狀態」就會越來越好。

「不要去要更多東西，對你而言，什麼都太多了！」

「這不是好不好的問題，你要多小心，就像常感冒，要不免多吃藥，不怕冷，不穿外套OK，但，不要澆冷水……不要再招惹一些忿恨。」「像不要因爲花粉熱還接近花，而一直打噴嚏。」「不要回想之前的不開心，不要浪費力氣在可能的生氣，累，燒……」

但是，一直在想吃了之後會好嗎的我……在那一年還是老睡不著……一躺下來，頭腦都是事，都是厭惡……

那一年，我住在師大路一個又舊又破的小房子裡。

每天體罰自己，長時間的跑步，伏地挺身，睡前仰臥起坐至少一百二十個，沒考好再加，有一次做到三百個，而腹肌抽筋到完全癱瘓許久許久……

還有各種懲罰……

聽我哥哥留給我種種很難聽的布拉姆斯或馬勒或巴爾托克或雷同的冷門室內樂，還是故意照編號聽。一直重複地聽那音質也不好的錄音帶。

吃那種師大路夜市裡聞起來氣味看起來長相都極醜陋噁心的土虱魚、臭豆腐、麻辣火鍋的種種動物的血……

其實家人還是極擔心我的狀態……有時父母、哥哥、堂哥、堂姊都會有意無意地來找我，還故意一起吃飯，吃整桌的合菜。湘菜、川菜、廣東菜……但是，我一吃就一定會緊張到肚子痛……

甚至，每天從師大路走到羅斯福路去上補習班……彷彿天色永遠是灰暗的……一路走一路還念英文。而走路的地磚一定會踩到壞的、破的……會翻起來，噴出又臭又黑的前幾日的積在底部的雨水……

這種懲罰……有時也有太荒誕到近乎奇幻的意外。

那對當年的我而言，太像是一種更歪斜的安慰或同情……因爲，我永遠記得那一個每天會同一個時間出現的畫面，像一個噩夢的停格，像一種比我更慘更低階的困境。

那是在我上的那高四補習班旁邊的一個更髒更破更寒酸的國四補習班。

他們的管教更嚴厲到像軍隊裡最凶狠的軍曹的操練……

就這樣……每天，我會看到他們近百人，剃極光的光頭，一起做極難的早操，一起呼極大聲的口號。一起被極可怕地嘲弄與羞辱……

而且，這種每天出演像殘酷劇場的殘酷，竟然就在大馬路旁，羅斯福路底，甚至，背景就在那兩個補習班的老建築旁。而且，就在補習班後花園般的中正紀念堂的隧道出口前……那黝黑的地洞出口。

所有的充滿怨念的一如我的重考高四學生都會聚在那裡邊笑邊看他們的更悲慘的操練……

我一直記得，那場子的人們是如此的荒誕，但是，更怪異的是……竟然還有一個太奇幻的奇觀……在場子的正後方。

像一個神的玩笑，或更乖張的祝福，那廢墟般的一棟建築，不知為何，年久失修，或刻意地失控，竟然一如吳哥窟般地……有一棵巨大而枝繁葉茂的古老樹幹長出建築的混凝土牆垣破爛而斑駁的岔口，盤根錯節地伸出氣根垂鬚……

就這樣，在那百名光頭國四重考生的艱難如少林寺最悲慘蹲馬步的姿態前……那種狀態，一如我的厭惡的最深處，一如神的懲罰，那一棵神木在那一棟三四層的廢墟般廢棄的老房子上頭，被困惑地困住了……

我跟她說……而我最後一次看到，就是在那黑女人她用力地在她那中正紀念堂旁五樓老公寓房子的陽台打我時，我正躬起自己把臀翹得更高有種前所未有的亢奮而她一直打我的屁股的響亮聲中……「你知道我最喜歡你們亞洲男人的什麼？……」那時候，她還站在我背後，我趴在陽台女兒牆旁，她一手用力往前，撫弄我的陰莖，一手往後打臀部，有時，用手指伸進我的肛門，她很自在很開心很不在乎地……繼續玩弄我。

「你們都好脆弱……」她說的那時候，我竟然又看到了，天亮的那光景，在三十年後仍然完全一樣，百名光頭生在被困住的神木前的出操……

就在那時候，我還來不及回答，甚至來不及想……就射精了……

顏麗子是如何把寶島大旅社蓋起來的（第16篇）鎏金蛇。

在第一個夢裡，有一個好久不見或許也不太熟的朋友手上帶一條鎏金蛇出現，來寶島大旅社找生病而臥病在房間裡的顏麗子，那蛇極妖極美，鱗片一如切割精心的寶石那般折射光度地閃爍，更細膩地看是某種奇異的不深也不淺的暗綠帶青色但是更近看又近乎古銅鎏金色，牠的形貌太細小而身軀蜿蜒彎曲，但是卻出奇地從容而慵懶，那朋友也沒有太誇張地炫耀，只是就像攀附於手指掌心地繞身而過在他手上把玩。

牠沉默而近乎不動，不仔細看，會以爲是最貴重華麗的貴族傳家傳世的古老珠寶，精巧的小型珊瑚瑪瑙鑲嵌於純金的細鍊，再綴飾入碎鑽與翠綠小型寶石的奇特，就戴在他的瘦長手指上，一如長在他手上，青蛇竹葉青攀過枯枝的古松，那般地動人。

但是，不知爲何，顏麗子端詳了好久，發現自己仍然還病懨懨地……而且就在寶島大旅社房間的床被裡，不太能動，也不太能說話，甚至，就只是偷偷地先放下旅社太多太繁瑣的事……在那裡發呆。

後來，那朋友和那蛇就窩在床頭旁的小燈桌上，陪她。

她才發現，那個朋友，就是森山。這時候的顏麗子才又睡了過去，但是，在夢中，卻以爲自己已然醒了，就開始有點害怕，不知如何地面對或打理，主要是還擔心如果森山走了，那蛇可能會爬上床。

更後來，她深睡了。在夢中，森山眞的走了，蛇也已然消失。但是，那房間的床頭燈桌，竟然變了，變成了非常華麗而巨大陰森的一整個叢林，極龐然而驚人，雨林中巨大的生態系，河，沼澤，爬藤爬滿的巨木神樹，長出的密蔭遮掩了長空，而那鎏金蛇消失了……

顏麗子擔心牠死了。

心中掛念要從死而活回來，是那麼辛苦，甚至，因爲那蛇的品種太稀有，太神祕，近乎絕種的珍奇。所以，要像傳說中的天山雪蓮，像成精的人參或蟲草，那般地用一生一世去等，甚至，之後就要好幾代等牠重新繁殖，從孢子長出細胞質式地重來，像重新培養出草履蟲，變形蟲，那種從侏羅紀的再來一回……從無生物到有生物，從植物到動物的演化，從魚類到爬蟲類到鳥類到哺乳類，快轉，歷經的滄桑無數次的花開到花謝，日月晨昏，成住壞空……

就像眞的要重來一次的從進化到退化到再進化般地……再一回演化。

必須要重來虔心地見證這回的近乎不可能的演化……

在夢裡，顏麗子想著，難道是眞的……竟然要重新再花一世，等那鎏金蛇回來……

那時候，森山和更多的他找來的人出現了，他們用迅雷不及掩耳的速度和動員，竟然就在叢林前蓋起一小座小型但等比例縮小的寶島大旅社模型，同樣的日本西洋歷史樣式的洋樓模樣，鐘塔，列柱，迴廊都在，只是尺寸都小很多……

顏麗子一起在旁邊等，但是同樣地發現他們自己不能動，也更就是不能涉入。

大家都只能乾著急，像基督教的天使，像希臘神話的神，或舞台下太入戲但也不能上台去的觀眾，甚至只是不該看到命案發生現場的尋常路人甲……後來，等太久了之後，他們都累到想放棄了……又過了更久，在當他們發現鎏金蛇又出現時，他們也發現，叢林那一帶也起了一陣驚動，那是因爲，那寶島大族社的縮小尺度的模型……竟然越縮越小，當這個建築小到像一個戒指上的一顆八箭八爪緊嵌住的鑽石形貌時……

鎏金蛇動了，還疾風般地躍近蜿蜒到害怕的顏麗子面前，吐出蛇信，之後就一口吞下了那個鑽石般……渺小但閃閃發光到令人暈眩的寶島大旅社。

在第二個夢裡，顏麗子發現寶島大旅社大廳毀了。

在那一回空襲轟炸之後，毀壞到只變成了一個廢墟，後來，就被徵收來當臨時的上課教室，大廳的精雕細琢的木頭梁柱已然舊到有蛀蟲蛀洞，雖然還上漆過好多次還是繼續蛀，整個原來寬敞體面的日本式講究大廳沙龍……已淪落成骯髒的只能倉促落腳的角落，太多受驚嚇的小孩擠在裡頭，擠在太老舊的……木窗，木門，木桌椅，木講台，之間……勉強地上起課來。

顏麗子也被找來給這些受驚嚇的小孩上課，她爲了安慰他們，就說她要放電影，是一部當年很有名的黑白片，片名是《諸神的黃昏》，但是有點不安，因爲學生狀況太慘，一定不會想看，太沉，太遙遠，連太久以前看過的她也不太記得裡頭在演什麼，甚至懷疑起她自己以前眞的看過嗎……更後來，電影一開始放映，果然沒什麼人專心在看，很多小孩太餓了在吃東西，或走動，或打盹，或說話，始終也沒人留意地看。

顏麗子想了想，這樣下去不行了，所以還是先上課交代劇情，說點話，或是，她先想在牆上臨時掛起的老式黑板上寫字，再開始說。但，仔細一看，那老式黑板上已寫滿粉筆字，板擦很舊也很髒，連粉筆槽都是白粉筆灰，已經很久沒人打理過的模樣。

她還是叫學生來幫她擦，但是他們很不情願，動作很慢，又擦不動，後來她想想就自己擦，但也擦不太動。教室一直很吵，人很多，還有很多學生或來旁聽的人她不太認得，就這樣，全場陷入混亂。空氣混濁到很難呼吸，光線昏暗，聲音一直因爲吵而轟轟作響到胸口很悶，就這樣，在顏麗子的心裡不快但仍還在想等一下怎麼辦的忐忑時，那老式黑板和放片子幕的牆垮了，整個舊黑板摔落，牆壁出現了一個很大的洞。那破落的寶島大旅社所變成的破落教室裡卻出現了另一個又高又壯像日本教官的老師，那是森山，很熱心，想來幫忙，問她要不要繼續上課，他自己幫她擦起黑板，招呼起學生，想法子可以使場子不要失控，但是，她還是一直分心……因爲，顏麗子吃驚地往外看，牆洞外面竟然是海邊，充斥著野柳那種女王頭怪礁岩的岩岸，一如許多巧奪天工的暗黑色石雕，但是充滿海水漬紋和蝕洞，極詩意又枯竭的大自然，風光是絕美，但海風極銳利，悽悽慘慘，但是還是很動人。她走出去，看著海發呆，遠方綻放的普魯士藍，焦黑的蝕洞礁岩，更詭譎，然而整個場景竟如此地聯繫成好美好迷人的海天一色。

奇怪的是，所有學生都還在教室裡，而她還是在走出來的充滿焦黑蝕洞的礁岩上發呆。他們好像都沒有發現牆已然倒塌了，只有她發現……就走了出來，一直晃蕩，一直不想回去。

最後，顏麗子沒有看到海邊怪礁岩岸上的暗黑色女王頭，卻發現了另一個暗黑色的釋迦牟尼的大佛頭，那時候，她還不曉得，她夢裡的那個暗黑色的大佛頭在五十年後……竟然長出了身體，還長成了這個島上最著名的大佛像。

而且甚至還就長在她小時候常跟她父親去爬的八卦山頭上……

寶島部（第9篇）活菩薩。

一

那是姊姊作的最後一個關於母親的夢。

她說她夢見的那個服裝店實在太奇幻了……那店的現場，全部都是極怪異地雪白的，但是有種淡淡的淺淺的看不太出來的憂傷。

像被成年大雪所困住的珠峰荒原或太冷太深而所有肉身都必然凍住的冰窖。依稀可以辨識的陳列衣裳所設計出的平臺與家具都一如雪山上動人的山川壯麗。但卻也都籠罩上了一層冰凍庫旁那種霜降太多太糾纏而出現的不規則形貌那種意外的慘白。

姊姊說：媽媽已經去世十多年，好久沒夢見她了，但是以前不是這樣，我常夢見她，甚至夢裡發生的都好逼眞，也都竟然是連續的。但是，那些夢都是在媽媽去世不久，大概一兩年之內連續做的，到現在我都還記得好清楚，那時候都好疲憊不堪地忙碌或奔波……

但是，這個夢非常的不一樣，尤其，夢中那個媽媽開的完全雪白的服裝店。她說她夢見的那個店……現在回想起來，是非常怪異地不尋常的。店裡近乎全空。是一種很難明說的白，全店上頭那天花板、四壁、入口側長牆都是大雪般的白的，陳列的櫃位、衣櫥、平台、燈、沙發、小椅……也全都是極具透明感的白，但那種穿透卻是一如在深海水域伏潛般地又接近又遙遠……或彷彿有種荒謬的果凍感，然而氣味卻又是某種空山靈雨式的幻境般地夢幻……

整個店很空曠到令人有種窒息感的冰冷，完全不同於母親過去那個時代服飾店往往擺設很繁雜很喧譁的品項眾多羅列的習氣，而且，更奢侈的是，這個好大的店裡頭卻只有陳列極少數幾件衣服而已，甚至連衣服也是全白，但是卻有很多細節隱藏其中……不仔細打量還看不出來。衣服的布身變化極細膩而繁複，有花紋像結晶雪花繁瑣結構展開萬花筒內視鏡式精密的白蕾絲，有像飛瀑濺出水花或像霧茫茫的霧那般綿綿密密地隱約的白薄紗，層層罩子或手工接縫接在那版型極好而曲弧線極服貼女體腰身臀形的亮白長裙、雪白襯衣、霧白袍子……

那是一片不可思議的全白，極素極曖昧但卻極奢華……姊說她也完全不清楚，爲什麼衣服會變成這樣或店會變成這樣。

在開店之前，她完全不曉得所有母親想要把所有的狀態打點成這樣極端近乎死白的心眼，甚至，直到落成那天，她才被找去幫忙，才看到也才知道……母親竟然就是這樣開了這一家怪服裝店。

姊姊說，其實，在那夢裡，媽媽已經去世了，我知道，但是媽媽不知道……可是媽媽有點期待又有點緊張地跟她說，她要等人……就這樣，姊姊陪她就在那店裡坐了好久，還是完全都沒有人來。但是，店裡的音樂也很奇怪，很昂貴而隱藏的音響播放出來的……太逼眞的花鳥蟲獸的低鳴，幾乎就像是那種完全眞實在亞馬遜森林的錄音，還有些海浪波瀾的另一種一如太像迷幻電子音樂的迴音混音……使得坐在這個死白地太超現實的店裡太久，會更爲恍恍惚惚，尤其眼睛一閉上，就好像在太遙遠的大自然中，或是就像在太空艙旅行太久的死寂外太空裡。

就這樣，姊姊說她就在這種音樂的好動人而迷人的奇幻中，又等了好一會兒，好像外頭街上也一直沒人出現。就在她開始有點納悶時，在門口的媽媽說：她們來了。

她看到了……非常地吃驚，甚至忐忑到不知如何是好。

因爲，等到的，不是客人，卻都是家人，而且是好久不見的家人。

竟然都是家裡死去的家人，還就是過世的那些當年看著我們長大的很親很親的長輩。

她們進來的過程有點冗長，也有點沉悶。但是，姊姊說，她卻一直分心，因爲她一直在留意那更奇怪的發生的細節的怪異……那就是她們穿的衣服。

一開始，等到了外婆……外婆來了，穿著陰丹士林染料布衣，布身顏色是鮮豔比木藍那種傳統靛藍染料好看多了的洋靛那種。然後穿黑色的裙子，是民國初期鹿港極高級布料的衣服，然後她綁很青春但貴氣的繫帶髮飾，綁到肩上，綁兩條辮子，就是老照片裡外婆十八歲的年輕時最美的模樣。

還有姑婆，她在最後面，但是，也是穿老時代的華麗極了的和服，但是和外婆不太一樣，她穿著那衣的質地最細薄最昂貴的絲綢……上頭是京都當年最著名西陣織了九十九朵櫻花的手工繡花和服。

我夢見是這樣，然後第二個來的是三姑，燙那時代那種捲髮，穿老式在銀座當年流行西式的有點花但卻仍然講究樣式的洋裝。二姑穿的款式就更晚一點，她活得比較老一點也比較凶一點，比較接近現在地華麗一點，但也是我們小時候看日本月曆上那種極優雅的現代洋服，布花較鮮豔、繫帶較多飾紋、妝和髮型較新派春日櫻花風的某種開心，她比三姑晚走了二十年……但是反而用另一種時髦連接回她們年輕時代的某種時尚的夢幻。

都好美啊！美得令人想哭……

就在她看著她們那些盛妝的盛世，彷彿昔日浪潮又湧現的激動時，她卻也同時發現：她們是慢慢進來的，也是默默進來的，一個接著一個，也沒有像昔日般地熱絡親密地招呼。那時候來的除了姑婆之外就按照她們過世的順序，也就是那時代家裡的難過傷逝的某種喚回……過世的二姑、三姑、還有外婆。

然後來了之後的她們進了店，也緩慢地而專注地走著……

但是，她們都並沒有到姊姊和媽媽所在的櫃檯旁的桌椅坐下來，反而，竟然就走向入口旁那道全白的長牆，走向全店最空，也看似最單薄的地帶。

奇怪的是，她們卻好像很自在，也沒有任何的摸索或找尋，她們都直接走向牆前，然後，彷彿很熟悉所有的那地方和那機關，就從牆壁上摸到一道之前完全看不到的縫隙，從那縫隙拉出來一個暗藏的把手，每個人都從不同的位置按下，打開。從而拉出整面全白的大理石製的光滑櫃面的一片片石板，那是極怪異但卻又有種詭譎的美的設計。就像某種更抽象更邪門的極簡風的名牌旗艦店，或像科幻電影那種不明生物解剖的實驗室場景，甚至是更前衛的講究時尚的切大體人體又變回原狀絲毫無傷的魔術表演的玄奧舞台。

但是，卻更異常地講究……這個本來是沒有任何家具或擺設的全白房間，結果這樣從一面最長最素的長牆一道一道地拉出來的懸空一如懸棺般懸浮山崖般美絕的風光……變得近乎超現實地又美又詭異。長牆上的薄石板，竟然就像懸崖上一片片極平滑又極工整的切片狀白雲……那麼地理所當然又不可思議地打開……

她們來了以後就慢慢地靠過去，攀上那雲端，倚著扶著又優雅地棲身到上面，像我們小時候她們忙到家事都做完，偶爾累得到姑婆和室榻榻米上小憩偷閒的那種恬淡的平靜……都安詳地躺上去，就這樣，她們不是來參觀的客人，而變成了被參觀的主人們。

像某種歐洲最老教堂的神祕地窖中墓室裡……一具具平躺在棺穴上頭的那古代的聖堂武士、聖母、天使們栩栩如生的中世紀石雕像……那種無比的莊嚴肅穆。

姊姊說，雖然來的每個都是家裡的過世的人，但她心中並沒有太多悲傷。反而是無比的寧靜……然後那個如實驗室的店的切片白雲設計每個弧度細節她都記得很清楚。

但是她始終記不起來媽媽穿的那件雪白的衣服是什麼樣子。甚至，她傷心地說：媽媽生前一直在忙，一直怕髒，所以她是幾乎不穿純白的衣的。

那是她作過的關於媽媽的最後一個夢……

二

之前，還有更多個姊姊的夢。那像是所有的人和所有的時差一起混亂了的一場場夢……

姊姊說，她後來不是記得很清楚了，最早的一次，在夢裡好像是媽媽跟她說，在啜泣，很委屈地提到媽媽想要去上班，但是老家的姑姑們反對……那彷彿是在我們小時候還住彰化長壽街的時候。

然後還有好幾回好像夢見媽媽跟她說她要去開銀樓……做賣金子的生意，或做賣生魚片、賣古董、賣鹿港的佛具……但是，每個店的顏色都是陳舊骯髒地近乎黝黑。

姊姊說……好奇怪，她就這樣地常常夢見媽媽，但是夢中的媽媽都是在做生意，她都記得好清楚，那些黝黑的店裡的破舊模樣和那裡頭來的老客人。

每回夢見媽媽，都那麼雷同，到後來，往往太疲憊不堪的她就很明白要怎麼應付，一如應付一個小孩糾纏她陪她玩的不斷重複的遊戲……也就是媽媽說，她又開了店，賣了什麼，然後她就會在開幕當天去幫忙招呼客人……

第一次她還記得，就是媽來跟她說她要做生意，就是因爲沒錢，她要去上班，可是姑姑反對。雖然生氣而沮喪，但是，她臉上化上精心的淡妝，穿著全身珍珠粉色的洋裝，很貴氣地顯目。因爲，那就是當年她在當扶輪社社長夫人最風光的一天……那去育幼院參加慈善活動致詞那時候所穿的那套一生以來最銀座風的華麗套裝。

然而，後來的每個的夢，媽媽來告訴她時，只有她知道，那已經是時間差切換到二十年後父親去世而我們被迫離開彰化的時候了。

姊姊說，她後來仔細地回想才覺得奇怪，因爲更後來夢中的她已然忘了父親過世了，而且媽媽也忘了她已然不用在乎姑姑們的反對。

只記得一種奇怪的心情的疑惑，她只是覺得印象中的媽媽怎麼每次來，都是來跟她說她要去做生意，而且每次卻都是做不起來的生意……但是她還是那麼投入又那麼沉迷，而且，每回新店開張，媽媽總是跟她交代說：你再來幫我招呼客人，也就只是這樣，沒有更多的請求或期待……

可是她後來卻慢慢地想不起來媽媽來找她幫忙的樣子，因爲有種內在的改變已然發生了。一如最後一個夢裡頭發生的，因爲，其他的夢裡完全都是客人來，但是最後一個夢，來的都是親人，而且是死去的親人。

那像是一個故事連續的系列，她都沒有心理準備媽媽之後還會想開什麼別的店，因爲再過不久，媽媽就又跟她說，她想要做別的生意，像外婆當年那樣在外公去南洋從軍失蹤之後所陷入種種極度不安的狂熱……但又同時混淆著完全沒把握的心虛。

姊姊說，但是，直到新開那家太時髦的死白服裝店以前的每一回，她都還記得媽媽穿什麼打扮成什麼模樣……雖然有點老派而陳舊，但是她還記得媽媽穿的每一件衣服的盛妝貴氣，然後頭髮燙成什麼樣子的微捲華麗、戴了一個什麼樣子耳環的亮眼動人。

三

姊姊說，當年一直困住的她覺得要找出路，後來去了印度，到了那個被稱爲瑜伽之城的Rishikesh。她說她後來有一天在小旅店巷中一個小店喝湯，竟然在那店裡還看到一部提到一個完全吃不出味道的女人故事的日本偶像劇。

店裡還有年輕人還穿上雨衣要出去外送咖啡，有一貴婦全身昂貴還抱一隻絨毛玩具般的寵物狗，眼神還慵懶得近乎痞寐。外頭雨越來越大了，她覺得自己面對未知的威脅的狀態好像始終還不夠，也始終觀望。在那一個碰巧看到的電視橋段裡，那個已然決定離婚的日本中年女人對做法國料理的男主角說，你那法國派的味道沒變，就像當年我設計的珠寶那麼美，美得甚至捨不得吃，但是後來我變了。我的人生已然毀了，好吃的料理已然完全不好吃了，後來，完全無感的我只需要刺激，只一直加廉價的佐料在廉價的食物上亂吃。但是，男主角勸她說，你的這種吃法只是在折磨你自己。他說，當年我們在搖滾樂上失敗了，變成了酒鬼和流浪漢，後來，經過太多困難，才聚到這個河邊的舊倉庫開這個長相破爛卻好吃極了的小小法國料理店的。但是，現在也挽救不了地毀了。那女人對他說，我們都是失敗的，因爲我們等待的是需要有客人期待我們。但是，我們太容易被取代了，沒有人會等的，這個世界就是這樣，我們已然無話可說。但是男主角勸她說，我之所以走上這行，其實是因爲我的童年，我人生第一次吃到好吃的回憶，是在很悲慘的狀態下，是因爲吃到好吃的那個派才拯救了我，而讓我想要好好活下去。

姊姊說，她看到這裡，一個人在印度的陌生小店中熱淚盈眶地低聲哭泣，哭了好久，但是，覺得內心本來被困住的地方好像比較沒有那麼被困住了。

她仍然待在那個古城，因爲能找到更多的被拯救的可能，就這樣，又過了好久，還發生了更奇怪的事，偶然與巧合，像是一種上天可憐她而送給她的禮物，療癒極了。因爲不久的後來，有一天她在路上走，不小心被一整群盤踞在路中水牛的其中一隻撞到後腰，她說她極痛，好想回頭打那隻髒兮兮又發出惡臭的水牛，可是回想了一下才想到那種傳說的禁忌，因爲牛在印度是聖獸，一定不能打，而且，更氣人的是，她旁邊所有印度當地人都停下來而在那現場又混亂又擁擠的路上笑她，使腰很痛的她只好停下來找地方歇腳。但是，奇怪的是……她說她卻因爲這樣被撞，而走進了一個店，那個店竟然就幫她找到本來要找但一直找不到的那個極冷門瑜伽流派發源的地方。

因爲那個城幾乎每條街每個角落都有上瑜伽課的地方。但是，卻是那個店的人幫她找到眞的她要找的地方。「謝謝你。」那印度老太太跟她微笑回答而說了一句她想了好久的話：「因爲你也是這樣的人。」

她說，她在那瞬間卻因而想起一個小時候在長壽街老家聽姑婆說過的故事，像是最玄奧又費解的一種宗教啓示或一種哲學寓言。那個故事就是關於這種折射或反射的人生的狀態，自己的更內在的投影，理解世界的某種限制或侷促，想像的盡頭或開始都一樣，因爲，其實，再怎麼好或不好，再怎麼對或不對，其實都只是一種偏見般的偏執，沒有人被困住，也沒有人需要被拯救。因爲我們所活著的這個世界只是自己內心的投射。

她想起那裡上課的那個極老的瑜伽老師跟她說，瑜伽讓我們找到我們身體的黑暗面，肉身到更內在的暗部，某些看不清楚又常忽略的部分。甚至因爲太暗而一直更在找尋一些沒法子看到自己的事做，而更偏執。停在那裡，感覺暗部，那麼自己心中的某些偏執，才可以些許地讓開。但是，其實那時候常常練瑜伽練到受傷或舊傷復發的她還是聽不太懂。只是每天繼續練得汗流浹背一如過度運動到虛脫的那種激烈，來讓她自己分心。

一直到在那裡發生了那件事，讓她想起了那個故事。

那個姑婆說的故事是一個極尋常的故事，有一個旅行的人去一個地方，那個當地老旅店的老闆問他，你們國家是什麼樣子的地方，他說，我們國家是一個島，那個島很小，所以住在那島上的人都很自私，每個人做任何事都只是爲了自己，那個當地的老闆說：「我們這裡也是這樣。」

第二天，另一個旅行的人也到了那個旅店，那個老闆也問他同樣的問題，但是，另外一個人說，他來自的島國所有人都很慷慨，很樂意幫助別人，但是，那個老闆的回答竟然還是：「我們這裡也是這樣。」

四

那是阿姨的最後一個兒子的喜宴，那是一個甚至是一群極普通人的普通人生，我也是裡頭家族裡的一員，太多年不見，離上次的另一個表弟的婚禮。那甚至是一個完整的過去的縮影，完整的各房家族難得相聚地辦桌吃桌。所有令我緊張的老人和小孩都出現。

我一直保持微笑，吃很少，敬酒只喝礦泉水，一身汗也一身冷汗。我沒力氣去了解也沒解釋更多，都只能說好，奇怪，我爲什麼還是覺得那麼累，像是，開著最耗電的完全戰鬥模式。

「鬧洞房般地鬧新郎新娘要拚命敬酒」那般地熟悉的靦腆，一如過去的一切再度搬演一回，但卻是快轉，角色更替，老的更老小的更小，但是仍然尋常馴良，甚至只剩下太久沒見以後更客氣的寒暄和更沒有威脅的敘舊。

無論如何，看著阿姨在婚宴的背影，都會讓我有種很窩心的鼻酸，會讓我現在還會願意回來這種娘家式的大場子的累，或許都是因爲這裡還找到了媽媽的影子，像回到小時候一樣。

那是過世媽媽的娘家的大舅二舅阿姨對媽媽的想念，而移到對我們的關心都變得更晚的沉重，或是我們因此而進入了當年另一半的童年遺跡般的重遊，再回到小時候外婆從鹿港到基隆走私故事太久沒想到太多餘緒的更早的感慨。

幸好還有很多喜宴的胡鬧與胡扯來分心：

「呷甜甜才會生後生，喝到乾才會生懶趴。」

「爸爸的表姊要叫什麼。爸爸的堂妹要叫什麼?同姓還是不同姓。表姑還是表姨?」

「還沒生的二表弟要打包帶回家，活龍蝦、活尾鱸魚、炸田雞……都可以壯陽補精，讓他整晚認眞上工！拚一拚！」

「舅舅帶孫子去拜外婆當年帶他去拜的龍山寺文昌帝君，這樣隨便念也會上台大喔！」阿姨長得和媽媽好像，也越來越像，我姊也和媽媽越來越像，所以大家都是越老越像也越美，甚至看起來都像外婆！

「唯一要打屁股的是你們姊弟都還沒結婚，這是最不可被原諒的，千萬要認眞一點！」

其實，更多小孩的故事還一直像藤蔓般長出更多更細的細節：大舅的大孫已經高二，又胖又高又潮還邊吃喜酒邊聽耳機。二舅的小孫女才上幼稚園兩天，又甜又愛使壞地到處跑。有一個大舅媽曾經病到腦部有點出事，現在已經好到只是說話有點慢而結巴。有一個帥表弟曾經玩到醉到和人在夜店打架打到腦震盪而鼻孔一直流血流不明體液一年多，現在已經認眞上班顧家抱四歲女兒乖乖哄她吃飯。長得忠厚老實雖然不太好看的表妹夫剛換工作很沮喪，公司要調他去大陸，但他不想去，只好不甘心地走了。小兒痲痺但很懂事的另一個完全素顏的表妹在金石堂待十年當到大店店長還是走了，前年考上衛生署的公務員職缺還很忐忑地微笑，我一直很欣賞她的某種認眞而難得的認分卻又極樂觀進取式的滿足。阿姨的另一個孫子也來了，是之前自殺去世的表姊的兒子，他一來倒頭就睡，現在國一就學壞了，前幾天還甚至失蹤，大阿姨還報警，後來知道原來是去KTV唱歌喝茫了，就睡死了也不接電話，大家都沒法子，那是媽媽娘家的某處暗角的陰影。

阿姨在婚禮送客後滿難過的，一直看著我們。眼眶紅紅的……欲言又止。阿姨說到媽媽過世後她所作的一連串關於媽媽的夢。我們聽了都覺得內疚。夢裡頭，媽媽一直還困在父親死後破產後的麻煩裡頭，始終打點所有的細節，永遠周旋折衝，永遠很忙很累。但是媽媽已經死了，阿姨知道，但是媽媽不知道。

阿姨說她很內疚當年父親去世時，媽媽狀況不好，但是她沒能幫她太多忙，幸好後來，她看到我們兄弟和姊姊長大，才比較放心。阿姨到了最後才說：她今年農曆七月一直夢到媽媽，不知道爲什麼，她一直都夢到媽媽，但卻都是在媽媽的告別式的現場。她到了卻看不到老家的人，覺得好傷心，她這麼愛的姊姊的喪禮竟然沒有人來。也沒有更多的親戚願意來幫忙。後來問，才知道是他們都不知道她過世了，但是，她後來就想辦法說，還是要準備開始出殯的行列，變成是她走在最前頭，後面才跟著我們小孩和儀隊和人不多的隊伍，就是要想辦法在那個算好的好時辰可以上路。但是，走了一段路之後，突然路前頭跑出一隻好凶惡的狗，一直朝這裡吠，像是要撲過來似的。但是，阿姨並不慌而就只是揮了揮手。突然她背後也跑出了三條狗，往前衝出去，在一會兒的對峙與打量之後……竟然也就順利地把惡狗給趕走了。所以，在夢裡，她才開始有點安心，一如她好像眞的順利的把媽媽送往西方極樂世界，碰到的罣礙也化解得很好……就叫我們不用擔心。

那個夢的最後是阿姨發現了當年媽媽送她的一件嫁裳……那衣服眞是很別出心裁地漂亮……還是媽媽自己手縫的，在最顯眼的衣襟上，還用很華麗的針法和很昂貴的金線繡了很多花鳥蟲獸在上頭。阿姨問她說怎麼不留給女兒當嫁妝，媽媽笑著說不用了。上面還很清楚的繡了阿姨的名字，但是她卻一直想不透那是誰，因爲在夢中她忘了自己的名字，所以也不知道那名字是什麼意思，一直到夢醒了才想起來，眞感心，但是也很令人費解。

更特別的是，平常不戴項鍊的媽媽那次戴了好大一串白色珠子項鍊。阿姨說那是極樂世界的人才會戴的，她嘆了一口氣說：如果是黑色的，就不好，因爲她自己選擇那樣的方式，後來她才說：像是那個自殺的表姊，在夢裡就會戴黑的珠鍊。那意味著她死後的現在，一定還在受苦，也一直都在受苦。

但是你們的媽媽不會這樣，她人很好的，她一輩子很慷慨對人也很好。她的過世也很好，阿姨說，以前有個拜拜的師父就說過她前世是一個菩薩身邊的天庭宮女，所以，她現在功德圓滿地修完才回到天上。

你媽媽被菩薩收回去了……

五

整個過程都太神了，在還沒有準備好就發生了，也在還沒準備好就結束了……或許，我也還不知道發生了什麼。那回去找神醫，是陪姊姊去看五十肩，她痛太久了。

傳統市場巷裡深處的一個不起眼的舊房子。那個神醫在放血的過程爲了讓我們分心，提到了他一生唯一的興趣就是用最離奇的方法釣魚，庖丁解牛般地下刀殺魚，自己講究刀法地做生魚片。

但是他只釣最難也最貴的魚，石斑、紅魽、潮鯛，釣完就放生。以前還會二天一夜出去海釣，遇到過三層樓高的瘋狗浪，很多回掉下海差點回不來，後來沒辦法這樣三十六小時沒睡地出海，就自己開車去北海岸去磯釣，開到哪裡釣到哪裡地出去野，那種看著太陽落海的光暈從烈日炙身般的金光燦爛到緩緩地彷彿腐敗的肉身地轉枯黃轉暗淡赭紅轉到餘燼般的死灰，最後沉浸入黝黑如墨跡的夜空，在那又遠又近而重重淹沒翻滾潮聲低度的轟然，在手中握住如古劍如枯枝般的參禪法器的釣竿，完全精密掌控地下注下釣但是又空曠地願者上鉤地豁達，那是很難明說的人生極限的體驗。

魚釣回來了，自己吃之外，以前還會送人，就這樣，過了二十多年，每個禮拜週末都會去，一出去就彷彿失蹤了，中午吃過飯開車出去就再也找不到人了。一如他當年去了大陸四年學中醫。其實他父親就是做國術館跌打損傷的名店師傅，他從小就在這種草藥膏藥罐中長大的，本來還完全想離開，在年輕的時候眞的就灰心到不想做了，甚至逃家，後來被捉回去了，最後是送去北京念一個中醫的名大學，跟了一個極有名密傳神功的老師傅，學了這身神醫的本事，才回來臺灣重起爐灶。

後來，姊姊才開始了更進一步到整隻手的下針，吸血，放血，血從透明的杯中冒出來，從扎針的針口，肌膚慢慢地滲出暗紅的血。姊姊在更後來，休息了一陣子之後，才說，那種種不同部分不同層的痛的感覺才慢慢地跑出來。才回來。

姊姊說，她從小就很怕痛，從以前暈針怕血，但是，有一回還捐過血，旁邊兩個人抽五百CC都抽完了，太慢了，十五分鐘還抽不完，二百五十CC，整袋血都不能用了。但是，還是因爲去算命，有血光之災，所以去捐血。那醫生說，有人說也可以來這裡放血，這樣也算。但是，捐血是抽動脈的血，比較紅比較漂亮，但是，微血管的血都比較髒兮兮的，混濁，甚至有氣泡或凝成血塊，液體快要變成固體了。姊姊說，腰的脊椎歪了兩塊。那是她小時候摔過，從樓梯上摔下來的。後來就站不直，而且甚至長不高。有點駝背，因爲這種姿勢太久，就胸悶。甚至，從來都沒法子平躺地睡，往往只好歪身側睡，睡不好，到彷彿沒法子睡。就這樣，需要進行全身的大修，趴下，整骨，拉筋，坐骨連接到的腰身，背骨，種種連鎖反應式的拉出骨頭，然後再拉到末端，調回原來筋疲力盡的筋骨原樣。拉手彎身，扭成一個半麻花形的姿勢，然後頂出腰眼，再出手一撞，聽到隱隱約約的咔嚓一聲。然後，才到放血，吸血，一如過去。他很快又很準地下放血針，就從坐骨窩扎到側大腿前端到右腰頂側，有十幾點針洞吧！用拔罐杯，壓縮機地抽氣，噗噗噗低音，看到天花板的曲弧線彩色玻璃花燈影的流離，還是可以感覺到血一直從下體流出，被吸走。你的傷處已然從坐骨蔓延到旁邊了。整個臀部到後腿吸出來裡頭的血團很多，彷彿是一團一團的帶氣泡的血菇，黏稠的半凝血體。那神醫安慰她，你身上的側腰、腳踝、上臂、手背、無名指上的很多處淤青雖然黑，但是還比較不要緊，其實看不到淤青的地方還比較可怕，因爲深到太裡頭的深處。其實你的狀態太深，會痛就像眼睛裡有沙子，這種放血，就像是把沙子先拿出來。就是更深度地把壞了的髒東西拿出來，用某種現在的語言說，就叫做消炎。因爲，這樣子之後，其他的部分再由身體裡自己很緩慢地修護。

神醫還拿出一個解釋用的脊椎模型，充滿了細節的完全眞人大小的脊骨，拿在手上可以細看所有的塊狀骨骼和肌肉如何卡接一如卡榫般精密地銜接，那些彷彿筋疲力盡的筋其實是線條顏色都極度鮮豔而美麗，以古怪弧度地彎曲，最後連到底層較橫向收尾不規則彎面骨盆的骨，但是，乍看，卻是像一種漂亮的雕塑，枝繁葉茂的小盆栽，充滿了五顏六色的細微突起物，甚至，很多伸出的觸手，枝節，像一隻動物，爬蟲，或變形中的怪獸。

我留意到那裡的現場，今天去看病的，還有一個很小的小女孩在那一個小房子一直哭，那神醫正在幫她推，手腕，大概是痛，但是她哭得極大聲。母親在旁一邊勸說一邊責罵地安慰，要忍耐一下，這樣才會好，才能再去游泳。那神醫也一邊哄一邊放輕地拿捏手勁地推。但是，她仍然一直大哭，沒有停，也沒有被勸得多忍耐。甚至，所有人在看她，她也不在乎。

痛和直接地回應，都激烈近乎誇張。我好被那狀態打動，不是因爲吵鬧的吵吵嚷嚷，而是因爲那推拿館是所有人都很痛但都很忍耐的某種默契被打破了。而我也好久沒有想起我是什麼時候無論遇到多痛多忍耐都開始不再哭。我好嫉妒那女孩。她的哭一如她的誠實，想說出國王的新衣出事的那個我，那女孩所面對的痛與不忍耐眞實因此提醒了我太多過去，太多我變成現在的過去。

因爲，沒死的我還躺在那裡，待了更久之後，我發現了被扎針放血的那張臉有一個洞的小病床旁，擺放了很多雜物的紛亂中，奇異地出現一張古代解剖的老中醫針灸穴位圖。或許放太久了，深色木漆鑲褪色金線的老舊畫框從地上浸進水氣，一如霉點爬上的老庭院的慘白的長牆那種浪漫而斑駁，或許有另外的看不到的什麼長出來了，但是也沒明說，沒人看破，只是像那種不小心看到的泰國或韓國的鬼片那種電影開頭某種有點惡兆的不經心，場景裡的陰暗角落光影明滅不清，路過的人太多太久也沒人留意，只剩下了某張老牆斑駁不堪的傷痕般的圖像只是像髒兮兮沒人打理的輕忽而使圖底有雨漬長上來，沒有更多的注視，或未知的未來的懸疑的可能。

一如我，一如我也只能因爲放血放太多而疲憊不堪，或就是太擔心而好不容易被好好照料眷顧，終於可以放心地失神，昏昏沉沉地沉浸在那房間的恍惚之中。

就這樣，我就看著那個人，光頭，臉上留白的五官一如古人，毛筆勾勒書法線條翻滾畫出的圓瞳大耳，古畫中的玄奧充斥於其四肢頭顱，那全身經脈如血管神經鮮紅外溢的分岔蔓長之外，穴位旁還有很多古形中文字，老書法字，寫著古文式的穴位名，曲池，足三里，種種怪誕的標示古字。

使那個身體內臟器官都露出的病人像是正在被從裡到外剝開的剝皮般殘酷手續中的停格那般地駭人，或是正通過一種如核磁共振高科技顯影照射的虛弱狀態的奇幻，但卻又更像被一種古怪未知的神通所牽動而飄浮起來的大病之後剛成仙的仙人，亦正亦邪，亦病亦仙的某種妖僧，怪方士，火雲邪神，但是，仍然剛張開眼睛重新打量這個他之前所看不清的人間。

而且那成妖成仙的祂在畫幅的昏黃黝黑的怪誕中，祂那血肉暴露於外的過去看似常人的人形就站在一朵陰翳到雲朵形貌扭曲的烏雲裡，或佇立於養苔養了上千年的傳說中神仙出沒的深山上頭。正凝視地看著病床上的好像是祂的我，遲遲無法回神。

姊姊最後完全沒力氣了，只能趴在床上休息，頭靠在有一個橢圓孔洞的床前，臉放入那個洞口，後來就完全不動了，一開始還有點在說，好痛，後來，過一會兒，她沒說話了，但是，卻發出一種怪聲音，昏過去，像痰吐不出來，打呼，哭泣哽咽到喘不過氣，開始發出一種粗野賁張而極度乖張意外的怪聲，太怪異到近乎是來自另一個身體，或身體裡的另一個人，另外一種狀態，在那種狀態裡的呼喊或叫囂，一如失神而起乩，而被附身地近乎著魔，那般地喚出了身體裡的什麼……

但是，那個時候的姊姊並不知道，甚至，她其實是昏天暗地到完全失去知覺了。

然後，發現了狀況有點失控的那神醫還是很氣定神閒地把她抱起來，翻身，按人中，我拉她的手。她才慢慢回神來：我怎麼會在這裡，怎麼會躺著，剛剛發生了什麼事？後來才慢慢地想起來，看到我，看到醫生，才知道剛剛自己昏過去了。

我不知道我也嚇到了。她彷彿已然昏迷太久而不太清醒地慢慢回來了。

最後，醫生很高很壯，濃眉大眼，肌膚黝黑，像一個有神通的羅漢，姊很瘦小，之後，雙手抱她的頭，扭頭，用一種很緩慢的懷抱，細膩地微調，前前後後地輕晃，彷彿是在悶鍋裡的餘震，然而，在某一瞬間，他的龐然的臂膀突然疾風般地迅雷不及掩耳地斜起拉動了一下咔嚓一聲，微微地轉換幅度，向左向右，然後，姊姊的那頭顱就好像被在這種扭動的那一剎那被扭斷，而整個頭就被摘下來了。

六

我想到那一回的那一天，姊姊提到過小時候聽媽媽說到的另外一個姊姊的離奇悲劇及其更離奇的餘緒。

我已經太久沒想到那個姊姊的事，她比我這姊姊大一歲多，生下來就很不好養，那種很會鬧很會生病，是很不尋常地可怕。因爲常常整個晚上都哭媽媽幾乎沒辦法睡。那是太久太久以前了，那個姊姊很小很小的時候就過世了，還沒滿週歲，因爲太多奇怪的狀態，彷彿和長壽街這個家是相剋的，一抱入家門，就大哭，後來就一直出事，非常難養，每天都一直胡鬧，一直生病。

後來，那一個姊姊就是在某一回生病的時候吃藥粉的過程意外地一直咳一直咳到整個臉龐發青，後來，竟然就在大家慌亂的某個剎那就斷氣而嗆死的。

但是，那一回生病吃藥的被藥粉噎死的事太突然也太離奇，所以，大家雖然難過，還是就過了，因爲很快就葬了，也因爲才一歲，後來，大家就不太提這件難過的事到都幾乎忘了。

我記得媽媽以前提到這事時，眼神都很感傷而內疚悔恨。甚至，還很掛心地提到有找過特別的道士爲她助念，做那種特殊的可以送她趕快重新投胎的法事，充滿了不安求心安的驚心和慌張。

使得現在的這個姊姊也受到了某種餘震般地波及，因爲她是出生在那姊姊去世的不久之後，所以媽媽不免滿擔心的。因爲這個姊姊小時候也常生病，也常會鬧，所以就老怕她也長不大地突然夭折。

甚至，另一方面的矛盾更荒誕而驚心，那就是媽媽還擔心她是不是那姊姊投胎回來報仇的。

沒想到這麼多年以後，這個姊姊非但不是仇人還反而變成是這個家的恩人，尤其是自從父親去世後的面對所有傷害的最重要拯救和挽回……都是她在悉心布局打理，支撐這個家破產後所有的債務拖累了更後來三十年來的恩恩怨怨，餘地極少的餘緒，使她那麼辛辛苦苦地用某種基度山恩仇記式的小心翼翼在應對所有家破人亡之後所有迫切的危機四伏。

甚至，姊姊後來也怕了更後來的一生，至今，她每回喝藥粉都很怕，一定要變成藥丸或藥錠，連那種粉狀中藥包都沒辦法，都會不免在服用的那一剎那想到那個死因而充滿陰影。

一直到那回和那個老朋友去了那個深山……那陰影才有了不太一樣地消散而分心地離去。

姊姊說到她那回和那老朋友去過一個極度奇特的山中旅館，在太魯閣的某個很高很遠的一如京都深山裡的講究山莊，整個極空曠而遙望不到邊的四野，只有那極少數獨棟別墅建築，太詩意但又太孤寂，尤其在山中起大霧的迷離時，在門口甚至看不到鄰間，彷彿在某種仙山或幽境的幻覺之中，由於那麼地近乎孤絕地埋入了深山的空靈裡，使她有種近乎打坐禪修的療癒感。

尤其在一個花蓮瑞穗更深的名爲蝴蝶谷的深谷裡，那旅館的夜晚有一個行程是招待所有的客人體驗那深山的空靈感最深處，每個人只發一枝很弱光的極小手電筒，還故意用厚紙環繞密密麻麻地遮光，只能很小心地往下照看路而使得整個過程的上路都在很暗很靜的某種奇特之中緩緩前行，一如迷路的孤魂野鬼們鬼鬼祟祟地攀身於深林之中，又不安又亢奮，但是非常地小心忐忑，所有人都跟著旅館安排的極資深的部落獵人走最冷僻的夜路上山，一路往山谷的最裡頭最有靈氣的地帶中前行，就這樣，越走越遠，甚至，走到最深處，會出現了某種超現實般魔幻而動人的奇觀，那種在完全的漆黑中的極微弱但又極精密閃爍的光影婆娑撒野。

姊姊說，她那一年就在那裡和一個一起去的老朋友談起了那件另一個姊姊如此離奇死去而令她耿耿於懷的往事，就在她們坐入最暗黑的山中看著螢火蟲的螢光如鬼火亂飛的迷亂時……

一開始只是姊姊在那漆黑裡……提到了她想起的那部有點離奇的關於一個女孩的電影，和她討論起那裡頭的某種最奇異而迂迴的救贖，一開始的情節裡的那一個精神病院中的醫生們在進行一種波蘭式的治療，那其實是一種腦前葉切除手術，之後那個病人連名字都不會記得，所以，後來被關進去的小女孩那女主角在困難中將最痛苦的那裡變成像是一個自己幻覺中的劇場，而在各種過不去的困境中，所有的守護天使會以各種方式各種角色出現，即使在最不可能的地方或甚至以惡魔的面貌出現。她始終告訴自己：「那是原因，也是出路！」一如她催眠著自己：「我的洋娃娃只要我開始跳舞，所有的困難都可以化解。」一如那一部電影的故事始終是在舞曲中出現而推演，那個女主角自我催眠而進入不同的場景，第一段她發現了有人給她一把劍來進入幻境，在進入一個日本的古廟中遇到龐大的惡靈而激烈地決鬥，之後下雪，她開始砍向包圍過來的更多忍者般的祕密軍團，就在古廟前那石砌的老燈柱包圍的廟埕廣場前，有人縱火，有人廝殺，更後來的第二段第三段是未來的或過去的機械武器的猖獗，那是在第二次世界大戰或更多不明的未來戰場最深處，那裡充滿了最狼煙四起的廢墟和壞毀瘡痍的斷垣破屋，碉堡在的附近仍然充滿環伺的敵方，到處有德軍爆壞的種種大街廣場的遺址，甚至最後她到了某個巴黎聖母院模樣的破爛歌德教堂前頭。飛船轟炸中的戰壕裡還到處有機關槍和巨砲太長時間掃射激發後的蒸氣蔓延空中的硝煙四起，甚至所有人都掩護她，她還是很難逃離，就像線上遊戲的破關……永無止境的危險，她進入了最艱難的戰鬥，每一段都暗示下一段的更血腥也更暴力的困境，一如她最後要逃亡所需要五樣東西，先知告訴她的那前四樣的一張地圖一把劍一把火一把鑰匙都只是路徑和技術上的考驗，雖然場面更後頭就更爲華麗而龐大，但是，她卻始終等待救贖些她也一開始並不明白的什麼……

因爲，她明白了這種種戰役都只是在讓她進入最後的體悟。因爲，如果要其他人離開那裡，她就必然會死在那裡。所以她在幻覺之中問了更深的自己：「你要我幫什麼忙，讓我換個方式問，到底你要什麼？」因此，或許她也知道，因爲，最後一樣是一個謎，所以那也會是最重大的，先知告訴她，那個謎，終究會是一個她也終於甘心的自我犧牲。

姊姊說她竟然因此聽到那個朋友所從未提過的一個和她有點雷同但又那麼不同的關於藥粉的悲慘故事，而且更離奇，因爲很善良的那個老朋友提起了她的女兒，姊姊從來沒聽她說過充滿傷感的這段往事……

她說她始終沒辦法原諒自己，一如那部電影，她應該要犧牲她自己去救她的女孩的，但是，她始終沒有來得及去救她，或許，她一生下來就太不一樣，她說，她這個令人擔心的那種一直在打遊戲機而活在自己幻覺裡的小女孩。她有一回自己開的車出車禍，在送醫的路上，她沒死，女兒竟然就死了她完全沒法子原諒自己，她太愛那女兒了，她崩潰了……後來，花了好幾年，才慢慢恢復回來，但是她自己人生也就因此完全走樣了！

姊姊說，她那時候一直安慰那個說到後來就開始啜泣的朋友，就在那極深山中的暗夜中，在那一如滿天譁然的諸多星星的螢火蟲光，到處晃晃悠悠地浮現又流逝，竄起又飄落，就像某種太令人不安又令人心動的鬼火，召喚了更龐大的什麼降臨了……她始終有種奇特的感動，就在那個朋友的傷心和那深山裡的黝黑深處，她那多年來耿耿於懷的內心最深的不安，彷彿被另一種種種難以明說的悲傷所撫慰到而感覺那陰影雖然沒有完全地離去，但彷彿比較地消散淡然。

七

姊姊是一個難以想像的人，一個難以想像的活菩薩。

但是又那麼的不起眼，完全地只是發善心而做，甚至沒有人知道，她根本就沒有說。但是，她所做的善事，是那麼不容易，那麼不打從內心是不可能做地艱難。她發的願多慈悲……竟是幫忙那種最可憐的人收屍的，尤其是那些最意外死去而沒人埋的屍體。某些八卦山路最偏遠險彎的車禍所撞死而手腳爛到被野狗咬的流浪漢、上吊在陰蔭深處而已然屍斑都爬滿全身的中年女人、在家死到發臭而滿滿蠕動的蛆長出來還爬到破舊房間外都仍沒人發現的老榮民……那種種意外的、被遺忘的、被遺棄的可憐的死去的人，甚至有時還慈悲到幫忙他們那最噁心惡臭的腐爛身軀清洗大體。

那近乎不可能的慈悲反而使她太專注了，甚至她講的方式，就好像是她在做的最重要的事。雖然，自己也很忙很累，去幫忙的她也只是去山上發願，有一回意外腳扭到而去八卦山路邊的荒廢小廟裡歇腳而就因爲這緣分開始跟著拜，這兩年跟這一個很投緣的老師父，而那老師父覺得她很用心，所以就越幫越多，也越修越深……

姊姊也跟常去八卦山大佛殿裡幫忙助念往生者的四姑提過，但是她說和四姑說話壓力很大，會覺得自己很心虛，好像沒那麼早也那麼發願，當年對那些大佛殿裡的老師父們而言，她彷佛一直都不夠虔誠，甚至前幾年因爲工作太忙，而沒有每次都到，就好像顯得不夠認眞，很沒心，所以很沒用。

那大佛殿師父們有一回跟四姑和姊姊說：「你們都是菩薩投胎，這一世是來人世修煉……因爲你們是太敏感的太像某種特殊體質，所以，人生很辛苦也很恐慌。」

姊姊說她眞的也是這種狀態很久了……所以說她也常常在靜坐會一直有聲音，沒辦法靜下來，不要怕。她總覺得只要她聽懂了自己就可以靜下來，但是就是不行，甚至好幾回看過壞東西，和某些鬼魂或她也不明白的什麼擦身而過。

「有一次還看到父親！」姊對吃驚而懷疑的我說：「看到他的手。胖胖大大的手，但是，心裡卻不害怕，手就像父親，我那時候還沒睡著，我看到他摸到我的手，但是一回頭往後看，他就消失了，整個狀態很安靜，感覺沒有不舒服，反而是很安心地被撫慰，所有內心的某種很難描述的不安被療癒了。或許，我沒眞的看到他，我只是充滿他的感覺，某種情緒或抽象的印象，但是，心裡頭就是很清楚，那就是父親，就是他。

但是，他已經死去很久了。可能因爲那時候我很痛苦，所以，他來幫我。但是，之後好像眞的心情就不太一樣了，不再那麼執著，所以也沒有再去看到他，像是……作夢的事眞的發生。」

「像是要照一種心的X光。」其實這兩年姊去看的那心理醫生老是越說越玄……他說：那心病和那人就好像一直困在長壽街上，因爲那心病比那人還長壽，永遠不會過世，因爲沒解決的那人下一世還會再來受苦……而且往往就還再投胎在同一個地方，甚至同一條街。

其實，姊說到她爲什麼和四姑很有緣，因爲，她自己最近也一直困在一種奇怪的困難裡，而且她除了跟四姑去看師父，也還同時正在看一個長壽街上的奇怪的心理醫生，他竟然也跟她說到關於輪迴。提到了她的狀態是種種……人的困難在時間的困難裡的更深的發作，甚至那就是那人的前世心病在今生的投訴無門。

他跟她提到一個臨床病例，那個人被催眠之後說：你爸和你兒子也在這裡，他們叫我跟你問好。他爸爸是一個日據時代的南洋拉伕的可憐士兵，在後來流亡而死於痢疾在一個印尼的小島中，但是也在行軍，同時知道兩個身分，他在臺灣中部的長壽街也又在那荒島的熱帶叢林中，同時在意識裡知道兩種的人生，用什麼身分在什麼地方什麼時候活著。

醫生跟她說，還有一個病例是一個女人的頭痛，她很小時候被哥哥推倒撞到頭，好一點但兩個禮拜後又痛了，才回到前世，那一世她是在長壽街上車禍撞到頭過世的，但是經過了很久的找尋接受承認與更多來來回回的催眠進入夢的迂迴繞行地療癒，最後好不容易頭痛才好，醫生說只要找得到源頭眞的會好。因爲另外一個病例是一個女人的肥胖，後來才發現……那是有更內在的原因的，每次瘦一點就又暴食，後來在很長的療程裡才驚訝的發現，因爲她內心深處反而是極恐懼地怕變美變可愛，所以當催眠再往更小的童年找去才發現她小時候出的事，因爲她太可愛而太多大人喜歡抱她，而在某一回的意外中竟然在去八卦山的公車上被一個家族中的長輩偷摸她的下體，而這傷害太深也太遠了，使她也已完全忘了，只有在這深度催眠之中才慢慢地找到原因……才發現這悲傷的過去困難，在前世或每一世都不一樣，這世的功課沒有困難就是在放假，但是如果有困難但是沒處理完，那就是在下一世處理。

那心理醫生跟姊姊說，這是一個極漫長的過程……記憶就是治療的開始，願意回去了解來龍去脈是因果是報應是前幾世的情人情變或士兵廝殺或冤冤相報……明白這種的循環才能更深度地了解也才能原諒。一如你因很討厭別人而受苦，下一世不想這樣，就只好在下一世再處理上一世的這種困難，或是像偏頭痛就可能是前世被刺過眼睛而死，肩頸痛可能因爲上輩子是駱駝，如果可以打從心裡地了解，或許就可以釋懷而不痛。這世如果能了解前世，就可以不用再背負，一切都是如此。從開始的了解到最後的原諒，那必然是有很長很艱辛的過程，但是關鍵是原諒和眞正的理解，那是一如悉達多王子苦修那麼苦又那麼多年……通過聽懂了所有的聲音才進入了全然的頓悟，她說這些都是這一世的功課，有些是來自童年創傷，有些是因爲童年遇到瓶頸才必須回到更早的前世。

我雖然對她說的那麼多的前世今生的故事還是很懷疑。怎麼可能所有人的心病都發生在同一條長壽街上，還好幾世都離不開。但是，姊所說的童年我卻聽了好感動也好心虛。因爲我們的童年一直都在場的她說：「我們的那個童年可能不是我們記憶的童年，因爲受傷的那塊我們都可能已然忘了，我們所知道的童年往往是有缺陷或有問題的，充滿了遺忘或隱藏的角落，甚至還有很多是我們從來都不知道的，因爲如果我們知道那就已然開始了可以進入療程地治……」醫生嘆了一口氣跟她說：「更關鍵的是，你不知道的童年……那才是沒藥醫也沒法治。」

姊說，或許我要跟四姑好好修行，我前世那像四姑那種活菩薩的力量會再回來，但是，或許那力量是痛苦的，會更對某些事情更綑綁也更嚴重，更負面也更難過，甚至，更愛恨分明地對某些事更執著。

但是，在她工作的地方，大家卻更都不知道她在做什麼，想什麼，她都不會說，姊也只會跟四姑說。這幾年一遇到時她老是很難過地說，因爲她這世要修煉的，或許就是不要再討厭任何人，一定要閃過或是完全地放掉這種厭惡的狀態，不要和別人對抗也不要那麼地執著，所有的時候都不要不快樂，不要老擔心些什麼。甚至，就只是打從心裡地不要討厭自己。「本來可以這樣，但我沒辦法，甚至，只是對一般的日子，對一般生活會紛亂的所有可能都充滿敵意。像是隔壁在裝潢施工、唱歌唱太大聲或是有別的原因發生的種種噪音。尤其是對那些吵鬧的小孩，不會壓抑自己不懂禮貌的小孩，都完全沒辦法忍受，就一直會要去找他們麻煩。」

後來她深深地嘆了一口氣地說：「因爲，我會覺得我沒辦法原諒別人……但是，其實是怕大家都不原諒我，也或許更是因爲我一直不原諒自己。」

因爲，有一天她打坐的師父跟她說：「爲什麼你每天都很不平靜，不是因爲犯錯，而是你沒有給自己餘地，看不到平靜，所以沒辦法原諒……」

四姑說：「你姊永遠不滿意，老是自己跟自己過不去，從小時候的長壽街老家裡放在路旁或屋子角落的蚊香盒，全家人就只有她會踢到。」

姊說：「因爲接受，所以才能不在乎，那噪音才能不會影響到我，不是專心或分心，不是因爲聲音大小，而是因爲不平靜，因爲喜歡或不喜歡都也可以聽，主要難的是要打從心裡地平靜地聽到和接受，才可以打從心裡鬆開。因爲只要心一緊，人就會武裝起來，就會分出了敵我，就會有不喜歡或喜歡，邊界就會出現，那噪音就會出現，因此，所有再小的聲音都變成是噪音。」姊說她覺得她老是討厭旁邊的人或從來沒有喜歡過人，因爲討厭人討厭寵物的這些心態都只是盾牌，甚至討厭任何味道或任何動物，討厭長壽街頭鄰居午飯炒菜的油煙味或別人家養的貓或狗的氣味。

她說她都沒辦法忍受別人也都總覺得別人很臭，後來，有一段日子她跟那八卦山荒廢小廟去打坐的師父開示時對她說過更多，他說到在印度原來苦修僧的打坐是更苦更古老而極端的修煉，那時代的那地方的十方禪林其實是十方腐林，都是充滿骯髒異味的原始森林，裡頭還有很多動物或甚至人的死屍腐爛，到處都是不堪極了的惡臭。

這是老師父要她跟他去幫惡臭屍體收屍的原因。

因爲這一世她如果一直沒辦法去除執著，就會一直因爲她的不平靜很困擾而吃更多苦，但是，對這世界如何不再那麼執著，她說這種近乎腐林中修煉的可怕絕不是星海羅盤那種不執著，反而，很不療癒地進入到一個奇怪的狀態，甚至，就像是一個厄運。但是，在命運不好的狀態裡心情如何還是可以很好也還是可以不煩惱……不然，下回或下輩子還是會遇到同樣的執著，她說，修煉是那麼地不容易，如果她這世有個心願，在遇到這麼多困難這麼多事情之後，那就是可以修一個沒有惡的願力的來生，她說，當年她最苦的時候已然過了，那時候甚至會完全地失去時間感而且完全地動彈不得，不能使力使自己掙脫不然就會更緊也陷更深，只能完全地放棄，一如死亡瞬息萬變中還是在暗夜被鬼緊緊抓住的時候，完全不能掙扎也不能亂用力，不然會痛到像撕裂傷，而甚至就全然地失去求生的意志，竟然還全然不想休息，所以一直到整個人都壞掉才開始怪自己。

但是，過了幫人收屍的那兩年後的現在才比較不會那麼怪自己，因爲對自己比較了解，也比較清醒地有某種更內在的信心，不會閃躲也不會離開，雖然還是很累，那是一種更內在的修煉……並不是尋常地安慰自己而是更深沉地已然完全地相信自己，相信自己想做的事會做得到，自己會用一種自己也不一定清楚的法子做得到，或許一開始是失望而辛苦的，甚至只能處理自己會處理的，從避重就輕地什麼開始進入，之前都只是入手的處理和面對沒辦法處理的，或許就不理它，或許也只有躺著，躺著不動，一直到覺得心裡內在的改變發生，或許是一直躺到狀態不一樣了，不一樣到從腐林屍臭中可以聞到鳥語花香。

她說，我這活菩薩就這樣像死了般完全不動了……就這樣，整整過了兩年。

顏麗子是如何把寶島大旅社蓋起來的（第17篇）金絲兔。

森山對顏麗子說，那地窖太神祕了，他有時太喜歡有時又太害怕。每回去，都會發生一些很難解釋的事，而且都和動物有關，也不一定不好，只是和他過去對動物的理解，或對建築的理解都不太一樣。

甚至森山說，有一回他還在那異人館遇到過一隻會說話的兔子！雖然過程很快又很奇怪，也是很久以前的事了，他後來也記不太清楚。但是那一回，他心中有一種奇怪的被感動的餘緒。

太動人了，還一直持續了後來的那幾天。那回，森山對顏麗子說，一開始只是自己又再去那獸醫老畫家的地窖，爲了測繪一些上回沒測量到的樓梯角落尺寸，找尋一點重新要打理這個老地方的靈感。

但是在地窖裡又來回地走了一陣子之後，總覺得有風，沿著風找向更角落的屋底，竟然就又找到一個暗門，想辦法再打開門走進去，就發現那個更裡頭的房間是全空的，更陰更冷。而且，就在暗暗的那房間中間，有一個極大極美的瘦長型玻璃櫃，一如最貴氣的展示古畫或書法卷軸才會用的那種，而且極古極講究到甚至玻璃框是黝黑的鑄鐵焊成的一如昂貴古董的支撐用最沉的貴金屬支架。

森山還正納悶，這個畫家的家裡怎麼會有這種最高等級的博物館或古董店的展覽器物的行頭，所以就更走近一點，才發現了展器的玻璃櫃是全空的，裡頭什麼都沒有，但是，再走更接近時，才發現另外還有機關，邊框有燈，有倒影，照映著玻璃櫃的最遠最深的角落。這時竟然在黝暗之中，森山可以隱隱約約看到一隻兔子，那是一隻極奇怪的兔子，身形不大，長相初看並不起眼，只覺得毛色極美極閃爍的一如夕陽中遠眺的稻田縱橫，是一隻全身都長出沉沉又淡淡的暗金色的金絲兔。有種很難明說的妖嬈，乍看還以爲是極昂貴的精密動物偶，或是傀儡戲中的有神通的猴神。牠在黝暗的光影閃爍之中偶爾折射出那金毛的光芒，但是牠一點也不在乎，只是任由四肢優雅慵懶地橫陳展開，像那種被寵壞的名伶戲子或最放肆的野遊仙人。森山因此更仔細地端詳，牠的五官極度鮮明而銳利，眼神從半睜半閉的眼睫中滲透流露出來，竟然還是炯炯有神極了到像一種蛇的瞳孔獨有散放的妖嬈。他再更小心地靠近那平躺的長幅玻璃櫃，也更專注地再細看，才發現牠的胸口仍然還微微地在鼓動，吸呼雖然淺但是還是規律地湧現。

牠竟然還是活的。

就在這念頭閃過森山的腦中時，那金絲兔竟然就突然起身，而且以疾速地跳躍撲向，太令人出乎意料，如此地一如跳向他，緊抓著他的肩膀和手臂。森山有點失措而慌張，看著比自己還鎮定的牠。但是，出乎意料地就在這時候，牠竟然對森山說：「抱我。」用一種很溫柔到令他突然感動起來的聲音，像母親，像女兒，或就像初戀情人的聲音，「甚至就像你對我說的」，森山有點激動地對顏麗子說，就像一種最純情的情話，像一種很難明說的兩人太深太沉浸於情話綿綿狀態而完全無法出來的那種動人。因此，他完全無法相信他聽到的，這隻兔子竟然會說話，而且就對他說還說出了動人的情話。

森山眼睛看向房間的空盪的更深處，並沒有人，但是他猜測著或許有人在暗處正也偷偷地看著他，他一直心中猜想著，或許是旁邊在暗處的人用說腹語的法子，假裝是這隻兔子說話。但是，不可能，那情話太動人了。無論如何，森山都無法再專注地待在那房間，不是因爲害怕，也不是因爲那隻金絲兔在他回神時，已然不見了。而是，他心中好像明白了，那獸醫的老畫家其實並沒有失蹤，他一直都還待在這老房子裡，只是他看不到。但是，那有妖嬈眼神的金絲兔也一直都在，也始終都知道。

那異人館，一如那金絲兔的神通，一如那情話都太動人了，森山對顏麗子說，我希望寶島大旅社也可以這麼動人。

旅社部（第9篇）北投。

一

最後，我一直在想的是「什麼都不做」。

在這名爲「幸福」的房間裡。

在整個旅館最底層。繞著水池，而羅列於四側廊中。這層算是地下一樓，但因爲整個旅館有個從地下樓層通了四樓的小中庭，一塊大石板，沉灰的。鑄鐵扶手細片樓梯。很大的葉的盆栽，水上有兩大塊灰石。水中有小卵石的漫無邊際，光淺淺地在天井中漫散，四面的房前的廊有影，環繞一個極簡地很細膩的水池。水色是陰沉的，墓室深處般地倒映合院天井上頭方形天空的雲彩。然而小小而鬼鬼祟祟的金魚閃閃發光地閃現，使那一池的生態又生了，死寂的死水又活了。

主要是在這房，很沉，有種很深的隱約。

我彷彿沉沒在裡頭，在裡頭，沒用電腦，沒用手機，甚至那天到第二天離開前我完全沒開很大很華麗的液晶螢幕。這個房很深，最遠還有一個採天光的小院子做光井。進來的溫泉池不大的兩人池，但有一間原木地板的空，然後，再進入臥室，光因爲房很深而淺。關了許多燈到最後，暗暗的。浴室的抽風機聲不大。但也關了，完全地安靜到奢侈。

最後只聽得到溫泉池滴水的聲音。很久很久才滴一滴。就在這一個安靜到有點森然的地方，低音水滴的沉落，都變得放大到很浸透入整個密室的空蕩。因此，就在這脈若有若無的水滴微弱音的淡出中，更顯露出極端的那種靜謐。空氣近乎凝結，光淺淺地淡淡地溶解，時間停滯在某種巨型秒針尖的放大特寫地完完全全封凍。而且，只有我一個人發現，一個人進入，打坐太久的悄然入定那種無人無我的最深處了。

沒有聲音，沒有事，沒有動。

什麼都不做地待在那什麼聲音都沒有的地方。好動人啊！

因此想到了上回去的另一個北投的旅館，總覺得那裡更有妖氣，雖然那旅館極力地低調，把所有的用心全藏在細節，或看來不起眼但深深講究的所有陳列如博物館的小物，刻意華麗地斑駁的花器、陶皿、池石、燈火，每個角落的每個光景，都有著高度設計過調度過打量過的小心翼翼。但，更仔細地「進入」，還是可以感覺到某種太過靜謐後的神祕又神經兮兮。

如果待在裡頭有療癒的感覺，我跟她說，那會比較像是整骨、刀療、放血、拔火罐，那種種不知是在害人還是在救人的出奇治病法門，外行的人會看成很凶險的近乎凌虐的醫法的怪異，一如這個旅館也就是某些李代桃僵，瞞天過海，吃蟲草補心肝的補法，或說，像是去一個很陰但很靈的山中古廟求消災解厄，去一個已變成枯山水的桃花源打坐參禪求圓寂可以涅槃那種心情的心安！

雖然，乍看之下，什麼都沒有，無心眼的人會以爲這旅館不過只是一個尋常的日本破破舊舊老宿舍的別館，甚至入口連店名招牌都沒有的別館。

那天，我們在快天黑的時候，就一起呆坐在那個完全手工刨成的原木椅上，那甚至不像椅子，像一棵樹斬斷而沿人體弧度高度而精心刨出來的曲形木身。或說，是孫悟空躲二郎神而變成一座廟那種山裡小妖化身喬裝成的，坐下去整個人會好像被很小心抱住的，一張舊木椅。

那椅就像毫不經意地放著。但就放在入口走進來不遠，還沒有進入建築前的那棵最老最美的樹下，有種神祕的巧合。那條走進來的路，完全沒有別的地方可以坐下來，除了這木椅。而只有坐在那椅，那地點，那高度，也就在我正好遇上的那初夜，才能眞正地「打開」，打開空氣，打開幻覺，可以發現，在看著那冒煙的流動的很多層又很多水道很多局部的水景，好像有機關的玄奧，發現從門庭壁後開始整個庭院依緩坡而下，但卻不能走進入，只有沿著草地邊擺著杯中的燭火，一路都是，像一個法會的即將登場，才能看出那種全園的隱隱約約。

像不明的降靈術，驅逐些什麼又召喚些什麼的那種隱約。

尤其在天黑後，四壁外的夜空，黑暗才能眞的把和外頭的聯繫終於慢慢地卻完全地切斷。最後的參考點，岸邊渡口般，讓「眞實」終於完全地離開，我們離開了臺北，離開了外頭那些讓我們困住的人生的無奈。

我想到，下午在大廳等她時，翻閱到的一本書，書名是*Living Sculpture*，活著的雕像，封面是一隻青苔爬滿的巨大的石頭雕成的蟒蛇，盤曲的蛇身蜿蜒在大樹樹身和樹根旁，蛇眼有神，蛇信突出，但仍然滿布苔痕的綠，很老舊，很斑駁到就像被下咒而數千年封成石像的蛇精那種懸疑。

這旅館，就像這類活著的雕像，有種神通似乎滿布於全場的迷幻。

「眞實到底是什麼？」已然即將離去的我呆坐在這椅上，想著這書，想著這庭院，想著這旅館，想著這個太漫長又太短暫的下午，想著北投也是早年煙霧瀰漫的女巫之地，也就是整個山谷充滿這種斑駁石蛇般的懸疑。

我跟她說。在夢中，我竟然就自己已然起來吃完第二天早上的早餐，回房，又泡了一回溫泉。抽了好多根菸，又累，又昏，又回到床。在夢中，我起了床，離開房間，又歪歪斜斜地從旅館門口走出來，竟然就馬上走進教室，整個房間都是學生，沒人發現我出事了，我也沒發現！

因爲，從來沒有暈到這麼糟過。感覺吸不到空氣，所有的鼻息都變濃稠變厚重到快停滯了，一如凝結成液體或固態，整個人都臉色發青，因爲幾乎無法呼吸，頭好沉好晃動，而且走路重心一直傾斜，傾斜到一直往前倒，我想要拉回身子，但是老是跌跌撞撞地快跌倒，所有動作就是好慢好慢，才短短一段路，從教室門口要走到講台，才幾公尺，卻彷彿永遠都走不到。就這樣困在那種前所未有的全身無力，我累到說不出話，在回辦公室我的座位前，一直有種已然快昏倒在路上的無可抗拒的暈。就這樣，一邊走，很困難很跌撞，心中覺得一定不行了。走好久好久，好不容易坐了下來，在木桌前，正想趴下來睡一會兒，但有一個大學同事多年但很怪又很有敵意的老師走過來，用一種很輕佻的口吻，揶揄地跟我攀談，但，那時候，地點好像有點不對，我們不是在老師的辦公室。而在另一個髒髒舊舊的小學教室裡，坐在老式木頭課桌椅前，而且，稍微不太昏的我才發現，我們才都小學五年級，很小，但他已滿臉皺紋，頭有點禿，也像戴了老妝的面具，他過來打招呼。

我才想起來，他那種有點陰霾的氣息，好像做什麼事都不會讓人意外。我勉強地陪他說話，越說越累。後來，拖了好一陣子，才想辦法客氣地離開。之後，突然轉進另一個大學的大教室。

去看學生排演一部話劇，他們在教室弄成的舞台上演一個祭典。但亂成一團。所有混亂的走位，燈光，道具，服裝都才弄到勉強的就緒。而且，我到的時候，才暗下來剛開始。走進教室的仍很累的我，其實已然遲了好久。發現裡頭我該演的一個角色，是另一個年輕的老師在替我演，那角色是個泰國寺廟中的某亦正亦邪的佛像，好像用來拜和壯陽或求子或生男孩有關的古怪邪神，坐在舞台最後最暗裡頭的假假的佛龕中，身上披掛著鑲金線符咒的廉價花布，戴著有點黃了的玉蘭花做成的頭環與數串胸口花圈，讓一群人膜拜。但過程是荒唐的。所有拜的人都竊竊私語，心懷不軌又不服氣地進行著祭拜。替我演那看起來很可笑的邪神佛像的那個老師，其實早已累到睡著了。但是，所有點的香在暗暗的投射燈中氤氳著。而且在帶血而有蒼蠅揮之不去的祭品旁，還有很多求壯陽或求生男孩用的刻得歪歪扭扭的石刻小陰莖。

我走上台去搖醒他，跟他低聲道謝，即使那麼地不甘心，也沒法子。後來，他就說他先走了，那個假佛像換成我扮，換成我假裝是個古怪邪神，默默地在暗暗地舞台的氤氳中，坐了進去可笑的佛龕中，在一堆又小又假的石刻陰莖前，繼續無奈地演下去。

在泡湯的暈眩中……我問她：「以後要做什麼？」

我本來只是隨意提的，並沒有要多問什麼，或多試探什麼，只是無心。但是，後來才發現唐突了。因爲她很沮喪地說：「離開日本太久了，在臺北，現在所有的事都變得沉重，覺得什麼都動不了，不敢想以後。」

「只是亂想，」我說：「只是窮開心，也好！」我笑著說到自己：「我以後還想做好多好多怪事，等到我不忙了，這一生想做的都做完了，我滿想去學日文，學日本的那種花了一生都學不好的什麼。或說，就像是，練某一種冷門的樂器，像手風琴或嗩吶，練法國號或雙簧管。可能，也就找一座山，不行就只找一塊地，慢慢蓋一棟永遠蓋不完的房子。或就是旅行，緩慢的旅行。不趕路，不要太辛苦，住古怪的好旅館。每年過年，去一個陌生的島，住一個個最怪的旅館。在峽谷中、在梯田旁、在老合院裡，甚至在海上的狹木橋接的單戶木屋別館，在熱帶叢林或沙漠綠洲裡的帳篷或更古怪到完全荒涼的荒野露宿。」

她說，她從來不太敢想以後，以後太奢侈了。

她說她的人生一直是沒有以後的，中學是美術班，但後來不畫了。大學念過文學系，後來不寫了。她說她從小就是這樣，什麼都喜歡但也不知爲何喜歡，總是喜歡太多但喜歡不久，那些喜歡的事沒做多久就會因爲不再那麼喜歡就放棄。她一生好像一直活在以前，一生總是在煩惱一些別人不會喜歡煩惱的事，所以，她說，或許，她的一生一直是不聽話的，對她母親，對她家，甚至對她自己。

我跟她說，我了解，因爲我也曾經是這樣的。

和她的住日本親戚家裡的小孩不一樣。雖然念了書但她始終沒有依她媽媽希望她走的方向那樣地長大。她說她整個家族都在京都開店，都是很早年錢就賺得夠了的那種店家。後來回臺北，她卻已然長大。小時候還可以天真而倔強，但是，現在不得不守在一個角落地裝乖而沉悶。

「逃不了的。」她說。人生越來越顯得單薄，卻竟也越想逃。

她問我：「什麼都不做。究竟是『什麼都不想做』，還是『什麼都不能做』？」

我想著她所說的，沒有以後。

她說：「以後，或許就是願望，就是很多人所說的未來。我開始想到，孩子時，或更年輕的那些時候好多同學所談到未來。我總是很難了解他們爲什麼總會相信以後是在等候他們，總會神色奕奕地說起好多好多，有時甚至就是擁著憂傷也仍如此拚命地想要捕捉些什麼那樣像祈神般相信未來或相信願望。但是，我沒有辦法，我好像跟其他一起長大的人都不同，到越來越長大的現在。我才更詫異地這樣察覺。你無法了解的。」

「因爲，更尖銳地說以後，對從小常常覺得自己隨時都會死去的我而言，是太奢侈的。」

「即使，有時還覺得想要試試看往『以後』活下去的我也想過一些可能，也曾經想要做一點什麼，曾經想開一家店，想找一幢在天母坡上或陽明山中的小屋，或就是在喜歡的中山北路上，弄一間怪怪的日本式的小店，放日本書，放日本音樂，給日本點心，給日本酒，不要是太甜美馴良的那種，而是優雅的卻也壞壞的店，可以填塞我的想要而要不到的，種種叛逆與不聽話，或者也僅僅是偷渡我的所有妄念、所有憧憬、所有不可能有以後的遺憾。一如，我好早好早的過去說過太多次了，跟太多人，提及我要去加入京都的殘酷劇場演出，但一直沒成行。後來只是越來越氣餒，關於我的這堆空想與亂調或許也只是爲了讓我更早明白，我始終會失敗，『以後』始終是不可能的。」

「有一些事老是勉強自己的我們都進化得太晚。」我說。

「以後，或許只是怕做不到自己想要的，但也一直不相信任何人可以幫我們做到。」我說。未來，願望，一如進化。對我們這種人而言，都太難了。但或許，會有可以忍耐自己退化的「以後」在等著我們。

我安慰她，我不是提醒她，或許只是在提醒自己或安慰自己。

她跟我說：「不，你錯了，你沒有我那麼地絕望過，到現在，我仍然覺得我隨時會死去。」

更後來，我只能安靜地抱著她，繼續泡在令人暈眩的湯中。

又出神了一陣子，眼神迷茫的她反而變得激動了起來，她邊哽咽邊吸吮我的陰莖，用力到咬出血。離開溫泉的我們更在床角激烈地做起愛來，所有的肉體和地上還更誇張地染血了，床和床單都變紅。她說她的月經竟然就在她咬我陰莖出血的那一刻也來了。我抱著她。她坐在我身上，用力地抽送，血液與淫液如雲端竄起的火藥煙花灑落，或水母潛伏在深海以不可能的角度的搖曳翻轉，那種種的一如忍術版本的前後空翻，或就是高空彈跳在大氣中恣意地失重般的垂直起落。

我跟她說：「妳好可怕。」

彷彿我們在她沒有以後的人生前，反而變得更驚人地激烈。在這名叫幸福的房間。即使，我們的暖身比上一回更淺，房間也比上一回更冷。但是，我們的做愛好可怕。

只有現在，沒有以後。

爲了分心，剛進房間時，我跟她說，那個浴室好像有機關，在入口走進臥房大床的幾步階梯走上的走道旁邊，門嵌在冷灰牆壁而且是高度隱藏式的，很不起眼，門扇和壁面完全平滑，只有從縫隙大致可以想像，那是一扇滑軌平移的門，而門把只有一個很素但也很考究的圓形五金銀片，所以竟像個重度小心隱身的密室入口。

但進入後，小小的空間很動人，黑方小馬賽克拼組出的牆，像早期現代主義那種怪異的對「現代」抽象地好天真的幻覺。鏡面是全牆面，側光像天光藏在天花板縫灑下，洗手盆和金屬把手和木頭梳妝台，都很細膩精巧到像全部嵌入成某種舞台後台上妝前的光影，所渙散的光景。

最奇特的小間，是隔落地玻璃的淋浴間，極專注的尺寸切割，像進疫區前的高科技消毒噴霧室，有種令人嘆爲觀止的冰冷尖端的抽象。

蓮蓬頭整套配件有著我見過最未來感的講究，從觀音石牆面上精準嵌入的銀色桿件，高度講究設計到每個接頭、按鍵環、彎管、出水孔的零件都從未見過，分岔，折曲，伸長的方式也很不尋常，就像某種科幻片開頭因爲在外星太空船裡發現的一枝長桿形貌的神物，而展開了一段對這領先我們的科技和文明數百光年的奧德賽那種神祕。

尤其是蓮蓬頭，除了在浴室，在那戶外院子中也有另一枝完全一樣的像機關的那蓮蓬頭也懸出在半空中，像一朵空谷出幽的金屬的蘭花，銀圓盤的中間，十二根如手指，如滴管式的金屬枝幹分伸出去，但發亮，霧光，再從金屬分枝的管身有十二個小洞噴出小水柱，所以，開到全開時，有上百道小水柱從側面正面噴出彎曲重疊的細水光，看起來就像一朵透明的流動的花，或琉璃，或光纖的盆栽，甚至就是垂直又歪斜的小而繁複的噴水池裝置，或就是盛開的水煙花，沒有血的血滴子那般的傳說中暗器機關從天空中飛旋疾射出的炫目銀針，在霧氣中，在那玻璃落地的精密淋浴間中，閃閃發亮。

她一直在看那設計感很怪又很美的蓮蓬頭發呆，出神的眼神也閃閃發亮，停了好一會兒。我問她還好嗎？她沒回答。只是看著我。點點頭，微笑，使我有點不好意思，怕她太辛苦，又過了一會兒，想了想，要不要今天就停在這裡了。心想，如果只是擁抱或舔得更深，也是好的。

但，我還是貪心。我又低身舔她陰唇，彼此開始爲彼此深度地口交。「看著我。」我說，我希望她邊舔我陰莖邊看著我。但其實她有點爲難，但是後來又有點入戲地入迷，我感到內疚，但她舌頭很好，後來，舔得更深更淫。她打開更多，吻很久很激烈。

我說我們都太有禮貌了，她才變野了起來，今天是我們做愛以來最好的一次。更後來，我抱著她，走到戶外的院子，有天空，有樹陰，有新月。就在院裡。光打在枝葉，投影成灰暗的大葉數葉在牆上，濃淺，一如潑墨。曲折得很詩意。像京都的禪寺禪庭，那麼地清明又詭魅。「以後要做什麼？」我想到她前一陣子寫給我過的信：「我也想再重新好好學日文。想再玩玩三絃。把家裡那把大學時買的最遜的三絃琴再搬出來摸（然後有微微懊悔當初或許應該學古笛）。也一直很想去『學學』更多古老的日本的鬼東西，花道，茶道，或者，甚至是殘酷劇場般的恐怖舞蹈。或說，我只是好想逃走，想要回日本去旅行幾年。或不如說，是想要那種幾年完全流浪的漂浮感。失控、脫離，或就如過去總愛搭著老火車，前往一處陌生的所在那般，一種失卻，亦是，一種發現。既落拓又徬徨，淺淺的不安，昏迷的恍惚感。這些夢小小的，像無人打理的小車站，像寒酸的火車便當，像在暗示著我更多更遠的想望。走過更多歐洲的希臘、法國、德國、義大利許許多多太熱門太傳奇的城之後，更想再回到日本的冷門一點的幽緩與細緻。尤其是離開京都之後才會有的更偏僻的天空，才會有的某種特殊的靄鬱質感。我想通了，現在只想，或說也一直都很想，隻身流浪在這眾叛親離的島之國，依然孑然孤高，依然美麗的寂寞。或許再回到日本，旅行只是成爲藉口來讓自己懸浮，只是讓自己更走向人間失格式的流亡。走向沒有以後的以後。」

但是，在這旅館裡，她終究沒有說到這些，說到這種更險更流離失所的「以後」。

後來，我打開那戶外院子裡的長型金屬蓮蓬頭，水如霧般灑落，煙花，斜雨，空氣如霜。我從後頭進入她，開始在熱水花中抽送。用冒汗而冒失般的貼身更用力地揉動，用脊與長腿的曲度更弓起地扭動。我們肉體更用力地逼近又分離。或，就是粗野地淋濕而一再地，撞入。

更後來，我舉起她左腿，陰莖從胯下斜斜進去，她很緊張又很興奮地，躬起臀，曲線更色情，雙手抓緊蓮蓬頭噴泉的金屬長柱。她越害怕跌倒，我就越用更扭曲的角度，用更險的動作舞著抽送著，一直到更後來更久的射精。

不知爲何，那天感覺眞的好久好久。她說她受不了了，我好像中邪了，彷彿在不明叢林霧起的悶濕中，或在溫室那種刻意的封閉又開放的生態系裡所透露的野生感，或許更是在日本箱根深山裡的某個名湯用檜木蓋出百年名湯老風呂裡，那種坐到裡頭令人會完全暈眩的湯煙飄浮的幻境，變成了一個完全不洩不敗的色鬼。

但是，我的感覺卻完全相反，那種我的異常持久而激烈反而是一種她的幻術。

因爲，我老是有種幻覺，那是在激情之中的某一剎那，某一個水花散落的閃神。我看著落地窗外的光暈。新月的月光正灑在我們身上，投射到那地上的陰沉倒影是那麼地清明，使得我們做愛中那所有的晃動，都好美絕。一如一種老日本鬼故事裡的，那麼妖豔又那麼恐慌的皮影戲式的魅影。和室的老式木格子宣紙門上投射的剪影，她這女人一變身女妖，在做愛的激動抽送的恍神中一用力，就把我這男人的四肢頭顱都扯下而捏爛了一地。

二

在湯泉裡，她跟我說了幾個京都的故事，我跟她說了幾個我的夢。一如北投，我們都好像困住了。

她說，她一直很難忘記她自己前年隻身回去京都的那一回旅行。第一天晚上到京都，入住旅館後，出來找地方吃晚餐，走了一陣子，竟然在四條通看到了大火。那是最著名的近百年的大丸百貨公司前頭，極度奢侈到昂貴花崗岩雕花的建築立面上，竟然還有一隻兩層樓高金色孔雀雕像在那華麗的龐大正門口的正上方，就在最貴氣的那裡發生火災，實在太不可思議了，消防車好多輛停在一樓Emporio Armani那閃爍紫光的精品店櫥窗前頭，穿戴重裝備的消防隊員整群衝向混亂的現場，展開救火的所有繁複的拆解安裝消防栓與消防車上機械卡接鎖定。整個緊緊張張的緊湊過程的狀態是那麼嚴厲地嚇人，但是卻就在光箱輸出巨型照片中模特兒們義大利黑手黨情婦扮相的時髦又性感的野氣前頭，使得現場變出某種非常地惹眼又華麗的荒謬感。所以她選了對街的某一家明治四十年開的舊舊髒兮兮的老咖啡廳坐下來看這奇幻的熱鬧，點了某種怪異的有機招牌咖啡和瓷器裝焦糖布丁，彷彿是等候某部始終有特殊效果的好看災難電影或有怪異煙火舞台機關會現身的大型歌舞劇，找到最好的角度和座椅，那般地充滿荒謬感的惡意，就這樣地和店裡另一些有意無意的客人們一點也不緊張地坐在那裡，等待更大的火勢。

她說，好怪，但也好玩。空氣始終有點燒焦了不明物體的異味，但是卻沒有更燻或更嗆，更後來，卻有點失望，因爲趕路一天又疲憊又好奇的她等候了好一陣子，仍然沒看到可怕駭人的火勢蔓延，也沒有更誇張飄散的煙浮現，其實，她心裡明白，大火是控制住了，雖然火舌沒有出現，但是，仍然那麼好看地動人，因爲那整晚的路上還在潮解所有空氣般地下大雨，還有一大群穿全副武裝防火衣一如太空人裝備的消防人員在那裡出出入入地奔波，落地窗外那幾台一如變形金剛般巨型機械待命升起雲梯在低音迴旋口令叫囂的現場是那麼搶眼。最後，她說，她始終記得那些龐大的消防車上血紅色閃燈仍一直在炫目而晃動地三百六十度迴旋翻轉，使得整條雨街的建築充斥著激光式的閃爍，最後竟反光投影到使那隻半空中的純金孔雀的璀璨羽翅與藍寶石眼神變得異常的詭譎及迷幻，好像那一整天或那一趟旅行後來的所有荒謬到如此迷幻的縮影。

一如她說她太難忘懷了的第二天去的那一個古寺，小時候在那裡以爲被開天眼但卻是被蓋魂封印的拔釘地藏。

那地藏廟躲藏在某老街角落的深處，廟身極小極侷促，但異常地古怪陰森。廟身四周貼滿一塊塊有一根長釘和鉗子的貼金箔板，旁邊還有去求助的寫下的人名和祈福句子的書法古字，整個現場太難以明說地陰沉，她已經記不太清楚小時候來過的樣子，大概像消災的或安太歲之類的用法。但，一再地看還是好難理解，變成整個牆面都布滿金箔的牆頭，但是懸掛著拔長釘的舊金屬鉗子，怎麼看都不容易描述現場的荒唐感，那種有點詭譎也有點好笑的陰森。

她有點忐忑不安地說：「尤其我到的時候太晚了，甚至已然超過關門時間，但是，並沒有人阻止我走入牌樓，只是在太寂寥的小廟前廣場的荒蕪感中，有一個像養樂多阿姨的媽媽，一邊關燈關門，還一邊叫喊兩個在旁一直偷偷看我的小女孩，要她們走在她身旁，不要走失，緩緩地像小心打理的最後，巡視所有角落的細節已然收拾就緒，最後母女就牽著一台很破舊的老式載貨腳踏車跟在我後面出來。好像離開了一種無名結界的慌慌張張，不是因爲時序延宕而是比較像是因爲我不明白的某種秩序的失序。然而，整個打量我進出的時光中，她還是很客氣，沒有說話趕我，即使收拾的狀態還是有點手忙腳亂，反而是心裡不好意思的我更緊張，因爲雖然從頭到尾進去不到五分鐘，還一路看一路拍，就更因此而分心，而沒有深深地緩緩地被拔釘般的陰森感所侵蝕。」

就這樣，一個恐怖無比的果報殘虐的地獄場景的駭人，一個莊嚴無比的地藏菩薩駐守聖地的動人，對她而言，都太快了，太變成荒唐的縮影成一瞬間的倉促遭遇，不知如何說，所有的入神彷彿都匆匆忙忙到失神了。

我在溫泉裡，跟她說到三個雷同失神的夢。

第一個夢，是我被找去一個動物園裡餵老虎。但是，後來才發現，是要我把頭伸進去給老虎吃，而且要是我自己願意的。我心中完全沒有害怕或不甘心，只是覺得那老虎的嘴很大，牙很利。我必須小心地移動，不能太快，怕臉撞到牙，而且老虎也很凶，很野，整個獸身快得很也晃動得很，幾乎是隨時會把我的頭咬下，但是，我不知為何一點也不緊張，反而好奇那種種餵食機關的零件與扣環鉸鍊的鏽斑如何被之前屍體血漬所滲透，一整排老式鑄鐵輸送帶的吱吱作響，厚重而倒角斜撐的曲環手銬腳銬咬緊牙關般地鎖定我全身的關節而一動也不能動，那是一整個餵老虎的殘忍但尋常的流程中的其中一個切割停格的畫面，沒有人發現，全身都傷痕累累的我仍然幾乎可以完全地感覺到老虎狠狠呼出的鼻息，斑紋毛皮下長成的利爪，猛獸賁張肌肉緗緊的肉身，那種種逼近的威脅，甚至，還有牠那牙縫某些未消化腐肉所散發的惡臭。但，這一切，都不像眞的，對還不知道爲何會困在那裡的來不及害怕的我，卻仍然只像慢動作般地近乎特寫地，正要發生。

在夢中，不知爲何，我跟她說，其實我的頭顱仍然還來得及抽回，轉身疾速地離閃，但，我卻只是待在那地方，眼睜睜地看著老虎仍然就這麼樣地疾風般從我後頸動脈噬咬下去！而鮮血就噴泉般地湧出時，我完全不覺得痛或怕，還一直覺得被咬的這一口這一剎那，好美好華麗。

第二個夢，遇到了一個研究所時代的老同學。人很客氣，但是一急就口吃。他是會一輩子都一直待在同一個老地方不會離開的那種老好人，那種像是苦守寒窯、程嬰杵臼般的死士。但是，後來一生都一路逃離的我已經好久沒遇到他，當年交情還算好，但不太熟，後來就三十年失去聯絡了，最近，偶爾在一些場子碰到了，有點生，他還是客氣，急了還是口吃。但，在夢裡頭，不知道爲什麼，會議的後來，我和另一群老熟人一起順路被安排去參觀他的人文關懷老工作室。說是就在會場的附近。大家散步就到，我本來不怎麼想去，但後來，太多人走不掉，而他還用心地一直招呼，我就不好意思推辭，跟著所有人往那地方走了一小段路，但是，有點奇怪，路不知爲何越走越暗，後來停在一舊公寓前頭，走髒兮兮又破爛的樓梯間上二樓，進了斑駁的鐵門，才發現了更多擁擠的房間隔間，都狹窄緊鄰，十分地克難而辛苦，大多辦公室的舊辦公桌或文件櫃，都像個老公司那種生意已然在谷底荒廢許久但是仍然勉強維持原貌那種的悲涼模樣。但是，大家都並不在意，而且就一路在和旁邊座位上的老人打招呼或敘舊，彷彿都是認識多年的老朋友，這種情緒和畫面的窩心，反而令我感傷到有點不安而心頭一震地想起，天啊！已然過了三十年了。最後，走到走廊最盡頭暗暗的那一間，他說，那是他不體面的個人辦公室，就不要棄嫌地進來坐坐，我探頭一看，太奇怪的轉換，像一個祕密的房間，或說，一個祕密的玩笑，因爲裝潢非但和外面公司的模樣完全不一樣，甚至，整間變成了另一個奇怪到無法辨識或解釋的地方，整個房間竟然完全沒有書沒有文件那種種尋常的牽掛，整個地方全部像被洗盡了當年我們一起念左派的書搞運動而神經兮兮的沉重，竟然那種外頭的苦撐他的人文關懷老工作室的某種苦悶好像完全都空了，就像一個因悟道或因不明原因想開了而淨空過的空場景，但是，仍然有些玄機，想不太懂，因爲整個打通另幾個小房間而變成的這個偌大房間，顯得空曠地古怪，四壁從地面到天花板的所有牆上都貼著重重疊疊的鋁箔，閃閃發亮地反射奇幻的光澤，像一個飄浮的雲端密室，死白的銀色微光曲折繞射於其中陰霾的空氣裡，怎麼看，都不像在那裡會出現的地方。只有房間的正中間有一張考究的晚明的酸枝木刻古董桌和太師椅，他緩慢地坐了下來，一如過去客套地對著心中始終覺得不太妙的我還是保持有點奇異微笑地說：「你一定很餓了吧！」接著，就指著那古董桌面上唯一他笑得有點鬼鬼祟祟的鬼東西。我心頭一涼，往前靠近，乍看，還以爲，那是一個人頭，覺得，這老朋友瘋了嗎！但是，仔細看，卻只是一個餅皮捏成的頭顱，一個有吃過幾口而殘破的裡頭還包芋頭餡料的怪人頭形糕點。旁邊還是他吃過沾過滴下的血紅色的醬汁，好多蒼蠅在上頭纏飛不去。

他客氣地請我一起吃，露出某種得意的眼神，但忐忑不安極了的我只說，我吃不下。

第三個夢裡頭，我不知爲何地上路去了北極還是阿拉斯加那種冰山的異地，一路雪白而充滿極光式的奇幻風景。我始終沒辦法專心，因爲連續旅行太久，太累，時差式的暈眩，但還是一路趕路。就這樣走了不知多遠的路。

好像是爲了要去測試某些水溫和極地光波的關係，就這樣和一群不熟的人，搭上了別人安排的航線航班，從一路坐飛機開始，就沒有停歇，沒有緩衝，幾天內，不知不覺地，從亞熱帶就輾轉而混亂地到了這麼無助的光景中的冰天雪地。

後來，還跟著一整群人更吃力地走很陡的戶外棧道樓梯，一路小心地攀爬要攻頂到制高點的一個山頂的極高科技祕密平台廣場，像是某種接受著遠方頻率最好的精密地點。要進行一種極度高科技到我也搞不清楚是什麼的實驗，所有過程的安裝場中聲音及其波動的參數紀錄和分析。都不是只跟著去幫忙細節進行的我所能了解的難度。

我就在這種始終不清楚發生了什麼的測試過程中跟著跑了一大趟艱難曲折的路。直到後來比較清楚流程的操作，已然是很久以後了。就這樣，一路有人出事而落後，直到了大家終於回神的時候，所有困難卻更又跟回來了。因爲一開始那行程像是從日本出發的而最後又回到日本。那是一個超大型的祕密工廠。

但是，隱隱約約地，感覺到日本有陰謀般地資助而操作了整個跨國公司計畫。我在計畫中扮演什麼角色好像始終不是很重要。但待遇太好了。雖然我明白整件事非常地迂迴。但是我也一直沒弄清楚到底在進行的是什麼陰謀或恐怖分子行動。或是更隱瞞的國家極機密式的動員，但我卻仍然想辦法只是能專心地進行著。但是，始終保持這種情緒的用心，令我安心也不安心。

就這樣，祕密工廠裡頭雖然極其空蕩，但是所有靠近厚重牆體的角落都小小心心安裝了很多繁瑣路徑的機器，就這樣，所有的測試裝備最後被要求要架設到那祕密廠房中更複雜的微管線連接系統裡。雖然我也始終不知道這些實驗是關於什麼，只是始終跟著在旁邊參與整個兩端連接的測試及更技術性的調整。好奇怪，最後，竟然就接機械的機關所有的繁複管線到一個看起來像泡湯的冒泡的池子。

當我因爲狀況太不明確，我捲入的是什麼狀態始終不明，只是過程太辛苦而無法分心想太多，那麼地緊湊而令人緊張的。而且到最後也還不清楚是爲什麼陷入這種情緒。心想大概跟日本有關。覺得他們眞用心但又也不甘心。最後就假裝不那麼多在乎地開玩笑，問起這一個我們費心跑到遙遠的冰山又回到密室的實驗，這些古怪繁複的測試到底是在做什麼？

他們盯著我，搖搖頭，並沒有回答，相視而笑之後，有一個最老的日本歐吉桑竟然也半開玩笑地提及他們也始終不清楚最後的狀態，不過，他叫我不妨跳進去那都是管線安裝的池子泡湯泡泡看。

他露出奇怪而荒謬的笑對我說：「泡暈了，失神，或許你就會明白。」

三

那天碰面前，我早到了一小時。想到火車站樓上找地方待一會兒。後來，找了好一陣子，才就這樣坐在火車站二樓某個不大的咖啡廳角落。從身旁大面玻璃的咖啡廳座位往下看，整個臺北火車站那天井依然充滿了很大很空曠但很不對勁的陰沉。

後來，我跟她說，那裡讓我想到在義大利旅行的那一年夏天，出差忙完後，心情不好，因爲想到那時候剛結束的一段戀情的陰霾。但是，還是多待了一陣子，所留下在羅馬的最後幾天很難得。一直想去找尋之前去過幾次沒看到的更冷門但更有意思的古蹟，甚至只是想最後再看一點什麼的不甘心作祟。就這樣地全天一路看一路走，心情總是在趕路中極亂又極累。

所以，我住的旅館就在羅馬火車站旁，回旅館晚上最後或一早出發前，都會坐在大廳喝咖啡。發呆，寫信，或就是看人，總有種恍恍惚惚的緩解旅行趕路心情的釋然。那車站很老很大，人很多，出出入入很急也很亂，店家太雜，但試了幾天幾家之後，就發現了，只有一個二樓咖啡廳的espresso極香而坐的位置視野極好，所以更後來的幾天就都坐在那裡了。甚至，像是更從那窗口往外看出去，大廳最醒目的大牆上，一層樓高二十多公尺長都是那季Armani的輸出大幅海報的極俊美男女模特兒，做成希臘羅馬神話的諸神扮相。使那車站雖也老舊，但一方面卻看起來就像極時尚的大型精品旗艦店，或是像老博物館的某個當代藝術仿古的怪展覽，太陽神阿波羅、海神波希頓、戰神雅典娜、愛神維納斯，那些露乳溝露蠻腰露豐臀種種美絕的曲線女體若隱若現的性感，那些有鬍渣的肌肉男，特寫的腹肌、二頭肌的汗珠，快滴下的某種光澤的荷爾蒙氣味般的閃爍。巨大而半裸的肉身佇立在那麼多趕路上路的尋常人們小小身影緊緊張張的閃現移動之中，有種難以名狀的眞的像神祇降臨庸庸碌碌人間的轟轟烈烈。

那種若人若神的慾望肉體所展露巨大性感的叱吒風雲，相對我當時的戀情與旅行的疲憊而陰沉，是那麼華麗卻又那麼怪異。

我跟她說，但是在這裡，在臺北的老舊而昏暗的火車站二樓角落，所看出去的光景卻是那巨大而空曠的黝暗，是那失調的廢棄天井中的回音般的唐突，因為其中充斥了沒有這種種遠方神祇的另一種可笑而費解的陰沉。四壁高牆懸起的輸出也很龐大，但是大多都只是很廉價而粗糙的燈箱片裡破舊的風光，往往有滲水破洞的裂痕在箱邊的草草收頭中，燈光是那麼慘白或死白地閃閃爍爍。

懸起的畫面那麼地逼近現實的庸庸碌碌，有最巨幅的一光面是「臺鐵懷舊紀念便當，古早味，原味不變。」旁邊一光面是「澎湖新十大景點徵選，你的一票決定。」「十二代同堂的火車頭，彰化的半圓形的廠房，歡迎大家相招來鬥陣。」還有一光面是某鄉下的蓋得很新但很醜的管理學院招生廣告，卻用很大的字寫著「立足臺灣布局全球」的口號在校園上空。

所有的風光都一如燈光般地庸庸碌碌。但是，卻因為這種逼近現實的可笑，而使得我的陰沉感忘卻了許許多多。

過了不久，她到了。我才從這個陰沉天井的可笑畫面中離開，才就這樣下樓。

「約在淡水線的哪裡見好呢？」我仍在找路。往火車站地下，走一段太混亂的路，一如也陷入太多人而晃太久才走到的她，這眞是一個迷宮，一段一定會迷路的路，她說她也是如此，也換了很多段路才終於坐到這個混亂的巨大火車站和我相遇。

那是一種飄浮的感覺，我仍然不太習慣在這種時間，在這種地方出現。因為，路好亂，而人好多。好幾層的地下城市，混亂到永遠失序，從電扶梯跟著所有人下來，站在逐漸向下傾斜的行列。有一排的人是走動的，左邊，他們在電扶梯移動的緩慢之中，也仍然走動。右邊的人則是大家都不動，像一齣戲，一場默劇。

我一直有一種幻覺，那就是這些人都是演員。他們是被找來陪我們演出這一場戲的。在這一個場景，在這一種飄浮之中。「死人！」她從後面叫我。那時候，我才覺得我被救回來。那飄浮的幻覺終於消失了。我們忐忑地上車。

「臺北火車站底下是那麼地飄浮又容易消失啊，」我跟她說：「往淡水線的捷運站，走這段路，讓我回想到紐約的地下鐵十四條線全交會在一起的最可怕地複雜到沒人沒迷路過的中央車站地下。」

我跟她說：「沒人弄得清楚的，住在那裡那年的我花了好幾個月也才弄清楚轉車的路線。那大概是全世界最長也最大的地鐵轉運站。又暗又擠，大得像個迷宮，地下城市，每條路線的過渡都遠得要命，又亂又髒，令人害怕的巨大洞穴，像永遠走不出去。」我也想到《失樂園》那類不倫的日本小說。有一段一定會定格在兩人相約上電車的車站。山手線上的某一站，最好偏僻一點或遠一點，越少人會注意越好，在有櫻花開的小站小風呂落腳前，所有見面的細節總是很擔心也很小心，兩人假裝不認識，卻在月台等候，小心地打量出入的人群，來了又走了的電車，晃動又恍神地流向遠方的軌道，窄窄的月台上頭的天空與天橋，沒有表情地刻意或不刻意的空曠，像是雲在很慢地移動而太陽還是一直無法出來。陽光仍然壓在雲邊閃爍而停歇喘息。反正，無論如何，在空氣中，總會有一些不安在緩緩延伸，空氣中的冰涼又炎熱，老是不知如何是好地停滯著？

這時候，雖然他們好不容易碰面，卻反而低頭，動作更緊張遲緩。

但是，我們不太是如此。我們不太在這種地方碰面，以前見面，大多時候是坐計程車的，不太坐地下鐵。不太去太遠的地方，上回去北投坐這種車，已是好幾個月以前。

「花都是假的。」她說。車子經過花博，那改建的體育館，車窗外，就是那畫滿假櫻花的很大的弧形建築物。顏色太虛幻地鮮豔著。仔細一看，連房子也像假的。

但是，那現場的人很多，陽光很好。雖然，這種幻美得一如假假的樣品屋式的展覽場，越看實在越可笑。但卻非常受歡迎而充斥著熙熙攘攘的人群，撐著陽傘的母親仍然在擦汗地嘆氣又喘氣，推著嬰兒車的父親始終在接手機講公事地皺眉頭，集體出遊的某幼稚園兒童們的混亂。

「人也像假的！」我說。

我並沒有說出來更多我的嘲弄，我其實也不太在乎，這種「假」。尤其，那一帶，其實是臺北盆地的一個缺口，或說，是一個出口。本來是好不容易從擁擠的房屋群中打開來，出現了那超廣角般視野的漫無邊際地漫散，出奇地開闊而美麗。使得整個大自然最魅惑人們的山、河、天空種種都在這裡活生生地打開了。

但是，奇怪的是。旁邊就是很醜的圓山飯店。雖然不同時代，不同風格，但看久了，就看起來都一樣的假。那種那個老時代自以為自己是多麼具國家代表性地美麗而豪華地體面。但是，在這裡大自然漫漫的魅惑中卻是也只能如此慌慌張張而不知膚淺地出場。「這種假，就像一些共產國家，或第三世界的小國，急於上妝，把自己弄漂亮。」我跟她說。

但是車窗外的這種假假的風景，必然是越來越多。我甚至只是看，遠遠地看。就這樣，像在電車上往外看這樣，都覺得厭倦。

我們並沒有太多心情去玩或去這種一般人去玩的地方，或只是接近。那種玩都顯得好假，就這樣。到了北投的時候，天就快黑了。空氣中開始混濁，有種沉悶的硫磺味，老時代的氣息。不好聞，像一種隱隱的腐朽的味道。但是，我卻反而安心起來。跟著從車廂出來的人，往外走，往夜色走去。「好久沒來了。」我跟她說。

甚至上計程車，對司機說：「我們要去春天。」

其實我們不是要去春天，也不是要去那名叫「春天」的酒店，那出名的溫泉旅館，只是我們要去的旅館離那裡很近。

上山路很快就到了，「也不要每個旅館都變這樣。」我跟她笑著說：

「這個旅館太素，設計感太明顯到太尖銳，如果整個北投旅館長得都這樣，那反而更嚇人。這個老湯泉古城將會變成小說中的美麗新世界，或電影裡的惡靈古堡。那種全白，全玻璃，高科技調調好像到了實驗室。」

更晚的時候，我們在附近散步時，發現到好多仍然長在那裡當年的更龐大更年久失修的舊湯屋舊日本建築。長滿雜草，荒蕪了幾十年了。但是，也有的旅館則翻修得完全認不出來。有的很土，有的很俗。甚至，就在那條很多新蓋溫泉旅館的路邊。還有許多家破舊的老旅館仍是廢墟，仍還沒整修地荒草叢生而落拓，在那麼多年的那麼多大風大浪之後，那條幽雅路的幽雅是越走越黝黑陰沉了。

當年那麼多的風光曾經是最奢侈最揮金如土的海派，一如整個北投，好多老的風光已然慢慢在消逝、慢慢在走樣。一如她所遭遇的那回旅行中種種更渺小更破碎的京都的殘影般的故事，那麼地頹廢而落拓，有種無法挽回的遲暮感，不是希臘羅馬神話中神祇永遠青春美麗肌肉賁張地閃閃發光，反而是陰翳地那麼地從容，或許也就只是坦然地承認自己美豔不再的遲暮，承認自己或許也可以那麼地以滄桑為榮。

北投因為太美豔所以太滄桑了，我跟她說，有時候，我反而比較喜歡遲暮了的北投。一如，我始終覺得，廢墟很好。至少，不會很假。

一如空氣中混濁硫磺味的沉悶刺鼻，一如老時代隱隱的腐朽味道，那種種完全自暴自棄的荒廢，反而很真。花都是假的，她又再微笑地說。但她以前看過真的，而且不一定是廢墟的荒廢才是真的。她說她想到那回在京都的更晚，那回也是春天，但是白天看過的老廟都關了，就想到順路前往新穎的北山通，但是，走了好久，天也黑了，又下起大雨，最後，拖得太晚，到的時候，路上大多的地方都已然收了，甚至，那些時髦的設計時尚的店也全關了，她還更迷了路，因為很久沒來，以前也只來過一次，就這樣越走越遠，太多新潮的路和房子出現，使她什麼都認不得了。

後來，她只發現那幾個當年走過著名的怪高科技風像太空怪物的建築和美術館，但是，這回前來，在黑暗中，卻一點都不起眼。其實，本來她也不期待看到這些太新潮的肌肉賁張般的新建築，只是想著那天白天看了太多古廟宇，晚上來一個新的地方逛逛也好，但，到了之後，才發現這裡完全地走樣了，所以心情很糟，卻好像被丟下在一個暗暗的沒有跟上時代的角落，一個時差的縫隙，一個辨識不出來這個古城過去的輝煌歷史的唐突場子，一個像少女自以爲時髦的膚淺閃耀的派對布景。但是，竟然在這誤入的時光黑洞裡，使她那麼地忐忑不安到擔心自己就這樣跟著這個地方的太新太迷惑而突然地消失了。

這時，她越走越慌也越不甘心，因爲就在有點害怕又有點失望中，那整個雨中太多太新的看起來很假的地方實在太令她失落了，她決定要離開了。但是，就在找地下鐵入口離開的路上，她突然聽到前方不遠有很大很吵的叫喊，走近看，卻是一片荒廢的空地，有一小株開了一樹的櫻花，很美很迷離，但是，她沒有多流連，反而是看向荒廢空地遠方，有一大片草草率率鋪滿的石子場，更後頭有微小但清晰的光影，使整個暗黑的天空因爲那老房子裡透出的光影而有點挽回的人氣，她仔細端詳，終於認出來了，那裡竟然是一個又老又舊的傳統武道館，古式的木製房屋裡面竟是劍擊的正式場子。

那是眞的，天啊！她心裡想。因爲，從小迷著一再看書看漫畫看電影卻從來沒現場看過的她突然不能動了。那像是她誤闖入了古代，或誤闖入一部古裝電影的現場裡頭，那麼地荒唐而夢幻，雖然現場是那麼專注，甚至有很多大人和小孩同時在練，甚至還有很多少女和女孩也很用心地對砍，而且他們都穿正式衣服護具，都拿傳統正規的竹劍鞠躬才開始對打，依最高規格的戒律在操練，那些操練的架式是那麼地嚴厲，那麼地精準又繁複的套式，有原初的基本動作，凌厲地攻擊，閃躲，懾人的出手，專注而不留情面地砍伐。叫囂吆喝聲殺氣極凶。他們太認眞了，所以完全沒人看到她。而她在外頭看呆了。因爲太過飛快，飛快到有時看不清身手，看不清招式。看不清所有發生的現場的栩栩如生。在那裡，在那回的太巧合的遭遇中，她說，或許是神明保佑，使得神隱了的古代用現代的風光現身，現身成在現代還活的武道館裡那麼多活生生的操練，活的人，活的狀態。

下雨雖然使得一切都變得又陰又暗。但是在那裡，好迷好幻但又好眞。

就在那閃亮的道場的充滿全身悶熱汗臭和叫囂吵吵嚷嚷的現場，彷彿所有剛剛迷路的不快與不安都消失了。因爲，她跟我說，他們是眞的人，眞的打。是眞的！那是，眞的還在的古代。她說，看到一個穿全副古裝劍擊服的少女正大聲吆喝地砍向比她高大的另一個少女時，她還因爲太過亢奮激動而全身不停發抖。

四

房間裡有一幅畫在主要牆面。但仔細看，有點奇怪，那是一幅用木材拼成的畫花的畫。但是那朵花卻挖空了兩花瓣，整個木板畫的畫面是用很廉價的夾板釘成的，顏色很奇怪，是粉青色和粉紅色。花心有一塊圓形突起物，有一些小小的深色的凹凸點，像花蕊，線條很素，但又很凸顯，在白牆，在房間很素的裝潢之中。尤其挖空的陷入的木板空心的地方，像是做壞了，像假的自然，或一部超現實主義電影的一個密室中唯一的一個破綻。

一如我和她等電梯時，過了好一陣子，終於來了。但是電梯門打開，電梯間還卡在一半。有兩個工人，正在修理機械的電纜線，我們站在那裡，只能繼續等，並不煩心，反而感覺那裡好迷幻，就像布景，所有的地方太極簡太樸素的，就像工地，有些地方也眞的還沒做好。甚至，這裡，好多地方好多時候都沒有人，使那種種的狀態都變成更像是假的，像《楚門的世界》，像裡頭所有的狀態的虛構。

但是，我喜歡這種虛構，到了這裡，北投，可以完全不想動。後來甚至連菸都不想抽，就一個人，完全的一個人。空氣中有一種濕氣，低音，那陽台很深，深到房間裡了。侵入了完全胡桃木製的地上。從玻璃面的欄杆，灰面橫細鐵柵面空縫看出，是北投的河谷，低矮的屋簷，天空，月，雨天，霧。還有更迷人巧妙的就是數棵老榕樹和老櫟樹，在建築的側身長出了三樓高的枝葉很茂密，使房間有種深入綠意的隱隱約約。

房間的湯池旁，牆上有黑小馬賽克，地上黑卵石，繞池周圍一圈，出水口是黑石面，櫃盒形，斜斜傾向水面，一道石縫，熱水不知爲何關不起來，從石縫滴水，一直滴，鎮夜不停。水滴聲滴在熱湯上，漣漪散開，緩緩地煙起，像湖，天變一夕知秋那種涼。

就這樣，房間大門上頭標示緊急出口透明壓克力牌的淡紫光。陽台的雙人泡湯池，古式開關。一張木條長椅子，鐵格門外，半面玻璃外就是空的，木地板，大樹，老房子的牆，更低點的大鐵桶蓄水池，遠方的房子。

窗台很深，泡完可全身坐上去。她坐在那裡，天黑了。我又吻她，舔她陰唇，進浴池轉角，我抱她的頭，怕受傷。在椅上，她坐在我腿上晃動。

看出去，透明落地窗，窗外的樹過去是對面的高樓住宅。月還是很圓，剩十八度，下雨，天氣變冷。我們正在喝山下買的五十嵐的情人茶。抽菸。

後來，我們在透明玻璃前做愛，像在野外。下雨了，天黑下來。我拉起窗簾。我怕她害羞，在這裡泡湯比較不緊張。在床上，抽送到一半，從後面，她含住我的手指，我好亢奮。就射了。

我跟她說，你還記得我們上回來的時候，好奇怪，那回電腦出了狀況。在旅館門廳check in的時候，那年輕的櫃檯的人說我訂房的入住名字，沒有資料。等了一會兒，那資深的經理出來招呼就一直道歉，然後請我們先坐一下。「由我來處理，一定沒有問題！」

就在那門廳的椅子上，看向那整排金屬落地窗外的天井，很冷的光，倒影的我們。像飄浮在天井的空中，華麗但安靜。

一如剛進這旅館，所發現的天井旁邊的四合院和下方的水池，都那麼樸素，就像一棟有點奇怪癖好的住家，不像旅館。但是，櫃檯check in的年輕男生仍然有禮貌，客氣。而且晚餐的鍋，一泊二食，也還滿講究的。這旅館門廳幾乎全空。天井到地下室，有一池塘。「等了好久，真對不起。總經理交代我幫你們升等。」副理一直鞠躬，像日本京都老湯屋的內將，滿懷歉意地說。還交代一個穿筆挺西裝的年輕櫃檯有點帥的男生，帶我們坐電梯上樓到那房間。

本來，我想說不用了。但是，換車換了好久而有點累，所以也就沒有多說什麼，只是微笑跟著走，走進那房間的時候，天正好快黑了。最後，那胖胖的內將，還進房間教我怎麼操作怪洗手台的開口……

「可惜！這房間還不夠好，但至少和前幾次不太一樣。換新的，房型有點奇怪，但是，也還不錯。」我說，這房間在最高層的最角間，像城堡的邊塔，最接近外面，或說最接近月亮，與天空。而且也因爲是角間，所以隔局有點奇怪。變成了房間一走進來，門廳小小的，而垂直分開兩側的浴室和臥室分成兩間。我拉窗簾，關燈，把房間弄暗。房頂突起，變成斜的。床往上看，像小木屋。進來之後，我們慢慢地說話，泡茶，慢慢談起彼此最近的事。工作上的被害，失望，累。那池是兩人的，白馬賽克小磁磚，圍一圈黑卵石，水太熱。泡的時候說話，她告訴我那年去京都的很多故事。以前自己一個人去拜的古廟，都很靈驗，但如果沒去還願，都會出事！

後來，我抱她在浴池，開始舔她，舔了好久。換我站著，頭靠牆，她幫我口交。在插入時，其實我是踮腳尖。所以，在激烈的動作中，我很怕會跌倒。更後來，她坐窗邊，墊子濕了，我舔她，故意大聲。後面的窗簾拉起，那回在最高樓，大樹在底層了。遠方，很清楚的向下看，我就從後面插入，或故意舔大聲。更後來，在暗中我去臥房找包包，去拿保險套。經過樓梯在浴室和臥室之間的踏步，好暗，又好濕，走得有點急。我竟差點跌倒，陰莖就軟了，差點就再也硬不起來。

但是，也因爲關燈才看得到外面的山景。現在更深更暗，但也更美。

我拉她從浴缸中出來，就走進臥室。到了暗中的陽台。面對那整面的大落地玻璃。她趴向外，看向整面北投的山巒。夜空好遠又好近。我一邊從後抽送，一邊伸手進她口中。「你就想像那穿西裝帶我們進房的男的，他也進來，沒脫衣服，只拉下褲子的拉鍊，伸出陰莖。而你趴下來舔他。然後，我從後面幹你。就在前頭那北投山邊，那棵大樹下。」她突然變興奮，喘息變深，我也是，就射了。

後來，我們在床上躺下，睡了過去一會兒。醒來，我們才去吃一泊二食的晚餐，那鍋物。

泡湯前，其實，我們在房裡說話好久好久。慢慢地打理瓷盤，瓷茶杯，一切都很緩慢。看著院中潑墨般的樹影，幾乎什麼都不做而只是發呆。許久許久，或就從容地，吃著水果，喝著茶。那是我們下車後，去北投老市場買的。巷子裡，老房子，走了很長的路。在老街中，我跟她說了一些我的過去，我喜歡的旅行，喜歡在異國的傳統市集到處逛逛，買那裡的土產的水果，果汁。一如這裡的尋常不過的，葡萄、木瓜、橘子，或古早味紅茶、鳳梨冰。送她走之後，很晚了。在後站那買水果的老市場口，我停下來，決定要待一會兒。最後看到一家很老的小店還開著。我找到了一種好老也好久不見的熱點心，那是已近乎失傳的瓷碗裝的花生湯加油條。我在慢慢吃的過程的開心中，還是不小心燙到了舌，湯潑到褲子上。天仍是不冷的，一直等到我走了好一段老街才開始飄雨，上山，幽雅路。在山裡，路很暗，好像在外國，在旅行的迷離中。回那旅館前，看到一隻狗瞪著我，像山神，在這新月之夜。

更晚的時候。我送她去車站。回來又買了花生湯加油條，喝，摸黑地吃又油又甜的老點心，好窩心。那一個晚上。我自己又一個人在這旅館過夜，在北投，她剛走的時候。

山裡大概只有十度了，冷，一個人，抽菸。反正，就坐在故意燈全關黑的陽台木地板。可以清晰看出滿山的黑，極度的寂然，靜到太奢侈的無聲。

該再泡一回熱湯，剛黑那回泡湯時不太深入，做愛太激烈地分了心。

她走後，我突然聽到聲音，這回隔壁房間有人，我靠到牆邊，仔細聽牆那邊的聲音，但是又沒有聲音了。

山下，有一家叫「淺草湯屋」的旅館的藍光燈管字在山邊，倒影進玻璃。我在床上看去，夜裡，像飄在夜空中。

那晚的她說到王家衛，她最喜歡的導演，最喜歡的是：《墮落天使》。

我說：我也看過。外行的人看，只會看到一個殺手。太美的畫面，太怪的港片，沒頭沒尾，所有的情緒都慢慢就稀薄了。在那裡，會出現一些不常出現的情緒。不喜歡，有些是很尖銳手法，一直在幫我洗腦、灌輸他對電影的想法，說話很賤又很邪門地，在燈暗暗的狀況下。

我問她以前在京都的學生時代看電影都一個人看嗎？沒有人一起看一起談嗎？「沒有。」她說。但是上過一門電影的課，印象很深。

她說：「我不過是一隻離群索居的狗。其實，我高中想念電影和哲學。他是唯一讓我講話會緊張的老師。開始還滿平常的。後來越陷越深，越來越痛。像是西瓜被挖掉肉，把一些不知道的腦袋裡的東西挖出來。後來才知道很嚴重。解剖又不打麻醉針。會發現自己說的話，自己在街上聽到的事。現在這件事，以前已經做過了，像某些片，以前已經看過。有很多事，越來越多巧合。看到暴力血腥的畫面眼睛會閉起來，也沒有用，情緒一定會蔓延到後面。有同學說：『不用那麼早知道那麼多事。應該保有那時候大一的十八歲的天眞。』他把看不懂再解釋但常意思可能顚倒，把看懂的東西解釋成看不懂，像捉娃娃機本來以爲已經抓到了，但快到手了又掉回去。所有的過程又慢又蠢，只是在等待。這個人活著的過程沒有那麼痛苦，但是往往沒有好結尾，沒有交代，沒有結婚生小孩。甚至，會發現往往的後來的所有人都會死光光。」

她說她那時候喜歡黑暗的片子和那種狀態。雖然，像去看她阿嬤，生病的她煮飯很好吃，但有種很不舒服的感覺，牽扯到內心的地方，看完就不想說話，大部分的時間，都沒有說話。也就是像當年看的電影一開始主角就死掉的那種片。上那電影課，剛進入教室，沒有原來的感覺，看一點就黑暗一點。覺得自己很脆弱。看完之後，就會想做一些事，當狠角色，但還是沒辦法。

「那裡是怪異到有點寶貴的一片黑黑暗暗的地方，出去就亮一點，到校園就更亮一點。一如有一次放的是一個怪片，很難看。剛開始是主角去抽籤，後來撞車缺錢，做清潔工的太太和老人性交易，籌錢，片名是《生命之詩》。很離奇，本來以爲是很單純的，裡頭所謂的挫折都是很小的感受，卻沒有辦法消化。有些遭遇和我那時候還滿像，和他一再放一些口味再重一點的電影，一樣怪，很平淡又很濃，想很多事，好像也沒什麼，好像也不嚴重，但還是有事！那老師上的電影課我其實有一半聽不懂，但因爲我個人本來就喜歡奇奇怪怪的電影，所以還私底下滿享受那門課的氣味。他會問，恐怖片一向很假，爲什麼鬼長這樣，鬼會這樣爬。有些京都的女同學其實很單純，只喜歡挑溫馨、喜劇搞笑，或不太震撼的片。大多時候，一上課，不是故意的，就睡著。她們平常就是一個個不會想太多的人，大多時候只在乎男生覺得她們正不正好不好看。我那時候有時一直讀書也同時一直做事，有點累，有點在逃，才會喜歡進入這種電影切換成幻覺的地方。有怪怪的聲音，怪地方，整個當年的感覺。像集體的回憶，像一個祕密的僧院，不存在的兵團。我開始會寫筆記，今天那個電影怎樣怎樣。寫新的發現，喜歡聽別人講話。想到國中的時候第一次看電影，是被同學拉出去看鬼片。那時候，從來沒有想過片子應該是要自己選擇吧！大家都沒有講話，我想要被嚇到的感覺，像夢殺。」

她說：「那是一種很假的感覺，上課很累，聽完他講話很累，累得抗拒自己會變成神經病，自己看到的跟老師看到的不一樣。有時根本不知道寫什麼，很迷惑。他像是過來請大家吃迷幻藥，還問我爽不爽。不一定可以跟別人說，不一樣的切入的方式。有時候的有些片，如果不來這課，絕對不會去看。每一次都會很煩，老師會停住片子，講一些人生要很認眞地思考，但是還放了更多的像一種祕密歪斜的生活與倫理的片，有些不知爲何大家看完會很興奮，像《鬥陣俱樂部》、《阿瑪迪斯》。有些同學還故意學那主角的笑聲，我走出去都會覺得很沉重，很煩惱很困擾，又是用跳串起來，一件事很累很新，又很不一樣。也因此老會想到：我之前十八年是怎樣活過來的？我到底想要變成什麼樣的人之類的問題。就像被果汁機打過，到後期，糊了。這算是變好嗎？還是算困境呢？電影再怎麼感人，都會結束，然後就不免像煙火一放，就消失了。

那一年，看電影是很私密，很放鬆，不想被人家看到，不想讓人家知道我在想什麼。但是，在那課上所放的電影卻反而很刺激，像洗腦。後來好了，扳掉，很痛。證明我是痛過的人，包得好好的，又要扳開。以前被扳，現在不一樣。所以很容易懂，我覺得還好，因爲我已經過了，有那樣的經驗。活過的某些痛過的東西被組起來，變成比較好而且比較異常的料。像看預告片被支解，會不舒服，還好沒有特別恐怖。但是因爲怕麻煩，不是很願意去講。有時候，仔細想想，也不是那麼重要的事，像失戀，像每一次每一種的失敗，像第二天早上。會覺得好像得到一些東西，但也失去很多東西。甚至，會因此而在想：『我爲什麼會在這裡？』」

她說：「像被男朋友發現自己和別的男的一起去喝酒，事情沒那麼簡單。總是很複雜，但自己寫不出來，就算經歷過，但要再寫一遍就再寫不出來。或者更想要體驗更怎麼樣的事。但是，在這裡，電影是用最逼近的方式，在講失去自我。戰戰兢兢，這次又要吃什麼炸藥，有飽滿的感覺，被教了一些劇情要看重點。簡單的看，再用複雜的方式投射到自己身上。像我媽說的，看精神科醫生是完全不講話的我不喜歡看電影，浪費錢，滿震撼的都還好。把自己變得很成熟，要趕快長大，是一件很怪的事，不太敢眞的想，看了別人也覺得無所謂，覺得自己太淺，但是不要讓人家知道。其實我以前不太愛看電影，看那種很容易讓自己忘記的電影。或許是因爲不想承認自己是那樣，也不想被說出來。不管是不是要有未來，都要知道自己是什麼樣子，不只是在做我人生以後好像不得不一定要做的事，也不用想太多。太投入，太浪漫，都很辛苦。我要等我自己去看，但不一定要把自己很醜陋的部分看進去，不願意去承認，那件事的被那樣想。但是，仍然在電影中無法無天地閃耀華麗，一如王家衛。」

她已然走了的第二天早上。只有我還是勉強地起來吃早餐。但是完全沒有胃口，而變得極度偏食。只吃西瓜、熱茶、粥、肉鬆、醬菜，這裡服務的阿桑人很好。餐廳已沒人了，我還坐在那裡發呆。後來想想，也該走了，就回房又泡了一次，但一直就又覺得累，完全地，就只能不那麼早收東西，只想著可不可以一直不動，躺床不動，想到之前來過的幾回，五十吋電視完全沒開。

凌晨一個年輕男生在窗邊開電腦，我一直幻想他們會像我們一樣地瘋狂，貼在玻璃上，激烈做愛，但是並沒有。就在我走之前，在門廳等車，那經理來送我。他穿著貼身窄版的黑西裝，有點年紀的他看起來，是依然小心而客氣。「天氣變好了。」我說。「但是，我們溫泉旅館怕熱。」他苦笑地回答。「有什麼意見，我們可以改善，例如有人說我們旅館太空。」但我笑著說：「其實『空』反而比較好。」一早出大太陽時，這旅館突然變得好亮，好清晰，像一個太乾淨的切割小心組裝過的龐然玻璃盒。巨大，乾燥，反光。所有隱隱約約而因此神祕的什麼都消失了，我待了太久了，但也不夠久。雨下大了，車開出來，下了山。

離開北投回臺北的路上，計程車一路開，看到好多店，好多字。

吃素環保救地球的素菜館，口愛寵物，保生大帝李府王爺，泡沫洗車，侘寂美學工地，八仙里，美而美，長得像豬的市議員候選人輸出海報，年輕，夢想，幸福北土，芭蒂爾，紫色山城，代誌辦欸通，麒麟薑母鴨，三陽機車，太平洋廚具，金莎養生館預約專線，飛哥英文，公車站牌，牛董牛肉麵，選我，富士泰好騎，在地阿宗爲你走，白馬瓷磚，廣東苜藥粉，建國轉學考，明德國中，德行西路，馬可先生，數位科技，榮耀城靈糧堂，潛水，雙溪，內外，有魚，溪水不是廢水。陽明山下來的，接基隆河，魚小條，石斑，溪哥，水濁就死。魚可以吃，過一個橋就是故宮的豪宅，自強公園，兄弟檳榔。中影文化城旁的，新開發建案，天月，草山水美，十全十美，飛天文化園區的，臺北大歌廳，就是以前的漢堡王包起來變成的宮廷餐廳的又巨大又庸俗。

但是，就像楚門的世界的邊界，所有北投的隱隱約約的神祕的什麼一過那一帶也因此就都消失了。

那其實是以前我和老情人在一起最久過的住北投那幾年開車進臺北的路，沿捷運和河堤開，最近而且車最少的路。但是我撞過車，差點死在那路上，那路的一路坐到計程車快到故宮的隧道的黑暗中，我才想起來，快二十年前了。雨還是很大，但我活下來了！

五

我跟她說：「我還記得我曾經看過一個展覽，那是一個年輕的藝術家所拍的北投這些破爛老旅館的廢墟。」他說他想找一個活的廢墟。但廢墟都是死的，至少是荒廢的，所以他是在一種奇怪的矛盾中開始這件事的。因爲他小時候，就住在這北投的山裡頭。他的童年，一如這些旅館，都死了。

他因此找了很久，去了北投這一帶很多破爛得特別可怕而誇張的地方，拍了很多光線反差極大的照片。這些可怕的地方我都看過，但是照片很動人，畫面大多是黑白的，而且畫質極細膩又洗極大張，看的時候彷彿就在現場，連空氣或風的氣味都感覺得到，那種當年太華麗而變換成現今太頹圮的蒼涼與陰霾。

那些旅館廢墟裡，他說：「有一間規格特別龐大而不尋常的古老建築，還坐落在更高的山崖上，至今已然荒廢很久了。但是，那棟據說是當年那一帶最有名的旅館，是那個時代等級最高的豪宅。所有的繁華奢侈的門廳迴廊花園水池的建築細部充滿巴洛克式誇張的裝飾牛角花草葉石雕，整個旅館充斥著古老歐洲的幻影。是當年北投旅館極受矚目的一個異數。許許多多當年的名人明星都曾造訪過，所以這老建築後來不得不地荒廢了，還引起諸多的爭議與歎息。但是，那藝術家還在他攝影書裡提起了他潛進去的某種更驚人的驚嚇。」

我跟她說，那個巴洛克風老旅館離我們入住這旅館近到，我們的房間窗口看出去還隱隱約約看得到。

因爲那老旅館太有名了，也是那攝影師他小時候印象最深的最美又最華麗的旅館，而且警衛領班都最跋扈勢利，和鄰近的老日本溫泉旅館極爲不同，他小時候還曾經因爲想接近那氣派的大門而被狠狠地斥責驅離過。他說，他就是懷抱這種怨念重回現場的，整棟巴洛克風龐大旅館已然完全走樣了，因爲已經很久沒人打理過。所有的角落都到骯髒地沉積了極厚的灰塵而且甚至破舊到許多柱梁都壞毀了。但是，仍然看得出當年的華麗，近乎童話般夢幻的水晶美術燈，巴洛克多弧形式的天花板壁畫，豪華的希臘柱上本來如女神髮髻的柱頭已然裂開，有螞蟻爬來爬去，又大又厚重的有天使雕花的胡桃木桌子殘缺了一角，旁邊還有倒了的牛腿弧度的曲形木椅，所有的閃閃發光過歐洲家具陳設的窗明几淨都已長滿殘敗晦暗的蜘蛛網。

他說：「對他而言，去那裡拍照，像是一種送別。對那旅館也對北投，更對自己的童年，更不忍心的某種紀念。」

他說，來這裡拍照，他還是很提心吊膽，雖然他太熟這一帶了。

但是，他覺得還是有種不安，像是一種僭越，會遭遇不測的不祥，杜撰些更不該被提起的、死去還是作祟或找人陪葬的什麼。拍照，會像是始作俑者的被詛咒，或像在種種儀式，或像在那些很悽慘的留在舊的或傳統祭奠的物或事上的找尋，往往會出事。

雖然，後來，他還是花了快十年在拍，旅館越拍越少，廢墟越拍越廢。但是，他說，或許這樣，才能找回他心目中的北投，或找回他心目中的童年，使所有人才都了解在這些旅館廢墟中不應該像現在這樣地出現新蓋的或出現不一樣的解釋或不一樣的紀念。

但是，後來有一回，不知爲何，他走得太深入，就在最高樓的某個規模最大像總統套房式的房間裡，他在慌慌張張中竟然看到了一個令人不安極了的現場，像一個小型的祭奠場景，用紙紮成的汽車、冰箱、房屋種種眞實的器物，縮影。另外，他更進一步地發現了一些東西，房間的大型曲線木餐桌上有紙紮出來破爛但有各種尺寸的大雙肩背書包，小型便當盒，還有種種更髒兮兮的學生制服模仿大人正式西裝的破領結，歪歪扭扭領帶，斜吊帶，舊式皮鞋的紙紮。

那個紙紮的角落其實對他而言，比廢墟更陰森。因爲，最奇怪的是，那裡的布置，不知是一個玩笑，還是一種收驚或收魂的法事，他並不清楚。但是，現場太詭譎了，不管怎麼想，整個看起來，都像是在辦一種拜小孩的喪禮。

尤其，在又暗淡又灰塵滿布的長桌最後頭，竟然斜站了兩個假人，都是兒童大小，他們的表情呆滯，男孩身體上還被穿上紙做的西裝，略帶笑容的女孩是光頭的但穿洋裝，假睫毛還掉入眼洞。男孩很可愛，但臉龐極度骯髒，耳朵不見了，眼珠還破了一半。

正在他鼓起勇氣，在那詭異極了的現場拿起相機一直按快門拍起這種種難以名狀的既可愛又可怕現場時，彷彿時光都凝結了，安靜到近乎死寂，完完全全地無人，只有他，誤入歧途般地誤入現場，而就在那時候的某一瞬間，他好像感覺有一點點風吹進來了的時候。他才眞的嚇壞了。因爲，放下相機的他彷彿眼睛的餘光看到了，那兩個假人小孩好像突然地動了一下。

六

我跟她說，其實我以前去過那廢墟的巴洛克風旅館，而且是在當年的最華麗炫目的時光。而且，原因是那麼有意思，一如愛麗絲夢遊仙境般地掉落進入一個自己沒有辦法理解也沒辦法描述的太華麗的地方，或是一如電影《羊男的迷宮》裡那個小女孩誤入的童話與亂世交錯迷亂的樹洞裡的皇宮。因爲，我有一個親阿姨當年竟然就在那旅館裡當最辛苦的女傭，內將，還就負責種種打理客房最繁瑣而艱難的勞務。

那個親阿姨長得極像我媽媽，她緩慢的走路步伐，略略彎腰的身軀，連鹿港腔帶鼻音但溫柔說話的語氣與聲音，甚至連皺眉或微笑時才會出現的酒窩都極像。所以，多年後，有一回我在北投捷運站門口意外地遇到她，太巧合地令人極不安地嚇了一跳。因爲就像是母親站在那裡，用那種太熟悉的聲音叫著我。但是，我一回神，才想起來，母親已然死去十幾年了。

那像是一個太超現實的時刻，其實我在趕路，要去臺北的路上，在人生一個匆匆忙忙的閃神剎那裡。有種被喚回了些什麼的胸口突然填滿了無法呼吸的悵然。

其實，太像我媽媽的阿姨只是一如過去那般地客氣而親切極了地問候，拉著我的手，很用力很開心到，像是有種深深的遺憾又無法挽回的感傷，但是，她沒有說，只是用一種很念舊的瑣碎而近乎囉嗦的口吻，重複地念念不忘地說，好久沒見到我了。後來，我就在這種念念不忘的回神中和她說話，才又想起來，小時候去過好幾回的她家。那就是在北投幽雅路彎曲很久上山的山路上那許許多多老日本房子裡其中的一家，所引發的更早年的種種珍貴的華麗與迷亂。

我跟她說，我後來才明白那是一個多麼珍貴的意外，我在那麼小就去過這些後來變得極有名的舊式日式宿舍群，那些老建築就是由北投老普濟寺的石階緩緩而下，而且當年，竟然是建造於一九二〇年代的日治時期旅館，那麼迷人的這些老建築物群延伸跨入北投溪谷深處。

我老記得阿姨她們住的和室，那種日本的傳統房間，地上的疊蓆榻榻米，拉窗和隔扇兩面糊紙的拉門所圍繞，還有凹閣，拉窗完全地隔絕，散發出一種模糊曖昧，有種幽玄而又明亮的氣息。我跟她說，我仍然深深記得和室裡所擺放的舊桌子，花布座墊，有破洞的棉被，在和室裡赤腳走，在那種因爲在北投太潮濕而老是有點霉味的疊蓆上，我老只是和一群表弟表妹們玩。那時候的我還太小，雖然老是覺得那地方有種什麼說不出的氣味。但是，那是到了多年之後，我才有點理解那種老和室的迷人，那種侵蝕入和室的陰影的濃濃淡淡，一如從最裡面暗地所醞釀出來的某種太沉浸的氣氛，某種太寧靜的感覺。和緩緩又輕輕拉動紙窗所滲透入的光，一起地投射在疊蓆，房間的有種和室的獨特樸素典雅的感受，有些奇怪的雁行曲廊，空間格式，建築樣式，庭園日式木構架成，直通後院，外牆是以城垛型建構，魚鱗牆板，黑瓦，木隔櫺建築風格強烈，後院綠樹成蔭，幽雅蒼鬱。

但是，我還更記得小時候有一回，我跟著阿姨，去那個巴洛克風的旅館，那旅館就像是一個維多利亞式大宅，所有的角落都有精雕細琢的工藝，原木上雕刻的花俏裝飾，圖案的繁複瑣碎，雕工的巧奪天工，對當年還是小孩子的我而言，都有種奇怪的我看不懂的令人驚豔，華麗典雅，富麗堂皇到呈現那種英倫古典宮廷的建築氣派。

甚至在建築最後端，有一座多角式結構設計的尖塔，還有許許多多的八角屋或多角的怪異邊間房間。那棟老建築大半採用昂貴的粉彩色石材與古典式樣的紅磚砌厚重外牆，局部的裝飾，柱頭設計，建築細部雕刻，來表現典雅、富麗又堂皇。那建築，還有許許多多尖尖的屋頂，突出壁面的窗台，屋外有欄杆圍繞的曲形走廊與陽台，走廊陽台上頭還有也是曲弧形一如雲彩的避雨覆蓋屋頂，還有魚鱗般木片作裝飾。

那裡所大量採用的工藝精雕細琢地在原木上雕刻的花俏裝飾，圖案的繁複瑣碎，雕工的巧奪天工，令人嘆爲觀止的維多利亞式的繁複、矯飾風格，維多利亞興盛期建築或室內設計的精雕細琢，強調手工技術，及在追求一種近乎不可能的優雅高貴。太古典的室內裝潢，客廳，餐廳，主牆，沙發背牆，餐廳主牆，走道的造型及裝飾設計，都是怪異地對稱著的。大廳採用大理石地面的太晶瑩剔透的反光，長廊壁面加上金、銀箔材質裝飾性的尊貴，華麗感，大多雕塑是亮白或深色那種太高貴而以華麗濃烈而精美造型出現，雍容華貴的古典式樣壁紙地毯，窗簾，沉浸入裝飾織物組成的背景色調的金色黃色及褐色的太令人不安的優雅。

甚至，那最高的屋身側，還有一座童話般的尖塔，屋頂上突出的尖窗戶，一如建築的眼睛，窗戶上還會再覆蓋式屋頂一如那眼睛的更華麗的睫毛。晚上端詳那屋頂窗口散發的光，好像那老建築的眼神，又怪異又炫目極了。

但是，我印象最深的，反而是在某些更隱匿而不起眼的角落，所引發的混亂。我有好幾回還跟表弟偷偷地跟著阿姨走入那旅館的最裡頭，很多很多的門，很多很多的房間，我仍然記得那時候的她們換房間的工作車上密密麻麻的所有物品。那麼多的房間在用的替換物品，那麼多的小瓶洗髮精，像老玉圓珮的小肥皂，毛質極細膩的木柄牙刷，老式刮鬍刀，更多棉質極講究的雪白厚毛的毛巾，浴巾，浴袍，都像是太過昂貴的完全不能想像的人生所有細節的縮影及其投影。那時候還是小孩子的我們，始終只是在玩，一直從暗門進進出出。廊底的內部的工作人員才能走的暗路，就像一條逃生暗道。在那走廊上黝黑的光暈中走來走去，那些銅鑄的燈台，古董牆飾，又厚花色極沉的花地毯沉飾帶流蘇穗花極美的中東掛毯。對小時候的我而言，都神祕詭譎到一如一個又深邃又古老的舊博物館。

厚重書架上更多某些成排深紅皮質精裝百科全書，原文書。某些藝術品拍賣型錄，許許多多外國版的厚厚的英文小說。

我始終記得也始終不明白爲何在旅館牆上木製的牆櫃面上會出現一隻看來猙獰又無辜的獨角獸。但是，那些暗門般的種種建築的神祕，我們都看不懂，大多時光的我只是在那裡發呆，或和表弟們一起只老是在那裡玩火柴盒汽車，在狹長暗淡卻就一如永遠走不完又走不出的走廊裡，用小汽車爬行在那些建築上精巧的手工技藝的華麗羽毛裝飾的刻紋，柱頭上桂冠葉或層層捲繞的雕刻，繁複的裝飾雕花及拱門，突出的前廊，細羅馬柱，彷彿越過了這些地上和牆上的必然要繞行的極艱難地形地貌的障礙賽場景，突圍，達陣到更遠更深的迷宮出口。

但是，卻又老是在某種死寂中聽著好多房間傳來的用吸塵器的工業低音，和那低音的深廊裡迴盪不已的回音。我跟她說，多年前的有一回，在一個長大的表弟婚禮裡，退休很久的阿姨還笑著提起當年的事。

她說：「當年有很多客人很離譜，尤其是醫生，反而最不好，來的時候很斯文而近乎嚴肅。但是，後來，他們一喝酒，就會發酒瘋到會罵人甚至尖叫。」

那表弟還露出奇怪的笑接著說，他們發酒瘋到不知道自己做了什麼。有一回他跟著阿姨去打掃那最氣派的總統套房，他說他看到那張胡桃木花形曲弧形大桌。我們小時候還常一起在那桌底下打鬧玩過的那張最華麗龐然的曲弧形大桌。那天太奇怪了，整個房間極其混亂，所有的棉被都掉落在地上，地毯都濕了，枕頭甚至被扯破到裡頭的羽毛都跑出來了，那種種小心長成的蘭花盆栽、銅製的立燈、皮質深漆色厚扶手的沙發，都被移位而推倒地混亂，那張大桌更誇張，深度木漆上頭還沾染了某些不明液體，口水，鼻涕，體液，尿，精液，甚至還有一灘淌血的已然半乾而暗黑的血跡。原來的現場，不知道到底玩成怎樣，或混亂成怎樣，應該是更恐怖地誇張，更慘不忍睹。

我跟她說，我後來在那攝影展覽裡頭，才想起來那裡，就是在那兩個攝影師提及的假人小孩站著的那張破敗的曲弧木桌上。

顏麗子是如何把寶島大旅社蓋起來的（第18篇）晚宴。

顏麗子一直沒辦法不分心。

尤其在那風光前，那寶島大旅社工地旁的那條老街。

因爲那條老街上一直有很多老店，賣很多老小吃，老南北貨，米店，油行，中藥鋪之類的老店。但是，最怪的，還是那一家算命店，門口還有一枝竹竿撐起布旗的老招牌，寫著潦草的「天師捉妖」四個字。

那條老街上的老場景裡一向很怪誕混亂，各種奇怪的市井氣味地漫散氤氳，破落到變成廢墟的古厝很多，或許因爲日本人來了，或許因爲風水破了，或許因爲更多不爲人知的什麼作祟，反正，在顏麗子長大以後就開始蕭條了的這一條老街，仍然還是會因爲過年過節而偶爾熱絡起來，或是，不知爲何，還是有很多人出入，也可能是因爲那個在老街頭的廟埕前的老市集，始終有很多人會來那一帶，而那一帶也就是寶島大旅社工地旁的那令顏麗子分心的風光。

顏麗子一直在留意那些穿得又髒又舊的人不知爲何老是的心事重重，有的是在那工地上工上得很疲憊到只好在廟埕旁嚼檳榔提神的泥水工，有的是老小吃店的忙了也怨了一輩子一直在下水餿濺了一身髒水的店老闆或店小二，有的是南北貨乾貨濕貨同樣要沉重地進貨出貨卸上卸下的全身汗臭的長工，有的是趕著買完貨辦完事就要匆匆扛著滿身包袱離開這裡的更鄉下店家的髒兮兮壯丁。

他們老是流露種種神情的不安，顏麗子也老覺得有點不安。不是尋常的忙忙碌碌的慌亂，而是彷彿有什麼更奇怪的氣息始終蔓延著，就是一如那種種普渡前夕，鬼門開了，諸事不宜的陰陰沉沉氣息的老是不安地作崇。反正，就像是彰化這個小城不知爲何出了事，被詛咒了，而老是陷在某種預感的不祥裡。

但是始終就在那街上走來走去的顏麗子，看久了就常會忘了害怕，只是仍然老覺得會不知爲何地口渴，老是在找攤子買喝的什麼，但也常找不到。

有一回，找了好久，賣喝的好幾個老攤子都沒開，她竟然，就看到另一幅用更怪的書法寫在原來那一個算命先生攤子的布旗幟上，有更像符咒的字又再用更聳動的方式出現了，雖然還是「天師捉妖」四個毛筆字，攤子前也還是那擺了一本破舊黃曆和批八字的老毛筆硯台的破木桌椅。

這一回，那算命師竟然不在，地方也竟然是空的，好怪，大白天，很多路人在打量那聳動的布旗幟，但是，不知爲何竟然攤子就眞的沒有人在。風突然變大，有點擔心的顏麗子，抬頭看攤子上空，雖然路上還是沒有人留意，但那天師捉妖的旗幟被妖風吹起而幡飛得很誇張，顏麗子有點擔心，站在那裡好一陣子，幫那算命師看場子，她想起她很小的時候就來這裡算過命，那老算命師好像就一直在那裡一輩子了，像這裡的一個土地公，山神，或就是保佑這塊地的老地理師，但是，她待了更久，還是沒人，她就坐了下來。因此，又過了一會兒，就不經意地打量起那老舊的木頭桌面，黃曆漬黃的書頁上，有半乾的硯台，皺皺的一疊泛黃符紙，刻紋都有點模糊的舊文公尺，還有一個看更複雜風水的古羅盤，她更仔細看那本看日子用的黃曆古笈，卻竟然看到小小如米粒大小的螞蟻踩在黃曆上十二生肖古圖形的鼠、牛、虎、兔、龍的身上疾速地跑，跑到蛇的圖形時，風突然颳大了，雲層也壓低得又黑又沉，那古圖的蛇彷彿變得巨大而猙獰地像妖神，變得好像正在追殺侵進這些螞蟻們。而且看來好凶狠，可以在一瞬間就撲向咬噬了全部慌慌張張的牠們。

顏麗子越看越變得神經兮兮的。她或許只是一直在口渴，但卻老覺得自己好像被下藥了，或許是在路上被跟蹤了，她不曉得，以前不曾如此慌慌張張。

而且，這回走過了那老廟埕，再往回走，怎麼風雲一變色，好像所有她身旁的人事地物也都跟著變了，好像變得都不一樣了，都被動過手腳，被下過咒，所有她看得到的，可以理解的一切，都好像有點變了，變得是可以變換，可以隨意更動移開更替而沒有什麼是不變的那種令人不安。

算命攤後面其實就是寶島大旅社工地旁的那個老廟，看起來並不大，但是這時候她卻越看越陰，顏麗子站在廟埕中往廟門裡頭看，今天她老覺得不尋常，越看越奇怪，也越看越毛，她不知道是不是幻覺，只覺得好不一樣。她注視著每天都在廟裡頭那看似很傳統的龍柱，佛像，有八仙彩的神案前，竟然出現了異象。那是不同的神像，不同的一如妖怪的巨大怪神像，就盤旋在原來的那數根古龍柱身上，不但完全寫實龐大的，而且，像刻著裸體甚至肌肉肌腱巨大的人身蛇尾泥塑神像，太逼眞了，就像恐龍或神獸的剝除鱗爪後從地上長到天花板的大隻乾屍，甚至，那肉身的油膩光澤太怪異到就像巨型的燒臘店油雞燒鴨長成的妖魔立柱，就像書上那種歐洲中世紀僧院整身長翅的惡魔栩栩如生的塑像，而且是隨時可能活過來開始攻擊百姓的那種驚人的驚嚇。但是，顏麗子並不那麼有把握她看到的，那些怪神怪風光和她一生在這老廟老街上看到的是那麼地不一樣。她閉上了眼，跟自己說，那只是一時的妄念，一時的迷茫或奇幻，只是她太驚嚇了，而產生的幻覺。

於是，她開始閉眼地念了三回她媽媽教她念來保佑平安的《大悲咒》，找來有神通的《大悲咒》中的諸佛來保佑她回魂。就這樣，當她感覺疾風緩解了下來，廟埕的氣息也不再那麼驚嚇時，才又睜開眼又再仔細地打量一回，那幻覺眞的並沒有發生，所有的風光，仍然一如她一生所看到的，老街老廟老神明都還在，也都還在原來的風水與老地理中。

但是，經過了這回奇幻的神祕經驗的折騰，顏麗子有了一種全新的領悟。她明白了，她明白她看到的和她看不到的都始終在那裡。只是她以前不明白，祂們只是很神祕而幽微地隱身在廟宇的角落的深沉裡，沒有動，沒有用一般可以看到的方式發生，就只是這樣盤踞在老街老廟的更裡頭的陰暗裡。

雖然，顏麗子心中明白了，也仍老覺得這些人身蛇尾神像都還是活的，但是，她終於不一樣了，變得打從心裡地不再害怕。就這樣，又再過了一會兒，在陽光重新射入天井的那一道投影，煙重新擴大而濃密地飄揚時，她才眞正地完全地回神，這老廟仍然是原來的莊嚴模樣，一如她一生以來始終看到的老樣子，她鬆了一口氣，這些香火鼎盛的場景與風光仍然肅穆。而且，整個昏昏欲睡古蹟般的老廟，仍然是氤氳，幽暗，就在那一排跪到都半破的草編蒲團、煙燻黑了的籤桶前頭，還是原來肅穆莊嚴的古老盤龍柱和舊木門板上的老門神。

她突然看到森山，森山就和那些木工老匠師在另一旁工地前討論寶島大旅社的雕花要如何雕大門上的妖蛇的蛇眼，顏麗子遠遠地叫他，但森山沒聽到。她又回來了，也又回來了這裡，僥倖地就在那時候，顏麗子才眞正地明白她剛剛出了事的意思，她看到了自己用寶島大旅社要把這個老地方的不安帶走，把這裡帶到另一個奇幻的未來的不安之中。

於是，她繞過那算命師的空攤子往寶島大旅社跑去，森山這時候看到了顏麗子跑過來，他仍然用一種不解的神情張望著她的不安。

爲了安慰顏麗子的不安，森山提到了當年他去歐洲旅行時的一次盛宴的不安。

那回也太離奇了，因爲巧合，在路上，被一群朋友邀去，參加另一個朋友的派對。但是，邊走邊找了好久，才繞到了一個罕見的歐洲古典豪宅，建築極大又極華麗奢侈，但是，看不出是那種時代的古蹟，柱頭、立面、裝飾，都刻的是一些大隻小隻的怪獸雕像，表情猙獰卻極精雕細琢地栩栩如生，看久了會有種錯覺，好像牠們都是活的。所有的僕役都正在忙，也有好多穿著體面極了的客人從容地走著。森山說，他們這些旅行路上的人過來，穿得顯得草率，狼狽極了。

但是，因爲人又多又亂，所以，也沒有太多人留意。

他們就這樣，跟著在豪宅進進出出的，森山老覺得那些柱頭的怪獸眼神一直在打量著客人，心裡很不安。而且，到後來，才發現，整個盛大的晚餐宴會，雖然盛大得像是一個慶典，竟然是因爲那主人的父親過世，而且是因爲喪事剛結束，他們從教堂回來，所以才在家裡，接著舉辦這盛宴的。

後來，大廳好怪，好多僕人在上菜，但是客人大多是男人，很多人還都很歡樂地在談笑，我有點納悶，而且他們很開懷地在大吃，難道，對他們而言，這樣才表示哀傷。就這樣，森山一直納悶地看著那些很豐盛但也長得很怪的長桌上的菜。好多的鰻魚，箭魚，大比目魚，鯖魚，牙鱈，魔鬼魚的魚翅，墨魚，黃道蟹，做的還好腥的一大盆生海鮮拼盤。用腦髓，蝸牛，兔的肉兔的腿，骨髓，腰子，做的前菜。長得像牛腿，牛舌，牛腰腹附近的膈柱肌肉，牛尾，併置而做的像沉船形體的主菜。用極大隻的對切乳豬，豬頭肉凍，肥豬肉丁，做的滴汁巨大肉排。用內臟腸，絞碎的豬肉，豬內臟和豬血灌進豬腸裡蒸煮或烤的白腸，豬血腸，所有的長桌上的菜都和長桌身和桌腳的精緻繁複動物雕像有著相互的奇幻地呼應。

而且，另一件奇怪的事，是更早之前的森山因爲有點肚子痛，從一進來，找到了廁所，雖然一直坐在那也很豪華的馬桶上，但看著沖水拉把的妖蛇怪獸銅雕的臉，對他似笑非笑地凝視，就怎麼也拉不出來。後來，弄了好久，才走出去了，這不是一個葬禮後的晚宴嗎？爲什麼他們都沒有傷心的感覺，卻反而好像在慶祝什麼，正在不知道爲何，主人好像始終裝得跟森山滿熟的，客氣、親切到令人不安。更後來，玩世不恭的那主人竟也有點似笑非笑地凝視著他的不安，問他剛剛去哪裡了。但是，出神的很不安的森山腦中卻一直分心，還老是纏繞著剛才的畫面。

長桌上的菜和獸的雕像最奇特的呼應的風光是最後一道最大的主菜，那是一個烤整顆還帶皮帶骨的山羊頭，彎彎的鍍金的羊角長在額頭，而眼珠鑲嵌著閃閃發光的珠寶，好像那些長桌上一如那古建築屋身樑柱上的怪獸，正死命地盯著吃牠的客人。

寶島部（第10篇）太子龍。

一

一如詛咒，或一如一個神話的預言，一個家族的厄運等候著一個小孩去進入，在他還不知道這一切的宿命都已然那麼嘲弄而完整地被寫就，他注定要被調教、崛起、抵抗，到完全地面對而接受、扛下、堅持、死守……但最後終將被遺棄。

一如小時候的我常常夢見的這太子龍圖騰的圖像，而我就是那個太子，正騎著那條神龍在雲中彩霞中起飛，所有的天空都在發亮到無法逼視，疾速的疾風、瑞氣祥光、叱吒風雲。但是，我始終會因爲各式各樣的意外而墜落、雷擊、颶風、飛行怪物的正面襲來。然後，我就會滿身大汗地驚醒。太子龍，在當年最著名的辨識形貌……就是那浮水印中那太子騎龍的圖騰，對我而言，卻老在夢中從神通變成災難、從祝福變成了詛咒……一如變成了克利畫的〈新天使〉那畫的預言，被名爲進步的風暴推向未來的那始終痛苦而悲傷地回頭看著後方毀壞中城市的長翅膀的天使那畫面中扭曲歪斜到極其嘲諷的寓言。那浮水印仔細端詳，就是一個圓形的像皇家的圖章，旁邊是有鋸齒紋如郵票或古錢莊票的印記。在圖騰正中央正是那傳說中的少年，穿上皇袍，神情自若，優雅而從容。那就是想像中的太子，有一行可笑的直譯英文字。**TAITZ LON**，他還正站在一隻盤旋龍身起來的龍前頭，龍身後有雲彩。整個畫面是極華麗的，極超現實的。像個預言也像個祝福，就彷彿太子騎著他降伏的龍已然正要起飛，雖然我那時候還是不明白這圖騰是什麼意思。

因爲，對我而言，那浮水印不只是個圖騰，而更是一個少年的對他未來過度想像也過度浪漫的那種超現實，那不免是一種太過華麗而虛幻的夢。甚至，更後來知道了更多父親的事之後，也才知道那也是一個讓我的整個家族正要開始起飛……的夢。

那浮水印就像是一個符，像是一個祝福也是詛咒的預言。甚至那像是《絕命終結站》式的不斷重來的逃過一劫終究會在劫難逃式再被找上的甘願，或是破關破不了又老死在同一種打怪的死因的沒法子離開的無間地獄般地無間。或許，就是一種宿命論者式的自動迴帶機般必然重複的厄運，死於阿基里斯腱的不幸一定命中……預言了我和我的家族後來所遇到了的超現實的種種起飛與隕落。

我老是知道得太晚，這老家族的所有浮浮沉沉的驚人。

一如太子龍是在我出生那年……出現的，因爲我父親在那幾年變成了中臺灣的太子龍總代理，就像胡雪巖、像當年的鹽商或漕幫種種那時代進入那最核心產業的較勁、廝殺……我不知他當年擺平了多少人，處理了多少派系的糾紛。在當年，從那麼多中部的布商裡取得了南臺灣那麼以難纏出名的太子龍紡織總廠的信任，一如一個傳奇人物般地完成了這個歷史性的角色，雖然我長大到知道這傳奇有多傳奇的時候，那個時代已經過了。

太子龍學生服，一如那個年代所有童年時代的標本。時空膠囊裡的……更完整的形貌。那年代的服裝的最無法被取代的想像。共同的回憶的最深處。那最後的模糊剪影種種從失焦到聚焦的召喚，對我們已記不起來忘了多少的種種昔日像王子麵、涼菸糖、紙娃娃、尪仔標等都可以在這裡尋獲。小時候愛看的《無敵鐵金剛》、《科學小飛俠》、布袋戲、車掌小姐、反共義士、說臺語要罰錢、愛國捐款、玻璃罐黑松汽水……已然消失於現在種種古早物。

一如在宮崎駿的《神隱少女》裡那女主角說：「已經發生過的事情，就不會忘記，只是想不起來而已。」

當我在多年之後走進了一家奇怪的名叫「香蕉新樂園」的房子，那主題餐廳的建築物外觀故意做得老舊奇特地……就像博物館了，不過走入店內就會發現那裡頭全部都是刻意重新做成老式的裝潢，兩旁的街道將六十年至八十年前舊時的街道重新搭起了復古的場景，讓人好像走入了過去。走入了一種時差……一種時光封凍的更難以明說的隧道。這博物館，裡面有逼眞的清朝及日據時代的髒兮兮的店面，還有多年經心收集的數百件道地的古董。包括：老舊的信箱、鏽蝕的金屬路牌、又醜又俗氣的電影海報、四十年前車款的舊計程車、破爛腳踏車、老而泛黃的相片以及設備齊全的老式的寫眞館、牙醫診所、甘仔店、理髮店，及電影院……種種充滿細節的老房子的痕跡。雖然那裡其實只是一種主題餐廳的噱頭，熱鬧中有種奇怪的懷舊充斥在裡頭。但是，在老街裡頭的太子龍學生服和幾個穿太子龍學生服的小孩模特兒們卻是太搶眼地發光……彷彿變成是那博物館的主角，穿梭於那老時代的老街上，他們的嬌小的臉和身體也有點破損而傷痕累累，卻反而更像博物館的守護神祇，輪迴降生靈童或有妖術的小鬼或未成年人俑……那麼地靈驗。

但是，他們身上都穿太子龍，都那麼切題地像蝙蝠俠的蝙蝠裝和高譚市或超人的超人裝和紐約的完整暗示。或許，就像是小丸子……她身上的學生服和那永遠不會長大也永遠不會離開的從家裡走到學校的永遠場景……那種種籠罩於某種時代感與城市感的末端。太子龍，因此就像暗示的最後召喚，隱隱約約地召喚那時代的最後的「我們已想不起來」的種種標本。

太子龍學生服的歌，堂弟小時候還老是邊走路邊開心地唱著：「磨不破，磨不破，太子龍不怕貨比貨，不會縮，不會皺，太子龍只怕不識貨，你愛我愛他也愛，強力太子龍學生服，啦啦啦！強力的太子龍！」當年甚至是最紅最時髦的鄧麗君爲太子龍代言……多年後的他有一次掃墓時還翻給我看他找到的列印資料上是這樣寫的。「臺南紡織自創品牌的太子龍學生服，曾經席捲全台學生服市場，還首創在卡其布貼上浮水印商標，以供辨識。」「太子龍」就是當年臺灣紡織業的第一個品牌。那年代的流行，就是穿著浮水印商標的太子龍制服。

太子龍在國內紡織史上是令人難忘的。因為當年太子龍是臺灣紡織業自創品牌的鼻祖，這是臺南紡織在三十多年前所創造的輝煌歷史。當時，太子龍不但是臺南紡織的代名詞，也是一九六〇年至一九八〇年代，臺灣中小學生的共同回憶。回憶當年盛況指出，在那個年代，只要提到學生制服，就會想到太子龍。在民國五、六十年代，臺南紡織做成的胚布，不少間接銷至學生制服市場。當時不少歐美、日本、香港等地銷售的土黃色卡其布，都經過不縮加工，但臺灣只經過普通的染整程序就出廠銷售，以低價力拚舶來品。當時臺灣批發商若以六十碼胚布交染整廠染整，染完後一定會縮到六十碼以下。由於市場惡性競爭，廠商可能將布拉長至六十六碼、甚至更長，以免染完後縮水，但也造成布的強度因拉長而減弱，變得不耐用，制服一經洗滌，縮水情況就非常嚴重。在那個經濟貧乏的年代，很多父母買給小孩的制服，袖長、褲長都會多留一、兩吋，但因布容易縮水，下水後可能就變成八分褲，南紡強化後段加工並推出不縮水卡其布。由於成本遠較一般卡其布貴兩成，加上未防縮加工的布可以藉由加漿，讓布質更為厚重，為賣相加分，很多中間批發商很難認同這種作法，不看好防縮卡其布。當時臺灣纖維材質多自日本東麗進口，在臺灣註冊為「特多龍」。由於東麗特多龍的名號響，南紡為凸顯自有品牌特色，在以「太子牌不縮卡其布」申請註冊商標後，順勢打出「太子牌太子龍」品牌。其最知名的成就，就是以不皺、免燙，打響「太子龍」品牌學生服市場，讓當時已陷於虧損的南紡轉虧為盈。臺南紡織是那個時代的某種奇怪的品牌。印花是為防止成衣廠魚目混珠，南紡依出貨疋數換算成衣件數，隨貨附上相當數量的成衣標籤，全打太子龍品牌；同時還在卡其布上印上浮水印商標，以供辨識。這種行銷成本雖然高出很多，但品質很好，儘管售價較一般卡其布貴兩成，還是成為當年最流行的制服品牌。太子龍炫風席捲市場十多年後，其他同業才開始仿效，紛紛打自有品牌，卻仍無人能出其右；直至一九八〇年代，學生制服市場逐漸式微，南紡關閉織布廠後，才為太子龍劃下句點。

堂弟說：你還記得讀小學時，所有關於太子龍的故事嗎？

他說他一直沒有忘記過，因爲那時代好單純地令人難忘。小時候的穿著大家都一樣，上學一律得穿制服。夏天，男生是白上衣藍短褲，女生是白上衣藍色百褶裙。我一直覺得這樣的打扮很好看，在小學時很喜歡夏天，現在看到自己的已然也是小學生的兒子穿，就更親切。很想去拍拍他們的頭，而春秋二季節一般是加上卡其制服或土黃色長袖的。再冷一點則換上長褲，男生是土黃色的，女生是藍色長褲。一般學生則喜歡在裡頭穿白襯衫，外頭穿藍色的外套，然後將白領子翻出來。冬天就是將上頭的衣服全部穿上就是了。那就是全部了……像在部隊裡，在時代的末端裡。這麼多衣服，這麼多制服……充滿了共同的回憶，但竟然制服也大多都是我們家的太子龍學生服。甚至所有同學們都會互翻制服的浮水印，炫耀自己的制服是太子龍的。

堂弟說，那時候，他去小學最大的噱頭就是衣服有浮水印。他還會故意弄濕，然後當場洗衣服時就會浮出來讓同學們看。那時大家最常講的就是：我的衣服是有浮水印的……他說到這時候我就突然想起來了那個畫面，一如那個時代，有一個太子騎著一條龍正要起飛，所有華麗的圖像，都必須在水中。一如太子龍必須在……大雨滂沱的雲中，才能浮現，才能起飛。

那是一種奇怪的惡意嘲弄。或許是那個年代深具代表性的心虛。而發生了的小孩子的虛榮的較勁！「啊！你的領子沒有浮水印，那制服是假的太子龍。」有一個同學因爲穿的不是「太子龍」的學生服，他母親用做喪服用的麻布縫製取代。穿到學校時，一些同學因爲過完新年穿了新制服，就互相比對起制服上的「浮水印」來。雖然是某種天眞而無謂的比較，但還是傷了被比較的那同學的心。回家後，那位很有畫畫天分的他竟然花了一整個晚上在領子仿造太子龍的浮水印，翌日到學校後翻給同學看……「這是我哥哥的舊衣服，洗過浮水印看得不太清楚，但是……是眞的太子龍啦！」同學圍過來翻看他的領子。就說：「嗯！有浮水印，是眞的！」堂弟說，這是太子龍的太多插曲的其中之一，「其實，我一看就知道是畫上去的。那畫龍和畫太子的線條都太生硬而且顏色也太參差。可是，我也沒拆穿他……」

其實，小時候的我們家教管得還是很緊很小心，雖然自己家就是做太子龍，但是生意才開始做起來的大人們仍然是很節儉，所照顧的我們七個堂兄弟姊妹也是很小心，在穿衣服上仍然是很省的。因爲所有小孩都撿兄姊的學生服穿，我排行排在後面。所以小時候的我完全沒穿過全新的制服。但是我也不那麼在乎……倒是我印象比較深的是制服上的繡字，因爲穿過好多個人了，那些學號拆了又繡，繡了又拆，衣服上的胸口那位置，布身都已經散了破了，甚至還要從後頭補布才能再繡，第一個姓的顏字都一樣，不用重繡，但是名字穿到第三四個人就拆拆疊疊補補太多次，學號的號碼也是……一如是一種符的下與解，或一種老時代結繩記事的密密麻麻的故事的登錄、鍵入、解碼……只是那時候太小，看不清楚這些故事的充滿寓意，只記得繡學號的歐巴桑在那很舊很髒的她家的繡字縫紉機前頭，會跟帶我去的姑姑攀談敘舊：「還是你們家太子龍的布身比較好比較密，別種布繡不了這麼多次……就爛了。」

小時候，我一直記得有一段日子……家裡變了。那長壽街的家的長型店屋的天井後頭第二進已然完全變成了巨大的布的倉庫。那個地方很大但是也很陰暗的，成排但很少完全點亮的慘白的日光燈管，整個空曠的倉庫，在平常沒有進出貨時，只是留一小盞小黃燈泡，像鬼火……走在裡頭，很恐怖，因爲那些太子龍捲好的圓形布匹極大綑，一綑有時超過一百公斤，置放時要很小心地垂直平行堆起，交疊很高而中間有空洞，就像木場的巨木那種錯開的極沉重貨物的放法……而且，每回進貨量都極大，往往會把一整間極大的房間全放滿了。我們在小時候，走到裡頭，就像走入了長滿神木的龐然密林或像誤入古舊不明高聳柱列林立的墓室。尤其是有種奇怪而刺鼻的氣味……待久了就像陷入了充滿惡靈的地下古堡，我們那麼害怕，又那麼愛，往往幾個小孩就在裡頭用最小心隱密的法子玩起捉迷藏。其實，那倉庫是禁區，因爲，那布匹太重太沉……實在太危險了……萬一撞倒，小孩會被活埋在裡頭。而且，就算完全都不亂跑……一個大人不動地在倉庫裡待久了，那氣味就會熏得一直流眼淚，何況是小孩……所以，那裡一向是禁區，一向是充滿所有黑暗的恐怖地帶。我一直記得那一個畫面。有一回，在家裡……我姊姊失蹤了。一直找到天黑了，全家都找不到她。找到時，她正躺在那巨大布綑的縫隙裡，哭得太累了，更後來，她睡著了。在那龐然的密室。原來，她逃進了那太子龍的倉庫，躲到布綑之中，一直哭一直哭，後來，就沒有聲音了，像一個《哈利波特》或《魔戒》或所有古老傳說裡的邪惡的暗示。一個女童的害怕與迷茫在空曠的倉庫。像鬼火的燈火下在那布綑交疊很高的空洞裡，在那裡頭奇怪而刺鼻的氣味下，在那充滿惡靈的地下古堡中。那幾乎是我們那個年代的寫照，也是我們童年的寫照。我們總是一如她那麼害怕，在太子龍的密室裡躲起來了，即使那裡那麼黑那麼刺鼻，但是，卻又就在裡頭躲開那時候的人生更害怕的更多的什麼。

我們找了好久才找到她。其實那太子龍倉庫暗黑密室的那氣味……是太人工地惡臭而熏眼睛到可怕地充滿威脅！我到很久以後才知道，畢竟因爲那種太子龍的布是一種最早的尼龍布，也是到了更久以後才發現那些尼龍中的聚乙烯或聚酰胺都是當年才開發出來的鬼東西，那種化學武器般地具有可怕的化學處理……品種很多的尼龍，分子中至少都有某種什麼什麼的氨基，在長大後的我查過的某些看不太懂的紡織化工檔案裡都一再提及的擔心，它們都有共性但是由於氨基和不同的基團或不同鍊長的基團相接著，所以各個不同的品種又各有不同的特性的不穩定而不免會分泌刺鼻的異味。所以，那種彷彿毒氣般的異味空氣……始終是我們童年的陰影，像是揮之不去的各種夢魘比對時唯一的雷同點。

尼龍數量巨大時不免就變得像巨大的人造怪物，不免就是會有不同的氨基的怪味：像尿液，像化學藥劑，像某種不明氣體……種種有問題的源頭，那也就是那些氣味的來歷。

也就是……有毒。這種種有毒的敵意……就像一種《惡靈古堡》或《厄夜叢林》般那種恐怖片的雛形，一如所有的威脅還沒有出現以前的有毒的氣味已然入侵，已然用惡臭提前而蔓延而完全地籠罩。然後，我們一群小孩子們就帶著塑膠恐龍、怪獸、吸血鬼……所有的雷同噁心的恐怖玩具，然後再屏住呼吸在那暗黑的倉庫裡玩。就像多年以後所去看的一部恐怖片，但是沒想到會變成那樣……那是一個在不明森林的不明老房子裡的故事，我們就一如那些故事裡不小心的主角們那一群無辜又無心的年輕人，他們一開始只是要到那老房子度假，但是，後來，才發現出事了。他們被選擇變成活人犧牲，符合儀式裡的蕩婦，運動員，學者，愚者，處女，五種需要被懲罰而才能被淨化的人。一開始他們只是在玩，在雙面鏡子前，他們在玩遊戲，越玩越冒險。後來有一個女孩被罰親吻牆上的眞的標本動物狼頭，她就眞的淫蕩地張嘴親了野狼的露出獠牙和長舌，還淫蕩地舌吻，所以，她最早被殭屍砍了頭。後來，其他的他們在一個老房間一幅老畫上發現了他們的最後下場的預言，可怕又可憐，那畫裡是一個森林裡的虐殺畫面的恐怖停格，一群正撕裂羊毛而屠宰羊身的骯髒又殘忍的老農民們，他們正支解到有濃稠暗紅羊血濺出，腸胃肚肉流出黏答答的汁液，還有一隻癩皮土狗在咬那一隻母羊切割毛皮後的肉身所掉落滿地的血淋淋的半裂內臟，肺腑，心臟，母羊子宮中還有一隻帶血的小羊……他們一直在暗黑一如太子龍噩夢倉庫般的場景裡……後來走入地下室。暗門彈開，他們完全地陷落極惡劣的絕望，即使發現他們可以自由意志地選擇。進入地下黝黑的地窖時所看到許多古老的遺物。蜘蛛網纏繞的舊式老娃娃、老照片、古董衣服項鍊、破音樂盒、古書。甚至找到當時一九〇三年舊日記，涉入了那家人的殺人陰謀也發現操傀儡師般喚醒了怪物殭屍的可怕。後來，那女主角發現了陰謀，發現了一開始的他們就在選擇自己的死去，在那黝黑的地下室，在拿起所有桌上的古物時……老聞到異味而感到異常的不安。

一如我們在那太子龍倉庫裡，老是覺得會出事，有什麼怪物會跑出來……

更後來，電影中無情的殺戮開始了，那對在森林裡的情侶在做愛中被攻擊砍死。有人一直聽到幻覺般聲音而昏迷，有人從房間出去散步而後來就一路被追殺，就這樣地在黝黑的恐懼裡一個個被惡魔從舊房門、祕道、密室、老木窗老木門撲朔迷離地撲入，就這樣地死了第二個第三個人的更後，他們到了地下室，一個掛滿老舊凶器的黑房中鏽蝕的鑄鐵勾、長刀、鐵鍊，才發現那是當年發狂的主人殺所有家人的地方。電影的暗黑密室中間還穿插另一端同時發生的日本的恐怖女鬼希子追殺女學生的狀態，但是，女鬼後來變成水盆上的青蛙而和日本女學生手牽手環坐祈禱獲救的畫面。但是他們一直沒弄懂，太堅強還可以忍受這麼多的痛苦仍然沒有用，因爲後來還是必然會失控，在狂歡之後的他們必然要全死，一如預言。

一如我當年老是想像那太子龍倉庫底部必然有更深更恐怖的黑洞那麼巨大的無底深淵，及其必然要全死的結局。使得電影裡那些溯古暗黑的著名怪物都出現了，流屍水的殭屍、陰魂不散的惡鬼、拿電鋸的變態殺人狂、吃人不吐骨頭的魚怪或巨蟒……種種本來在被封印的底層，後來都現身了，故事中是爲了安慰那最巨大的暗夜惡魔，因爲在最底層，那些儀式的活人祭獻，不只被殺，是爲了安撫最凶神惡煞的那最後惡魔。最後，他們僅剩的兩個人，被追殺到只剩半條命。但是，他們自己決定，在世界末日來臨而等待最惡的巨大魔神出現前，要看一下牠的長相，所以男主角在最後瀕臨被毀滅的最後一刻，還是先抽一根大麻……這才叫度假，那抽大麻的男主角說，一如我們家當年最小的堂弟，他總是因爲太聰明狡猾地太早看清這一切預言，所以他總是嘲笑其他我們家這一群小孩對這種密室暗黑的恐懼，完全不怕惡臭，而自己一個人老躲在那個異味的太子龍可怕倉庫裡偷抽菸地……度假。

二

我老記得小時候的堂弟問過我……蟑螂斷了頭爲什麼還能動？堂弟他從小……就是一個動物狂。什麼動物都養，什麼動物都疼……多年後的現在，他竟然開始養等級最高最難養的變色龍。

「這可是太子龍啊！是我兒子現在當太子要騎的龍啊！」他如今所養的婆羅洲的蜥蜴，是極稀有的品種，昂貴而妖美，一如花色華麗斑斕的神獸。

但是，我卻想起了一隻小時候的神明廳裡叫聲極尖銳極誇張的大壁虎。「你記得我小時候有叫你看過牠吃蛾嗎？」堂弟問我……小時候，那是太早以前……我想起來了，那幾乎是一個光影不明的回憶切片的碎片，一個太老舊的角落場景末端，一如斑駁的雨漬浸泡太久的令人不安的不連續畫面。但是，我卻仍然記得他指著牠們變身成牆壁的壁體……隱形又成形的形體，彷彿是完美的僞裝。

那壁虎，正用那尖銳而誇張的叫聲叫了起來……太響亮而詭譎。像擴大器前後級加等化器升級過效果而將蟲鳴轉換擴大成重低音的悶雷或像神明的神獸座騎在祂們出巡前的凶神惡煞般地咆哮……但是，我卻仍然在黝暗的老房子狹窄的所有屋身上上下下仔細端詳，找尋那看不到的發聲起點，直到他小心翼翼對我說了一個字。

噓……我仍記得他指給我看的那一幕……像魔術或幻術……我們就蹲在老桃木桌角，身影藏匿起來，沿著他的手指斜指向上的一如一個最深沉刺客的那隻老貼身在神明廳的神案旁的大壁虎。牠老是僞裝。老是全身緊張而從容地……牠的眼睛有一條線。爲了避免強光而兀自發光，牠的皮膚顏色雜色。舌頭就像一種最不可思議的武器般地彈飛而出，以完全難以想像的角度和速度，噗一聲地射出。那回，牠正以黏膜般的舌尖抓住了飛過牠的一隻巨大的蛾，並在最終的一剎那呑噬了牠，咬爛牠的已然殘破的翅膀，蛾身被分屍得那麼出乎意料。他說他最喜歡看動物死去，尤其是種種不同死法的死亡，永遠是那麼精美、輕巧，那麼不可能地空幻，而且就在神明們之前……我們家的神明之前。其實，我對動物並不那麼留意。甚至，對動物的死亡……也沒那麼敏感。那天，我也是一直到堂弟提醒了我。一如過去好幾回……我才看到那飛蛾的死，那壁虎的撲殺。或說，才從家人交代的拜拜之間分神出來，而所有的大人並沒有發現……堂弟就在那裡，對正在準備擲筊的我露出了奇怪的笑。

露出某種完全不明刺客出手而全身而退的深沉。他那動物狂的對動物之死……那刹那的敏感，空幻的笑，一如神明的神諭的閃現。噓！只有我知道他知道我知道……

一如那麼小的堂弟在當年就炫耀地跟吃驚的我說：蟑螂在沒有頭的情況下仍然可以存活一禮拜，而且是因爲沒有頭喝水才被渴死的，蟑螂有三個神經節，彼此是獨立的，所以頭斷了，也只是少了一個神經節，所以仍然可以爬動。甚至，蟑螂的心臟即使暫時停止跳動也不會怎樣。

在長壽街那客廳裡，在那以前的太子龍倉庫外的天井旁……堂弟說，這麼多年以後，他的動物狂的夢……後來終於醒了。他笑著說，當年也太天眞了，就在那一回，他住在叢林裡好幾個禮拜……病重得差點死在那裡。本來，覺得那是一次有意思的冒險，像神明託夢般的找尋啊！但是，他卻覺得後來實在是失控了。他說他念動物系的大學時代跟過一個外國老師去找過一種消失了一百三十多年的蜥蜴，學名叫做葛氏巨蜥蜴，牠只吃水果，身長七英尺長，只活在樹上。動物學上最大的質疑是，爲何牠有吃肉的雙齶，但是只吃水果，而且只存活在古老森林，存活在那個古老棲息地破壞最嚴重的地方，名叫波利羅島的野外，這種特殊動物演化的研究提供對棲息地的解釋，這研究幾乎是所有動物狂的終極的夢。因爲，如果可以解釋……這些巨大爬蟲類的棲息和生態系中天敵最後也最極致的相互試探相互攻擊的所有可能……或許……就可以某程度上解釋恐龍怎麼滅種的？但是，除了那棲息地太惡劣無人能接近或停留外，另一種兩難是……研究會使巨蜥蜴受傷，而僱用獵人只是獵殺牠們，有史以來，所有的關於這種巨蜥蜴的研究都只是驗屍報告，太慘烈了。所以，幾乎沒有人看過活生生的牠們，堂弟說，他們去的過程，完全是災難，好幾個禮拜困在裡頭。走到後來沒路了，洪水把路沖走了，最後停在集水區，一再地迷路，忍受高溫，在那恐怖的熱帶沼澤地和荊棘叢，環境惡劣到沒人相信他們待得下來……只是爲了要等候拍得到那種巨蜥蜴的完全活生生的生態習性追蹤。他的老師找到了那森林裡最傳奇的獵人來當導遊，他們已然變成森林的頭人，森林的最後守護者，他們不再追捕動物而是追捕盜獵的人。就這樣，在那種窮山惡水裡待了好久好久。有一天他們終於追蹤到巨大蜥蜴的糞便，發現牠們就躲躲藏藏地完全待在大樹上，而且一個禮拜只下來幾十分鐘。只在極難得的狀態下才從樹冠層下來，一發現有人，之後就三個禮拜消失了，甚至，就在原地動也不動地等待，因爲牠們太小心而且膽子太小，所以行動太隱密了……他們用高科技紅外線才拍到一些殘影……有時一天要等幾小時，就這樣要停留幾天到幾禮拜，等的時候完全不能趕蟲子，待命時進食還只能邊吃邊看。因爲牠們有太複雜的氣味訊號系統，在危險地區留下氣味訊息……人類一出現，牠們就完全地消失了。堂弟說，所有的狀態都越來越荒謬，那像是某種刺探天機必然遭遇的天譴，異狀持續環生的暗示，只是他們沒有發現，或是發現了也不願意承認，就這樣，每天都在惡化，有人無故就嚴重地長膿瘡生重病了，有人受傷了……他後來看到他的動物學老師更可怕到難以置信的某種狀態……大概是在那裡待太久了，已經快完完全全地瘋了。

他目睹了那老師在一個沼澤旁充滿異臭難耐的破帳篷中……邊研究邊喃喃自語，就這樣邊看巨蜥蜴的大便，持續了好久好久，完全不動地發呆，以前就常常這樣子，只是越來越久，也越難以想像……而且，那一回實在太怪異了，他竟然看到那老師好像失心瘋了般地拿起那黝黑黏稠的條狀糞便來，細心地聞了好久……甚至在最後還放到嘴唇旁，慢慢地舔噬了起來，最後就更深入地咬了幾口，一如在品嘗什麼松露般的稀有料理……最後甚至完全全地吞嚥了下來，還打了一個飽嗝……而且，過程中始終露出了某種奇幻的滿足的微笑。堂弟說，在叢林中一直持續地下痢到近乎脫水地生病而完全虛弱的他就在那一刻……才眞的決定放棄了。就這樣，脫離那個蜥蜴研究團隊的夢魘，而一路重病地飛回臺灣。心中充滿了奇怪的遺憾，但卻又充滿了獲救的無名解脫般的歡樂……總覺得人生是到了某種盡頭。動物狂的他覺得……那不是原來他所懷抱的一如神諭般的憧憬，而只是一種失控的幻覺。就這樣，他完全地放棄了他的對獸或對野生的種種浪漫……或說，就是放棄了他動物狂的夢……

回到了原來的人生……回到了老家的某種從小到大的夢的源頭，或說，就是回到長壽街。

就在那長壽街的老客廳裡，說完他那夢魘之後但是仍然充滿自嘲的堂弟跟我說，你還記得，我們小時候所一起迷過的……那一套叫《寄生獸》的日本漫畫，那系列的故事雖然有殺人怪物的某些妖獸類型的套用，但裡頭卻一直有著更深入而不同於過去的懷疑……那是關於人和別的動物的關係的更內在的矛盾。而且，在一再的撲朔迷離的撲殺、對決的外星物種入侵的陰謀中，始終糾纏於更倫理學的兩難，一再談及類似這種不同生物之間交換並依賴彼此而才能存活的問題，很詭異……堂弟說，最近有一回他爲了等接小孩安親班下課，所以就坐在某一個走廊的咖啡廳重看他租來的這一套老漫畫……就在那走廊旁的百貨公司也已快關門的時候。

有兩個尋常又不太尋常的人坐在那裡，吃力地念著某本書……「看書、念書、寫字、唱歌、吃飯、喝酒、做事、教、跳舞」鄰桌的那個小女孩說了一遍，有點胖而穿西裝襯衫的那個男的也跟著念了一遍……念到看、念、寫……就念不出來了，那不太耐煩到有點耐人尋味的女孩又教這日本人再念一次……他在那裡待了更久之後，發現現場太古怪了，黝黑得很空也很暗，完全沒人。他從旁邊的更晚才關門的咖啡廳看過去，電視螢幕仍然在閃著淡淡的光，好像電源還沒切斷而播放源的機器卻關了的那種奇怪的狀態，但也像某種訊號或像某些事情正在發生。可是他並不清楚，感覺不到也看不到的更裡頭的狀態，更後來這咖啡廳也快關了。他所看的《寄生獸》中那怪物在第三本漫畫就開始和那男孩交換了更多的肉體的狀態而彼此不適應，後來，那日本人與少女已經先走了，只有他還待在那裡……發呆。並想起更多往事，往事裡的這漫畫，那是以前的某一個女朋友也跟他在大學念動物系的時代一起迷過的，在太多太多年前了，那時候，他還沒失望，對人生充滿奇怪的冒險的期待。他和那女朋友還住在一起的時候。她常常沒去大學上課，而只完全沉溺在家裡用一種很奇怪的他也不明白的方式一直看妖怪的漫畫。《寄生獸》是她少數跟他提過，或說他還記得的……她是很理性、很得體的摩羯座的女孩，分手的過程很冗長，她會讓自己朝自己要的方向走去，但是卻沒辦法看那時候的自己。或說，太憂鬱的她把自己關掉了，她說她要放長假，用一種他那時候並不明白的方式在面對她自己完全看不到出路的困局。她不太出現在大學了，也在很長的打工的工作之後辭了工作。用一種極封閉的自閉的狀態來緩慢又完全地……替自己療傷。他一直陪著她……她跟他說，那故事很好看。那是一個描述來歷不明的寄生獸「MIGI」和主角泉新一的相互依賴才能活下去的故事。雖然是漫畫，但是很激烈……對人類的存在以及對於地球的主宰……充滿不滿批判。一開始是主角泉新一某天看到了地球上空出現許多孢子，其中誕生的幼蟲侵入身體後，以寄生於腦部爲目標，寄生完成後與腦部細胞同化，牠能任意變形，其食物是與寄生體相同的物種……人類。由於寄生獸的出現，到處頻傳殘忍的殺人事件，更後來，寄生獸逐漸了解並滲透到人類裡頭，用更複雜的方式使人類的未來陷入恐慌，主角泉新一是被寄生的人類，但是由於某種意外，寄生在他體內的生物，並沒有與他的腦合體，而只與他的右手合體。所以，他開始和牠說話，有時爲敵有時爲友……式地說話，他們辯論起太多的人類的荒唐……生態。捕食及競爭。寄生是互利共生或片利共生或片害共生……和裡頭因之發生的太多誤解與更裡頭的辯解。因此，他們更後來有了更多的相互救贖式地搏鬥……爲了被寄生獸殺死的母親或人類的未來，在矛盾與叛變裡……他們反而開始了與其他完全體寄生獸的搏鬥。

一如他們在動物系裡一再覺得人類是比其他動物要高明的荒唐……與最終不免面臨的搏鬥。她跟堂弟說，裡頭最有意思的是……在故事中，那些來自外星的寄生獸認爲自己其實是解藥，因爲對地球來說，人類是毒。堂弟說，那段時光太長太灰暗了……一如那段戀曲的發生和收場，那時太年輕的他還不知道什麼激烈……也不知道是救贖……因爲，堂弟想起來了……在太久以後才比較明白那時候對他的後來有了什麼影響……

一如他那動物狂的熱情還一直持續火熱，而人生一直還認爲所有的冒險都好有意思，好激烈，好瘋狂……因爲，有時太憂鬱的她有一回對他說，或許……她就是他的寄生獸。

三

那天……也年近中年的堂弟仍然那麼地深沉地笑，邊敘舊邊和我看著電視裡的動物星球頻道節目，使我想起他小時候那太多動物狂的瘋狂往事……一如坐在旁邊的他那被當太子的兒子，長得跟他小時候那麼像，但是卻只是在玩手上寵物般的小隻迅猛龍，雖然全身肌肉皮膚賁張而且張牙咧嘴地栩栩如生，但再也不是可能具威脅性的活生生動物了。我不知道怎麼說……那像是《馬達加斯加》那部電影給我巨大的打擊，所有的動物都變成了人，會說人類的俏皮話，會調人類的情，會耍人類的小奸小惡……用盡人性的尖酸刻薄來調侃人類。甚至，就是比人類更像人類了。那種動物狂式的瘋狂……和當年的我們已然是那麼地不一樣，是那麼地可笑而可愛，反正，都是甜美親愛地好玩的……而且，絕不再是當年堂弟著迷的動物的殺氣與死亡。

多年後的現在，一天到晚看著他兒子在玩假動物還玩得好像很凶猛野蠻的荒唐時，在那老家的客廳裡，堂弟嘆了一口氣，對我說，他還是常常會想起當年他那動物狂的小時候……一如那時候我們正看著的那一集的動物節目，名字叫做：《戰場》。那故事才比較接近當年我們那種瘋狂，主要是在那些旁白殘忍地喃喃自語又難以明說的畫面裡，他們提到了困在人類出沒地方的動物，尤其是人類的城市。那可是完全不同的危機四伏，甚至，比叢林更像是動物的戰場，使得動物在裡頭的死亡更荒謬。但也像更現代的神諭……一如在紐約那個巨大的最充滿人類代表性那種惡意的城市，裡頭有八百萬人也有八百萬隻鴿子。牠們在所有紐約的摩天大樓太尖銳又逼近的恐怖高塔身影的陰影之間飛行，所有看似優雅從容的展翅滑翔其實卻都極度危險，因爲那是種種充滿陷阱的人造的懸崖、峽谷、險峰。牠們要想法子飛到歪歪扭扭的建築屋頂突出頂尖的挑釁，想法子閃躲所有的人和人造的鬼地形地貌極其怪異的威脅，想法子辨識看似空曠但是卻埋藏密密麻麻的密集空中人工航道軌跡的糾纏。因爲，牠們不得不要謹慎地起飛或降落，不得不要辨識那些人工地景的誇張而冰冷……種種混凝土或玻璃的山頭山脈，是那麼地繁複而危險……使得牠們再怎麼擅於飛行或鳥瞰也難以理解。

其實不只是人類，在這個龐大到近乎失控的人造城市裡，還有更多潛伏的威脅，在紐約，尤其有一種著名的叫做游隼的老鷹。牠們很凶惡狡猾，飛行得極俐落而精密，而且甚至還專吃鴿子。但是，連這種猛禽，想要長期地存活在人的城市裡，仍然是極其危險。但是也不能怎麼樣，因爲，這裡就是牠們棲身落腳的生態系了……只能承認或接受這些荒唐奇怪的鬼山川壯麗。

所有在這大城裡不得不展翅的牠們是那麼地絕望。但是也只能就這樣小心翼翼地漫無邊際地漫遊，大多時候，冒著生命危險……飛過紐約的狹窄高聳古老街道，飛過最冗長的人造峽谷，有時候，還飛過建築群中的空中亂流、飛過疾速上升形成旋風的廢氣流……就這樣，牠們偶爾會飛入某些屋簷角落的暗處樓房，或有時會停在也就躲在舊式大樓破窗的洞。四處流浪般地翻飛……偶爾可以閃躲，可以逃離，可以在最後一秒僥倖逃過天敵。但是，偶爾也就會因而撞上太厚沉的一如鋼鐵門扇那麼強韌的玻璃帷幕……當場猝死。

城市裡的老鷹仍然是那麼地狡猾……牠們物色所有的可能，等到牠們看準了獵物，就用一百八十公里時速衝下，進入遙遠的畫面裡，進入廣場的空曠，牠們往往從大意的鴿群下手。有的疾速地俯衝，銳利的鳥喙狠狠地攻咬鴿子的脖子。甚至，當場就吃了起來時，鴿子的血濺噴出空中，扯爛破裂的內臟和骨骼肌肉都流出來，有的鴿頭還就斷了到殘骸殘忍地被歪放在一旁。那老鷹邊吃生肉還邊得意地張望著高樓頂旁四下的長空……炫耀牠們在這個戰場戰鬥種種偶然的炫目。牠們總是如此顧盼自若，一如西藏的天葬的吃屍體的……兀鷹，空形母。一如神明。

堂弟跟我說……這才叫做戰場，動物的戰場。

我心裡想了更多，或許，那才是更龐大而更接近現在的動物的困局。在天和地之間，在人類和鳥類之間，在獵物和獵者之間。在人工的遙遠的城市文明深處……還是得繼續爲活下去而戰鬥，還是殘忍到如此炫目。就這樣，我們像回到小時候，一起坐在同一個神明廳前的客廳好久好久……堂弟的小孩也坐在當年我們的舊沙發上，不安分地邊玩邊跟著看那電視裡動物的戰場與戰爭的依然炫目，更後來，電視中的畫面出現了另一個城市的動物戰場……那是印度葉猴，在齋蒲那個城市的生活，爲了找尋食物，牠們要在被人類趕走之前吃飽，牠們一如特技演員地險走鋼索般的歪歪扭扭的電線，而且總是在太多路上的意外中有太多的分心……因爲，在人類的屬地裡，牠們仍然保有高度的自己的動物習性……一如，旁白提及葉猴的領域感和戰場是充滿排洩物的……因爲，對葉猴而言，那不是在大便，而是在說……我是老大，使入侵的同類動物了解，並提高我的攻擊性，使牠們感覺到我的距離。那個戰場的城市和紐約很不一樣，因爲，印度人常常會容忍牠們偷吃一點東西，但是，因爲牠們數量太多，甚至有四十幾群，牠們充斥了整個城市，充滿了街頭和廣場，牠們放肆地成群過馬路，母猴背小猴，年輕的公猴邊走邊對母猴炫耀，有些葉猴還當街偷吃人類小販的水果，那城市竟然有時變成是牠們迷亂的遊樂場。

即使如此，這個人工城市的所有角落還是到處充滿了離奇的危險，一如隱隱約約的戰場。有些粗心的小猴被粗心的汽機車撞死，被倒塌的危樓殘垣斷壁壓死，被誤食的有毒食物毒死，或是，最常見的……是在電箱或電線上攀爬就被漏電的線路電擊，而且，往往馬上近乎燒焦地全身冒煙。畫面裡同情的人們在幫那一隻觸電的牠澆水，或給牠最後的食物，但是牠卻已然嚴重灼傷到完全無法動手。因爲，那種動物的觸電，往往是極殘忍的……極危險到總是當場就電死。

一如所有的意外或不意外，這個城市作爲動物的戰場仍然不免是殘酷的……

即使，猴子其實是印度教的聖獸，也就是印度人的神。

電視中所出現的最後動物戰場是極美的。那是……一條龐然的大河，一條出現了河流上的波光燦爛的著名大河。即使，那殘忍的旁白持續著：河流是另一個著名的動物戰場。河流自古就一向是永遠巨大而危險的。尤其……對鮭魚而言，牠們是海生的、鹹水的汪洋生物，但是卻死命地往淡水的河上泅游。

那就像是一種無名的召喚，動物史上的一種奇蹟式的習性。或說，就是……一種莫名神祕的原始使命。其實，在爲了繁殖後代而死命往上游的悲慘過程，淡水的河流一開始就在用不同的流質慢慢毒害牠們。因爲淡水的條件和牠們來自的海水差異那麼巨大……巨大到即使只是泡在裡頭不動，牠也會死。還有更多游向上游的苦難，面對著好多的洶湧的氣泡沖刷魚身的痛楚，面對浪潮的亂流而逆襲式地逆流往上的迷茫，面對激流的停留太久所必然的皮開肉綻的極度辛苦。即使僥倖存活於這些河流中殘忍的殘局，之後才更困難……那就是面對牠的天敵灰熊，完全沒有條件存活的對決。因爲，在更上游，面對近乎好幾幢水的瀑布式斷層河道流瀉，鮭魚必須要跳高到空中四公尺，才能游入逆流的瀑布之上。但是灰熊就在上游伺機而動。鮭魚們往往在還沒看到空中的威脅就已被熊爪惡毒地抓傷或捕捉，甚至當場被支解或被噬咬吞食了。只有極僥倖的極少數的牠們逃過了這關，才能從高難度的纏鬥縫隙裡劫後餘生地前行……但是，那也將是更壯烈的痛苦，淡水的異質液態入侵牠們海水的體質太久而無法挽回地腐蝕魚身……就這樣，在奮身向上游到最上游的河床，牠們已然奄奄一息了，那才是不得不的終點，才是這條河流戰場的戰鬥終端。

畢竟，只有極少數的牠們能完成這趟戰場的戰鬥，只有牠們才能就這樣終於平靜地完成族群演化的任務，才能在那河床產下魚卵，然後安然地死去。那種近乎難以描述的逆流之逆行……才終於能進入了一如神諭的一刻，進入了最後一段的近乎苦寂的筋疲力竭後的圓寂。即使，整個危機四伏的戰鬥過程，牠們可能完全不明白爲何要游入這條河流的動物戰場，完全不明白爲何爲了繁殖下一代而要全族近乎盲目而甘心地犧牲。

可是，神諭是如此玄奧……因爲，只有這樣，牠們死於這條遙遠的河流的源頭……才能使得牠們死去而腐爛的魚屍，意外地改變這個動物的戰場。改變了這條河……使另一個戰場出現了……因爲，牠們的屍體的養分使這條河出現了另一種動物：蜉蝣。但是，另一群敵人正在等待著蜉蝣。那是一條著名的英格蘭河流，蜉蝣在那鮭魚屍體腐爛的河床緩緩地發育，最後在五月變成蟲，在夏天溫度改變時蛻皮，最後把腮擺脫而長出翅膀。雖然很危險，但是英勇的母蜉蝣必須在二天找伴交配，才能回到原來的河流下卵。雖然牠們數量極多近數千數萬隻，但是空中的鳥和太多天敵都等待著會吃牠們。即使僥倖存活，蜉蝣還是太脆弱了……因爲，從第一次張開翅膀開始倒數，牠們在兩天內就會死了。因此……河流是牠們的敵人也是朋友。明年又來。河流的淺灘使更多動物和牠們的天敵同時出現。一如翠鳥視力極好，可以抓魚。冬天河面結冰到雪停了下雨冰融，平靜的河流才會變洶湧汙濁。這時候，水變深了。水底下五十公分清澈、緩慢的河流，使得更多生態的更多動物出現，翠鳥可以展翅進入水中，羽翅好美，但是抓魚好凶殘。最後，這河流的水面變得好鮮豔，即使河流縮小。一如在南美，河流的水變暖，終於會出現了紅腹食人魚，牠們一鎖定目標，一定群體集結噬咬大型動物至死……牠們還攻擊鱷魚或更大型掠食爬蟲類者，甚至撲殺同類的食人魚。

這裡是永遠的動物的戰場……

最後，河流變緩變泥濘了，大魚在這河流的滯流中死定了，因爲，夏天到了，食人魚不會放過牠們。甚至，河流因爲夏天的大雨終於河道又變高，殘存的食人魚又開始活躍而肆虐了，牠們太餓了，什麼都吃，甚至……吃人。

四

其實，我一直想跟堂弟說，或許他的動物狂的夢是一種神話般的神諭……但是，我沒有說出來。只是在心中始終那麼地忐忑。因爲，那或許也是我的夢。一如，我們從小一起作過的太子龍的夢。我們是太子騎著龍起飛，甚至，有時我們就是龍，就是人頭龍身或龍頭人身的更多變形的種種神獸。只是，過了這麼多年，堂弟的兒子已然長大到我們當年的年紀，後來的夢就不免更離奇了，一如某種遠古文明中動物的更荒唐傳說，一如那種種希臘神話裡的神獸就是神的故事，宙斯其實是一隻公牛，甚至會下凡和女人交歡會生下牛頭人身的怪物，一如，那部重拍的古希臘電影更把神話的神出現之前的事提起了，而且用了極度恐怖而暴亂的畫面，在裡頭動物更像是惡魔了。在神殿前奉祀公牛的巨型鑄銅雕像，甚至在殺了已被割舌的修道士之後，還封入恐慌的另外三個受苦的聖女在那奉祀的銅公牛雕像的腹裡。其實，那眞是極爲殘忍的一部關於神與神諭的電影。那神獸的故事是從更早的當年倒述，從人類還沒出現以前開始說的。在那遠古時代的神魔戰役中，勝者自稱爲神，輸的是泰坦魔人，他們後來就被封印在巨山腹龐然殿堂裡的正方體囚室中。那囚室太巨大怪異了，在那近乎挖空山腹的極空曠高聳的洞窟裡，四尊極高極巨大的石刻人形雕像正圍伺在四端一如一個尺度太龐然而無法侵入的結界，或一個駐守著遠看就像鐵盒中的封印囚室。畫面裡，那一群泰坦魔人的巨神兵們正被用著古怪的手銬鐵鍊扣鎖起來，完全無法動彈地關在一個巨大的神鐵方盒中。然後是四個預言神女看到了這一個悲劇。在夢中，她們看到泰坦魔人們被用神弓射破封印囚室而重回人間，並殘暴地引發戰爭與人間的毀滅。那電影就是從那個極惡部落頭子帶著牛頭人身的怪物正在尋找神弓的冒險開始。他說，我要結束神的統治。頭上戴著牛頭盔甲的頭子也是個身世悲慘的怪人，但是，在太多人間命運的折磨之後的他變得極殘忍，極深沉……他變得像受傷的動物，對所有人類都完全鄙視完全不信任。頭子仰天發出野獸般的巨聲嚎叫，直到看著那個被抓的僧侶自己割舌。殘忍的他爲了找神弓，毀了所有聖殿，殺了所有部落的人，侵入了他們部落的祖先墓穴，那是一個所有的密道太繁複曲折甚至樓梯彎廊曲橋都近乎垂直的迷宮，他們最後就在這個祖先墓穴的迷宮中決鬥。在一個最深的環狀天井上頭撐起古怪的多脊柱圓頂和多如牛毛的充滿歧路地道的地洞，他們就這樣一路對殺，邊跑邊砍，在墓穴裡到處都是的弧形樓梯中一再找路一再迷路。最後，男主角身受重傷，但是也在某種落敗極慘後最不可能的剎那和角度出手，竟然在天井最底層的夾層中砍下那最凶惡最殘忍的牛頭人身怪物的頭。那神獸怎麼可能被殺，男主角自己也無法相信，就這樣僥倖存活下來，但是找到的神弓被帶走了，他們要去那最後的守住的古城拯救人類的渺茫生機。因爲即使那山城太險那高牆太高，甚至有著前所未有過最厚重的銅門在設計上是不可能攻入的，但是，那兩公尺厚的城門，最後還是被那傳說中的神弓射穿。在城破的混亂中，一如預言，野獸般的極惡頭子攻入封印的古老洞窟，最後用神弓還是放出了泰坦魔人的巨神兵……宙斯對男主角說。他並無法挽救或挽回什麼。一如他和極惡頭子激烈對決而兩人都陣亡之後，洞中大多的神祇也被泰坦魔人殺了。最後，宙斯被迫只好完全地毀滅而重新封印整座聖殿的聖山。就這樣，整個人和獸和神都無法被拯救，而且甚至整個聖城整個聖山都毀了。

整部電影的從頭到尾都有著奇怪的人與神與動物的種種暗示一如太子龍對我們小時候的暗示所影響到未來的離奇。尤其在所有的城和人都毀滅之後的尾聲，那預言聖女的兒子眞的誕生了也還逃了出來，而且已然長到變少年，就在最後的電影畫面中，那少年正看到村子裡光影閃爍而奇幻廣場前的一個奇怪而龐然的石雕，那是用最昂貴而逼眞的巨石刻出來的一個肌肉賁張的憂愁男人和一隻牛頭人身邪惡怪物的纏鬥。「別害怕你所看見的或夢見的……」宙斯化身的那老人又出現了，祂對男主角他兒子說。少年的他正端詳著他的父親被做成的巨大石雕臉上的憂傷愁苦。因爲，那雕像中的他父親仍然還毫無可能生還地抵抗，還正在慘烈地和牛頭人身怪物對決廝殺中地……生死未卜。

但是，就在這種少年的忐忑不安中，那牛頭人身的神獸就在那時候突然從石雕轉身對著他猙獰地訕笑了起來。

顏麗子是如何把寶島大旅社蓋起來的（第19篇）吃。

顏麗子跟森山說：「我小時候本來只是想蓋一個可以吃的房子。」

因爲她小時候很喜歡吃，或說，她對吃充滿了過度的好奇，各種奇怪的食物，各種奇怪的吃法。從小就跟大人到處亂吃。在臺灣的鄉下，吃過各種可怕的食物，看過各種離奇的吃法。

就像吃生的魚，活的蝦，鴨頭的腦髓，還帶血的牛肉，現殺的羊，各種下水湯的雞下水，嘴皮肉、豬耳朵、豬心豬肝豬大腸小腸，種種離奇得近乎殘忍的吃。

顏麗子並不害怕，甚至還滿開心的，大概是她小時候，常常看到殺雞，除魚鱗，把一隻隻的家禽家畜，割喉，剁腿，剝皮，放血之類的畫面。

有些，甚至只是她還看不懂的據說充滿神通的儀式。一如拜好兄弟的飛滿蒼蠅的長桌上百碗公的各種腐肉，搶拔牛毛可以長智慧那種祭拜的三牲禮的瘋狂，養神豬養到數百公斤才算敬神的，用剝下的巨大腥臭豬皮搭起的圓形帶豬頭的龐大醮壇。但是，這些都還可以解釋可以想像。直到有一次，她看到了更不可思議的吃的儀式的玄奧，顏麗子始終記得，小時候那最玄奧的第一次，後來想起來，仍然心有餘悸。長大後，才明白這件事的影響有多麼地深遠，雖然別的小孩也看過，甚至以後她還看過好多次。但是，她的第一次，還是有嚇壞了！而且，也感覺到有些很難解釋的離奇餘緒。就在自己那時候也還不知曉的某個內心陰暗的角落……完完全全地改變了她。

那是她第一次看到螞蟻在吃蟑螂。蟑螂，噁心骯髒而恐怖的像從地獄爬出來又永遠不死的昆蟲，牠彷彿長成曲弧度盔裝的猙獰甲殼，對微小如沙粒的螻蟻的尺度而言，是那麼難以想像的巨大，像看到了等級最高配備最繁複的驅逐艦，像看到了千年老妖作祟以法術召喚出來的鬼斧神工的魔神寶殿，她嚇壞了。

因爲，這一生她從來沒有看過這麼可怕的畫面，殘忍，荒誕，但是又無比龐然地驚人地華麗。因爲，那實在是太不可思議了。對螞蟻來說，蟑螂是一個那麼巨大的怪物，但是，卻也是一個那麼巨大的食物，砍伐、屠戮、廝殺的種種難以名狀的殘酷，終究竟然只是爲了：「吃」。

「吃」，因此，對顏麗子而言，竟然就變成了一種最玄奧的儀式。甚至，在搬這隻猙獰魔獸的過程，竟然，就像是在搬一座巨大的建築，牠們動員了全巢穴的蟻群，完全密密麻麻的一整群，費盡全力地搬，還是搬得很辛苦。因爲，那幾乎是不可能的苦力，一如人類在數千年前蓋金字塔扛巨石地謎般的不可思議，而且，螞蟻們有時還偷吃，還邊搬邊咬。顏麗子小時候看到的那一次，甚至，螞蟻們太飢餓了，太激烈地已然咬掉了蟑螂頭部接第一根腳的一大塊，極噁心又恐怖肉身膿湯都流出來了。在看得更久，跟蹤得更遠，就發現了更多的線索，蟻群就沿著一條地上的路走，某一條人們看不見的路在規律地移動著。

看到最後，就往某一棵老樹底盤根錯節的樹洞的黑暗緩緩地搬入，像扛神轎上的巨神獸的信徒，那麼地虔誠，像一場天意的法事，神祕的犧牲，整個搬和吃的過程都像一場儀式那麼地充滿了神通。

顏麗子對森山說，她希望她蓋的建築是充滿神通的，活生生到像是可以吃的，建築是活的，建築像是一隻巨神獸地守護，而人們像是扛神轎的信徒。

蓋寶島大旅社可以像一場儀式，一種打從心裡的犧牲那種神祕，即使，蓋的過程可能是那麼地堅強又脆弱，那麼地艱難地蓋起又那麼容易地壞毀。森山說，妳說得太玄了，好像是一開始在食堂裡吃，後來變成在吃食堂，吃食物變成在吃建築。顏麗子說，不，我想的更多，蓋寶島大旅社是我的一種更玄奧的發願，是一種更神祕的犧牲，那就是，佛經上說的最終極地令人費解的犧牲，那種傳說中更高的發願是：「爲了不讓人吃肉，有些菩薩甘心下凡將自己修了千年的金身只變身成數月就長成的稻稈阡陌植物，那數百世的修行，福田，以救贖式的功德回向，就只是爲了給愚昧的以爲自己只活在那一世的人無知地吃。」

旅社部（第10篇）六條通。

一

這房間的衣櫥竟然會發光，隱隱約約地散發一種淡淡但揮之不去的光暈，怎麼看都很奇怪但也很動人。乍看那屋裡的那衣櫥身是講究地漆上霧白色厚木框的，維繫著某種古典形貌的想像，但是，櫥面卻故意變成厚玻璃，而且是全透明，櫥裡安裝的隱藏式長燈，散發的隱隱約約的光暈使得整個衣櫥變得迷幻，或說，那就像是童話裡才會出現的，一個竟然會發光的衣櫥。

那種光暈和櫥身的超現實感是那麼地詩意而抽象，使得掛進裡頭的衣和物。變成重新剪輯或放大或聚焦的畫面特寫，像太虛幻的幻影，像曝光過度的光景，像某種奇怪歪斜的裝置藝術式的展。甚至，就像那種大家凝神注視但仍然即將被變走的魔術表演現場。

或就那麼地，像夢。

我仍仔細打量那發光的衣櫥裡裡外外，那明明只是我剛掛上的暗灰色西裝外套。但放進去，就突然完全不一樣了。尤其在浴室和房間都全部是玻璃，有的是全透明的，有的是霧面或半透明的。所有的牆都好像是可以穿透到後面的那種奇幻的光景及其暗示。

使得這個衣櫃和這個房間，都只像一個夢，一個夢的剪影。

一如這一夜。

在房間裡，在這一回，突然覺得自己比較放下了。比較不怕失控感覺到可以不那麼用力，不那麼在乎太多細節。心情有些內在的轉變，移動，或只是微微鬆開。

其實也不多，或許也只有一點點。因爲我發現了，不完全是對她，更是對自己。

一如插送陰莖到快失神的時候，點菜要怎麼點才得體的時候，說自己的一件太瑣碎的往事或一個忘了很久的夢的時候，我發現我太愛面子地太小心了，小心到近乎小心眼，太容易謹愼過度到好像怎麼做都不太對勁的慌慌張張。

所以，一直到了很晚，送她走了又回到旅館的時候，我的慌慌張張才慢慢緩解到比較感覺得到，然後再更溶化到這個地方的暗黑裡頭。從送她去地下鐵走進地下的洞口回頭，我一路在中山北路邊走路邊抽菸，然後再緩緩轉進六條通的巷子裡，空氣很潮又很悶，巷子有點暗又有點亮。我始終沒有認眞地在這一帶走過或待過。因爲我太老，或許也太小，太不知這一帶的怎麼玩，更也太不知怎麼玩，更後頭的民間疾苦。

我雖然還偶爾會來這一帶，但也從來沒這麼晚走在這裡，深夜了，我自己走回到這旅館一樓的暗暗的餐廳沙龍，那裡完全沒人，打開了一種奇怪的光景，我就在這沙龍死白燈光角落的桌前寫字，但一直沒辦法專心，因爲這裡太冰凍般地太冷清。

我都快忘了，那時，在這一帶的這一個翻新到太空艙般的設計旅館玄關，是什麼意思呢？帶她來看，炫耀些或想起些我所遺失了的過去。在全白，金屬，玻璃，光影，暗暗的門廳。一如某種奇異的設計感很強的像強燈的亮度打入深處的舞台，在大廳的走廊側身底部安裝LED燈而折起的泛藍極光，渙散到四周的角落的切線，邊緣的踢腳板側，出現了泛起的淡藍如海的光。我發呆了好久，心裡才開始懷疑起這個旅館是怎麼回事？曝光過度的前後景所有的景深都失焦了，或就是待太久了會閃神不小心看到的這個地方的縫隙，極度樸素又奢華的燈，又西又中，又新又舊，這旅館的設計太怪異地前衛，有些像是故意省略的刪節號或破折號，那麼不詳又不祥。相對於這一帶，這個名爲條通的有名但又跟這旅館完全不一樣的這一帶。

因爲在旅館裡本來是死寂，灰冷地陰暗，極限的隱約。但是，就從大廳沙龍的極大面落地窗看出去，突然就回到現實，恐怖蠟像館那般地栩栩如生，因爲窗外條通所有著名的永遠很亂很老的氣味。旅館外頭已然是的很多老店，很暗又很亮，所有的走入之後的故事一定很深的我始終沒有進入的場景。這地方太老，太多傳說，太多謠言，太多什麼在耳語，太多氣味濃郁的什麼都還在，肥前屋最老的鰻魚飯，育顧龍最老的燒肉，更多純手工煮的咖啡廳，魚湯或生魚片或滷肉飯老攤子，口感依舊鮮美的三四十年小吃或台菜餐館，二十四小時晶瑩剔透的香水店，太多老招牌上只有一個字，秀、芳、醇、惠種種誘人想像的黝暗酒廊，延伸到林森北路所有條通的巷中的所有人和地方都既香豔刺激又骯髒混亂的那種種的風景的動人。甚至，在夜深的街頭，仍然有許許多多的舊人都還在，像巡夜的龜公，外面的泊車小弟，檳榔攤阿伯，餐廳跑堂的歐巴桑，好多人都好熟地在有一句沒一句地仍然搭腔。在夜色裡彷彿是個劇場裡的演技太迷人的資深演員們，在這條通的時光與地貌不斷變幻的快轉又慢轉的滄桑裡流連忘返。最後，我看到一個穿西裝而有點醉的日本歐吉桑，帶了一個穿得很妖嬈的年輕女人，扶著走路搖搖晃晃的他，走進不鏽鋼電梯。

但是，我並沒有走出去，只還是坐在那太空艙般的大廳裡發呆，蚊子一直咬，我也一直癢。或說，是某些分心或更怪的眞實反噬。但是我仍然不想動，我換到另一側走廊邊的座位，有一個窗外的快炒一百的老店假胖廚師的笑臉雕像拿著點餐菜單，包好吃，買四送一，炒螺肉，炒透抽，炒毛蟹，炒飯炒麵，來店禮送沙西米。

我仔細打量那菜色，就發現那假廚師肥肥的很台又很親切的眼神，正好就直直地看向我。後來，竟然眞的來了一個好像住在附近的胖胖歐巴桑廚師，她很疲憊但又很熟練地走進沙龍，側身就打開那暗暗發光的灰銀色的門，輕聲走進廚房，又後來過了一會兒，煮了一碗粥，拿出來，坐在我斜前方，還一邊吃一直打嗝。她打開電視，就一直盯著看那螢幕裡說國語的韓劇。

更後來，歐巴桑突然打開音響，播出的音樂是流行的臺灣女生唱的歌，很俗但很紅的楊丞琳或SHE那種很low精選集的太過逼眞，那些太年輕的靡靡之音，突然馬上將這太超現實的慘白光暈沙龍的場景突然拉回現實。她打開了的音樂都是精選集式的令人不安，歌很多但很糟。

但是，太累的我一直沒有說什麼地繼續在那裡呆坐，再坐更久而更晚，最後竟然音響自動切換了一張西洋老歌，出現比吉斯的歌。那使我想到國中時第一次在堂哥那臺中租的房子裡聽到，抽菸，暑假，他同學一群在混，遙遠的開心，一如《阿飛正傳》的那種太久以前的恍惚。但在這剛剛翻新的老旅館，在這剛剛切換的老歌裡，所有的恍恍惚惚，突然變得好清晰而動人了起來，彷彿人生又被喚回那種陳舊的不法之徒的早年時光，一如這一帶。

在那發光的衣櫥前頭，她跟我說，她有一個大學同學曾經在林森北路這一帶的夜市打工，賣很台很俗的衣服，老闆讓她抽成，不知道那麼好賺，店小小的一個月可以做到幾百萬。日本客人和臺灣客人一樣都很色。店裡很多衣服，各種風，從最古典華麗的旗袍到最新潮時髦的蘿莉塔風公主裝，和服的，豹紋的，護士服，ＯＬ裝，重金屬的，ＳＭ的都有，再性感大膽的網襪，丁字褲都有，連她自己看了都臉紅。因爲大多的款式都是專門爲了賣給條通裡的小姐，或巷子裡的酒店妹，而經心挑選，她們帶客人來買。有些給折扣，有些不用給。她說她的老闆很凶也很拚，後來拚到得癌症了，還在熬夜，還在叫賣，他已經口腔癌晚期，還一直罵人。店從下午五點開到清晨五點。在那街頭的一如整條街燒起來的夜市賣衣服，那像是一個鬼鬼祟祟的鬼市，天一黑就充斥像女鬼般的妖妖豔豔的美女們，好好看，又好好玩。

她跟我說：「你一定無法想像，我那一個同學，有多天眞，她的外號是小虎的女兒。連長痘痘都怪她爸爸小虎，怪她爸爸懶得幫她解決問題，只是，給錢就好。曾經因爲她爸爸混太久了，卻因爲被仇家密報警察串通而竟然最後是因爲抓伯勞鳥的罪名被關過一陣子，她爸爸其實是條通這一帶很大尾的流氓。穿吊嘎背心全身刺青，大家看到都嚇到了。但是人很海派，很聰明，很土直，而且很疼她到很愛鬧她，她還常抱怨說她爸看到她帶同學回家說很好，以後要常帶幼齒給他補眼睛。因爲他很色。」

小虎他爸看不順眼，就問她：「他什麼都不好，你跟他在一起，是因爲他雞巴比較大嗎？」

「男人去酒店，做什麼？」她問過她爸爸。「沒有啊！就只是把女人脫光光。」

小虎的女兒她長得很蘿莉塔。來這夜市賣衣服打工，因爲錢都不夠花。她在打工的店，鬧了很多笑話，店長的車鑰匙交代，是賓士的車。有人來拿鑰匙，她就給了，但那人看到賓士的logo，就說：「我只是要開店的後門。」很蘿莉塔的她是台客跟宅男的菜，店長交代她不要拒絕得那麼快來買衣服客人的告白。有年輕的男孩送飲料給她還寫字條：「我今天是你的英式鮮奶茶王子，希望我今天帶來這兩杯，你會開心。」

她說，那小虎的女兒太天眞是因爲小虎太疼她了。但是，大家都想疼她，所以小虎是黑道老大，她大姊是混幫派一姊，但她還是蘿莉塔小丸子。小虎的女兒常抱怨她男朋友迷打魔獸。一打至少打四小時，很愛喝，有一部電影叫做《醉後大丈夫》，是他和朋友們奉爲最愛的聖片。他們發誓一定要有一天喝到睡醒到旅館房間有老虎、公雞出現，這樣才炫。他軍中退伍半年了，還不去找工作，也只在條通附近混日子，跟小虎到處去收帳，像這一帶的土地公和三太子。小虎的女兒沒抱怨，她說：「反正也快了，因爲快沒錢了。更後來，她說到她和她男朋友常去條通附近的那家極有名又極龐大的汽車旅館，最愛進裡頭主題是『紅磨坊』那一間。壁紙是穿吊帶襪的女郎，樓中樓，燈光昏暗。但那女郎太大了，兩腿打開就占了整面牆，很噁心。還有一間叫Armani的，浴缸是圓的，大理石全黑的，很可怕，旁邊有水流過，很大間很空。怪怪的。後來，更慘，發現那浴缸裡有小蟑螂。」她說她想到她穿過的那件旅館附贈的情趣內褲，就覺得癢！我笑著跟她說，你同學這小虎的女兒實在太好太炫了，太像條通這一帶的另一種版本的女兒，她爸爸是條通老一代的好人，她情人是條通新一代的好人。

她跟我說，她疼小虎的女兒也只是好玩。因爲，我們對條通這一帶好玩的一切都太陌生太遙遠了。她還笑著說，小虎的女兒跟她在大學時代迷過一個大陸節目，有一個名叫「失控姊」的人，在網路上很夯。是一個大陸的小孩叫：莎莎。超好笑，口頭禪是「求求你不要殺我。」那其實是一個綜藝節目，小孩演警察。

有一個大人演的犯人帶的武器是平底鍋，跟小孩說：「我們打個商量。」但她一聽，就哭了：「求求你不要殺我！」

另一集，小孩演空姐，客人跟她要茶。她也又哭了說：「我們飛機很窮，沒有茶。求求你別殺我。」「在每一集小孩頭上都會戴花，像小時候我跳芭蕾舞戴的那一種，但很蠢又很好玩。」她叫我回去一定要看，超好笑。她說另一個。媽媽捏一下自己小孩的鼻子，就把拇指頭夾在食指和中指之間，假裝嚴重地對小孩說：「這是你的鼻子！」小孩一看，就嚇哭了。媽媽問他：「沒有鼻子，有什麼關係？」他說：「沒有鼻子，我就不能擤鼻涕。」然後，繼續大哭。更奇怪的是，那網路流傳的影片，很長。那媽媽，竟然一再地騙她的小孩，就這樣瘋狂地騙，一直重複。但那小孩不像是裝的，每次都有用。她對小孩說了二十多次同一句話：「別怕，就只是個鼻子。」但是，小孩竟然每次都還是一直大哭。

二

我跟她說，我是到了晶華那太龐大太逼近的五星級旅館的冰冷失溫過，才比較明白六條通的溫暖是什麼意思的。

那時候，我和她去六條通的巷子裡晃蕩，想去找地方吃晚餐，但始終找不到想去的，在那一帶走了好一會兒，一路只是隨意在巷中打量。後來，就進去一個看起來極低調但是時髦的居酒屋，店的所有細節都很細膩。旁邊是很多老店，那長木桌旁是兩個穿西裝的黑人，被招待來這裡喝酒，吃小菜，好多外國人和名人。但是，卻極低調。

這裡設計得像某種京都新派的最潮居酒屋。所有店裡的料理和人的招待都無懈可擊地完好而溫暖，尤其光頭衣著極講究但極瘦小的日本來的年輕老闆，說話很周到而溫柔到像在京都的河原町，我們離開的時候，他甚至還送到門口用那種最老派的九十度鞠躬，送到我們看不見了他才起身，那種近乎令人不安的最老派規矩的窩心。

在六條通的那居酒屋裡，我跟她說：「我想到有一回我自己去住在晶華酒店。那眞是一次悲慘到近乎失溫的回憶，因爲太忙太多事到我太緊張了，甚至，去晶華住到upgrade了的大班十八樓那最豪華奢侈的樓層，可以去十九樓沙龍區，那裡很豪華地令人慵懶而舒服地窩著，可以獨處一個人完全不說話，那兩樓升級過，是晶華最好樓層，室內設計細膩很多，燈具，光影，浴室的細節很多，缸上細木架，水龍頭，把手，深色原木內裝衣櫥，桌椅，床頭櫃，那張床前液晶電視那面嵌在木頭隔面，床頭和沙發兩側都可看，竟可轉三百六十度。桌上還有高度設計的瓷盤、冰桶、刀叉，甚至，連蘋果都放精緻的小木刻架上，更細膩地像是五星級旅館加上設計旅館的難得。」

像在一個太華麗的貴族的夢裡，卻又那麼地令人太不快又不安。

但是，我跟她說，我還是放不下。

那是禮拜六最後，極累，覺得好悶啊！這是一種更複雜的補償，這一天近乎每件事每個時間都太緊，而不自覺。星期五整天忙到沒停，到了九點多才走進晶華旅館的俱樂部。在地下二樓，我記得之前來過，都完全沒人，但是那天卻是滿的，淋浴間滿的，所有的浸泡都要等很久。地毯有腳臭，走廊有汙漬，抽風機太吵太大聲，有些不該壞的細節壞了。

尤其是三溫暖裡的老歐吉桑們，五六個，坐在那裡說話，臺語。自信到令人有點厭惡的炫耀，彼此很有默契地玩笑，較勁，生意走向，海派又計較，樂天又挖苦，發呆，招呼，裸體的熱水池不大，大家坐得太近，令我不快。

但是，他們卻仍然有意無意炫耀著人生裡的種種：到大陸打高爾夫球的價位，買電動車的品牌選擇。兩個年輕一點大概四十歲的男人，更不在乎些。他在談要去參加宴會所買了的一整套亞曼尼西裝八折拗到七折還十五六萬的事。他們邊嘲笑別人也嘲笑自己地抬槓。讓我想到我開始有記憶的小時候，父親的那些生意上的朋友，那年紀，那模樣，那種自嘲又自詡的從容，都極像。

沒料到，卻一直聞到池中有人在汗味和古龍水外出奇地出現有種口臭，近乎是一種牙齦壞到像在牙醫診所才有的奇怪的又臭又香的氣味，這令我很想趕快離開。

我只能退到待在池的角落，看著遠遠的兩台電視在播。賴瑞金的二十五年最後的追蹤。Discovery頻道的舊車翻修祕技節目，那些他們在乎的，關心的，離我也很遠。

我跟她說，更後來我離開了，就到了更深的三溫暖裡頭的可看書或雜誌的更安靜的沙龍，某些長躺椅的完全渙散的更後方，就在那裡，找更角落的地方躺下了，因爲泡完而完全不想動。

待了更久，看到更多國外雜誌，談到更多更遠方的演變。但我只是發呆，分心。或許，亂翻的我躺在那裡只是純粹地刻意暈眩，不想動，不想用力，或許也完全沒力氣了。

後來穿在那浴袍很大很厚很好的擁抱布巾裡，竟然就在椅上就睡了。

最後，我只記得在沙龍裡看到的一本日本藝術雜誌上的對正在旅館外ＬＶ旗艦店展覽的日本怪藝術家草間彌生的專訪，一如我的在晶華的失溫。她回答了許許多多愚笨又通俗雜誌的問題，但是竟然那麼地絕，卻也是那麼地聰明或狂妄或就是完全瘋了式的自我。

「你最喜歡哪個藝術家？」

「我。」

「你受誰的影響最深？」

「我。」

「你除了做藝術之外還做什麼？」

「我只做藝術。」

「你想當什麼樣的藝術家？」

「我只想當我。」

我最後跟她說到：「我還記得，第二天早上吃晶華早餐時所不經意看到一個失意的輕熟女。她穿著極誇張的夜店風的衣服全身黑，超短裙，黑絲襪，跟極高的長皮靴，低胸露乳溝的馬甲，大紅腰帶，臉還可以，但髮型、妝極細，好怪，一大早出現在那一堆還沒睡醒的觀光客之間，非常刺眼！」

而且只有一個人在吃，拿的菜色都是外行人的吃法。

我跟她說，我也變壞了，也終於一如那群三溫暖老人那麼惡意地，變得會開心起來地說人家壞話。

我跟她笑著說：「那女的一定是昨晚在夜店被帶到晶華來上的，但有錢的小開半夜就走了，留下她，勁辣衣裝依舊，但可憐地晾在這裡，哀傷地發呆。自己來愁苦地吃早餐。」

她跟我說：「像吸血鬼不小心落困在大清早的操場，曬太陽。」

三

她跟我說，她差一點就死了！而且，很離奇。在斯里蘭卡，還竟然因爲是被蛇咬的。

他們太害怕了，就找了一個巫師。她說，我一直記得他念的咒語，記得他念咒語的時候，所發生的所有的細節。太多人太擔心了！他們一直有人待在我的身邊，要小心觀察。他們說，因爲不知道蛇毒會不會跑進腦子裡，整整十二小時，他們很緊張，一直在問我，不太敢讓我一直睡，太安心地睡。

他們擔心的是，我有沒有昏迷。我老是記得去的那個巫師家，在半昏半醒之間，到了那個巫師的破房子裡，村子裡的人都對他又愛又怕地推崇而景仰，因爲太老的他一生一直都是那裡的蛇王，從養蛇、弄蛇、殺蛇，到治療被蛇咬的人，有太多關於他的傳說。

爲了對她用一種收驚式的收魂法門作法，老蛇王還叫他兒子帶她去看他們家傳的那古老的餵蛇的園子，又髒又腥，好多放在蛇籠旁的已然被蛇的氣味嚇到近乎崩潰的要餵蛇的青蛙、小雞、小魚、老鼠，活的小動物，一直抽搐。甚至，還被帶去看那養蛇的五個巨大磚頭砌成的古老房子裡的破舊房間，她看到，一排排磚砌的蛇籠整齊排列著，每個房間約占地一公畝多，有蛇籠八九排十幾層，密密麻麻到甚至有兩千多個，可養蛇兩萬多條。

蛇王的兒子跟她說，好像在說養雞鴨般的家禽家畜那麼地尋常，使她更爲驚嚇！

人工放養一般每畝土地只能養一千五百條左右的蛇，籠養技術能夠減少約百分之九十的養蛇用地。他兒子說：「其實老蛇王太老了，時代變了，現在養蛇太難而且成本太高，那幾種百步蛇、大王蛇、烏梢蛇的三大蛇種，他們家還自己抽蛇毒、蛇乾，做老蛇酒、蛇鞭。」他說：「蛇眞美麗，流動的遊走，光滑的觸感，優雅的身軀。大部分的蛇，其實溫馴又害羞，牠咬了你，牠也很害怕。可惜一般人不懂，我們人類的無知，無意地冒犯牠，而被咬只是更讓自己和蛇都害怕而已。」

蛇王的兒子跟她說，叫她不要怕！其實，他以前遇到過更多更慘的。

蛇王的兒子說：「你還好，那毒蛇，咬你的只是小條的，不然你就沒命。你也沒被大蟒蛇吞入肚子裡，也沒被咬斷手腳或指頭的外傷，紅腫的內傷也只是疼痛而沒有昏迷，所以蛇毒只是流入血液和組織，而不是流入神經，腦子壞了。」最後，走到最深處，她看到了那老蛇王的一個最古老蛇園，他們家放養的蛇在離開蛇籠出來那裡放風的時候，實在太可怕地壯觀！她說：「我從來沒有看過，那麼恐怖地幾萬條蛇糾纏在一起，萬頭鑽動於那幾個極巨大的蛇洞，像是一種最末世的詛咒或邪惡的圖騰，而且所有圖騰裡的惡靈都還活生生地在那裡用完全無法想像的狀態現身而翻滾。」

但是，老蛇王和一家好幾代的家人卻仍然只住在一個老三合院裡，還有很多家裡養的狗，看到生人就狂吠。他白髮蒼蒼而疲憊極了地老只是坐在家裡竹製的老藤椅，一直無意識地搖晃。甚至，家裡的東西都是他們家用古法自己手工做的，吃的也都是自己在自己的田地裡種的，就像在上千年前的鄉下，完全沒有動過的古代。

好純樸的農村，好幾代的兒孫同堂，很多被蛇咬的人都會去找他，像他是這裡的菩薩或有神通的守護者，或許就是祖傳世襲的守護這大山密密麻麻的密林鄰近幾個村子的巫祝。

她說：「那個老蛇王救了很多人，很多年了。」

近乎五十年了。從第二次世界大戰到現在，整個世界都變了，斯里蘭卡也變了，但是，這個老村子卻變得很少。「老蛇王已然老到七八十歲了，他依然用最古老的手法在醫我，第一次就把我的整條腫起的腿，花了極長的時間在緩慢地抹滿又濃稠又腥臭的蛇油，然後用長滿骨結和傷痕的手指，小心地拿起一種祖傳的藥草樹葉，邊念起古梵文的咒語，邊滑過我的腫起黝黑的足踝，小腿，大腿，所有的肌膚的深處。」

老蛇王說：「蛇其實是神，被蛇咬會改變那個人的，其實是被蛇祝福的，也就是被神祝福的，因爲她的一生，會從此改變！」她說：「雖然我不懂，還有點不甘心。但是，那太像是一種神祕經驗般地費解，我只能一邊聽一邊還注視到那老巫師的眼睛，太奇幻地亦正亦邪，我很難形容，但那竟然就是蛇的眼睛，那種太專注的眼神。在那抹油的過程，大多時候他都在看著我的傷口及其延伸的發腫發紫的局部。但是，在某些瞬息萬變的瞬間，他也會就剛好看到我的臉，甚至就是我的眼睛。」她說：「就像當你很近地看蛇的眼睛。牠盯著你，注視著你，彷彿在下一秒就要吃掉你的那種洋洋得意又令人有種近乎被牠催眠式的迷亂與恐慌。」

那太像了，跟她一起去找巫師的朋友嚇壞了，她甚至很怕看那巫師，一如怕看到蛇。但是，一起去旅行的那些關心她的朋友們一直陪著她，「她們後來爲了讓我分心，甚至她們還一直邊安慰邊嘲笑我。就在那老蛇王邊敷藥邊喃喃自語的十多分鐘的念咒過程，跟我去的朋友們都邊看邊用手機錄下來。」

但是，她跟我說，那段日子，時間變得過得好慢好慢。「我的被蛇咬的腳依然很腫很痛。我始終記得，後來，過了一個禮拜之後，很擔心的他還自己到旅館來看還是不能起身走路的我，那時候所有人都不知道怎麼辦，我的腿仍然沒有感覺，沒有好轉的跡象。而且，連有沒有可能痊癒都不曉得，大家都陷在一種慌慌張張的愁雲慘霧中。」

第一天，她就在旅館入口大廳角落發現了那一張古畫，她說：「那是一張和我等身高但卻只畫了一個佛陀的臉龐的古畫。畫紙已然黝暗泛黃而破爛到甚至有蛀破的小洞在紙質的邊緣，但是卻更爲幽微而神祕。第一天我就去拜，後來被蛇咬了之後，連坐輪椅，我都還是堅持每天去拜。我一直記得祂的眼睛半開半闔，眼神半專注半恍惚，不知爲何，我沒法子說但是我眞的覺得好像完全地被祂的又莊嚴又慈悲的神情所感動。」

她說：「那旅館太古老了，也想維繫那種古老。所以，大多的房間裡晚上是點火的，他們用很小型太陽能的機械發電，所以，整個旅館群大多時候是沒有電，只有早上十點可以去充電，大家都在一種很怪異的調適的狀態之中。」

即使，那老旅館太有靈氣，很多路口和角落都有老石刻而斑駁的象神，濕婆神石雕像。所有的住的方式也很古老，木屋也只是老式的涼亭，房間只有屋頂，沒有牆壁，四柱之間的斜屋頂，很古老也很優雅，所有的寢具大都是暗綠和血紅色，但是只有蚊帳是慘白的，晚上睡覺的時候放下來。但是在入睡時，仍然可以聽到所有屋外的密密麻麻的密林的動物的動靜，有些猴子、松鼠，一如壁虎，都老在房間裡出沒，打翻花瓶，發出古怪的聲響。

在那旅館她說：「其實，每天都吃得非常地好，又奢侈又樸素那麼鮮美多汁的種種水果，長得十分肥美的木瓜、椰子、西瓜、香蕉、鳳梨，及其所做的各種講究的傳統點心、果汁，甚至用水牛乳做成的極純的優格，每天都太受寵地吃用他們農場的自己種的菜，稻田的米，做成種種咖哩的料理。有一種活在古代也活在大自然的奢侈！」

那旅館的大廳是一個茅草屋頂的老房子，由許許多多的舊木柱木梁所撐起，那夯土的古老牆壁上畫蓮花，牆上有一個很大的圓洞。經過的時候不仔細看，那種太烈的光線散放，那種熾熱的發光，就眞的像一個侵入室內的太陽。她每天都花很長的時間在那老房子大廳那裡打坐或看書，那太陽顯得那麼地溫暖而親暱。

她跟我說，「甚至被蛇咬的前一天，我們天還沒亮就去看海豚了，四點就開船出發，往海飛航行了一兩小時了，潮越來越大，黝黑的烏雲很沉很厚。但是，仍然沒看到。我們停在一個漁夫說的海潮帶交口，看到海鳥開始飛過，雲層也開始散了點，又過了好一陣子，天才眞的快亮了。就在某一瞬間，有一隻海豚出現了，但是一看見我們之後馬上就往海裡潛去，就消失不見了。就在大家都很失望時，帶我們去的老漁夫卻說：『這是個好預兆！』果然，就在某個浪潮湧過之後，不到五分鐘我們就看見海豚，等候了太久的那種亢奮使我們所有人都完全失控地尖叫了起來。

而且，那些海豚就在海上用拋物線的躍動，在浪潮裡上上下下的前進，後來，仔細觀察，那竟然是一整群近十隻左右的家族，更後來，我發現我們碰到的不只是一群，甚至竟然是好多群，在我們的小船周圍，一如浪花般地出沒。

甚至，更後來，有數百隻野生海豚家族包圍了我們，那些海豚邊游泳邊跳上空中還一次比一次跳得高，而且不只跳躍還能快速旋轉身體，就像子彈射出旋轉般地充滿力量，然後再重重地打在水面。然後，就在這麼多群海豚的這麼多潮起潮落的水花四濺時，雪白浪花就在那日出晨曦的照耀下，竟然出現了一道彩虹。我們就全部站在船頭，癡癡地看著虹光和海豚濺起的閃閃發光，遲遲說不出話來。」

她跟我說：「其實我不怕，我不怕蛇，雖然我怕老鼠。怕軟軟的毛毛的會黏黏的什麼。但是，蛇太漂亮了，太神祕得像一種神祇。」

她說，她被蛇咬的過程，使她困在那裡到近乎死在那裡，但也使她重新活了起來般地活在那裡，因爲發生了太多事了，太多她根本想不到的可怕的事。但是，卻也在那裡近乎神祕經驗般地活生生地體驗了很多令她很感動的事情。

一如，在斯里蘭卡那村子的太小太破的醫院裡，我必須去面對我以前不想面對的事。一如我以前很害怕醫院，很害怕生病，很害怕落單，很害怕待在一個陌生的地方，或說就是很害怕失控。那醫院很爛，只有一張病床，很可怕很不可思議地。不但沒有設備，甚至沒有醫生，每個禮拜六才有一個城裡來的醫生來助診。但是醫院也不收費，所有的預算都靠捐款。

那旅館的店老闆叫他們要給我最好的藥。雖然對他們來講，我是外國人，外人。雖然一開始，我只是跟朋友去玩，她說：「斯里蘭卡的這個山裡的老旅館太美了，美到甚至像一個謎。」

那裡是一個風光美到無法言喻地那麼動人的地方。一開始去，只覺得是一個極深極龐然的森林，包圍著一個很深沉又很巨大的湖，那麼令人心安又心慌的茂密森林裡。

充滿了花鳥蟲獸的野生氣息，或說，即使在深山密林的每個再偏遠的角落都非常美非常有靈性。那裡，仍然是隸屬於有印度神祇們在既慈悲又殘忍地統治著的古老地方。

更後來，旅館的他們想辦法幫我請了一個更照顧我的看護。她後來變成我的乾媽，想到她我就想哭。她帶我每天去打點滴，去醫院，因爲那是軟針。還是一直打，針口封口，不能碰水。之後，我只能呆舉著手，讓乾媽幫我洗，我的手打點滴，因爲針孔部位完全不能碰到水，所以必須讓別人幫我塗肥皂，幫我沖水，幫我洗全身的每一個部位，甚至私處，但是她們一點也不在乎，也不會不好意思，好像把我當成她們的女兒，還在不會自己洗澡的那麼小的時候。

她們兩個人就這樣幫我洗，也看著我洗。我一直渾渾噩噩地渾身不舒服，有種說不出來的不好意思，像是太奇怪到沒辦法理解的某種時光，某種狀態，某種情緒，但是又讓我充滿情緒。

在醫院的時候鄰病床，有一個小女孩發生了意外，聽說是不小心踩到刀，腳底受傷。她極痛，臉很慘。去醫院的我雖然也很慘，但是，只要我對她笑，她也對我笑。

那一天，跟我一起去醫院的朋友等我打點滴時，她去附近的小店買喝的。回來時，她特別手提一包紅白相間的塑膠袋，走進那個小醫院裡，她走在長廊上，走進天空藍的大房間裡，病床、病床櫃、點滴架、蚊帳、辦公桌，都是天空藍色，她走到我的病床前，旁邊的床上躺著一位小女孩，小女孩一隻手靠著額頭，她的右腳掌包著紗布，紗布上鮮紅血液從腳底滲出，看得出來她感覺很痛，她看著我我對她微笑，她把紅白塑膠袋打開，拿出一包巧克力、一包牛奶餅乾、一盒巧克力蛋糕。

小女孩看著我們，她那深咖啡色的臉龐有了難得的微笑，她那漂亮的眼珠，純白的牙齒，在深咖啡色的臉上發光發亮，我就打開巧克力剝一塊給她吃，她不好意思害羞的拿著，頭低到不能再低，我蹲下才能看見她的臉龐，她拿著一小塊巧克力往嘴裡吃，邊吃邊微笑，我問她好吃嗎？她點點頭，我問她媽媽她的名字，她叫：莎烏命。我說莎烏命這包送給妳，她的頭又低得更低了，她媽媽要她用當地話跟我說謝謝，我聽不懂，但我用手摸了她的頭。更後來，打點滴的我仍然坐在走廊椅子上，看著她開心而專心地吃巧克力，她偶爾回頭看我。

我仍記得拿巧克力給小女孩，她太不好意思到頭埋在媽媽懷抱的衣服裡吃，她一直發出一種好天眞又好開心的笑聲，有種太久沒有感覺到的幸福感。

那時候，我看到她手上也有一條在醫院旁的象神古廟求平安求來的極小血紅布繩，我突然覺得鼻很酸，有一種很奇怪的感動。因爲我們都去同一個廟拜拜，都那麼不安，那麼害怕，也都想從廟求保佑，一如我右手上也綁著的一條完全相同的極小血紅布繩。

即使我們完全不了解對方，語言不通，痛也沒好。但是，我們就一起躺在那裡，困在那裡，她用一種很迂迴又很深刻的狀態影響了我很深，因爲就在想更再仔細端詳她的天眞的笑時，我就哭了。

她跟我說過了那麼久，她始終記得，那八十多歲的老蛇王臉龐永遠是那麼不疾不徐地安詳平靜，即使他那麼老了，他的手充滿皺紋，還一直抖，他又開始喃喃自語般地念起咒語時，她抓著他的手，有一種完全沒有辦法解釋地感動，一開始是很害怕地很想哭又哭不出來。但是，後來他念咒到某種狀態時，彷彿所有房間裡的光影和鼻息都緩解了，溶化在他那古老又模糊的完全不知是什麼的念念不忘的念白中，她開始在內心深處感覺到無比的寧靜，不知爲何就不再害怕了，心中充滿一種莫名的喜悅，但是眼淚卻完全不聽話地汩汩流下。她跟我說，最後有一個畫面實在太可笑了，因爲斯里蘭卡那裡的人跟印度一樣，但和全球其他地方都不一樣，他們說好的時候，示意的動作是一種奇怪的左右搖晃的搖頭。

「所以，他後來叫旁邊的人問我感覺有沒有好一點，邊流淚又邊微笑的我就只好對著那老人一直搖頭。」

四

那衣櫥仍然發光，發出紫光。那是黝黑密室中唯一的光。

因爲我關掉所有房間裡其他的燈。這密室裡的空氣因此變得如此混亂而妖嬈……

尤其是在紫光幽微中做愛的時候。

因爲，在房間的凝神而失神中，她還一直在放她手機裡的音樂，一首一首迷幻的日本電音。我都沒聽過，重金屬，怪女音，奇怪的樂團，她說她很習於孤單地聽，所有的恍恍惚惚的不像音樂的音樂就這樣都只有自己在聽。

「你可試試這一首很妙，又沉又色。」她說，有日本AV女優呻吟的混音，在這片的其他繁複編曲的旋律之中，那像是一種邊吃迷幻藥邊做愛時會有的幻聽。

在電音中，我幫她緩緩地按摩，按肩按頭到按背與脊椎的緊張而突出。然而，一如過去，我無法專心，尤其在這一天的迷幻電音中。她穿的內褲是暗黑而半透明的，在幽微的紫光中，還是有種無名的性感。不知爲何，電音的迷幻裡，擁抱的我們還是說了太多話，今天出奇的溫暖，使得做愛好難得地美好。她一開始的口交，就持續了好久，難以明說地講究地細膩，舌頭發顫地舔龜頭馬眼，用種種不可思議地深深淺淺地舔，沒鬆口地舔好久，我太激動到不好意思。更後來她坐上來，我叫她不要動，讓我動。她今天太濕而陰唇不太緊，所以我就緩緩地抱她坐起，也就跟著她的日本的迷幻電子音樂節奏低音微微晃動。使她在晃動中露出一種迷幻的笑。

然後，她雙手繞抱我脖子，我雙手提她雙腿，沒有太多換地方換姿勢地抽送，也沒有過去那麼地想表現，沒有更多技術性的小花樣。而只是在滑落到地上，拉下全床的混亂棉被，在上頭躺下來完全不動了，因爲，覺得滿足而放心，也沒有再去浴室或桌或太師椅。

其實沒有太多姿勢，沒有太多變化還是很美好，在所有的沒有期待所以沒有表現的更後來，我們就一起恍恍惚惚地來了。

我好像想通了，做愛，一如這一切我的困難，是不該太用力地逞強的，也不用太多技術或招式地表現，仍然可以如此美好而迷幻。

就在地上的混亂被單裡，在這種種越來越古怪的電音中，她跟我說，「這每一首都是自己莫名喜歡的古怪嗓音、樂風、曲式、唱腔。」

我說：「我了解這些日本電音都太迷人了，即使太沉或太花或太怪到無法解釋爲什麼喜歡。」

雖然，她放的歌都很年輕但也很古老，但是我大多沒聽過。從那混音AV女優呻吟，到混音西藏梵唱，混音古大提琴，混音峇里島傳統樂，混音更純粹的太鼓聲或銅鈸聲或海潮的漲潮退潮聲。

我跟她說：「或許，一個人喜歡的音樂，會被看破出那一個人的更內在的什麼。比眞實年齡更幼稚或更老氣，品味太糟或太好。國籍或學歷或姿色變得不太重要了只要他也喜歡那個冷門天團。耳朵聽歌的大膽與否和性交姿勢的大膽與否，一定是雷同。反正，私密地像喜歡或害怕的牌子或片子，幸或不幸的號碼或顏色。仔細聽，好像，熱愛或放棄人生到什麼程度都會被聽出來。」

我跟她說。我總覺得音樂是很私密的事，像包包裡的最底層藏著的極端的什麼，分手多年又揮之不去的老情人，祕密到連走私客都不能知道的走私貨，見不得人的自己的宿疾、怪病及其藥方子。

就這樣地隱隱約約，聽到迷幻音聲，在我們做愛時。所以，她笑著對我說：「你喜歡我的疾病嗎？」我說：「我好喜歡你所有的病態。」而且我也接著跟她說了一個病態的夢。在夢裡，那是一個空曠的廣場，一個悶悶不樂的晚上，有一群穿長風衣壓低戴圓邊帽沿的人，長衣裡壓著鼓鼓的突出物，像是長槍或迫擊砲，或不明武器。但是這些冷靜極了而完全沒有表情的人們的臉，卻更令人側目，我完全不知道怎麼會到了這地方，也完全不知道這一大群凶神惡煞爲何正在這裡，爲何要開始殺了起來般地風聲鶴唳。我從來不曾遇到過這種狀態，也不知遇到了要怎麼辦。像一個吳宇森最繁複而最曲折的動作片裡頭正要對決的槍戰前夕，所有最凶狠殺手都埋伏到位，屏息待命而等候暗殺指令前的汗流浹背甚至不能擦拭而手指就扣在扳機上，呼吸聲又沉又急，但是卻又一直一動也不動地等那時候，旁邊有點枯萎的龐大榕樹葉掉落，慢動作飛起的鴿群，那種充滿空洞詩意的空鏡頭裡古怪的沉悶。或許，我該更緊張一點，像配樂管弦樂般的低音拉扯到拉不太動的更糾結而推演快打起來了，眞的。

但是，我仍然只能是從旁邊路過，雖然覺得空氣凝結要打起來了的那種喘不過氣來的忐忑。但是，也只是低頭，假裝沒看見般地準備離開，碎步，低頭，更快也更輕聲一點走，但是，就在這時候，彷彿在榕樹下與鴿群中般的餘光式的閃現，我竟然看到了那一個小女孩，不知爲何就在那裡，呆滯而呆坐在那裡，完全不知道發生了什麼事，只是恍恍惚惚地看著遠方，而且，全身只穿著單薄的衣服，有點失神地顫抖，就在我旁邊，我找了找也打量了在那附近可能的什麼可以幫她，但是，什麼也沒有。

我更後來，就用了地上不知爲何在那裡的某破舊棉被把她包起來，叫她想辦法藏起來，不要說話。我其實也不知道該怎麼辦，在那種太緊張的狀態，在那個仍然是弓舉弩張的最後時刻的死寂裡，我擔心她，但也不知道怎麼跟她說，就在這種失神的擔心裡，好像聽到了第一聲低沉而疾射而出的子彈飛過的音頻，我突然就醒了。

我跟她說：「那小女孩的臉長得就和你一模一樣。有點憂愁又有點天眞，在我那沉浸的數秒中的勉勉強強凝神中，一直感覺得到她臉上的那眼神仍然是那麼失神。」

或許，我跟她說：「大多的時候，在這種迷幻中，在這種夢裡，我們只像是出神地，一如一種不明頻率或波長的一種接收器，一根天線，或許只會收到一些奇怪的不知道是什麼的訊息，也不知爲何會因之感動而入迷。或許，其實那些迷幻比我們更龐大也更眞實。」就這樣，我們一起閉眼聽她的迷幻的日本電音，那種音樂裡太年輕也太曖昧不明的又尖銳又混亂是我錯過的，或早已放棄的。

有一瞬間，我覺得我們都睡了，或是我們都死了。

顏麗子是如何把寶島大旅社蓋起來的（第20篇）佛頭。

那古佛頭好莊嚴又好古樸，但是也因爲年代久遠，石鼻梁已然半毀，眼睫和眉心長出很多斑斑駁駁的苔痕，長耳墜到嘴角還有暗沉得一如血漬的漬印，令人細看總是不免有點不安。但是祂仍然雙眼半睜半閉，慈眉善目，佛頭的石雕工法極爲細膩而考究，連頭髮裡釋迦顆粒的刻工都好多細節，令人嘆爲觀止。

顏麗子想在寶島大旅社屋頂後頭的花園庭院中放入一個佛頭，那個石刻佛頭是一個極珍貴的古物，被懷疑過是從龍門石窟的某石窟寺老佛像所砍出來的，是當年八國聯軍搶的，還曾經有許久高僧念經加持過，但是經過太多戰爭災禍而流離，而不免有許多繪聲繪影的不祥傳聞。

那是一個顏麗子的愛慕者送她的，說是有法力，不管過去發生過多少事，但是佛還是慈悲，一定可以鎮住顏麗子所擔心的以前寶島大旅社那塊地的亡魂。因爲這石刻古佛頭大概有二個人高，加頭髮大概三個人高，實在太稀罕而珍貴地巨大了，甚至巨大到近乎不祥，使得懸吊起來的原本艱難過程，還更因爲某些不明原因而持續地出錯，在不可能的細節中還一直在出狀況。森山和顏麗子坐在旁邊仔細地看試吊那巨大的佛頭，已然吊了好幾天，好幾回了，始終沒辦法完成。在工地裡，所有的空氣彷佛都凝結了，天空的雲層極低沉，那是某種令人擔心的狀態，他們已然在這個天井旁測試懸吊了太多回了。但是，每回都還是不斷地因爲不明原因出錯。

這麼巨大沉重的石刻佛頭，因爲忌諱而不能用機械，不能用吊車，懸吊，所以變得非常地困難，還要邊施工懸吊還要有師父在旁邊點香邊念《大悲咒》。

因爲，傳說，這麼大的神明頭顱是眞的有魂的，要先像無魂般完全倒在地上，然後再慢慢回魂拉起，中間不能有現代的機器來代勞，會不敬，佛頭的神通會受損。

出事太多次之後的最後那一次，二樓三樓的數十個人都在一邊強拉滑落的粗麻繩，一邊大聲呼喚彼此地用力，哪一側要更用力一點拉，哪一側要緩緩地放，哪一側則先頂住不動，讓那數十條粗粗細細的麻繩可以更小心地調節。有的繞過大大小小的舊式滾輪，有的勾住葫蘆型的特殊鑄鐵扣環，有的是硬胡桃木插銷，用來纏繞更複雜的繩結，練熟地綁剪立結，聯立剪立結，刻意留住某些活結某些死結。

大師傅更小心地帶人去重新再架設支撐那倒了太多回的鷹架塔台，這次連所有的高度，尺寸，都要用文公尺算過，只能用地理師去山裡挑過的整支麻竹的自然材料，不但有彈性，長度夠，也不能太重。工地的光是主要的四支竹柱子，就必須準備四米的長度，而且強度也要夠粗，傳統工地所使用的竹製鷹架，那時候還因爲找不到那麼長的竹子的材質、粗細及長度，而變得極爲困難。用麻繩綁，還有另外的規矩，如果接近直角交叉要用方回結，斜角交叉要用十字結，繩子一根根跨過去，再到底下交叉再繞上來，接著就是繩梯用粗繩子多編打繩梯結，直到主體已經搭好。還有，就是這竹鷹架高台的四個竹桿邊，含上下的六個竹桿邊，接神明，依古例必須要下寬上窄，下粗上細。如果覺得上頭尺度比例有問題時，要依照材料的多寡修改成兩種模式直接拉長，兩個交叉，還要貼上寫上符咒的符紙。

大師傅交代他們要先做兩個大小一樣的竹桿邊，鷹架台的一個側面，做好之後，再拿橫桿，將這兩個邊連起來，做出第三個邊，一開始工人們一定要小心地將鷹架台倒下來做，在做第三個邊時，即可用兩支橫棍，稍微先固定第四個邊，待第四個邊也全部完成時，也將上下兩面交叉固定模式，旁邊的竹桿在左右兩側的是在前後兩側的上方，連顛倒的工法也要對稱。而且，整個竹鷹架的施工過程，令人不安極了而變得不得不小心翼翼地緩慢。因爲，更後來就在每做好一邊，就要上一次香，擲一次筊，才能再往下做。

好像一直有神明在監工那般地靈感，這樣邊拜邊吊太離譜。森山說：「懸吊的過程一定會更緩慢了，也會出更多狀況。」

最後，有一個木工大老師傅過來跟森山說話：「拜託拜託，如果沒有這樣燒香拜神明，那些師傅沒人敢上工了。」

他安慰森山：「建築師你已經抽完一整包菸了，請不要那麼緊張，還在調，雖然有點問題，但是這次的狀況比之前好，只是要再等一陣子，四樓在重綁那麻繩的繩結，三樓在調那十字竹桿件的角度，使那佛臉要轉七十度到另一側，面向彰化大佛，也背對火車站前的廣場，你交代的都已然很小心地在進行。」

前幾天，一直出錯，是因爲佛頭是花崗岩刻成的，那太沉重了，雖然已然換了好幾回更粗的麻繩，但是，承重的問題轉移到懸吊的金屬輪軸的尺寸替換，對不齊之前那輪軸已然重新去買回來換了，所以在拉麻繩時不會像幾天前那麼緊，卡得那麼深，近乎幾十個人硬撐在拉，還是不太能動。

一如森山身邊地上的菸屁股，在他完全沒注意的時候，已然密密麻麻的一地。

那時候是半夜三點左右，其實，顏麗子更是煩惱到近乎無法入眠。

一開始，她並不清楚這些施工的細節如何拿捏或調度，但是她本來擔心的是，一如那古佛頭主人要求，要將安裝佛頭變得像工地上梁那般地講究，甚至要邀請賓客來參觀整個安裝的過程，變成好像一個儀式或演出，那麼就近乎不可能了，因爲所有的懸吊難度就會變得更高，她擔心的所有的不祥預兆如果在工地裡小心地施工，再久都還可以挽救。萬一，現場如果變成儀式，那麼風險就太高了，因爲，如果想要讓這麼沉重的巨大石刻佛頭懸吊得更高到天井的最頂層，如果有萬一，讓所有客人都仰頭張望許久許久之時，最後一刻出了任何一點點小差錯，她可完全承擔不起。

那一天，森山和顏麗子太焦慮了，他們就在工地旁非常擔心地注視著。

一開始有十幾個人站在那巨大的有貼上寫上符咒的符紙的竹桿鷹架台，從一樓二樓三樓拉住數十條粗麻繩，繞纏著那個巨大的石佛頭顱。但是，還是在某一個剎那，他們突然被天空的一響奇怪而沉重的悶雷所驚嚇到，大師傅在那裡喊，慢一點，慢一點，不能拉太快，佛頭的太突的眉心會撞到一樓的最前頭的竹鷹架，但是，因爲太龐然也太突然了，已然來不及挽回，後來就眞的撞到了，還撞歪了左側的一根燈柱，再低一點的寶島大旅社一樓牆上就撞出了一個巨大的洞，一個令人不忍的暗黑的窟窿，大師傅跌了下來。

顏麗子最擔心的就是大師傅，但是來不及了，即使工人們都好認眞，用心而小心。但是，都離大師傅太遠，他在寶島大旅社屋頂，因爲那太突然的佛頭的撞，而跌落到竹鷹架的角落，從她這裡看去，大師傅就被壓在巨大竹桿下，彷彿他正死命地用全身去頂著那巨大石頭顱已然歪斜了一大半的臉頰，大家都來不及救他，就只能在那天井的數十條麻繩和數層樓層欄杆之間，眼看著他那結實的背就被活活地壓垮了，右手臂被粗重麻繩緊緊繞纏住而解不開，眼見大師傅全身的皮開肉綻，一開始是臉上都有血痕，衣服上也沾滿了血汙，後來才更發現他有更深更重的頭部受傷而陷入危險快沒命，彷彿是顱腦損傷血腫，下腔出血湧冒，連二頭肌腱和肩胛骨頭的深處都露出皮膚而令人不忍目睹他那更後來逐漸被壓斷的脊椎。

森山一直叫大師傅的名字，但是他整個人都昏迷了，整個身體都陷在石佛頭裡，顏麗子哭了起來。但是，她也只看得到大師傅的頭顱，就在眉心，沉沉地浮現了一個撞破的窟窿，流出暗黑的血。

寶島部（第11篇）蛇。

一

在那老夜市，在那老時代，那眞是一個奇怪的妖幻時光，眞像是一種荒謬劇場的現場那般野生又栩栩如生。因此，小時候太害怕的我每回接近那裡，都好像在接近一種不明的威脅，但也又像是接近一種不明的保佑，就像要去一個很陰的廟拜一個很邪的神，一種很不得已的狀態的陷入或無法離開的糾纏，哀求種種人生很不堪的困境怎麼逃離或很艱辛的苦難怎麼消災解厄。太過離奇又始終不知爲何，小時候我的皮膚老像被下蠱或下降般地詛咒過而彷彿從來沒有寧日般地出事，身上始終持續地長出種種奇形怪狀的大大小小爛瘡，從尋常蚊蟲叮咬就不明腫痛，不自覺地抓癢就發紅破皮，皮膚老由於傷口潰爛疼痛難忍，永遠續發的感染及神經抽痛，無法無天地無法痊癒，傷口爛得太深使疤痕過度突出成又硬又癢的浮腫，甚至越來越糟進而長出了一顆顆突出的疹子然後腫大化膿結痂。多年來，往往好了又發作重來，沒完沒了，到後來常常近乎皮膚腐爛的全身我也竟然就不在乎了，甚至就可怕到像長皮蛇那種種症候的會致命或一如天花那種一長出來就死定了的恐懼感也不再恐懼。

那是一種更古老也更逆反的療癒……而那麼不得已的原因也是那麼奇怪，因爲有很多個家族的最老輩份的長輩，二伯公，三叔公，大姨婆，和小時候最疼我也最入迷蛇的姑婆都交代過我的爛皮膚一定要先去斬皮蛇再去吃蛇才有用。所以，即使在猶豫不決的半信半疑，也想了好久，後來父親竟然眞的帶我去夜市吃蛇，他或許覺得就帶我去試試這種即使荒謬莫名但是也只好孤注一擲的以毒攻毒的險路。

一如某種天氣一變身體一弱就猖獗發作的詛咒出的怪病，尤其是我下半身的皮膚更慘到持續長出那種更扭曲形貌的巨形怪瘡，長到後來變成樹眼或怪獸或爬蟲盤踞坑坑洞洞地像某種惡地形，那種斑駁變成荒誕的斑爛。使姑姑們，既調侃又安慰地嘲弄地笑我上輩子一定是什麼妖魔來投胎，以後長大不知道會長成什麼，因爲現在還那麼小的雙腿就都已然變成了……肉龍柱。

但是……那幾乎是極少數童年的時光中父親和我的獨處，他一向太忙太常在外頭跑，小時候的我們有任何的出事都會有別人來收拾，即使是去學校家長會或醫院看病大概都是媽媽或姑姑在照料。但是去吃蛇的這種太費解的怪事實在太離奇了，使得所有的家族的女眷都極害怕……所以只好父親自己帶我去，很少發生的如此古怪的遭遇也又都必須是在晚上，或許因爲是夜市或更因爲那是他下班以後少數有空的時光，在如此乖張的時間差和帶著怪胎怪病的我上路，去一個怪地方，或許就好像是要帶我去做壞事一樣，但是卻是爲了一個養不活或養不大的小孩，爲了求救邪神而自一種允諾犧牲般地幽谷或蟲洞般的縱下。

沒有別的小孩要跟，甚至沒有別的大人要跟，連一向什麼都不怕的母親都很害怕。就這樣，跟著父親走進擁擠人群那麼地喧鬧而難過的地方，但我卻有種同時地怪異而出奇地亢奮。或許是因爲可以到那暗夜炫光一如夢般迷亂的老夜市，但也更因爲可以和難得的父親在一起走這一段夜路。

那是我永遠太失眞也太失寵的童年稀薄回憶的切片，充斥著不解的不滿，大家族中的小孩太多，使得在小時候成長的過程中，我一直是不太被關注的一個，或許也是太孤僻沉寂的個性使然，我不太會說話又長得不起眼，雖然不太出差錯但是也太被疼愛，甚至因爲排行在七個堂兄弟姊妹位於近乎中間的角色的曖昧不明，沒有更多好養或難養的被比較的困擾。那時候，大家庭裡大人們所有的關注都落在最大的長子哥哥堂哥或最小的堂弟堂妹，甚至我堂姊和姊姊同年長得又美嘴又甜，她們近乎同進同出像雙胞胎般地被矚目被疼愛，堂妹特別容易生病嬌弱而哭泣而被寵幸，堂弟太好動撒野到常常出事而被注目。但我始終是那一個最沉默、矮小，乖乖地沒什麼意見也不希望被留意的小孩。像一首不好聽也不好唱的歌曲或一種長相不起眼的深海魚種或荒野動物或就是一個光度不足的遠光孤立星宿，始終是那麼地難以辨識地出現旋而消失，始終整個童年成長過程的存在感極端不清楚，所以，在那一兩年裡，父親每禮拜都特別只帶我去吃蛇這件即使是乖異甚至邪門的怪事，還就因此更變得特別的窩心而珍貴。

因爲，在黝暗死寂的小時候枯燥無味又馴良漫長的時光中，那竟變得像是一種極少出現的彷彿擁有特權發光的剎那閃現，一種奇怪的既丟臉但卻反而值得歪歪斜斜驕傲心情的做作動容，即使，去那蛇店，小時候的我還是害怕極了，連在害怕什麼也還不明白的那種害怕。

那種害怕是那麼地逼近而逼眞，對未知的病情或禍害的恐懼，所以甚至不太像是在渴望醫治或療癒。反而像在祈雨般地祈求，祈求一種不可能好的太過度的期待。甚至，就是在許願中提出了近乎不可能的還願就像是在交換命、交換運、交換某種厄運，只求渡得過這一劫那麼地無助。僅僅想活下去而祈求用一種較可能忍耐的苦難來取代另一種完全不可能忍耐的苦難，一如付出了犧牲的童男童女來討好那惡土地惡靈的庇佑，或是就像那最著名的希臘神話式的面對最邪的邪神的最後指望，近乎不可能招架的以毒攻毒式的決鬥，用蛇髮女妖的頭砍下來用那妖眼來使完全殺不死的深海巨怪變成石頭來解決災難。

「斬皮蛇、戴鼎掛，父姓方、母姓蔡，斬乎斷，你就跑上山；斬乎斷，你就跑遠遠！」老乩童口中念著臺語的咒語，他始終在念著一些古怪的聽不太清楚的什麼……那是那老夜市末端的一間陰暗的小廟，老乩童著道士古裝完畢後，腳踩踉踉蹌蹌的七星步，手持木劍還嘴中念念有詞，隨後就彷彿有神明附身地在我身上作勢亂砍了幾刀，他只說我是被邪氣纏身，等會再作法一下，他好老也好喘，一開始是在傍晚時分他在地下所畫的一個圓圈圈，要我站在圈內，頭戴斗笠，面向東方，一腳站立在廟門檻內一腳在廟門檻外，準備就緒後他開始念咒，並手持菜刀，以刀背在我的斗笠上敲三下，意爲「斬蛇頭」。他要我持續地面向遠方八卦山頭的夕陽，古怪的他又拿著一把古怪的菜刀，以逆時針的方向再回頭一直剁圓圈圈，邊砍邊口中念另一種咒，一連轉三圈。

之後乩童就告訴半信半疑的我們他已將「蛇頭」砍掉，過幾個月就可痊癒。他說那是因我身上的「邪氣」所引起的一種病，因爲我體質有病，發疹時的疤痕形狀像蛇般纏繞在我們身上且長水泡時有如蛇的眼睛及亮亮的蛇鱗，那就是傳說中「皮蛇」、「飛蛇」或「纏腰蛇」，也叫做「流火」或「腰纏火丹」……他始終都交代著老時代的規矩更多，「斬皮蛇」一定要在黃昏這種日夜之交的時刻，才能去妖氣。另外，斬完之後還要用雄黃擦在發疹處，因爲雄黃可以驅蛇，所以更後來就還要用那神桌上某種又臭又黑而來路不明的加雄黃酒的怪草藥剁碎直接覆蓋在我肉龍柱雙腿發疹水泡破裂傷口感染潰瘍而較不容易痊癒的部位。其實，看過太多醫生又看不好的我已然太習於全身化膿腫痛過太多傷口所引起的疼，甚至有時候時間拖太久的童年還會玩傷口，使那種局限於某一個部位且一陣一陣的刺痛炙熱感可以分心，想像所有的身上的皮蛇可以持續性地游移、流竄而擴散至全身死角，一如太惡性的惡靈對我的乩身入侵而自己幻想一定會變成可怕的邪神或是死後復活會露出原形的龐然蛇身。

但是，好古怪的那老乩童卻安慰小時候的我只要聽他的一定會好，除了做法砍刀砍劍外，還要內服某種古怪名稱一如什麼龍膽瀉肝湯、荊防敗毒散、柴胡清肝湯、仙方活命飲，還要加古怪的中藥金銀花、板藍根、地蜈蚣……還要一兩用十碗水煎煮，日夜服藥。最後，他卻還問說我爲何這麼小就這麼慘，這是老人病啊！把脈之後還說我肝氣鬱結、脾失健、心火旺盛而造成血熱，但是，也可能是外受毒邪侵襲以致溫熱火毒蘊積肌膚，要治療先以清熱利濕解毒、化瘀通絡理氣。可是，只要虔誠拜他的祖師爺，一定會有神祕法力來斬斷這種宿疾。那老乩童最後極自詡地說這種「斬皮蛇」的技藝，在他家已祕傳了十幾代，說最古老的「斬皮蛇」還已流傳千年，傳說是古時候天上的太上老君和驪山老母一起研發啊！

更後來去那老乩童推薦的那又腥又舊的蛇店也極有名，店也極傳奇，開了幾十年那髒髒舊舊的地方就開在彰化老夜市的最深處，甚至竟然就坐落在那夜市主要大路上人永遠最多的十字路口的轉角，蛇籠很多很大而且招搖到都擺上馬路，太難想像的某種危險的危機四伏感，或太像一個老舊的動物園或博物館的陰霾充斥，極端誇張的令人驚悚，以前小時候去都害怕極了。因爲那蛇籠的金屬網目極小而闇黑恐怖，充滿暗示性的邪門狠毒的害蟲與惡獸，或許也更因爲遠遠地是看不清楚……而要靠得很近看才看得到那很黝暗的籠身裡透露出更懾人顫抖的弧形爬蟲陰影，甚至更因爲逼近時所聽到很細微稀索的蛇吐蛇信的聲音或蛇身盤旋扭曲的蛇皮磨擦那細響的隱隱約約而更毛骨悚然！

但是，最恐怖的反而是氣味，更難以抵抗和難以閃躲的來自蛇身的那種腥味。那是極具攻擊性的夾雜某種不舒服的像魚腥、像腐朽泥土、像泡太久的醬菜、甚至是像停太久的屍臭那種難耐，當然還混入了蛇籠那鏽蝕老舊的黝黑金屬氣息，只要接近就好像陷入了某種迷魂陣式的迷魂或更是某種叢林的野獸凶猛險惡的暗示，牠們小心地以分泌的唾液或尿液劃出幽暗偏遠近乎蠻荒那般怪異野生領域感式氣味的嚇阻，但是那老店卻是在一個人車聲都喧譁極了的鬧市裡，那麼荒誕而那般地不可思議……就在人煙最密集的地方卻仍然可以用惡氣味散發出如此充滿野生的敵意。那使小時候的我老是覺得總有一天蛇會四竄而出地反噬復仇，也在童年的夢魘裡太多回看見牠們用太多種逃離的恐怖片或災難片般的侵犯入整個城，失控，入侵，肆虐……一如八七水災那般懲罰人們太無法無天的天譴。

但是，這種種可怕的野生敵意還有更多更離奇的蔓延，從蛇的砍頭劃刀放血，蛇肉蛇骨的廚餘的血淋淋餿味，蟑螂或蚊蟲滋生的死角……都充滿令人髮指的噁心感，甚至就在那家蛇店路口擺蛇籠旁邊的玻璃櫃裡還有很多極難過的老鼠，充滿了即將被送入餵蛇的小型哺乳動物無助近乎絕望的可憐兮兮。然而，一如某種食物鏈的生物學殘酷，進化中必然的惡，同情那冤冤相報的矛盾，但是，現場是那麼血淋淋地入世只好無言而無情的一如小型刑房煉獄式的浸泡，因爲我一直在場，也一直目睹那種無法描述的恐怖，那種極端難忘的被蛇吞噬前老鼠們的抽搐不已，有時我極害怕卻又忍不住仍會在髒髒的玻璃櫃前打量，一如充滿惡意地偷窺，牠們的慘白毛皮始終抖在蛇的氣味籠罩之中，有種令人難以想像的恐慌混亂在裡頭。感覺到太龐然的死亡逼近而無法逃離的牠們的眼神太害怕了，好腥紅好像在泣血，那使得想說什麼又始終沒說的儒弱又虛弱的我常有種不捨的不忍，但萬般無奈中又有著莫名的亢奮。

另一種更荒唐的無奈是那店還有一些手寫字的髒髒的招牌所出現了許多去毒壯陽的字樣：男性救星，腎虧恩物，吃鞭補鞭……還有種種菜名：生津解渴補身養顏的……烤蛇肉串、蛇肉湯、炒蛇肝、字更大號稱更補的蛇鞭、蛇酒。我還依稀記得，那蛇店除了賣蛇湯、蛇料理，竟然還有兼賣些一樣嚇人的鱉料理、鼠料理、鹿料理，所有的動物肉的腥臭味混雜而更爲刺鼻，就這樣夾雜在蛇的威脅中閃現更多更怪的野生的令人髮指。但是蛇還是店中最著名而昂貴而稀有的恩物補品，其實小時候的我每回都只是喝蛇湯，那蛇湯非常清澈，還有點中藥味，有時候裡頭只有幾小塊蛇肉，忍著不去想就只是當有怪味的雞湯喝，其實吃久了也不太怕了，因爲蛇肉吃起來有點硬很像雞胸肉也很像煮太久的魚肉，也還有像魚刺一般的骨頭。

「常常來吃久了就會不再怕有腥味或怪味……」我還記得有一個老在剁蛇頭的老人老還安慰我說：「我們的八卦山風水好，大佛身後山的深山有很多蛇洞，長出很多錦蛇跟眼鏡蛇都很補，有些加料的甜甜的蛇湯連小朋友都很愛喝，還有很多女人去吃蛇只是爲了喝了皮膚會變細變美，你可以叫你媽媽陪你一起來吃喔！」

那老店最著名的一種最奢侈的蛇大餐：一盤八百，有一碗蛇湯肉加五杯小杯的蛇汁，含蛇毒、蛇膽、蛇血、蛇肉，第二杯的蛇毒是喝的人嘴巴不能有破洞才能喝。這種最貴的點法是可以讓吃的人從蛇籠直接點一條蛇活生生地就在現場殺，有一回在蛇頭砍斷之後蛇身還仍然扭曲地太誇張，血還噴到路過的我的臉……但是每回去的充滿害怕的我仍然很入迷於端詳那老闆在繁忙卻又從容調理蛇大餐的所有細節。那像一種老時代劇場表演般的世故而體面，故意會穿得雪白西裝的黑狗兄般的他會準備好幾個帶酒和帶蛇血的小杯子，放在一個木盤上，就像拜拜，而他自己就很從容而驕傲地出來教客人喝的順序，像一個法師做法那般念念有詞而專注極了，那似乎是他一天中最得意的一刻，一如他的一生，都是爲這一刻而準備地那麼虔誠而投入。他總是動作緩慢而斯文，完全不同於店旁那滿佈有鱗目爬蟲的野生的氣味地令人不安，他總是首先拿起比較大杯的是蛇血，暗紅的顏色有點像稀釋過的血會請客人先試試，不怕了之後再進入下一步，先喝半杯之後將另一小杯蛇膽倒入蛇血杯再喝一半，有點甜甜的沒怪味道或腥味，再將蛇毒倒入再喝一半，另外有像魚油的兩小顆蛇油膠囊一起服用，再來將人蔘酒倒入再喝一半，再將海馬酒倒入再喝一半，最後將蛇鞭酒倒入再全部喝掉。他常常說人蔘酒海馬酒這兩杯是送的一定要喝。像是一種魔術表演或起乩做法的現場的又靈驗又荒誕，我常常看得又害怕卻又入迷……也常常有客人很害怕地喝完全部卻很開心地說：還好沒有可怕的味道，或許是沒他想像中嚇人……那時候老闆就會訕笑地解釋因爲其實都稀釋到很淡，有些蛇血、蛇膽、蛇毒都有加蜂蜜調過。「要厲害的下次找我。現場殺一條最腥最毒也最補的百步蛇的蛇鞭給你試膽子。」那像是一種童年的太冗長的夢魘的切片的蒙太奇，所有發生過的因爲太久太恍恍惚惚而已然不太確定是夢境還是回憶，如今想起來，那畫面仍然亦正亦邪也卻仍然令人如癡如狂……

那時候，我的心情好複雜，彷彿是種累世冤孽般的報應。老是在小孩的天眞爛漫心裡想著：好奇怪啊！屬蛇的我竟然眞的一直在吃蛇，或許我前幾世也曾經是蛇，或許，某一世眞的也曾經吃過人而某一世也曾經被人吃過……

一如過了三、四十年後的有一回我才查到書上寫著：「動物界，脊索動物門，爬蟲綱，有鱗目，蛇亞目。蛇的生殖器官的半陰莖十分奇異，雖然蛇的繁殖模式種類，但所有蛇類都是體內受精，雄性蛇類擁有一對呈叉狀的半陰莖，平時反進體內收藏在其尾巴之中，為了在交配的時候能以性器官抓緊雌蛇的泄殖腔壁，雄蛇的半陰莖通常長著凹槽、倒勾或尖刺。」不知爲何會就想起印象極深的那晚，那黑狗兄般的店老闆邪邪地笑著對父親說：「你要不要試試，蛇鞭長得很奇怪，竟然有長倒刺喔！吃了保證晚上嚇嚇叫……」

二

夢中，神明廳的神明桌上有一條正被供起來的巨鎏金蛇，蛇身旁還有粉紅灑雪般櫻花環繞，香燭，八仙彩中有蛇的繡花，極華麗但是又極恐怖。但是，彷彿在拜拜的人們似乎沒人在意。

那是一個小時候大拜拜的祭典準備的後場，難以收拾的排場發生了，彷彿有大官也有外國人要來剪綵之類的太講究面子的場子必然的慌慌張張，要慶祝什麼或拜什麼，但是後來演變得太盛大也太繁複到怎麼做都做不完又做不好的狀態，所以，到後來有點失控，因爲大家都急了，彷彿什麼重要的人要來或更多重要的事要發生，而太多的細節都還沒就緒，雖然不是上舞台演出正式的劇團，但是就像辦桌的上菜或場下跑龍套的許多小廝們的仍然專注，進進出出那狹窄走廊正工作中那些有點年紀的女人們還是很緊張，也甚至都在樸素灰藍色衣褲外再圍繫上一大幅寬上繡著巨鎏金蛇身旁還有粉紅灑雪般櫻花環繞印花的和服腰帶，就像是戲服般的制服。嘴巴裡一直喊著快開始了快開始了，還一邊幫彼此整裝繫帶拉緊地調理最後模樣。

我彷彿還是個小孩，還在窄廊旁邊陰暗的房間門口蹲坐觀看，什麼都幫不上忙。

後來，才發現那地方就是長壽街老家的房子，那些有點年紀的女人們就是小時候大家族裡的姑姑伯母嬸嬸阿姨們。

才想起之前也常有過這樣的混亂狀態，只要是過年過節的大拜拜或大請客的場子，所有的大人都一早就忙壞了，也急了起來到有時吵了起來，但是我還太小，就只能從自己睡的房間走出來，就坐在門口發呆，寤寐之中，像在一條高速公路的路旁看著所有疾風般閃過的車影，像在游泳池畔看到水道中專業游泳選手的疾速濺起水花的波瀾，一如所有的過去發生過的雷同繁忙場子地一幕一幕重新搬演過。

但是，那祭壇上的那條巨蛇還是令我很害怕。

心裡知道有兩種選擇。或許我該冒死進入拜牠，或就是呆坐在這裡發呆假裝不怕牠。

後來，我又睡著了。醒來，卻到了另一個遙遠的地方，那是一座非常荒涼的山上，一個極破爛到近乎廢墟的老房子前，有一個太空曠的空地，沒有廟的廟埕，甚至是不像廣場的廣場，但是，旁邊還是圍繞著參參差差幾棵極大極老的榕樹和幾個神經兮兮的人，在那樹冠極龐大到枝繁葉茂遮遮掩掩灑落的熹微陽光下，仍然太潮濕而充滿霉味地陰陰沉沉。

那大樹幹旁被搭起一個草率棚架般的破房子，像老時代老人修理腳踏車的小店家。破敗到永遠髒兮兮但是卻又什麼都有，始終充滿某種難以辨識的神通般的暗示。就在那破屋的老舊門前，可以看到整道老木板牆壁上亂懸掛起所有的彎彎曲曲如蛇身的破輪胎內胎，廢五金的油汙鏈條，大大小小齒輪，煞費苦心的煞車或握把或踏板種種我認得或不認得的滿地舊零件。蛇形蛇骨的種種造型金屬器官，還有更多更奇怪的拼裝銲接成奇形怪狀的，半機械半垃圾的可以動來動去的什麼，更破爛不堪的小型變形金剛乖張半毀細部，或更多沒看過的各種古怪鑄鐵做成的鬼東西或不明器皿，有些還有局部的陶瓶或瓷製的怪花器的怪模樣。

我一直覺得他們是隱藏在那山裡作法的古怪陰陽師或煉金術士般的發明家吧！但是我沒問，他們也沒說。後來，就竟然在悶悶不樂的更午後天黑前的山嵐濃霧中下起極大的雨。

我想我大概跑不掉了，就跟著他們在一個舊木頭大桌前，不慌不忙地準備起來，很開心又放心，就忙些什麼彷佛煮飯做菜的尋常不過的雜事，也彷佛有些什麼要發生那般地忙起來。桌上仔細看，就是一大堆碗盤，是被一蛇十吃成蛇骨湯、蛇鞭、蛇肉、蛇毒汁、蛇脊椎泡酒種種料理的吃了大半的那整條巨蟒已然血肉模糊的蛇身。

這夢讓我想起我三姑，因爲這一如災難電影般的傳說就是她說給小時候的我聽的，更因爲她一直把我當她的蛇仔子。

三姑說到了一種叫做蛇床子的藥，姑婆買來給她熬湯吃過，那是和一個民間傳說有關的一種藥，一如那個時代的昏庸古老的對疾病的恐懼及其因恐懼而引發傳說的一種藥。

古早有個村子流行一種怪病，病人的汗毛孔長雞皮疙瘩，癢得人不停地搔抓，有時抓得鮮血淋漓還不解，這種病還傳染得很快，穿病人的衣服躺病人的床會染上病，就是病人搔抓時飛起來的碎皮屑落在好人的肉皮上，好人也會犯病。後來全村的人都被傳染了，吃什麼藥，抹什麼藥也不濟事。後來，一個醫生說：「在百里之外有個海島，聽說那島上有一種長著羽毛樣葉子，開著傘一樣花的藥草，用它的種子熬水洗澡，可以治這種病。」

不過，誰也沒有辦法採到它，因爲島上全是毒蛇。只有一個青年心一橫出海，但他去了很久也沒回來，接著又有一個青年去島上採藥，可他離開村子後，也同樣沒有了音信，這兩個人全餵了毒蛇，因此人們全放棄了去蛇島採藥的念頭。可是，癢還眞讓人受不住，抓破皮肉露出骨頭或傷口流膿變成了大瘡，有一天青年他離開了村子，但沒去海島而先尋訪治蛇的人，後來到海邊的一座大山上的尼姑庵，庵裡有個一百多歲的老尼姑年輕時曾到蛇島上取過蛇膽配藥。老尼姑教他在端午節這天的午時上島，見著毒蛇就灑雄黃酒，毒蛇聞著雄黃酒味都會避開。

他找到蛇島附近並等到端午節正午時才靠岸，藉雄黃酒從毒蛇的身子底下挖了許多羽毛樣葉子及傘一樣花的野草。找回了治病的藥草的他把藥草的種子煎成藥治好了村人，後來還用來治癬疥濕疹。因爲這種藥草最早是從毒蛇的身子底下挖來的，所以叫做蛇床，它的種子就叫蛇床子。

這故事太像傳說了，小時候的我一直覺得是三姑騙我而說的故事。但是，我卻是到了很多年去一個奇怪的古中藥博物館，才第一次看到那傳說中的蛇床子。

雖然一點也不起眼，乍看就像是尋常的草本植物，但是展覽中提及的蛇床子一點也不尋常，旁邊的文字描述是：「莖直立，有分枝，表面有縱溝紋，疏生細柔毛。葉互生，二三羽頭細裂，最終裂片線狀披針形，先端尖銳；基生葉有長柄，柄基部擴大成鞘狀。複繖形花序頂生或腋生；八到十片苞片，線形；花白色，花柱基短圓錐形，花柱細長，反折。雙懸果寬橢圓形，果稜具翅。本品為雙懸果，呈橢圓形，表面灰黃色或灰褐色，頂端有兩枚向外彎曲的柱基，基部偶有細梗。分果的背面有薄而突起的縱稜五條，接合面平坦，有兩條棕色略突起的縱稜線，果皮鬆脆，揉搓易脱落，種子細小灰棕色，顯油性，氣香味辛涼有麻舌感。性味歸經辛苦溫，有小毒。歸腎經。生於原野、田間、路旁、溪溝邊等潮濕處。別名：蛇床《本經》，又名：盱、虺床《爾雅》，馬床《廣雅》，思益、繩毒、棗棘、牆蘼《別錄》，禿子花。蛇米，蛇珠，蛇粟，蛇床仁，蛇床實，氣果，雙腎子，癩頭花子，野胡蘿蔔子，野茴香。」

我從來沒有看過這種古書裡提及了蛇床子很不尋常的一如傳說的鬼怪歷史：

一、陶弘景：蛇床，近道田野墟落間甚多，花葉正似靡蕪。

二、《蜀本草》：《圖經》云，蛇床，似小葉芎藭，花白，子如黍粒，黃白色。生下濕地，今所在皆有，出揚州、襄州者良，採子暴乾。

三、《本草圖經》：蛇床子，三月生，苗高三、二尺，葉青碎作叢似蒿枝，每枝上有花頭百餘，結同一窠，似馬芹類，四、五月開白花，又似散水子，黃褐色，如黍米，治輕虛。

四、《綱目》：蛇床，蛇虺害臥其下，故有蛇床、蛇粟諸名。其花如碎米攢簇，其子兩片合成，似蒔蘿子而細，亦有細稜。凡花實似蛇床者，當歸、芎藭、水芹、藁本、胡蘿蔔是也。

主治：溫腎壯陽，燥濕，祛風，殺蟲，用於陽痿，宮冷，寒濕帶下，濕痺腰痛，外治外陰濕疹，婦人陰癢，滴蟲性陰道炎。

但是，我看到後頭卻一直想笑。我想三姑一定不知道，她跟我說的這個凜然大義一如魔誡或一如奧德賽般殺美杜莎蛇髮女妖的史詩傳說，其實還有它跟蛇有關的隱喻般邪惡故事背後的邪惡。因爲，其實那蛇床子竟然是一種春藥，一種有名的性激素，蛇床子在現代還可以在溫腎壯陽燥濕祛風殺蟲之外，用於陽痿宮冷不孕甚至治女人陰癢，蛇床子乙醇提取物每天皮下注射於小白鼠連續三十二天，能延長動情期與縮短動情間期，使其卵巢及子宮重量增加，有類似性激素樣作用，以前列腺，精囊，提肛肌增加重量的方法證明，蛇床子提取物可助長雄性激素，甚至竟然能使去勢的白鼠動情。

最後更還有一個更奇怪的奇效，一如生前三姑最喜歡看的那種充滿危機充滿怪獸的災難電影，厄運苦難都不免是種最盛世盛宴般的華麗那種以毒攻毒的越龐大越好的邪惡，這蛇床子竟然可以殺孑孓，將蛇床子的邪惡種子投入汙水中竟然即可殺滅一整條河的孑孓。

「很快就走了。」現在想來，比起後來大多癌症拖很久才過世的長輩的受苦而言，三姑的過世，是種命較好較被祝福的死法，但那時候我們並不了解這種祝福。

三姑過世時是四十多快五十歲左右，大概也跟現在的我們這群當年住一起長大的堂兄弟姊妹們差不多大。所以，最近想起來，對於人生走到中年，走到有點遠又有點無奈但卻也不能再怎樣的中年的我們而言，對三姑，會有些比較不一樣的感覺。除了繼承寶島大旅社的很早出嫁的大姑，我有三個沒嫁的姑姑，最早過世的是三姑是意外，車禍出事後昏迷，幾個小時就宣告死亡。她是姑姑們裡最不起眼的，沒二姑招呼全家大小，為全家族買菜、打點像背值星當CEO那般地能幹精明，也沒四姑美麗，細心，有才華到為全家族大人小孩設計各色極時髦極亮眼的服裝，她總是很隨和，很樂天，常微笑，出奇沉默，長相身材也普通，我印象中幾乎不曾生氣。跟二姑、四姑一起忙家事、同進同出，不太有意見。在那個也一樣無奈的時代，任命運碾過像壓垮自已的脊背的「垮咔」一聲都聽得那麼清楚時，卻仍然假裝沒聽到。但三姑她是真的聽不到，從我開始有記憶以來，她就重聽得很嚴重，那時助聽器很貴也很不好用，還常故障。

整個童年裡，我常看到三姑不得不在很多時候、很多場合不好意思地拿出那耳機出來調整，那耳機其實不起眼，是個長得很像耳朵內耳的肉色機件，對那時的我而言，卻像是怪玩具，怪玩意兒甚至是外星球來的小型不明飛行物那麼地奇妙。

因此，每當她在搖晃或傾聽或打量，邊用邊修理的慌張不安時，不懂事的我卻都會很感興趣地跑過去看，問東問西，還一定要借來戴。現在想來，那時我魯莽的無知實在好殘酷，一定讓她很傷神費心，但印象中，她卻從來不曾因此生氣過。

這大概也是她特別疼我的原因，不只是我跟她是大家庭中唯一相同屬蛇的，現在唯一還活著的四姑還常提到，三姑生前從我出生開始極親密地老叫我「蛇仔子」，主要也因爲我的個性！不像哥和堂哥較大有長子的得寵，也不像堂姊和我姊兩姊妹花同年同進同出，堂妹特別愛哭容易生病糾纏四姑，堂弟特別刁鑽頑劣而被注目。小時候的我太乖，太沉默，太常自己一個人，反應很慢，不太會說話，不太會討好大人。所以，很容易被冷落吧！那是我長大後拼湊出來的自己在大人眼中的模樣，不論是有意無意！但現在想來，這才是三姑特別疼我的主因，因爲我們都比較不聰明又不受寵，像某種彼此較不起眼的人生而較窩心地彼此療傷的緣分，反而因此好起來的某種人生的曲折。

三姑的早亡，是個兆頭。這種因重聽的慌張不安而來的傷神費心，一定使三姑變得沉默、想要變得不起眼，不要引起人家的注意，所以長年來她總比較溫溫吞吞，比較沒意見、也沒自信，因爲在那時代的那大家族裡，她的沒嫁，她的沒像姊妹那麼出色，甚至重聽，是注定會變得低調、謙虛又樂天的，尤其是在我們家那大房子，在那有很多人生活著、出入著必須會聽話、會說話，還必須知道要會大聲才能出色的地方活著。

三姑顯然就只能像是《紅樓夢》大觀園裡的劉姥姥般地，老沒有「進入狀況」，但也又老自嘲地樂天地活下去，一如《長日將盡》裡的艾瑪湯普遜和安東尼霍普金斯那種一生當管家的認命與純樸，繼續他們被指派人生角色的辛苦及其無奈，連近身的如此明顯的幸福也錯身而過那般，像個太過認眞太過稱職的配角。

另外，還有一件常被提及的事，三姑也是家族中那輩唯一的電影狂，一如這一輩就變成了我，幾乎每天有時間就去看片，還拉二姑四姑去看，看到彰化每個電影院收票的人都認得她和她們三姊妹。四姑說，那時我們都還沒出生，她們還不用幫忙照顧小孩，有時間就去看電影那幾年，是她們一生最快樂的時光。

三姑特別不喜歡愛情片，有一回還曾帶哥去看災難片，發生了看到熊撲殺人吃人哥竟就嚇到哭了的事，甚至極愛當年武俠片，尤其日本武士道的片在那時代是僅有的一如現在動作片式的迷人。這跟我好像，她活到現在的話，一定也會變成如此，一如我喜歡現在每週必亂看的驚悚片、恐怖片、災難片、武俠片、科幻片一定有動作有風波式的打來打去。

我也喜歡像她老在弄那怪助聽器式的不明造型，不明功能，種種更三C更科技的產品一如怪玩具，怪玩意兒，甚至是外星球來的小型不明飛行物設計的這時代的更新更怪誕。

那麼說，她的早亡那車禍也是個兆頭。對被她極疼愛極視爲己出的我而言，是什麼意思。好像涉及兆頭的電影裡往往也發生車禍的親人，在災難降臨地球之前多年就已過世，卻在死前交代了預言式的解決災難拯救人類的對策，但當時沒有人了解這深意，了解她的動機，或了解她是爲了多年後的災難而先犧牲自己的那種用心良苦。

但對家族而言，三姑的死眞的是一個兆頭，整個家族開始出事，開始沒落的兆頭。在她之前，二十多年來家族大大小小活得很好，有一回和我姊談起，當年我們小時候幾乎沒參加過葬禮時感觸特別深。可是，三姑去世後，第二年是我爸，第三年是我祖母，以一年一個的不祥頻率狀態死去。

連續十多年。

三

這個助聽器，對我而言，就是整個工業革命無限輝煌的光芒收入最終極的結晶，所有最繁複的機械終於通過無限摺疊濃縮而進化，最後竟然就一如最科幻的科幻片般地縮小到一個耳洞裡，最後進化到那麼小那麼像一個原來就長在那裡的器官。一如耳洞中原來就有的這些長得像最奇險古怪鐘乳石洞或最鬼斧神工石窟雕梁畫棟的奇幻地形地貌那種種弧度曲曲折折的有機形態各異的鼓室、鼓膜、咽鼓管、鼻咽、鼓竇、乳突、前庭、半規管、耳蝸、內耳道、顱中窩、顳骨岩部奇怪名字的奇怪人體局部的有意思。

當然這個博物館更是那麼傳奇，甚至，那就是一個助聽器百年進化史的現場。那是歐洲最著名的助聽器王國丹麥的艾瑞克斯姆收藏館，所有關於這個一如人體器官的最小型機械助聽器的歷史進程故事集。

這是三姑的願望。我記得小時候，她每回都會提及這個博物館，在每回她的助聽器怪怪的時候，她老是會抱怨她的醫生說，要眞的好用的就要用這種丹麥製的，他們做得太進步到甚至有個博物館。

我很後來才看到了這個著名的艾瑞克斯姆館，在三姑去世了快二十多年以後，那是一個老朋友去北歐時我託他去拍的照片，畫面裡那幾乎是極不尋常的一個老莊園，遙遠而有點神祕到不可思議地奇幻，因爲照片中的那博物館坐落於一座有許多北歐神話神像的華麗而古典的建築物內，但是裡頭全部的古老神像表情卻都十分痛苦，不同於其他文明大多的神話所歌詠創世時期的榮光，北歐神話著力於描述世界的毀滅，所以那些神話中的神是會老會死也非常不完美。一如那些雕像排列在入口大樓梯前的莊園的破舊頹圮，那正是北歐神話和世界其他神話最不一樣的描述：「當萬物破毀敗壞但新的生命也將再降生形成，世界不斷地無奈又無限地循環。」那莊園刻畫的就是最著名的《諸神的黃昏》，在《諸神的黃昏》中的戰役無可避免，也注定眾神必定失敗，那是多麼奇特的壞毀的史詩。而且，就在這博物館前的莊園花園中羅列著雕像，那是北歐的眾神依然坦率的面對這最終的結局。而在世界滅亡之後殘存的神會再次重建嶄新的世界，那種更神祕而充滿幻想的神話石像所充滿的全園，一如助聽器博物館的另一則隱喻的寓言，揭示某種人類文明又進化又退化的循環。

奧丁兄弟創造世界，諸神拿尤彌爾的身體來布置出大地和天空，尤彌爾的頭顱化爲天空，腦髓爲雲，身體成了大地，血液成爲海洋，骨骼變成山脈，毛髮變成樹木。尤彌爾的身體腐爛長出蛆，這些蛆就變成了精靈及侏儒。奧丁命四個具有怪力的侏儒支撐著天空的四角，尤彌爾的眉毛則被用來造成牆壁用來圍住中間世界的中庭，然後奧丁又捕捉穆斯貝爾海姆的火焰，化爲星星、月亮、太陽，並訂定了四季的運行，諸神又取來梣木枝造成男人，榆樹枝造了女人。男的取名「阿斯克」，女的叫做「恩布拉」。奧丁賜予他們生命和靈魂，威利賦予理性與動作，菲給他們感情、儀表和語言。這就是人類的始祖，這些始祖的石像，就羅列地站到這個助聽器老博物館入口舊階梯前，大廳也是華麗而古典的巴洛克建築，有許多沉重深色木漆的老式胡桃木櫃，裡頭收集了超過三百個不同形貌不同品牌的助聽器展覽於館內，從這些助聽器的展示，可勾勒出助聽器發展那繁複演進的歷史。

這裡也是一個從機械式進化到電氣和電子助聽器的博物館，所收藏的助聽器近一百年，正是目前全世界最齊全最豐富的助聽器博物館，其收藏品是丹麥的國寶，也是全世界的瑰寶。

一開始的幾間大廳有三樓高，展示最古老的機械式的助聽裝置，如喇叭筒，號筒和聲管已有三百年的歷史了，回顧助聽器兩百年來的歷史，助聽器早期是以集音器的形式在使用，形狀如喇叭筒，讓聲音集中到此類似喇叭的工具，直接傳到耳朵內，有不同材料，不同尺寸及形狀，可見早期的助聽器還是相當講究的，比較細長的部分就是放到耳朵內，也就是我們的外耳道，類似你戴聽診器的經驗，這種工具用了約一百年。

有一個古木櫃展覽著一開始就是類似聽診器的工具，一頭放在耳內，另一個開口部分請說話者對著開孔講話。後頭，就是二百年來助聽器的演化。

西元一八〇〇年以前。中世紀的數百年以前，聽力有障礙，只能將其中一隻手掌呈杯狀，並擺在耳朵的後面以擴大聲音。所以手掌就是古時候最早的助聽器，十九世紀才有追蹤聽力機械設備的歷史。西元一八〇〇年的第一家基於商務的助聽器製造公司成立，此公司製造成千上百個不同助聽器，而這些助聽器大多數是由有限數量的管子和喇叭組成。西元一八九二年的第一個用電的助聽器專利提出申請，其他專利也開始跟隨，但是其中並沒有任何一項達到生產。第一個被生產的助聽器其耳機連接一個緊連電池盒的碳麥克風，這個時期中，也提及了Alexander Graham Bell這個人，Bell爲了放大聽障者所聽到的聲音，製造了第一個耳機。而且那個耳機竟然看起來就像一個弧度極其流動的蛇頭的那麼地長相古怪。

西元一九五五年，第一台耳內型助聽器被發展出來，由於體積和外型，大部分第一個耳內型裝置通常是被聯想成是在耳朵內的裝置，因爲他們是連接一個耳模並且是突出在耳朵外面。西元一九五九年，助聽裝置只有放在耳道裡面的才稱做耳內型助聽器是在較小的電池發展出後才出現。一直到這時期才出現了那麼特殊的耳內型近乎是耳形的外延零件。

但是，這個一九五九年像蛇骨脊椎的其中一節那麼精密巧妙的助聽器，我記得我看過三姑戴過類似的機型，因爲眞的很像小時候長壽街尾連出去那夜市蛇店桌上有時故意會當放筷子的怪裝飾品的蛇骨，當年的三姑很喜歡但我卻嚇得要命。到了西元一九九七年，新的晶片模組運用在數位耳掛型助聽器上，利用三個階段的適應程式來改善其性能，改進聲音回饋的處理方式，以評估病人最舒適的聽覺範圍。所以，第一個全數位深耳內型助聽器被引入使用於遙控控制裝置。

那幾乎就是一個最繁複機械所精密重新打造的人類的某一個器官了，而且是進化的器官。

我一直記得照片中的一個奇怪的畫面。

就在那博物館入口門廳有一尊等眞人身高而極栩栩如生的中國古董雕刻在那裡出現，極突兀但又極切題的那古雕像就像是一個寫實地如此超現實所仔細勾勒的那幾乎是助聽器的最古老的隱喻，仔細看竟然是一尊媽祖廟裡在媽祖金身旁的兩個守護神之一的順風耳尊者。

祂斜身向前穿盔甲木刻的金漆有點掉落，但是臉孔猙獰而神采奕奕，全身軀體肌肉賁張，仍然十分魁梧而意氣風發，左手插腰而右手舉高而就正放在右耳旁，彷彿十分專注地在傾聽從遠方來的極迷茫的低沉聲音，從遠方來的波動不已的妖氣所凝結成的幻聽。

四

那是旅遊生活頻道中的一個旅行到遠方的節目，主持人他們到了一個聖地，那是一個從古時候就最肥沃種什麼都可以長得極美極好的山谷聖地。那是安地斯山脈自古的聖河祭壇上演著一齣古祭典的戲碼，就在印加帝國的老金字塔上公演的穿古代全副黃金戰袍的國王那太陽之子在當場殺一隻羊駝而且血淋淋地從胸窩拿出心臟示眾，但是觀眾們竟然全部還一直鼓掌叫好歡呼，後來主持人住進一個極著名的古修道院旅館，那裡頭有太多三百年以來的故事傳說，還有很多古董古畫，甚至有一間古祈禱教堂是極神聖而神祕的國寶。然而，最著稱的反而是古修道院的合院正中心長出一棵，據說是先知親手栽下而長成極高大而奇峻的四百年雪松，因爲就長在中庭而長出天空枝繁葉茂到傳說四季都充斥有療癒奇效的奇香。後來，主持人在小酒館裡表演傳統的有一種求歡的屁股點火的舞，那是一種要動作大到搖到把腰後布上的火滅掉的又好看又好笑的舞，有些還跳到教堂前的大廣場很多人一起跳舞，甚至在祭典期間會跳一個禮拜。更後來在老市集的主持人在表演吃當地傳統料理，他露出極不甘心的表情，因爲他指著盤子對鏡頭說：他正在吃的是一隻寵物，那是一隻豚鼠，因爲是當地名產，當地人是這麼吃的，他表演怎麼吃，一邊折斷脖子一邊折斷腳和尾巴，他最後安慰自己地說味道還好甚至吃起來就像雞。最後他走向山中，到了最著名的景點，在烏魯巴馬山谷，他說這裡越來越嚴重的溫室效應，以前這聖山峰頂的雪是終年不融的，但現在已經會露出黑岩山頭，以後二十年不知道會變成什麼樣，早晚會變成災難。

馬丘比丘是山上的廢墟而且是印加最大的聖地，沒發展出車的輪軸是因爲圓形是神聖的而不能用來做人的工具，所以搬運完全是靠奴隸完成的極不可能相信地殘酷而龐大的華麗建築群，現在雖然已然完全破敗成石塊的古建築廢墟，當年卻竟然可以安住三百人的國王和貴族，而且工法太難了，整整蓋了三百多年，那是要蓋幾十代人的時光。

主持人站在那裡讚嘆，整個建築群沿山勢蓋，美得令人屏息，仔細走過要待兩天，沒來過的人不知道怎麼跟別人描述，往山上走的他說，即使我們知道目的地，但是不知道會經過什麼經驗。這龐大的遺址竟然是這一世紀才發現，因爲蓋在極高的山頂，而且極神祕地完整而封閉到山下看不到，全城都有泉水與繁複迂迴的古水道，那近乎不可能的石城石工太精密地施工砌成到可以讓太陽在千年後仍然可以從那古老的最精準方向出來，在冬至過後第四天可以看到最美最準確射入的日出第一道光，那石塊很巨大但是切割工法十分精密，那日出的光在古石屋中的光影仍然那麼地迷幻，甚至有種極遙遠而龐然的迷人的神祕。在那日出的時刻竟然就眞的緩緩地從山谷從窗洞射入石桌面，那放即將要砍人頭的犧牲者的石桌已經斑駁而陳舊了。但是還是可以看到四邊桌角雕刻著四條龐大而盤旋交纏彼此蛇身的巨蟒，四個猙獰賁張的蛇頭從不同的視角怒視向著日光射入的窗洞，蛇眼的出神十分傳神，從任何角度看都令人不寒而慄，懾人地極野又極深。鑲嵌寶石仍在的古蛇眼在日光的投影折射漫射中，竟然變幻成奇幻的血紅。

一如我始終著迷於那一個個關於蛇的故事。

一如我始終不明白這種種更老又更新的電影所描繪的蛇可以多麼地逼真，在種種太邪惡太妖異又太純真太癡情的故事裡。這部用《白蛇傳》重拍成電影的雷峰塔變成一個最陰沉的聖地與禁地，最後的封印地，收妖的終點會攝形收身入那一個古代的巨大銅鏡裡，彷佛一個最深最恐怖的龐然圓洞，洞口一直有妖想出來又出不來地吶喊而尖叫，哀號的陰森聲音忽遠忽近，鬼魅般的身影鬼鬼祟祟地呼之欲出，但是始終沒有揭開封印地被死封在裡頭。最後，連捉妖的小和尚自己也變成了妖，那徒弟從和尚的人形長出翅膀，長出獠牙，變成怪物而抱著受傷的青蛇飛走了，法海對徒弟說你不是那妖的對手，那時候的他們正打開一個老廟的老木門，沒看到廟裡應該出現的陰暗梁柱和佛像香火的氤氳，卻看到一個大雪的雪地曠野及其吹起的又野又厲的疾風。

一切都是空花幻月，法海說。即使所有山中的妖怪們都假扮是一家人，用妖術把那破屋身傾圮而地上還破了大洞的廢墟變成華麗的古中國合院建築。而且，爲了讓太在乎也太老實的許仙來登門提親，爲了讓他心安，所有白蛇青蛇認識的妖怪們都來了。因此全家都是妖，烏龜變的笨手笨腳的老父親，兔子變的毛毛躁躁的母親，青蛙變的綠眼瘦皮還一直過動的兩兄弟，他們爲了撐起來所有的場子扮演起岳父岳母和所有表親們。因此，就在那一個僞裝而古裝的華麗場景之中，雕梁畫棟的中國老建築的黃梨木清式家具，有點氣派的接客圓桌，春花秋月四折古意屏風，斗拱雀替連接到屋身前景的精緻雕花的酸枝木櫺窗前，開始了一段妖的家族舞台劇。但是，仍然不免仍是充斥困難的，因爲儘管用妖術變幻出的華麗建築太過華麗，然而穿著古裝的妖怪們仍然沉不住氣，他們在太多人類提親的客套禮節中，變得開始渾身不對勁，扭捏，詭譎，乖異，奇幻，但又那麼地可笑而胡鬧。母親不小心就露出兔耳朵，父親一直說話結結巴巴露出尾巴，或哥哥不經意就伸長舌頭去吃桌前的蚊子，在整場的胡鬧中，牠們不斷地從人變回獸，努力地隱藏卻又一再地露出原形，一如老是有點糊塗的妖怪們雖然是可怕卻同時又是可愛的。

在法海闖入之前，他那麼地剛烈而嫉惡如仇地揮起法杖，對妖怪變出的那一家人和那一座古建築吆喝著：「一切都是空花幻月。」這卻讓我想到長壽街老家從小長大的全家，某一些親人或許在某一些時空也是妖，或許全是妖，牠們因爲我而變身成人，爲了讓我心安，但時光拉得好長好長，因爲我也太老實了，所以長大的過程中卻一直沒有發現，他們也始終沒有露出原形。或是，我其實也是妖，而長大過程的那一家卻都沒發現，甚至，我自己也沒發現。或許，就到很久以後的現在的我才發現。一如所有的妖的故事也就是人的故事，那蛇比人更有人性，那妖的家族也比人的家族更有天倫的溫暖窩心。

電影那故事的開場時年輕的許仙是一個中藥師，他太用力但是道行太差，所有的採藥師都埋怨著眞後悔跟許仙上山來採藥，但是，滿山的妖怪們卻埋怨著這些太年輕的藥師們這麼用力挖草藥，早晚會把山挖空使他們就沒地方去了。後來白蛇看上許仙，他們更後來曲折相遇相戀，從船上，從杭州，在西湖上划老木頭船，他墜河，她救他，他們巧遇，最後提過親了，他們之後就一起住進了那一個竹製的老房子，坐落在荷花池中的水上木屋，竹欄杆前水面的餘光，夕照中老竹筏划入了竹屋竹橋，還有老亭台樓閣的老渡船，橋頭後巷瓦簷，湖中亭湖中屋，捉弄彼此般地開門封窗，一種完整的古代，一種古代的愛情，一種他們的理解，對愛的承諾是完全情願，最後還就相信了萬世的輪迴只爲那一瞬間。

更後來，許仙進了塔，那是一個有佛的神通駐守的地方，太險太難的雷峰塔裡的壁畫有太多飛天的仙佛，沿環形曲樓梯而上樓找會說話的妖形人參，他拿走人參，但也在最後放出收入圓洞穴中的很多妖怪的妖靈，妖入他的身使他變成了惡鬼。後來法海開始念經來祭起羅漢大陣，吹長螺用金剛咒封住大殿，法已開始不能停會見血光，用法杖念珠決鬥，水淹金山寺與古鐘樓，那女主角變成的巨蛇引發洪水，淹入西湖和最後整個廟身，所有沿山崖而建的古老建築院落都被沖垮，那尊大佛像在神祕而龐大古廟的五層木製古塔中，木門木窗被用經文符咒封住，甚至到後來，所有和尚都淹沒在洶湧澎湃的妖禍洪水裡。最後洪水淹了大半個龐然石佛頭，法海受傷而坐在石佛的一顆顆巨大髮髻上念經。雷峰塔的磚石全散，在空中飛裂爆散又重回塔形，白蛇被關入塔身，法海竟然硬生生地搬舉起巨大石塔的一角，讓她出來了，因爲他對他們說不可能會有好的結局，妖不會愛上人而人不會愛上妖，所以只能就讓他們見最後一面，然後再灰飛煙滅。

這就是法海最後的慈悲，他想著他一生護法卻召喚了災難，而他徒弟已然完全變成妖怪了。一如電影剛開始有一段對白充滿了全片的暗示，法力的高下，幻術的虛實，人面對妖的恐懼與不知恐懼。一如所有的尋常人的困境，一如我父親或我祖父所想到他們一生守護這家族卻又守護不了的遺憾，兩難的是，他們看到的這一生會如何害怕？看不到的又如何害怕？

也因此想起了一個夢，在夢中，我不記得長壽街的老房子裡有這個轉角，也不記得有這個房間，這裡以前是一個堆滿舊物的暗暗的角落，連倉庫都說不上的倉庫。甚至，還常常放了廚餘而該來收的人沒來收而發出餿水的惡臭或被老鼠咬破垃圾袋角而掉出了嗑剩的碎雞爪或眼珠腦殼吸乾的半切鴨頭，或還沒吃淨還帶已然黝黑碎肉的魚骨，那個角落在我小時候始終一向是這種充滿髒兮兮近乎惡臭的死角。

但是，不知爲何，多年以後，就被大陸回來的堂哥找了泥水師傅來硬糊上一道新的磚牆，打理了某些廢棄的狀態而做成了一個轉角轉出的全新的小房間。一個童年沒有的地方，在這個老家過去的最深最暗的惡地。

但是，那畢竟是一個很窄小的還沒做任何裝潢的甚至沒有窗口的房間，也就是在一間四壁都還只是剛拆模不久還有很多破洞與裂縫的混凝土牆的所謂的密室裡。

有一群太有想法的父母親輩長者甚至遠房親戚也來了的老人們就坐在裡頭，硬生生地在討論這房間以後要做什麼或放什麼。後來就陷入了一種很迂迴曲折會議的鉤心鬥角，沒有太多餘地的爭端，甚至離題，吵得都不是要緊的事，或提及過去也曾想過的始終沒做的心願，甚至，祖父祖母那一輩日本老讀書人的古早夢想。例如有人堅持要保留樸素感，安裝榻榻米只做爲茶道現場可以出演的日本古代茶室，有人提及要設計成講究的銀座風現代畫廊，而且要放一些爭議極高的畫家的抽象畫進去，但是也還有人甚至堅持只能放進蒲團香爐和古董神明桌當一個完全只能禪修打坐的禪房。甚至，有人提到要禪機就直接更極端地做一個祖父最喜歡的枯山水，只鋪滿細小的死白碎石成一種什麼都沒有的死寂狀態。

就這樣討論了好久好久，但是，都還是沒法決定。使我和堂哥就還是只能在旁邊等。所以我們兩個人只能待在那裡，還因此一起看到電視上一個畫面。

那是一部拍得很糟的泰國鬼片，還竟然是一部喜劇片，片中的尾聲中，有一個老惡棍用一種很惡意的笑容問另一個小惡棍，眼神充滿了詭異的閃爍：「眼鏡蛇爲什麼沒戴眼鏡？」那年輕的壞蛋想了好久還是很煩惱地還沒想出來的時候，那老壞蛋接著更得意地說：「因爲……牠戴隱形眼鏡。」

顏麗子是如何把寶島大旅社蓋起來的（第21篇）老人。

那是八卦山深處某個破房子裡的一個養一隻老貓的瞎眼通靈老人。

顏麗子說，她遇到的那個算命的老人問她：「過去和未來之間的所有事，所有困難，你最想知道什麼？最想忘記什麼？」森山陪她千辛萬苦託人問很久也找很久才找上門的。但是，老人對她們，一如對找他的人都很冷淡。或許，他是對算命這件事很冷淡，或許他太老了，也看太多了，他只是累了，命這種事看多了都會累的。

顏麗子對很疲憊的眼珠死白的他說：「我想知道我寶島大旅社到底可不可能蓋起來？」他叫她把手放他頭上，他沉默了好久緩慢地說：「最近出事了！」他看到了那懸吊大佛頭而出事的大師傅，看到了森山和她在大師傅的病床前哭泣。「那師傅是好人啊！好人都活不久，出事前的某個時光，他還那麼認眞地想把佛頭安金身般地安好，後來就掉下去了。」

「他今晚會死。」

「我要怎麼救他。」

「你沒辦法。你要蓋的這寶島大旅社很陰！眞是的！以後還會死更多的人！出更多事！」

「那麼，那佛頭到底吊不吊得起來？」她問那老人。

「佛頭會吊到八卦山上。」老人吃力地喘息。他說：「我也還不清楚，只是彷彿看到最後一個畫面中，剛天亮的天空微微淒清的藍。然後，在暗暗的藍天中。沿著八卦山，那佛頭竟然就眞的飛起來了，甚至最後，落在八卦山頭上，而且，奇怪，我看到的不只一個佛頭，而是整個大佛。」

「直到大佛出現了，這怨念才會結束，那是從日本人來了這個城以後發生的太多複雜而無法解的怨念，爲了結束這無法救贖而無限痛苦的循環，大佛會蓋在原來日本親王的神社上。」

他接著說：「我還看到了八卦山的更多白天與黑夜，看到了山下的你的寶島大旅社，雖然出了很多事，最後還是會蓋出來，甚至還會盛大地落成。但是，馬上就會出更大的事，起更大的火……」

在通靈老人眼珠仍然死白和神情仍然疲憊的淺淺悲傷中，「後來還會有兩次毀壞。一如這個城，還會有更多無法解的災難，會有從天上來的天譴，有一次是飛機的空襲而遭大火，有一次是大肚溪的氾濫而遭大水。」

顏麗子哽咽地問，難道，這厄運沒法子解嗎？通靈老人嘆了一口氣。但是，只是搖頭。他彷彿看出窗外八卦山的山脈旁的低沉暮色越逼越近，但是也仍只是抱著他的老貓，仍然冷淡的他死白的眼珠，好像看到了什麼。

「這惡兆太大，還是沒法子。」他更深地嘆了一口氣

「唉！說眞的，我說太多了過去和未來之間的所有事，寶島大旅社的所有困難，你們都不該知道也都不該忘記！」

旅社部（第11篇）九份。

一

我跟她說，第一個夢很長，我跟蹤著一個研究所時代帶我們做古蹟研究的老師，繞了好久，在一個陌生的城裡，像九份，但不確定。而且，他不是帶學生們來的，我是偷偷跟著他走的。我並不是一個會跟蹤的人，他也不是一個需要被跟蹤的老師。在學術上，他儘管有點左傾，或有點狂熱而激進，但，並不是一個會做什麼非法的事的那種人。我也從來沒有懷疑過他，或想揭發他什麼。

雖然我在學校和他並沒有那麼親近，但至少是有敬意的，也被他啓發過，尤其在古蹟這種事上頭。而且不只是修護保存的技術性了解而已，甚至更多是那時代關於建築的某些更多較理論一點的歷史研究的著力，或更浪漫一點的懷舊，還有更多是很抽象的美學上的想像，雖然有點老派，但畢竟對年輕時代的我，是很受感染的，像一種更難得的教養、視野、格局，甚至是血緣。或許，這也是至今雖然我已然早過了那種浪漫的年輕時代，但是有些事和牽掛都仍在也都還很難完全脫身。

雖然我已多年沒有從事這種和古蹟有關的事，或跟他有更多關於這方面的聯繫，然而仍不免老是有點餘緒。但是，在這個陌生的城市中跟蹤他，怎麼想還是件不尋常的事。

尤其，最後好不容易走進一棟老街上的古蹟，走到屋頂，很破，很髒，搖晃，但走到最接近街景的欄杆前，竟出現一座古木橋棧道，或說只有一小段落的橋身，伸出屋頂一公尺多一點而已，很險，站上去橋板最前頭，變成一個像跳台的木架，走在上頭晃動得很嚴重，年久失修，有灰塵積了好厚，還有蜘蛛網長在木橋兩側欄杆上，有種霉味，吱吱作聲。但即使這麼老舊，仍然不像眞的古蹟，或許只像沒有打理的拍古裝片的布景，特技演員要墜下的落點或起點，所有的老東西雖然很老很舊，但都是假的。

等我往前走到接近可站在那橋頭的附近。突然，出奇地，還來不及反應或挽救，就竟然看到那老師就往前一跨，等於是跳樓了。

我急著往前走，看著他，到底發生了什麼事。因此，就在停下來的那一瞬間，我發現自己就站在那木橋頭棧道前，最末端了，而且搖晃得很誇張。天空的雲層很沉很低，空氣很濁，雖然只有微微的風，但還是很悶而很冷冽。

這時候，我才注意到，這懸空木棧道好像有一種我看不到的方式，可以接到對街一樓的一個也是老倉庫式的木造古屋前的另一個較低的跳台。而且，雖然兩端木棧道的末端並沒有連接任何繩套或索梯或木製步道，甚至或許說，中間就是空的。

街道雖然不寬，但是還是有段距離，這種對街的木橋頭棧道平台。高低至少差兩層，要就這樣跳下，對那老師而言，好像就更不尋常了。

對我而言，也是不尋常。

我就站在那屋頂，一直往下看。這像是某種特技，或特效該出現的地方。

但那不該是我，我既沒有輕功沒有蜘蛛人的超能力，也完全不了解一個看起來像古蹟但卻是某種木造機關樓的法門如何破解，就這樣，停在棧道上久久不知如何是好。但是，想了好久後，想著試試看，就眞的往前而往空中跨了一步，可是，卻完全沒有用力，也沒有跳，卻就眞的直接進入了對街的棧道，很莫名其妙地神奇。我還沒弄清楚怎麼回事，卻就到了。但卻眞的是摔落，有點驚嚇，但沒受傷，只是更小心打量到了什麼鬼地方。

這回走進對街的這房子更老舊也更大，但卻也是全部用木頭搭建起來的。好像是和對街的木棧道是同一個地方。只是我看不懂，進入或離開的路徑，入口或出口，都並不是地心引力的某種我理解的玄關，而是另一種我還沒法看出來的空間的「暗示」。

但是，更往裡頭走，更奇怪，這房子沒有大廳，沒有樓梯，沒有窗口，甚至，像個單向甬道所形成的巨大陣列或迷宮或就只是個放大的充滿走道卻看不到出口的密室。

我就只好往前走，走進這一條窄窄而斜斜的走道，奇怪的是地面，天花板，兩側牆面竟然也是全部木製的，沿著兩側都是房間，房門規律地出現。我這麼一發現，心裡想著：「這裡，或許是一個窯子。」另一個念頭跟著出現的是：「那麼，我的老師，來這裡做什麼呢？」心裡才這麼一想。就有一個小廝出現，帶著我往前走去，繞了幾個角落，就進入了一個房間，他客氣地請我等一下。「那麼，我是來這裡做什麼？」這麼一想，就有一個小姐敲門走了進來，我有點慌張。不知道如何反應，如何說話，才得體。甚至，我也不確定這裡是否危險，或這裡眞的是一個窯子嗎？「我是六號。」她有氣無力地說，也心不在焉。而且，在沒有窗口也沒有空調的這房間就開始抽起菸來。這時，我才留意到，這房間和甬道一樣奇怪，所有地方都是木製的，而且天花板是歪斜的，四片牆面也都是斜的，只有地面和一張也靠牆邊的木床是平的。而且木板和木板的縫中有很多灰塵和蟲屍，某些轉角是銳角的，長滿蜘蛛網，或說角落中充斥著不明的歪斜的陰暗的什麼，看久了不知爲何老是會有暈眩感。我們就陌生而客氣地坐在床上，隔著一段友善的距離，開始說話。

這位六號小姐長得並不美。穿著全白蕾絲但有點泛黃汗漬的公主裝禮服，臉上的妝化得很細，很完整，但卻已經太久了而有點出油脫妝，眼影也已有點散亂。但她仍然很近乎傲慢地緩緩談吐，而且有意無意地一直暗示她很美，也因爲美貌所連累，變得很不開心，或就是煩悶而不安，她說她老被男人糾纏，近乎憂鬱。

說了好久好久，我還客氣地安慰她，說了很多好話，但都沒用。她仍舊一直嘆氣。我們兩個人，什麼也沒做。甚至沒有動，只是聽她抱怨。雖然我也沒想要有什麼豔遇，但卻也不想這麼被她弄得很緊張也很累。但我心裡，還是有懸念。「這裡危險嗎？」「老師也遇到了另一個瘋女人了嗎？」「他到底來這裡做什麼？」「而我到底也被帶到這裡來做什麼？」

後來，我想辦法離開那房間，沿著走道，走到底，出現一個小劇場。他們很多人在準備演戲。暗暗的，快開演，因爲有人拜訪，我還進去幫忙。他們給我一個也是全木製的歪斜的木盒子，說那是個可以發出很複雜的聲音的道具，叫我配合舞台上的人的舞動，負責聲音的演出。輕重緩急可以即興，但要呼應。我不知如何發聲，那木盒子沒有任何按鈕，開關，或皮繃緊成的可出聲的鼓面。甚至，那木盒子越看越像這棟老木頭倉庫的縮尺模型，而根本不是樂器。

但是，我也不能怎樣了，只是坐在舞台邊，只是亂摸那木頭盒的斜面，奇怪的是，它竟然眞的發出聲音了，但跟我如何摸它並沒有直接關係，只是有些呼應，但我也不清楚是什麼。但卻非常明顯的，那聲音是一種女人在做愛時的呻吟，忽高忽低，纏綿糾纏，如夢似幻，淫蕩得很迷離。

舞台上出現了我昨晚睡前看到的一部奇怪的色情電影。某些畫面，變成搬到在那也是半歪斜木製舞台上的現場表演，那是一個練肌肉練到有二頭肌腹肌的女人。有幾個A片男優在旁邊一直愛撫她，但怎麼愛撫調情挑逗，都無濟於事。那女人缺乏一種最入門的色情感，她的臉孔太僵硬了，身材太健美到像假的。即使全身被塗滿色情按摩的油而泛光，卻仍然只像在健身房的器械上專注而嚴苛地鍛鍊肌肉。而不管那些男優如何變換體位，抽插姿勢，換速度，69，三P，四P，甚至拿出多支大大小小顏色不同的按摩棒，變速震動，弄得她數度潮吹。整個場景，仍然只像是太陽劇團的水中特技彈跳的炫目，或就是《奪魂鋸》式的以刑具當玩具的高明，完全不浪漫，更不色情。但，最後幾段，令人吃驚的是。他們開始用異物插入她的下體，一件接一件。一開始是跳蛋到慢慢扭動的假陰莖，從六吋到八吋到十二吋。之後，是整支圓頭直徑三四公分高速旋轉的按摩棒。之後是水果，從香蕉、茄子到苦瓜。甚至更用到酒瓶，而且從前頭到後頭的按入。之後，油越上越多，連一整隻手握掌都進去了，越看越令人擔心，不安。那眞是困擾。

那女人一開始頑強地抵抗，像女摔角手或女武神的飛行，但越後來越困難，也越不堪，也更難阻擋了，只能任人擺布地尖叫著。色情電影最後是，一個光頭的男優，將整盆油倒在整個頭上，在那肌肉頑張的女人還沒意識到事態嚴重之前，在拉開的兩腿之間，用全身的也是裸體的上身，蹲下來突然站起將他的頭挺入了她的陰戶之中。在電影裡，畫面停在他頂入的那一剎那，就結束了。

但在這木製而歪斜的迷宮甬道盡頭的劇場中，在我一直摸著歪斜老木盒發出的女人淫蕩呻吟的迷離裡，那光頭男人卻抽搐著，順著發光淌流的精油，頭顱慢慢地滑入了兩片撐開的陰唇之間，陰毛也像微風撫過地散向兩側倒入油光中，之後男優的額頭前葉，張開的好奇的雙眼，也進入了，我留意到他眼神裡顯出高度地好奇而開心。之後，耳朵摺平了地扳入，而鼻梁有點困難的也滑擦過陰蒂的頂端而勉強進入了，之後的嘴唇是容易的，整個頭顱進去後，那女人已進入一種彌留狀態。閉上雙眼，半哭半笑。再之後，我的木盒替她發出近乎尖叫的呻吟，在我和人們都還來不及看清楚的劇場光的幽暗之中，那男人整個身體突然呼的一聲，完完全全滑入了那女人的陰戶之中，消失了。

第二個夢和九份更有關。

那是在一個很高樓層的屋頂。那一片太大的草坪，望過去看不到邊緣，像大草原，在山頂。旁邊是一些遠遠看去只有一兩層高的違章建築般加建的小教室。我還是學生，還在要交作業交不出來的煩惱中。我想去跟那個老師商量，不要做他交代的畫色票的無聊作業，可不可以用別的作品交。但要交什麼我也還沒想出來，也很怕他。事實上，他是我的小學五六年級老師，非常嚴格，對學生一向很凶，大概很難商量。我在草原上徘徊著，一直沒去。就這樣，走了好久，才發現，這是整個草原那麼大的操場，而且，到處都是人，好像一個大型的園遊會。很多帳篷搭起，顏色鮮豔的塑膠桌椅，上頭的食物也五顏六色，像假的。還有一些創意市集或小型的怪雕像，好多別的學生好像就正在做他們的作業，雖然看來粗糙草率，但是他們卻做得很開心投入，像狂歡節式的笑聲與歡呼到處都是。我心裡有點不開心，但也沒辦法就往更遠地方走。

好怪，竟然出現了一條小徑通往後山，記得L跟我提過，那裡不遠有一座荒廢的老電影院。我突然想起來了，就往前走。果然，出現了一棟很華麗的殖民地風格的大型建築，充滿了歐洲博物館般的風情與餘韻，騎樓有細膩雕刻的柱頭的柱子環繞，玄關地面有很繁複的馬賽克鑲嵌的劍刺死獅子的騎士圖案，是很道地的巴洛克建築，顯然是在當年極度風光過。但是，不知爲何，衰敗成現在這麼壞毀的模樣。從電影院再往後，還有一些屋簷層層疊疊。好奇的我向更遠處再看過去，遠遠的，竟然有一個招牌，寫著：「車臣夜市」。我嚇一跳，怎麼可能到了蘇俄了。但都是混亂而散發危險的感覺，就像某種動作片的破敗的違章建築群的所有殘骸般的場景。窮凶極惡的賣小孩、器官的犯罪集團，瘋狂的殺手，幫派對決，用計挑撥，誤殺，脫逃，中彈，飛車，人體被挖掉眼珠掏空器官後再縫合棄屍到後車廂。之後，就一路追殺和被追殺。我好像就只是心甘情願地困在裡頭，快轉，放心，忘卻。我在看那電影院時，一直想到九份。不過，山上，草原，學校，那邊的人都看不清楚。這裡的怪異，有種好像隨時會有什麼都不足爲奇的奇幻。就在這種有點崎嶇窄小的山路上，一個兩側夾蓋的低矮建築群之間，破落，骯髒，陰暗，像早年還沒被觀光客入侵前九份那種沒落，滄桑蔓延到更長的坡道階梯走下的整個山城。那夜市很多沿街擺的木製老攤子，但都沒有人了，上面都是灰塵和老器物，鏽的鍋底，有破洞的放瓷碗的舊式木櫃，連髒亂的杓子、大湯瓢、燒火的爐子都還在，雖然仍然有種落拓的詩意，但卻令人辛酸。

二

二十多年前，西元一九八九年，住在九份的那個夏天。那大概就算是我人生的最後一個暑假。

那一年，八十年代最後一年。

那一年，我因爲所念的有點自以爲進步的有關建築與城鄉的研究所的課程，和幾個碩士班的同學及研究助理，帶著四十多個暑假來工讀實習的各大學建築系學生上山，做起類駐地蹲點式的「田野調查」，那還算是一個半民間半官方式的委託而進行，爲了未來的九份提出一些建議要如何才能「發展」的所謂城鄉「規劃」的「案」。事實上，也只能算一種「好心腸」，因爲沒有預算，也沒有任何承諾，「案」也不一定兌現成「眞的政策」的有效，弄到後來，只是先做了再說，是一種當年難得的自以爲左派式的天眞，甚至連找那麼多人上山這件事，都很怪。

因爲沒有這種行情在「傾聽」這種所謂的「民間疾苦」，通常，都只是發問卷找幾個鄉民塡一塡就了事，沒有人會爲「在地」付出的。

「除非是他要出來『選』！」一個當地的和我們後來混得好熟的廟公這麼說。

當年的我們當然不知道這種「柱仔腳」式的布局的勢利，臺灣地方政治角力，選舉派系傾軋的種種「勤跑基層」是什麼意思！經營代價的厲害與辛苦，我們只是像太年老的「科學小飛俠」又像太年輕的「七武士」的徒然登場，及必然的後來的被嘲弄式的退場，現在想想，那時，終究是太天眞了。

當然，那時的「帶頭」的我們到了現場，才發現，一切都更是慌亂的，除了瑣碎繁多的協調「住」的所有細節，那些倉促地成軍成行的仍是家裡照顧得很好的「少爺」、「公主」的大多大學生從未離家下放過，從未有和「爲人民服務的『人民』」可以深入點訪談、發問、調查的經驗，更不可能有分析，推理，提案的訓練，大多時候都只是在摸索，犯錯，爭吵，或只是發呆（他們更可能不過只認爲是一種自願下鄉當另類夏令營的有趣玩法），或說，和我想的理解「現實比讀書殘酷得多」的勞改相去甚遠。但到底在這些遭遇中（其實配備也十分有限的）我們在想什麼，在這種游擊戰式的邊逃邊打中在找些可以啓蒙的什麼，找些當時我們自以爲清楚但始終也弄不清楚的關於「九份」的更裡頭的什麼，就這樣，那一整個夏天，一整個村子到處都是我們的學生。我們的穿著，談話，甚至走路而常迷路的方式都顯得那麼突兀而可笑。那時還沒有外人會去那裡觀光。那時候的「九份」還很安靜，還很樸素，和現在那麼不一樣。後來這幾年過一陣子上去一次，看著「九份」慢慢變了，變得越來越有名，走向了另一個越「發展」的方向。

在這裡，我們當初擔心的事已經都發生了。

我從小長大和幾個老城市很有關係：在彰化出生長大，母親姓施而她娘家就在鹿港，小時候曾住過幾年艋舺，在臺南念大學，和念淡江的女生談過戀愛而常跑淡水，在旗山當兵，碩士論文寫大稻埕，幾乎有很長的時間是泡在這些老城市裡的，因爲身世，因爲愛情，因爲服役，因爲課的建築歷史研究的焦慮及其更後頭的原因，而不只因爲一些比簡單的所謂懷舊或所謂古蹟癖所謂之類的狂熱。但也因爲這樣，我的眷戀越深，牽掛越沉，就不免對九份，或對這些老城市這二十年來漸漸無可抗拒的變質，像被附身、被強殖入侵的，被重灌軟體過但表面看不出來的不對勁感到難過。因此，在這麼多年以後，要如何描述九份這個山城才是比較切題的。或許，就用《神隱少女》式的重新發明的口吻：一種「樂園用『廢棄』爲過去的『輝煌』贖罪」的，一種「療傷的『妖』爲生病的『神』贖罪」的，甚至是一種「無知但勇敢的小孩爲無知但貪婪的大人贖罪」的……亦正亦邪的口吻，才是比較切題的。這種切題卻和日本出版的臺灣旅遊嚮導書刊，介紹提及日本二〇〇一年公開發表的《神隱少女》中的街，便是以九份爲原型，使九份的知名度在一般日本觀光客中突然激增這段佚聞無關。

但面對九份，我跟一起坐在懸空的一個茶館裡泡茶的她說：「我仍如此焦慮，有一種焦慮是來自『過去』，『九份』是否只能在『懷舊』都如此廉價的可口甜美的現在，變成像『張君雅小妹妹』，像『小丸子』，像《海角七號》般輕易地被『賣』了。或許，另一種焦慮是來自『未來』，『九份』是否只能像那些所謂全球化加數位化的高科技地重新以古裝出現的《赤壁》、《特洛伊》甚至《駭客任務》式打開一個門就走到隨機但卻完全不一樣的『過去』那種所謂『古代』？對『九份』的認識是否只能像線上遊戲場景設定，重新以科幻片杜撰的多重選擇那麼容易？更深的恐懼的更內在的假設，其實就是承認在這個其實『倖存、殘餘和舊的都早就應該要完全被消除的』時代，某種《魔鬼終結者》式的從未來進入現在而告訴我們爲了未來，要消滅現在的什麼舊人，什麼舊東西，什麼舊地方才能挽救未來的那種誇張的這個時代，一切都是不得已的。因此，更後來的未來，『九份』是否只好就像某種賣『鄉愁』的主題樂園，是否只好自欺變成用某一種想辦法找各種

『主題化』的吃的、礦的、玩的、觀光的強迫症式的舊題材『主題樂園』來再重新登場。或許，就只是用某種老人療養院的草率來對『老地方』做療傷療程式地解救的徒然。來對『老地方』找回早已經爲人遺忘，少數的『古董』那種過去失蹤過也被抹除過才眞的值錢的痕跡的，再用某種可拍賣可喊價的新的消耗，來對『老地方』要變成拉皮、整容式換妝是不得已的才能有機會變成古蹟，變成京都或小京都的妄想那種奢侈品式的出路。」

我沒有跟她說：「我最害怕的是這種種最後發明了的某『年代』的集體的焦慮，用另外的種種痙攣，面對即將消失的『鄉愁』像是種廉價的八點檔肥皀劇貶値的焦慮，因此，《戀戀風塵》那原鄉失落的苦悶是無法承擔卻也無法逃離的焦慮，《多桑》那父親的和故土的辜負與不可挽回地敗壞的焦慮，《無言的山丘》被殖民的哀悲即使可笑還是哀悲的焦慮，還是《悲情城市》的國仇家恨糾纏一起燒一起沉但仍要想法子活著及活下去的焦慮種種，都像進化到《光陰的故事》那般地甜甜地泡沫化了。」

但這些焦慮，面對的是某些九份某些更內在的矛盾，某些損壞無法修補的東西，某些礦都挖空了，人都走光了，連風水也都被破了，只換來了的住下另一群外人招待更多來玩的外人的聚落的更不堪的往事的重新提起來挽回些「什麼」的焦慮。

在九份待的那一整個暑假其實是住在廟裡的，因爲太多人了，也張羅不到住的地方，那時候根本沒有民宿，連旅館都沒有，但住在廟裡是什麼意思呢？其實不是住廟，也不是住香客中心，而甚至是住在山坡旁廟底下往山下走的樓梯間，沿著好幾層樓梯旁的那塊平的走廊，一個睡袋挨著一個睡袋擠在一起睡，那裡是混凝土糊出來的，沒有油漆粉刷過，有地方漏水，有地方裂了，窗扇關不太緊，風會灌進來，雖然是夏天早晚山上很冷。有一回還遇上颱風，雨就灌進來了，很嚴重但也沒辦法。但大多的時候，看出窗外卻還是很美的，天氣好的時候可以看到海，天氣不好的時候，可以看到雲，雲有時候還會飄進房裡來，住的雖然很簡陋。但那時候年輕的太天眞的我們還是覺得是有點「浪漫」的。我記得那暑假那群太年輕的人們在九份發生了好多事的，有個女大學生好像跟越來越熟的好幾個男大學生弄得很曖昧而彼此仇視起來，有一個Gay的男生爬進另一個男的睡袋裡弄得大家只好假裝沒看到，有的正在跟臺北的情人冷戰晚上老是在喝酒或哭泣，有的生理期來了又借不到自己喜歡的牌子只好堅持要人載她下山去瑞芳買衛生棉，有的就只是爲了賭氣式的工作太累太煩或爲了突然地好玩而幾個人同時失蹤一下午去基隆吃麥當勞發洩。這些佚事，都是每天白天在吃大鍋飯，晚上在開會討論之餘，最膾炙人口的。

那時候，我們都不清楚我們在幹什麼，甚至，不清楚我們是誰，來這裡到底眞的是要什麼。現在想起來，我們也當然更始終不清楚「九份」這個城的，或是那個年代的「九份」是什麼意思。

過了這麼多年，才能有多一點點的明白。那個年代的「九份」變到現在，都不一樣了，像噩夢，像潛意識，像一種被惡靈集體催眠的無可挽回，但也沒人揭發，「眞的」過去其實早就已完全消失了，但在臺灣這二十年來用著「最惡劣的事發生都比什麼都沒有發生好」的對每個地方的一定要「發展」的迫切，或說來自更新更後來年輕世代的，不再能深刻而沉重地認眞的輕浮，像「紀念些『過去』是一定要的啦」的某種馬虎些可愛些的召喚。

反正，已不再可能像考古學家或盜墓者或風水師的「一定要找出原初的『古代』的眞的如吃過苦，下過咒，發生過災般」地尖銳了，頂多，就只是復刻版成旅遊節目或Discovery頻道或日本偶像劇式美美地好看那種「懷舊」的溫馨感人。

其實，我們在的那時，九份裡早已開始內在的變化，只是還看不太出來。

最有名的「昇平」戲院那臺灣第一個電影院早被一個蓋古典中國風現代化著名的建築師買走了，打算做他自己的郊區分公司。最有名的看風景最好的房子早被外來的藝術家買下來當畫室，最有名的醫院、廣場、礦坑坑口都封了，都沒有在用了。大多的時候，我們只是在九份那幾條路走來走去，走到廟裡跟著拜拜，走到市場裡跟著買菜，那時連麵店都只有一兩家，走到最高就是學校，另一端則有一個日本的碑的公園，大多的房子只剩下老人和小孩住，有些甚至都變成廢墟，像回到「討生活」的生活本身，沒有太多的溫馨感人「懷舊」的浪漫。唯一的浪漫，只是常常還一堆人坐上一輛借來的貨車坐在上面，到金瓜石或更遠的後山，一爬到了比較高的地方，在急速爬升又轉彎的山路，一路展開，便可以看到了滿山的芒草那種唯一不變一如當年地貌風光的詩意遼闊。

我最記得的，是一個瘋了的髒兮兮的人在舊街上走來走去，據說走二十多年了，每個當地的人都認識（有人就笑著跟我們說，他其實就是濟公式的這村的土地公）但也沒那麼在意，市場裡有一段特別暗特別濕在賣魚和賣肉的，味道很腥，但當地人都在那買菜聊天也都沒那麼在意。那些在舊市場裡賣的後來變成名產（例如芋圓、地瓜、芋頭、芋粿巧、內含飽滿蘿蔔絲與蝦皮的草仔粿。傳統古法製作內餡的紅糟肉圓），但當地人都只是買菜時隨手買一些回家也都沒那麼在意。有個坑口駁坎石坡長年被漆上很醜的青天白日滿地紅國旗，但石縫還是長出青綠漂亮的苔蘚像在抗議，有棵老樹長穿過圍牆到街上來經過很容易絆到跌倒，有鬧鬼的老宅沒人敢去翻修還是依舊晚上會有怪聲音，但當地人都在那附近走來走去也都沒那麼在意，再待了更久的一陣子，連哪幾條路走起來最近，哪幾隻貓、哪幾隻狗在什麼時候會出現在哪幾個廣場，哪幾個廟拜哪些神明什麼時候有東西吃都知道。

我跟她說：「至於，地名的起源都是直接得如此寫實寒酸而不在意，是因爲這裡本來就是一個爲了『討生活』而出現的地方。九份成了這村落的地名，是因爲清初的時候，村落住了九戶人家，每當外出到市集購物時都是每樣要『九份』。豎崎路，因爲是一條階梯路的直路。輕便路，是因爲有輕便車走的路。基山街又稱『暗街』，因爲是舊道口，店家多，出簷遮陽遮雨，就暗了。至於，舊街聚集所謂的和基隆山遙遙相望而位於臺灣現唯一的臨山靠海唯一的山坡和階梯式建築景觀形成了可以從九份觀賞北海岸的綿延海景的獨特，也只是因爲房子容易蓋。依舊保留著日治時代的舊式建築，也只是因爲產業沒了，所以沒有錢沒有力氣拆，才留了下來。

這種直接得如此不在意的『討生活』地方的寫實寒酸和現在用種種『懷古』迂迴的浪漫來重新擁抱的非現實熱絡比起來，是很奇怪的招搖。當然，當年後來做出來的那規劃的『案』，也像我們那種太年老的『科學小飛俠』又像太年輕的『七武士』的突然登場，對九份的後來，影響也很有限，更多新的莫名其妙的『懷古』的『浪漫』民宿、咖啡廳、小吃在實施『案』之前，就更快地登場，占領了最好的景，最好的看景的地方。現在那些『店』的殖入老街強調賣、玩、逛的招牌般的種種仿『老式』大多粗陋裝潢式花樣，卻已然一點也不奇怪地反而變成主角式的招搖。」

我突然想起，幾年前，有一個當年一起睡廟裡後來到英國念碩士的同學回來被跨國公司延攬在做澎湖的賭場特區專業「規劃」，大家在笑爲高薪而變節的他時，他並不在意，說著：「我早就想通了，整個臺灣都一樣，或說和全世界的『老地方』都很雷同地想要『賣』，而且下場也差不多！」也還笑著提到當年的對九份的未來發展構想中，除了遊樂園、老街町、藝術村、觀光帶、電影城、大學鎮種種之外，眞的也提過九份是不是可能做成「賭場」。這種「想通了」對我而言，始終沒有來，一如《戀戀風塵》裡那漂亮的從小一起長大的女朋友在他當兵的時候兵變嫁給別人那種的辛酸與無奈，在那時是很難「想通了」的。

二十多年前，西元一九八九年，住在九份的那個夏天，眞的就是我後來也離開我的天眞地「自以爲進步」「自以爲人民服務」人生的最後一個暑假。因爲，對我而言，後來下山開學不久就參加了野百合學運，參加了更大「整個臺灣都要出來『選』」的政治角力所陷入一種更怪異的焦慮與瘋狂，之後我在幾個月中趕完論文畢了業，到下一個（不再是暑假的）夏天就直接去當了兵，多年女友也兵變了，我的「理解現實比讀書殘酷得多」的自己人生的眞正勞改，也才正要開始！

但，過了這麼多年，更多沒有「想通了」的事並沒有因此想通，可是，也都變了！之後，人生也同樣就走上另外一條「不得不『變節』」的路了。

那種悵然，其實很久之後，才可能會明白，一如我常會想起當年看不懂，但特別難忘的《戀戀風塵》裡那一個片尾的空鏡頭，一如我們當年在山坡山路埡口所看到了滿山的芒草。至今，我才了解，那種唯一不變地貌的風光的動人，才眞的是風水師或解籤師註解這個老城市「厄運終究只能無言以對」般的關於「九份」最好的一個畫面，那麼詩意遼闊地無奈與無辜。在畫面中，演阿公的李天祿一直罵髒話，抱怨土地收成不好，從軍中剛退伍的孫子安靜地聽著，心裡其實還在因重回舊地，想到從小青梅竹馬在九份一起長大的兵變女友分手的難過，就這樣，各懷心事的兩個人陷入一陣默然，但還是只能半蹲半站在一個山坡，看著風雨欲來的天空聽著悶雷，一動也不動。

三

廢棄感充斥的山上，我帶她去看那博物館裡的展覽，這個老地方的煉金術士般的煉金樓與黃金館，那些金瓜石老時代的老建築裡黝暗光線裡陳列出來那時代的遺物的遺忘，鏽鐵鍬，老式黑電話，救命燈，更多更細節的老制服，黑白照片，坑道入山的巨大又深沉的模型，礦工，日本商社，採金煉金的早期工業技術的用心用力，巨大黝黑一如怪物近兩層樓高彎管機身繁複近乎珍藏古董的老抽風機器的現場，甚至有英軍戰俘關到這裡。紀錄片裡的操場做操，工事，挖空心思的挖掘種種採礦的更入戲的艱難曲折的措施與措辭。

還有二樓底關於各古文明或藝術家的黃金的更繪聲繪影的應用與描述。還有最末端那最討人喜歡也最討人厭倦的完全眞實的巨大而沉重金塊透明展示箱的現場。我有點厭倦也有點心虛，老是覺得太煩躁，對這些比較離題誇耀的展覽，或對導遊要解釋這一切太老或太新，太現實又太荒誕的狀態。

我帶著她一路往後山走，更後來沿山往金瓜石的勸濟堂走山路的蜿蜒，進入的更像誤入《厄夜叢林》那種未知恐慌的畫面現場的栩栩如生，因爲那山路，因爲太陰沉的降雲下雨，而起大霧到近乎伸手不見五指，看不到路地往前走了好一陣子。我安慰她和我自己！天氣不好，可是種極昂貴的切題於這種陰沉沉的特殊效果。

一路是這種山系的用形狀命名的描述。提及金瓜石與九份交界的基隆山被叫成大肚美人山，黃金博物館後山一帶的山系和基隆山相望的主要礦坑區的本山，像無耳茶壺就叫茶壺山。靠近北海岸的水湳洞一帶看去像俯臥獅子就叫獅子山，無耳茶壺山的東半就叫半屏山，其實，我覺得完全沒形狀的反而才更動人，有些要背對東北季風的背風面才有樹長得出來，冬天是滿山更野的芒草的雪白的廢棄感。

天黑前，才慌慌張張地淋雨回房間，打開窗戶，風越來越大，逐漸侵入的黑暗，更深沉的對流。天終究是緩慢地黑了，更幽微而近乎停滯的緩慢。

更後來，還有蚊子和更多不明蟲子地始終揮之不去，一直分心就這樣，困在這一個日本老房子裡，我們呆坐看著窗外，我說到太宰治的《人間失格》的某些狀態，谷崎潤一郎的《陰翳禮讚》式的陰暗的緩慢沉落浸淫。我在解釋一些我感覺到的，或是來這裡也更始終沒說出的。甚至，對我還不熟，彼此試探，陌生感的忐忑不安，有些在這旅館裡想和她更激烈地做愛的心機還猶猶豫豫，她的還是有點天真的年輕臉孔，期待這個地方也打量這個地方和打量我們彼此，或許，就是打量我。更後來，溫度一直下降，山風越來越大越冷，黑暗終於完完全全地降臨。更後來，覺得悶了起來。或許是前所未有地在一個老地方的一個老房子待太久了，都沒有出去。而且，整個館的晚上更也完全沒人。

第二天早上太早醒了。下了忽有忽無的雨，想到在某種所有老日本建築裡細節的講究，使得人在裡頭可以進入的某種近乎幻覺的奢侈感，雲在山上浮沉，入秋，沒有來的颱風。涼下來了，終於。這個夏天好冗長啊！一直有想回臺北的念頭，或應該留下來的不捨和惦念這種種餘緒，但是都不太是我內心的真正更裡頭的感覺，比較像是即時反應或招呼招架的補償。或許，太多事使我分心或擔心，使得我們來這裡的整個狀態太過快轉而混亂。

想到天黑前的最後。在山路中的我們就這樣迷路而問路地一路走，越走越遠，大霧的迷茫與迷亂中，走到金瓜石山谷底往上走好久才能慢慢接近的極高聳巨大關公銅像旁，側身弧度如雲朵揚起的古銅色衣裾袍身，不可思議地巨大，乖異，保佑感，在聚落的山頭，神祇的想像，神通的守護，但是我始終覺得太過理所當然的詭異，一如她在路上提及的宮崎駿電影裡《神隱少女》或《龍貓》或《霍爾的移動城堡》那種始終隨行於少年故事裡神祕的太成人的幻異，這一路走過的太令人恍然的太古怪廟身，起翹的剪黏佛像和天兵天將的臉色神情的太過陰沉詭異，荒山惡水的這一帶一年下兩百天雨，歷練了殖民地的殘忍或殘缺，戰時至今的傷痕，採金的更多更誇張的人的瘋狂與僭越，中毒的，走私的，嫖妓的，開過一長串乩童問卜老店家的祈堂老街又都倒了也撤走了，當年太風光又太冒犯的時光都過完了，只剩下老狗、老貓，徘徊不去的種種老樓梯旁的破爛老房子、廢地、廢墟的廢棄感。

和她在那高樓茶館美人靠看基隆海灣天空的暴雨將至時。我跟她說：「我老是覺得廢墟有一種進入廢的狀態其實很難，要很小心不要干預，又很難不干預。而且廢的細節必須被完全地拿捏在最細膩地打量中，所以廢的凝結空氣和光暈暗淡種種都好像要調理成懷石料理的最精巧的狀態，廢棄感，廢的狀態，一如烏雲即將潰瘍，一如潮汐即將退化，一如月暈礎潤暗示即將逼近的風雨的狀態及其引發的心態。在廢墟拍照的拍法太難了，應該只能是一種離水三寸的姜太公釣魚式的垂釣，或是吹泡泡越吹越大越圓到可以折射出彩虹般光澤的偷瞥。」

或就是如她說的等待，更心虛又因而虛心的面對時光荏苒留下的物證犯罪現場那種忐忑不安。

等待某種暗示，人生的曲折的耽溺及其領悟，不耐煩或不安。往往會身心疲憊，剛開始去我太激進也太興奮，待久了，會被廢墟裡像沼氣的舊空氣給迷惑，眞的不需要爲相片添上假裝明白的歷史，我們在這一帶的九份、金瓜石、水湳洞、瑞芳種種老街老店走路和拍照的感覺始終有點怪，也有點不太順手，也是因爲一直有這種假裝歷史的恐慌。明明是新的假裝是舊的，或是舊的假裝是正宗的，到後來拍廢墟的心態都變成單一事件的想像的拍法，她說，或許我們不要想進入到多深，但是也不要怕進入太深，要等待，進入的每一次可以怎麼樣或跟不同的人和事的原因的改變，而更清楚地看見，不會像以前那種知道不同卻又說不出所以然，或是因爲太趕而不期待不同，我想我一直在抽離直至置身事外跟深入的老城徘徊，或許我們來這一帶，有更多參考點改變了那種期待，或也因此可以入戲後因為切換角色和腳本而抽離一點，真的要有時間和地方可以徘徊久一點。

她笑著說：「這旅館太荒涼，老街是你肚子很餓的時候去的地方。」

我笑著跟她說：「是的，我需要熱湯，和熱的妖魔。」

四

山上還有一個神社旁，還有更誇張的某一個暗紅色巨大圓柱體形的老結構體。混凝土很舊，一排最上沿的小窗，像一具龐然巨大的外星飛碟埋入草葉繁茂到近乎整座半山的山腹。

或許，我們還只是在一部外星人入侵科幻電影的前五分鐘。

她還在睡，我早上在旅館房間裡。裸體的做瑜伽的時刻有某些動作會直視自己的性器官，用種種古怪的姿勢甚至汗流浹背的狀態來圍繞著陰毛和陰莖的塌陷近乎變形無法辨識的狼狽，或是，我在略顯草率粗糙的木頭地板上做動作的所有瞬間都很擔心，危險而可能出差錯，沒有瑜伽墊，沒有浴巾，用床單太薄太滑，所以每一個動作都顯得那麼地小心翼翼。

關紙門，關掉窗外的可以看山看海看廣場的視野，主要是廣場上遊客可以看進和室的探頭探腦，或房間裡的雜物，亂放的衣服、包包，充電中的iPhone都突然變得礙眼。那種瑜伽過程的所有細節的講究，對我而言，第一次進入我生活的最深處。原來是這樣子，這種感覺，尤其在和室，那木櫃，木門，紙櫺格窗，床墊，棉被，在那種座敷式的房間中竟然變成了一種類似儀式的現場，尤其瑜伽的動作隨呼吸開始之後，更緩緩地像慢動作凝結的每一秒，肉身的移動就是拜拜，就是五體投地一如藏教禮佛最深的動作，近乎只是不斷地重複在面對一種沒有神祇的頂禮膜拜的狀態，沒有教義體驗的修行，孤獨地當門徒又當師父又當神佛的一個密室就是一座廟的近乎偏執的房間。

下午我們進去看那博物館裡難得的一個怪展覽，那是一個歐洲老時代的珠寶展覽，老機器雕花用彩色顏料，用完全過時的方法、技術、模具來壓花傳統圖案在混亂狀態的金屬而摺疊出的奇形怪狀戒指，將首飾和織品壓在一起成形，需要模具的翻模的金工展，那是老時代的德國設計，用老的技術和新的體驗。

從一開始失誤的切割、壓花或電鍍來衝擊印模。而且是和柏林古老技術機器博物館的合作，那些謙虛地說做錯我們就接受的老師傳教學徒們使用一百多年的老機器，要跟機器學習，還進一步地找出來跳蚤市場的爛東西，用那種種破濾網和圓鐵在失傳的在黃金雕花的工法裡找尋知識和技術性的理解。她一直專注地看，還對我說好好看！她說：「那些在展覽影片中對青少年解釋的老專家實在太老了，他們說著更多老時代的嘆息，老技術提供了另一種設計的思考方式，不是只用手工做出老東西，也不要覺得技術是一種阻礙，舊的技術和機器是隱藏知識的。」有一個最老的老頭在最後頭的角落裡解釋：「我們常常不免要用不熟悉而厚臉皮的方法，犯錯，找新的美學。就這樣，一輩子了，做太久到常常彷彿自己已然愛上那老機器。」

後來，我們在那一帶一個更小更偏僻的山村，等末班車，如果沒等到，就要等到明天白天，天快黑了，手機已經沒電。有種窮途末路的感覺的奇幻。主要更因爲眼前是那臺灣最著名的一百年前工業遺址，十三層，老混凝土造的建築漫長到無窮無盡的破壞壁體牆垣的攀爬於整座巨大山麓的曠野莽林之中露出了巒頭，還有更古怪的長一公里一如巨蛇身的排廢煙管，那彷彿是古帝國皇陵或外太空祕密基地考掘出土的龐然到近乎不可能逼近的古文明廢墟，明明是無可救藥的可怕海岸汙染卻描述成一如中世紀煉金術般地神祕到以訛傳訛到像陰陽師作法成的陰陽海。

天全黑了的窗外就是浪漫公路口，前方是發光的自在草堂咖啡館，再旁邊就是滿山的暗黑墳堆的墓地。

想到了前一晚的我們在旅館彷彿已然一切就緒，但心情上卻其實沒什麼準備地還調不太過來。前一天下午不太甘願地到了九份，星期六有一齣戲在演出，在老街的那一家老戲院，我在比對研究所的當年在這裡的狀態，西元一九八九年，也是暑假，在那一條菜市場的老路，我總是心情不好，因爲一直肚子餓也一直好累又好熱，但是，現在的這裡的人已然好多到走不太動，觀光客人潮到了這個更老反而更不像話了的山城。最後，我們終於走到了昇平戲院，雖然裡頭已然被修整過，到了某種更接近現在這種時光看來更自然但其實是更奇怪調調的走樣。

但是，最後已然太累的我們還是決定坐下來歇一會兒地等著看這齣戲了。

就這樣，打量著舞台上有三個人在草率地走位，或說還在排練，舞步，燈光，麥克風測試，舞台上有仿舊木漆的老桌椅，酒壺和酒杯，戲的名稱是《夢想黃金城》，那是一齣喜劇，演員穿日本浪人，軍服，觀光客，礦工，穿碎鑽旗袍的貴婦，紅燈籠，一開始唱臺語老歌的序曲〈四季紅〉情歌的花月樓的美美，在時空錯亂中出事了，那女主角從一個宅男主角的情人變成了老客棧的紅牌酒女，但卻是同一個女人演的。在花月樓，在昭和年間，那一九三〇年代，有一個日軍軍官帶東京銀座的和菓子送她，和另一些起肖的挖金子的臺灣礦工的爭風吃醋，最後爲了偷找金子而用私藏的炸藥而出事，爲了爲女主角贖身而偷挖金子還用炸藥，後台上出現了臺北的黑白老照片裡日據時代的更多古蹟，最後謝幕，還出現了所有古物般的歌的更老時代的暗示，其實都有喚回我的什麼，甚至，最後那個日本軍官站在舞台上和觀眾拍照，很笨拙，但是還是極有人氣。連我還是始終很喜歡裡頭的老歌配樂，〈港都夜雨〉中的今夜又是風雨微微，唱臺語歌的那些主角們始終不入戲，但是卻如此荒誕又愚昧地好看，那些說臺語的和那些說日本話的人的對決，但是最後大家都瘋了般地尖叫，口吐白沫又吐舌地昏迷，那個歌女和老鴇和賊都打起來。但是，畢竟，這是一個太媚俗的故事，太乾燥而近乎是遭暗算的歷史，過去發生過的什麼，一如舞台乾冰冒出的煙霧瀰漫，都那麼地虛幻單薄，所有玩笑般的哭泣和戀情的心動與瘋狂都那麼地荒謬可笑，劇中唱著獨夜無伴守燈下春風對面吹的那個老時代裡〈望春風〉還是新歌。而且最後好不容易醒來的那女主角問男主角，《夢想黃金城》是一種線上遊戲嗎？

後來我們就在一個九份的風光極美的老茶館歇腳，兩人發呆地看出了八斗子基隆海濱那山光水色的遠方風光，我跟她說：「我看到後來就好想睡！這種不用錢的歌舞劇和這六七個很年輕到像學生的演員，彷彿都是這小古城的一場小噩夢。」

但是她卻說到前一晚的另一場小噩夢，昨晚的夢裡出現在一個類似這種九份老咖啡廳的尋常聚會，幾個老朋友，但是不知爲何有些新臉孔，現場仍然是溫暖窩心，近乎不設防一如過去，非常地隨意說話談笑。但是，過了一陣子，那一個老朋友C突然提到了某一個她當年的選擇，有些心情上的劇烈轉折變化，但是後來還是去做了。

她講得彷彿一件尋常的人生抉擇，或就是考試或嫁人般的某種階段性的轉變那般，但是，我心裡知道她說的是她以前跟我們提過她曾經當過妓女去接客的那一段時日，有幾種考慮，但沒有想太多，就去做了，那時候年輕，彷彿是一種額外又荒唐的青春期式的冒險，沒有太多期望，也沒有太多失望，即使有點不免的傷害但只是也還好的那種口吻，在那現場，有些其他不熟的朋友，只有另一個老朋友L和我知道C過去這個人生的更祕密的潛行時光及其忐忑不安。但是，她已經好久沒提過這件事了，我們也很久沒碰面，彼此的人生也又發生了另外一些更麻煩的事與更大的變化，但是，在夢裡頭彷彿沒發生過，只是又和同一群老朋友說起，就在同一個老舊咖啡廳。這種狀態令我有點不安，但我也沒說。

但是，我說我卻一直想到十多年前去耶路撒冷附近一個阿拉伯山城那種沿斜坡爬行，看到太多怪東西，緊掩的人家的老木門，空曠的街頭，不明神祇的老廟身，斑斑駁駁石頭砌疊的陰沉小廣場，旁邊就是一整山無窮無盡的龐大墳場，我跟她說，其實那邊很緊張，還有約旦河西岸難民營的阿拉伯人偷跑來藏身於廢墟裡對以色列人開槍，我到那裡的時候，還聽到槍聲，大家都蹲下來找掩體躲藏，太可怕了，是眞的。

「或許，你被迷惑了」，她笑著說：「陽明山跟基隆山上都有狐仙。山嵐都是狐仙出現時的排場。」

我說：「沒有狐仙啊！只有晚上空街在那山谷坑坑窪窪的老路上，有些山嵐和廢墟，悶悶不樂的悶熱。但是，幸好山上有發光的關公，雖然乍看時太大仙又太暗淡到像什麼火雲邪神。」

第二天，我們搭下午一點五分的莒光號，回到臺北已經二點了，一路上，好像回到小時候通車上學的緊張裡頭，在瑞芳又老又小的火車站好多人在裡頭排隊買車票等車，想起了那種我國中時代從彰化通車去臺中念教會學校的時光，或是當兵時從荒山兵營放假出來回家趕車接車的光景，模糊的人影，車班的幾點幾分都不準但還是趕得要命的驚慌，某種從鄉下或山上要進城去的忐忑不安，或是公路電影版本的老是晃動的鏡頭畫面裡失焦的臉和移動的所有痕跡，或許，只是我老了，跑不動了的更緊張或更懷念，火車廂起動那一剎那的咔嚓一聲的失重，沿路醜得要命的房子仍然醜得要命，黝黑依舊的鐵軌，老出現又老消失的山洞，一直在打盹的歐巴桑，驗票車長的臭臉色。

不同的是這時代的這裡多了好多說日文說韓文的少女熟女情侶們，還有一路在玩手機打電動發出電子音效一直吆喝尖叫的死宅男，螢幕中的迷宮路上始終有張血盆大口要吃人的許多顏色鮮豔怪異的怪物，煙團冒出的死訊，攻擊殺伐的武器砍入巨大黑暗叢林裡最深處的恐怖風車巨獸，最後的破關密技才能突圍的廝殺，啊！啊！啊！

窗外的風光更切題應景的風光，山洞消失很久後就進入了河畔，高架橋，公路，量販店，七堵八堵可怕如山高那巨人玩壞了大型積木般髒兮兮的破爛貨櫃，和汐止之後如長牆般拔起一棟一棟一直出現的面無表情的灰灰暗暗高樓，那時，我跟她說：我們終於下山進城了。

最後是臺北火車站的另一種迷宮般的繁複路徑，找捷運的路上所經過人影太多太快的一如幻影的恍神時，還看到和東京澀谷車站完全一樣的《惡女花魁》女主角那混血兒的極低腰貼臀性感牛仔褲燈箱片廣告巨幅火辣照片。後來在火車站旁，吃Yamazaki的熱麵包，那熱麵包的紅豆餡做法還是京都式的道地。就這樣，我們坐在火車站邊吃邊配黑咖啡，有種都市人才有的做作與滿足。想起在捷運座椅旁邊那全身名牌的長裙濃妝激瘦美熟女的手機響起的聲音竟然是帶叢林音效的泰山的吼聲！歐咿—咿—咿！也因此想起來前一晚我們在九份老茶館喝茶時，在一個角落旁的座位上無心地看小學女生姊妹打羽毛球，爸爸在中間當網的杆子。我們好像累到已然鬼上身的狀態。應該是說，我們對於進入古老的假狀態的太過熟練而因之過敏吧！

其實，有點急和恍惚，明晚又要回臺北了，她跟我說，或許別急，該覺得這種恍惚跟夢跟山上的廢墟都如此切題！我擔心東擔心西的，或許很多擔心是多餘的，太多的狀態都只是臨時的狀態，不能用力，每一個地方和事情的入手，彷彿都有太大的鬼魂在等待，我踩到那門口就嚇壞了那種擔心，或許後來因爲就也都只等在那裡了，用力不得，擔心也無補，就沒那麼擔心。

這九份變成了這種假古代的小鎮模樣竟然從模糊而慢慢地栩栩如生了起來，像所有的入深山前最後的龍門客棧般的邊界小村子的某種人間與鬼域的交會，山妖的短路，結界的開始，但是卻是鬧劇。

一如那九份夜市般的老街口有一家檳榔攤名字就叫：「深山」。

最後，在太多畫面的九份小鎮夜市的夜空下，我們就坐在老街角落那裡吃老仙草冰古早冰店，聽到他們在閒聊，有一隻叫煙衰的小貓很會吃又很會拉。跟你爸一樣沒用，喝一杯就茫了，喝兩杯就壞了。有一個手臂打鋼釘和一根鋼管螺絲鎖定其手腕像金鋼狼或鋼鐵人局部的冰店歐吉桑老闆，卻一直微笑看著鄰居小孩們在玩，在Dior和Chanel的太陽眼鏡燈光片落地玻璃櫥窗前，那兩個打羽毛球但一直把羽毛球打到屋頂又拿A字爬梯爬上去撿的小女孩還一直繼續亂打，有一隻臘腸狗走過來他們撿球的樓梯旁，老闆還會就罵牠，快滾，再過來就會被踩成熱狗喔！

還有妹妹，那一個長得最清秀的少女，每次揮羽球拍用力時，臉上都會露出極猙獰的神情，還會同時大聲地喊出：「去死吧！」

顏麗子是如何把寶島大旅社蓋起來的（第22篇）光。

森山說：「我最後總是失敗。」

他想蓋的建築始終沒有蓋出來，寶島大旅社始終沒有蓋出來他想要的樣子，因爲，或許他也不知道自己要蓋的建築是什麼樣子，或許他要的只是一種奇遇。

年輕的時候，他常常被嘲笑，說他老是在天上飄，在地上跑，都安靜不下來，他沒辦法只是在一個房間裡畫圖，反而一直到處跑，一直在找奇遇，他去了太多地方旅行，看過太多古老的建築，那些古蹟即使只剩下廢墟，只剩下殘存而沒有被歷史寫進去的某些角落，他都還是很充滿期待，甚至在去的過程發生了很多奇遇，即使出了太多差錯和意外，都仍令他難忘又難以描述。他完全沒有辦法描述，但又完全地被吸引而迷惑。

一如小時候看到用甜點做出來的古怪又可愛的薑餅屋，用冥紙摺成喪禮的奇幻又恐怖的祭壇，雖然有的長得很潦草也很醜陋，但是實在是太香又太神祕了。這種奇遇，很難開始，但是一開始就沒有辦法停止。甚至，像是一開始走入，就不能回去，或許是不能再恢復到以前了。

那是那一回，森山去了一個奇怪的日本深山中的一個傳說中的聖地那種老地方。在那一個荒涼而遙遠的湖上，只有一個島，上頭更只蓋了一個古廟。由於所有的狀態都被戲劇化地改變了，像能劇的演出那種極怪異卻極抽象的誇張情緒，太奇幻而詩意，但是又充滿了華麗的荒誕。在那古廟裡所看到的太陽完全地不同，雖然島上的日光一如人間那般天天出來，但是他一走進入，就發現廟裡的每個地方的迂迴曲折，使得每個時刻的光折入黑暗的角度都在改變。

走在裡頭，十分辛苦也十分恐慌，一如在考驗著人們到底能多忍耐一個地方的黑暗的怪異變幻或怪異消長。其實，走入那一個古廟，從頭到尾都令人不安極了。一開始，他就發現，近乎不可能地，整個建築是用洞口反光折射的光束移動過程來蓋的，像個光的迷宮。因爲廊的進入與出來都像祕道，都像是依光怎麼照到木頭佛像的深度來決定。甚至，古書傳說著，當年蓋廟的時候，在光入射角度最低的時候，將光照到的地方做暗號，然後再依光影的漫射圖案來雕刻木頭，常常一直刻，刻到光消失了又再跑出來，然後就刻到黑影不見了。

那就是那個古廟的玄奧之謎，用一整個建築刻出沒有形狀的光，刻成一道入口，用光的出現和消失的軌跡再刻成另一條更深的走廊，更祕密的樓梯，更聖潔而無瑕的水池。一開始就是用最精密繁複的檜木細膩地把光的路徑雕刻出來，也就是把時間雕刻出來，雕刻出光軌。那種種古時候的殘遺雕刻，只是把時間從木頭裡救出來，讓建築的某種時間的狀態，時間性的焦慮，被蓋出來。

在那古廟裡留住了古時候的溫度，味道，時間，光，在雕像裡，在建築裡。

整個古廟的光影變幻，十分地迷離，走久了就一如在森林裡走路，陽光從樹蔭之間射入，一直在折射也在投影向四方無限的林中林林總總地擴散。

但是，那射入的光影最後在廟裡最裡頭的祭壇深處，卻雕刻出一道巨大的厚牆的一條最後的最詩意的縫，就像在那整個最深的祭壇最裡頭的建築之心變得像光的黏菌一樣，所有的廊和房間都像原生的植物種子擴散，繁殖。但是最後卻將最不成形的什麼在那祭壇的雕像中成了形。

森山跟顏麗子說，所有被蓋起來的建築，都不可能是永久的，但是卻希望自己是永久的。這種矛盾支持了一種類似對烏托邦的期待，一如古廟希望可以一如神一樣地被永久地信仰，但是，其實反而是更虛幻的。但他其實想蓋的建築，在這麼多去看古廟的奇遇之後，他已然不再相信所謂的一定要永久。或許，只是和人活著的所有的不可能永遠的宿命有關。

他說，他的困難，就是他不可能想到所有的神的可能。但是他又不承認，甚至就困在裡頭。

他對顏麗子說：「我在處理的建築問題也一樣，其實很多東西你看不到，但是，看不到的東西要被想像，一如寶島大旅社就是在處理這種人活著的想像和現實的關係。雖然，有時候太華麗詩意但又太離奇荒誕。」

一如當年，他的那段在島上廟中的最後祭壇的奇遇，他走進了那古廟，就像走進一個夢裡，在那黝黑又冗長的長廊裡，有著潮濕的青苔長滿老舊的石牆，上頭精雕繁複的木雕佛像的臉孔都是殘缺的，所有彷彿蛀蝕過的殘骸漬痕使神情都變得猙獰而模糊，好像經歷了太多事，殺伐，逃難，在許久之後被發現時，所有的半人半神的怪木雕像都已然完全不能動地躲在那裡，有的衣冠不整，有的肢體殘缺，有的鼻梁眉目被毀或整個頭顱被砍掉了。或甚至，就一如一具一具的或站或坐或攤的屍首，就困在那個古廟裡出不來。這使他越來越心寒，甚至走在裡頭更久之後，心力交瘁的他更不太確定他是不是還活著，還是只困在某一個噩夢的恐慌之中。

但是，在奇怪的某一瞬間，他卻完全地被拯救了。那是古廟的某一個角落，某一道光的神祕召喚，充滿他也不明白的暗示，或是引誘。因爲，走了太久而太疲憊的他已然近乎完全地放棄了，只是拖著絕望的身影，邊找出路邊恍恍惚惚地前進。但是，在某一個奇怪的路底轉彎之後，溫暖的風徐徐地吹入，彷彿是某種撫慰，森山注意到有一道光，很離奇地在太隱隱約約的暗黑中射入，而且竟然是對照入某一個祭壇裡的角度的角落，他往更裡頭仔細打量，那是在正午折射日光的最尾端，光影所隱隱照現的某個菩薩像。

那暗黑中的餘光使他感到極度的好奇。

那菩薩像的出現是如此玄奧而迷離，雖然祂的某些五官和四肢仍然有點殘缺，但是，大體上是那麼出乎意料地完整而近乎完美，太不可思議了。而且，那菩薩的肌膚是那麼地晶瑩剔透，祂的臉孔與身體是那麼地奇特地豔麗，甚至衣裳是那麼地暴露出性感的胸部和下體。最奇怪的是，這菩薩在暗黑餘光中的身影，使他在那一剎那，忘記了害怕，而竟然勃起了。

他沒辦法理解自己的勃起，也沒辦法理解那種性欲有多奇幻又多抽象，但是，他並沒有更多的害羞或忐忑不安，因爲，那令在古廟恐慌的他還算有點安慰地開心。因爲，那勃起好像使他覺得自己還活著。

寶島部（第12篇）蟲。

一

「像在吃蟑螂。」我跟媽媽說。

那是我小時候還記得的跟媽媽回鹿港娘家的第一次，也是我第一次看到蝦猴，非常害怕，但是更可怕的是：所有在媽祖廟旁的店或路上的攤子，到處都在賣，也都在吃，就像是在吃蚵仔煎、蝦丸湯。但是，我怎麼看都像在吃蟑螂。媽媽姓施，外婆姓黃，名字只有一個字，看。嫁了之後，全名是施黃看，那是多麼像「鹿港」這個古城宿命的名字。「施」是鹿港第一大姓，黃是鹿港第二大姓，但是，媽媽小時候在鹿港待沒幾年，因爲，外公失蹤了，外婆到基隆去做生意，把她寄在大姨婆家裡養，就在日茂行那號稱一百個門的大宅院最後的一個右側門的對門，一個很舊很破的小磚房。

「那時候還小的我和你兩個更小的舅舅就住這裡。」媽媽帶我去看那個可憐的現場。

「每天都吃不飽。」媽媽說：「還要幫忙大姨婆做很多事，搬很重的貨。」

那個日茂行後來就變成是一個很有名的古蹟了。媽媽說：「我好恨啊！」

本來外婆的娘家也極有錢的，黃姓的望族，生意做到最大最好的時候，媽祖廟前那條街有一半是她們家族的。但是，後來有一個舅公，把那些當年最繁複華麗店厝的地契偷偷拿走，在一場聽說鹿港有史以來最有名的豪賭中，被設局，輸光了。

那幾乎是一個在所有的最有名的古城或最有名的大家族中必然會出現的一種故事的版本，一種太流行的下場，從富貴到悲慘，從繁華到破敗的某種看起來像套招像假的故事。但是，就眞的發生了。外婆在很年輕的時候就被嫁了，爲了還一部分的賭債，其實外公家也並不那麼富有，尤其，後來第二次世界大戰爆發了，太平洋這邊的戰事，越來越吃緊，很多人被日本皇軍徵去打仗，空襲越來越密集，狀況糟透了。我還記得，媽媽當年在講這些事的時候，還滿激動的。她說到外婆還曾經批貨，在廟前附近賣炸粿，她去幫忙賣，那時候她還是小學生，每天要先幫外婆兩個人扛那極重的攤子去廟口旁的一塊小空地，在那裡起火，煮油煮熱，再炸那些蘿蔔糕、芋頭糕、年糕之類的炸物。但是，非常辛苦，天氣夏天很熱，冬天很冷，油太低溫沒辦法炸，太高溫就很容易噴出來，常常手上燙得都是疤。

「那時候，不知道日子是怎麼過的，每天都很累，而且很容易受傷，太小了。」媽媽說的時候，眼眶還噙著淚光。

「就在這家蝦猴的店的旁邊，」她指著廟口牌樓旁說：「那個蝦猴攤的老闆對我們很好，會幫忙我們搬比較重的貨，吃午飯時，也都會來幫我們顧店。但是，那炸粿攤也沒擺多久，日本警察就來趕了，他說他也很同情我們，可是也沒辦法。更後來，外婆想一想，這樣子，跑警察也不是辦法，心一橫，把攤子收了，就去她基隆的朋友那邊做別的生意。但是，聽說也是跑警察，是在火車上，走私賣那些菸或餅或各種私貨，反正也很苦也很冒險。而大女兒的我就和更小的你的兩個舅舅和一個最小的阿姨被留在鹿港，過著沒爹沒娘的日子，還每天吃不飽。偶爾，我還會帶你舅舅他們來媽祖廟這裡來拜拜，但是，其實不是眞的要拜拜，而是讓那個賣蝦猴的歐吉桑看到我們，就會叫我們過去，拿幾隻爆香的蝦猴給我們吃。其實，我沒那麼喜歡吃這種鬼東西。但是，你兩個舅舅都還在長，都吃不飽，就很喜歡吃，一隻接一隻，我都把我的份給他們吃，還要想辦法把他們拉走很難堪，但是也沒辦法。弄到後來，只要一到黃昏，他們就會吵著我帶他們要來媽祖廟。」

沒想到，過了這麼多年，蝦猴已經變成唯一鹿港和別地方不同的鬼東西，這些看起來像蟑螂，看起來毫不起眼又醜陋的小生物。甚至，還賣著各式各樣的從蝦猴繁殖出來的更怪異的鬼料理。

而且，幾年前我才知道，我那後來人生白手起家到極成功的大舅，對這鬼東西仍然念念不忘。

大舅當年曾經是味全公司派到日本去學醬油改良的最重要研究員，後來還當到味全醬油最大廠的廠長。在退休以後，快八十歲的他重新學電腦，而且自己架了一個研究鹿港蝦猴的網站仍然很熱中。

我完全沒辦法用門名、綱目、名科、名的想像去看這鹿港天后宮前所販售的蝦猴。就像我看到他在裡頭用最學術專業的字眼描述著，蝦猴就是螻蛄蝦，全世界螻蛄蝦的種類有一百三十九種，學名Arthropoda節肢動物門Malacostraca軟甲綱Decapoda十足目Upogebiidae螻蛄蝦Austinogebia edulis。甚至，牠的學名竟然就叫做美食奧螻蛄蝦。

> 型態特徵：甲殼軟薄，頭胸甲具短的三角型額角，下緣具二—五刺，頭胸甲側脊前部不具刺或最多只有一—二個小顆粒，第一步足半鉗狀，雄蝦非常碩大，雌蝦細長，腹部縱扁，尾柄呈正方形且不具刺，身體墨綠色，最大體長七公分，普通五—六公分。

目前已知有螻蛄蝦的地區，也只有臺灣、越南跟香港。全臺灣或說全世界，只有鹿港人吃蝦猴。在大舅的網站上，有一則幫當年請他們吃的那家店所做的廣告。蝦猴一直是鹿港這裡最具特色的小吃名產，尤以冬春之交爲此蝦的生殖期，具飽滿卵巢的蝦最受歡迎，很補喔！我老是在想這蝦猴，像蝦又像猴，像水生又像陸生，像昆蟲又像動物，牠們在半沙半泥之海灘挖深洞而棲，每洞只有一蝦棲息，而且只有兩個洞口一爲出水口，另一爲入水口。好奇怪的兩棲，生命的兩棲，生態的兩棲，棲於水與陸之間半硬半軟的濕惡地形，棲於孤僻但卻頑強的祕處，密室，祕道。

一如鹿港，一如這城的「一府二鹿三艋舺」般快速地竄起又沒落過，起家又敗家過，富貴又貧困過，又一如我們家族，一如那個時代，一如那段一直換代的歷史。

大舅很愛炫耀他的吃，他說他去旅行的時候，很喜歡冒險，尤其是吃，吃那些看起來近乎不可能吃的。恐怖的，殘酷的，所有的蟲，他都吃過。他露出一種得意的眼神。沒什麼啦，而且，都是高蛋白。他說高蛋白的口吻，好像在說鮮美的甲殼類海鮮，或補體素，高單位維他命，那種食品營養師穿上白色醫師外套解說得又權威又客套。或是，藥補不如食補，吃苦就像在吃補，那種中藥師的講究。

「但是，你到底吃過什麼？」我好奇地問。

「什麼都吃啊！烤蠍子，炸瓢蟲，蟬殼，紅燒蚱蜢，滷汁液的金龜子，加蒜，加辣椒，加九層塔爆過的，炒的，各式各樣的昆蟲，都吃過。」他退休後，被越南、泰國很多國家找去當他們醬油廠的顧問，住在那裡，沒事，就到處去吃，有些東南亞的小村落，連蝴蝶都不放過。

「我跟那市場裡的攤子老闆說『一種一兩隻就好』，因爲吃太多有的太涼，會拉肚子，有的太燥，會流鼻血。我就是喜歡冒險，喜歡吃那種從來沒看過的。」他在他蝦猴網站，開了一個新的區塊，叫做「蟲」。他引用了很多科學家的說法，蟋蟀、毛毛蟲、蛆等蟲子富含蛋白質與礦物質，可作爲旱災等急難時的重要食物來源。

「世界上許多地區已經開始吃昆蟲了，只有西方國家還沒有開始吃，我們存在心理上的問題，但其實這和我們吃蝦是一樣的。小時候，你媽媽帶我去吃鹿港媽祖廟前的爆蝦猴。」大舅說，「你舅媽說我很噁心。但是，我就是喜歡吃這些，奇怪的，特殊的，不像人吃的。大概小時候餓過頭了，大概小時候吃太多蝦猴了。」

大舅說他在泰國清邁的那個老市場唯一不敢吃的是牛胎。他說那牛胎是連著整個胎盤的，一隻已然完全成形的牛，還包裹著胎衣的黏膜，極可愛又極可憐，看起來就像一個剛出生的人的嬰兒。尤其，眼睛都還沒睜開。

他說：「那可是中國南方和東南亞某些地方盛行的頂級補品，尤其是補坐月子或重病老人回魂，雖然殘忍但是聽說極珍貴又極好吃，也不容易剛好遇到，雖然一個當地的朋友一直說這沒什麼，而且吃牛胎是從中國傳到泰國的。」

他還提到古時候牛雜的起源：「據稱是上古一位大王在先農壇親耕祭祀農神時，突然天降大雨，大王看到當地百姓饑饉，立即下令屠宰親耕的牛，將其牛肉、牛肚、牛心、牛肝、百葉、牛腸等放入鍋中煮，竟然很鮮美，味道很好。」

大舅說他在那清邁的陰陰暗暗的老市場深處走了好久，很多很不尋常的地方和器物都很吸引他。就在好奇地吃過了那些長相奇怪而恐怖的各種爆汁的炒甲蟲大拼盤後，還看了好多手工刺繡的老衣裳布袋布鞋，刻工很細膩的純手工老銀耳環鐲子，甚至有聽說用來下降頭的古怪法器好陰好深，又好好看。

但是，最後就停在這家看起來又髒又舊的牛肉店前頭，看到了好多各式各樣牛的內臟，各種形貌像拆解開繁複機器的組裝內部全套零件，或解剖室裡飽含福馬林的彷彿還會呼吸也還會顫抖的人體器官：牛的胃最不一樣，有四個胃，牛百葉瓣胃，金錢肚好多網狀，如蜂巢的胃，牛沙瓜牛傘肚那種皺皺的眞胃，都長得很醜，但又很好吃。

他拿出一張舊舊比對圖，和中文泰文翻譯，標示在一張牛身的線描圖上，每次帶臺灣人來看，他們都很愛看，說你們臺灣的人對這種牛雜，比我們還熟，像什麼牛腸、牛肺、牛胰臟、牛肚瘤胃。那草胃與毛肚、牛肝、牛腎，較特別和少有的，還有叫做牛薑的牛喉嚨，叫做牛天梯的牛氣管，叫做牛心頂的牛心臟血管頭，叫做牛荔枝的牛睪丸，牛鞭。最後就是竟然叫做「牛歡笑」的母牛子宮，就是這種傳說中的牛胎胎盤，後來轉貼了那故事給我的大舅說他眞的沒吃牛胎的原因，不是怕，而是以前看過一個明朝的民間故事很怪也很難忘。他面露難色地說：「總覺得吃牛胎好像就像在吃人。」

「現在爲什麼有新鮮的牛胎？」那時候的大舅仍然很不忍。就把心中所納悶著的疑惑，問了出來。而且那整個黏膜中的牛胎，竟然還用有點鏽的老鐵鉤吊鉤住旁側的胎盤，就這樣懸著，全場，彷彿就在看著牠。像爲了不明的某時代某教義某神祇某妖而不得不的犧牲。

空氣中，濃重的氣味很鮮又很腥，陽光斜照進來，還看得到舊市場老木頭屋簷一直落下粉塵浮飄於空氣中的倒影，就讓整隻小牛懸在半空中，像浮於古教堂玻璃天窗光暈中的聖嬰，像老博物館角落泛著磷光的極寫實水晶中世紀動物雕像，又天真又神祕，又荒誕又恐慌。但是，不同的是，這裡胎盤黏膜仍然在滴血和滴不明的體液，而且好多好大隻的猙獰蒼蠅還在旁邊纏飛，遲遲不願離去，那看起來一點都不在乎的老闆卻頭也不回地忙著。只是隨口說是殺母牛剛好裡面有小牛胎，就整個拿回來。

「你要不要摸摸看還溫溫的。」

有一年在過年遇到剛從南洋回來的大舅說：「那一家當年請我們吃的蝦猴攤子現在是最老的店了，那家店已經傳到第三代了，他們的蝦猴酥現在竟然是每天限量供應。」

還有另一樣新的特產叫一口蟹，他們的一口蟹是用獨門醬料先醃好後再下去油炸。而炸好後撒上胡椒鹽後，先油炸五分熟，一口吃下，怎麼吃都沒有以前好吃。還有分公的和母炸蝦猴酥，兩種口感不同，吃公的聽說壯陽，吃母的還可以包生男的。

八十歲的大舅還感傷地說：「以前醃漬得好的蝦猴，一點點進到口中，那種特殊的鹹味在嘴巴裡化開之後，會有一種說不出的甘味，彷彿就像在拜媽祖看著她的黑臉的慈悲，就像是徐徐的鹿港夏夜晚風吹進心坎嘴角感覺的又鹹又甜！」

媽媽提到當年還在世的外婆，很常提起這段有點可悲但又可笑的往事，她說，外公生前最愛吃蝦猴，但是他身體太虛了，不能常吃。就在日本時代他被徵調拉伕成大東亞共榮圈皇軍要去南洋的前一天，就帶外婆去吃蝦猴，還吃了三盤，吃得好燥，眼珠都是血絲。

那是她對外公最後的印象，第二天他就從軍跟著部隊走了。不久，就在第一次戰役裡，失蹤在一個南洋的無名島，也沒找到屍體，但是再也沒有回來過，就人間蒸發般地，消失了。

二

爲什麼我們會怕呢？害怕我們看不到的想不通的種種。因爲，那太像一種暗示，恐怖片的恐怖配樂幽暗響起來地那種隱隱約約地逼近，那裡太黝暗地近乎全黑，事實上我們從來沒有想過，這整個地方本來就是這樣子，是從裡到外完全黑的野外。

這裡本來就有很多鬼故事，到處都是鬼，那條路因此就反而更變得特別，而且就在這時候，蛞蝓的死更逼眞而逼近，或許反而就是路是很像在大自然中某種刻意的特效，還有讓落葉可以落下，有雨跡，有石苔，還有蛞蝓死在那邊，這樣想起來，那一團血肉模糊就太切題了。

一如這個島，也一如我們的怕，一如我們的童年，有點糟可是看起來又沒有太糟，有點殘酷又不太殘酷，活的又很像死的那麼地令人害怕又不害怕。

在那旅館的那路上，很多蛞蝓的屍體，被踩死的或被輾過的到處血肉模糊。

「蛞蝓好可怕。」我說。

那是在從我們住的那獨棟房走去吃早餐的餐廳的路上。其實那路很迷人，前一個晚上我們曾走過那整條路，很美到近乎不可能地幽靜迷離，因爲晚上的光線是一個個小燈打光在地上，整條路的設計還滿特別的，採光是一個點一個點打，點很低又故意弄得很暗，這跟點火的較隱隱約約的光的意思其實一樣，讓那條路很有詩意地幽暗低調，陰沉而寂然一如四野山中或海邊的原來的感覺，籠罩在某種人很渺小而夜很巨大的自然而然的大自然裡。

而且，兩邊又有水道特殊歪斜的景觀，讓水曲折地瀉滑而下，這條路就變得很不尋常地漂亮。況且，這整個建築物的設計，沿山有四層一如蛇形蜿蜒的風貌那麼奇幻，每層攀升天際地越來越高而且都是個獨立而奢靡的別墅房型建起來，繞走的其實是開車的彎道。但是讓客人眞正在走的反而就是這處最迷離景觀式有光有水的石景階樓，可以很緩慢地在那裡閒散地行走漫步。那是這整個旅館設計中最有詩意的部分，所以我們在走這段路的時候，應該有種在極幽微而極昂貴的小路散步的感覺，一如峇里島這個島，當年日本心目中大東亞共榮圈最南的邊境，一個亞洲最接近澳洲的島，東南亞最被西方人鍾愛而矚目的寶島。

但是，一早卻在這段路上看到好多蛞蝓的屍體，而且都是橫死的。我想起了太多往事，我們小時候在講蛞蝓的時候很害怕，臺語我以前的印象叫吳奇，一個古怪得像鬼怪的名字。而且，牠會吸人血，因爲牠看起來是一種吸血蟲、食人魚、古老水蛭之類的吸血鬼怪獸，所以覺得很恐怖，是一種不祥的可怕動物。可是，或許也因爲我們家是在彰化的街上，在城裡我們不是在田裡，不是住山裡，從來不曾深入過大自然，所以我們有種住在城裡的對城外威脅的想像性虛弱，會害怕那種更大的野生的野，會害怕大自然的「活生生到有侵略性」的那種種鬼東西。

我們小時候住的長壽街那老房子是一個有騎樓的舊式街屋，城裡火車站旁的市井深處，和大自然是重重隔絕的，就算有種花種草養家禽家畜都那麼地馴服，而不是住在太危險的山中的野蠻或海上的洶湧澎湃裡面，或甚至像亞馬遜熱帶叢林或《阿凡達》裡惡毒雨林那種所有的有樹有水的充滿花鳥蟲獸有機體都是威脅到像陷阱般的逼近。

但是，這種野生的害怕至今也忘了太久了，我記得以前長壽街老家裡老會有蛞蝓跑進來，那卻是因爲後面有一塊荒廢太久的廢地，姑姑有種過菜或種水果的小小一塊貧瘠的田，有時曾經長出過某些很尋常的因蟲咬枯萎的爛青菜番茄，在下過霪雨霏霏的潮濕氣息中的渲染與擴散時，才會有那種昆蟲或野生的東西跑進來。甚至，更早以前的小時候，我記得後面菜園還有養過又衰弱又髒兮兮的慘白毛兔和老是長不大就病死的瘦小山羊，更有古怪殘存殘像般的回憶碎片中那後院還眞的種過極酸極小葡萄或乾乾癟癟絲瓜的破爛竹棚竹寮。

廚房在我們的小時候是還要非常吃力地生火和燒火，那是仍然還沒有電或瓦斯的老時代，要下廚就要進灶腳，就是煮飯要給人吃的灶，燒一種一個洞一個洞的那種空心炭。沒有現在的原子炭這種後來發明成邊玩邊烤肉用的那種更快更直接的火種及燃料。所以，我們已然忘了古老的害怕。那古老年代的某種因爲種種貧乏而困惑的恐懼，所以我們對自然有些殘餘的想念及其不免伴隨而來的害怕。

可是那蛞蝓的動作很慢到可以拿來燒，如果真的被咬到了，燒一下，牠就會脫離而掉落。蛞蝓太弱太像只是一種招呼，一種致意，其實更只是那大自然的一種太隱約的寫照，完全沒有別的像蜈蚣或蜘蛛或蛇那麼大，甚至那麼有昆蟲或爬蟲的隱藏地可怕。因爲牠是那麼柔弱到完全沒什麼攻擊性，也沒有任何恐怖的威脅。我跟姊姊說：「有些原始老部落的蛞蝓只是小孩拿來玩的玩意兒，一如我們長壽街老家隔壁的永遠打赤腳流鼻涕髒兮兮的一起長大的阿雄的賤玩法，他老是抓了雨天屋簷的很多蛞蝓，用他家老木工廠的鏽蝕鐵釘，把牠們一隻一隻釘在又粗糙又狹窄的角材上，再用打火機故意用刑般殘忍地慢慢又燒又烤牠們，整個殘虐的畫面那麼地可怕但是又那麼地荒誕，竟然就像是在吃居酒屋那種串燒的肉串，燒到發出焦味和滋滋的聲音一如牠們的哀嚎，但是阿雄卻笑得好開心，還拿也燒得有點黝黑的角材當成懷石料理般的老木端盤，一直端過來微笑地說要請我們吃香烤螺肉大餐，害膽子極小的堂妹一直尖叫。」

我說：「蛞蝓，其實令人不安而害怕，只是因爲跟我們太馴良的長大有關，對太小時候的我們老變成不免是一種威脅，或是一種嘲諷，對於小孩的像更早期噩夢的逼近，但至今我們也忘了好久了。」姊說：「長大的我們搬離了，還搬到比小時候更大更不自然的城市，離大自然更遠也離老家族家鄉更遠了。」可是到這個島所看到那蛞蝓的吃驚反而是意外的，因爲突然我們想起我們都變了，我們後來就進入小時候的生活某種更安全或更保護自己的想像中，我們都住在沒有大自然的都市裡，慢慢走樣，或是，用一種更迂迴的方式把自己調節而養成我們小時候想像不到會變成的現在的更不在乎的樣子。「只是有點不舒服。」姊說：「我們總是會同情起他們一早就一直掃屍體。」在這種旅館，他們早上一定要趕快來把蛞蝓的屍體掃走，對客人有點威脅的某些害怕的東西的陰影，都要趕快地叫人處理掉。或許，他們一點也不怕，只是無奈或只是不斷嘲笑我們很怕，怕屍體怕鬼，那般地什麼都怕。

我想這可以解釋我們跟這個地方的關係，也可以用來解釋我們跟峇里島的關係或我們和童年或和家，那種無奈地什麼都怕的關係。在這裡反而更常想起小時候，本來以爲可以多忘記點。可是，因爲這一年我和姊姊決定到峇里島過年，由於這次逃離了家，逃離了恐怖的臺灣的年，來到一個異國的深山斷崖，一個荒涼的古怪的旅館，卻就因此逃進入完全沒人的大自然。雖然，這裡的大自然其實是被很小心地調教過的，被處理成完全不用怕的地方。但是，我們還是怕了，也因爲怕，而想起「怕」的更早的過去，更早的家。所以雖然蛞蝓在這邊只變得像是個玩具，或一個視覺效果，只是路上像一幅畫裡的一個小小的插曲或小小的特效，牠會動。

但是，牠牽動了太多昔日的揮之不去的怕，像傷得很裡頭的內傷，那種怕。

我說：「不知道爲什麼，面對這些屍體，我還是怕。」

「或許你忘了是因爲你小時候有被嚇過了。」

她笑我：「但是，你忘了是被什麼嚇過了。」

「那段很多屍體的路很黑，但一路走下去其實很美，好像在森林在河流之中，在旅館最中間，從山上走到山下，或許，那路是被小心巡邏而管制得最嚴的，我們根本不需要怕，所以這旅館難的是要把大自然又隔離又保護，又進入又出來，使客人可以住在裡頭享受那種很人工可是又要很自然的感覺。」

那旅館太大太荒涼，太遠到像看不到邊界一樣。或許，眞正的邊界，應該是那晚我們被嚇到的那一刹那，那晚，我們走過頭了，走到這條路最高的一個地方，那裡，沒燈了，完全看不見地漆黑。但是，就在這完全黑暗的場景裡，卻一直有怪異的聲音發出來。我們停下來仔細聽了一會兒，在很多雜音中才發現，像是有個人在講話，我們仍然看不到人，甚至看不到任何景物。雜音很遠又很近，很清楚又很模糊，有時像人話有時像獸吼，有時甚至不像來自人間的聲響。

就這樣又過了好一會兒，姊姊好像變得有點怕。更後來，再走更進去才發現，那聲音眞的是人在說話的雜音，其實仔細辨識，就像是個警衛在講對講機的間歇機器轉換的聲響，有人站在那邊是爲了去維護看守那裡，其實就是一個所謂的最邊陲的荒涼警衛點，但是只因爲夜太深了而山太黑，我們就一直聽到有人的聲音，但看不到人，看不到那些應該出現但消失了的警衛，所以總是會怕。「你有沒有想過那可能是什麼壞東西，怪物，惡魔或是鬼！」姊說。

但是我心裡想的是，或許眞正的邊界是我們的怕，怕黑，怕鬼，怕種種失控或隱匿的威脅，或就是這種種黝暗裡，我們所遇到看不到的什麼，但我沒說。

我跟姊姊說了我前一晚的夢中，不知爲何倖存的自己就到了一個陌生小島的陌生海岸，好像在南洋，印尼的太破碎的數百小島的其中近乎無法辨識的其中一個，而且，後來迷路了太久之後，好不容易找到有人煙的地方，就寄宿在那海岸末端的一個斑斑駁駁的近乎年久失修的又破又小旅館。他們是一對歷經滄桑的當地土著夫婦和阿姨帶一個小孩在開店，沒生意到近乎沒人，那一家人幾乎每天都沒事，每天大人都在演戲給小孩看，就在那一個破舊的小餐廳，所有人吃完飯就一直聚在那裡有意無意地說話，但是，話題一直被小孩要求要講殺人的故事。

在夢中的我也沒有意識到那個地方的那個時代，但是另一個住在那裡的人是一個黑人的美國海軍水手，受傷而變逃兵的他提醒我們那時候還在二次世界大戰末。但是，那個小島沒有被捲入，大家都假裝沒事，也不想提起戰事的慘烈與辛酸。

但是，每天那店裡有一個小孩和一桌人，他們要求我要演一個故事。但是，我一直沒有把握，我發現我沒殺過人，也不會說殺人的故事。最後，找了一本書的我準備了一個老故事要試試看。但是，越想越多，發現有太多情節要演，但是，他們說不能演太久，因爲小孩會不想看，後來發現只有十分鐘，我最後只能用說的，來不及演，就在那個長桌上，說了一個一百零八個殺人的人落草變成山大王的故事，他們稱霸了那一帶，占山爲王，但是太不願對更大的帝國臣服，被視爲反動而被帝國軍團剿山，他們太大意而對決失敗，山中的一百零八個人全死了。那小孩雖然一直動來動去也不安分，但是最後聽到所有人都死了，就很開心。

「你滿會跟小孩玩的。」

一個長得很可怕的店老闆的妹妹那阿姨對說故事說得很吃力的我說。

「但是，我更厲害！」

她轉頭對那小孩說：「我們來玩不能動的遊戲，誰動誰就死。」

小孩對她說：「我才更厲害，你死定了。」

小孩就完全僵在那裡，像殭屍一樣，一動也不動。

三

雖然我是一個說故事的人，但是也不見得可以說得好，或可以說多久，甚至可以活得下來說這個不斷有人死去的故事。我甚至不知道後來會怎麼樣，這個家族故事可能是一個完全掌控或完全失控的故事。家人們做很多更令人困惑的怪事來遺忘他們在某些困惑裡的痛苦。

「屍體是要放家裡放很久的。」另外一天，那導遊講到了很多別的害怕。「那屍體的葬法在峇里島是如此怪異，和中國人的葬法很不同，甚至墳墓和儀式也那麼不同。」提起印度教葬禮的時候，他就開始講很多更古怪的事：「在這裡，未經火葬的死者靈魂是髒的，近乎汙穢不堪到將會給人們帶來災難。如果在一定時間內不爲死者舉行火葬，死者的靈魂就無法升天，而成爲終夜徘徊人間的厲鬼。」

他用一種很專注的口吻提及了死亡在峇里島有特別的被理解的狀態，跟在中國不同，甚至和天主教也不同，主要是關於輪迴的很多爭議，所以涉及了人們如何理解「屍體」。

他說：「峇里島人的死亡是要用一種特殊的儀式來慶祝的，人死後都要舉行火葬，這裡火葬的隆重近乎奇觀。火葬在人死後第四十二天舉行，因爲他們認爲人死後的靈魂要四十二天才能離開肉體。在火葬前要將屍體用種種香料液體浸泡，然後用純棉純白的布來繁複精密地層層疊疊包紮，用某種特殊角度放在一個用咒語封印的老竹簍，所有的更完整而複雜的亡者安撫與牽引的狀態發生在火葬的前一天白天到夜晚，那一天所有死者的親屬都必須依例穿上最華麗的盛裝，男子甚至還要佩戴祖傳寶劍，聚集到一起靜默之後助念式地跟法師在屍體旁繞行，最後在子夜更要舉行極盛大的念經法會，甚至還會演出老傀儡戲和古代舞蹈來召魂並等待第二天黎明的到來。

「更離奇得近乎做作的是，」他說：「葬禮其中一項古怪的拔河，必須由家族親人們同時扮演拔河雙方來爭奪裝有屍體的棺木，一邊代表天使，另一邊是惡魔，兩端爭奪死者的靈魂，要有多次反覆，最後總是天使勝利。」

而在最後那個火葬的日子，依古例是一定要在破曉出發，而且在最古老的傳統樂器幽幽吹奏起召魂之曲開始，家族的男人都必須前來甚至近乎爭先恐後地搶抬亡者的屍體，女人就必須帶來一瓶她們從鄰近寺廟中祈求的聖水，還必須有一群更怪異的活生生小雞擺放在葬禮列隊前給死者靈魂引路，在祭司祈文念完，發放一種弓矢法器，然後才開始作法。我老記得他說的更迂迴而難解的畫面的離奇，葬禮列隊出發，祭司手執紅法冠，在屍體面前引導，隊伍必須走彎彎曲曲的路線，爲了避開凶神惡煞，並使死者靈魂失去方向使其找不到歸路。最後進入火葬場，必須先由死者近親割開那繁複的裏屍布，當祭司登竹塔大聲念祈文，把許多古錢撒在上頭打點死神，女人們將祈求聖水灑在屍體上後，還必須把聖水瓶當場打碎，才能將屍體移入獸形木棺，等待天黑才能開始放火燒，祭典到了這時候才能在火光的炫目照耀中，起奏古樂那種又悲又喜的曲子，開始那華麗到令人不安又不解的慶祝，使觀眾進入一種難以名狀的古怪狂歡。「但是，奇怪的是火化都一直在有歡樂感的喝酒和歌唱之中進行。」他說。

和臺灣的五子哭墓必須要極度哭哭啼啼的喪事不同，整個葬禮中死者的家屬並不悲傷，他們雖然難過卻認爲如果過於悲傷，將會妨礙死者靈魂升天。

多年前我也看過的那一回火葬眞的是一種古怪的狂歡，在那麼多屍體逐漸成爲灰燼，觀看的群眾才漸漸散去，但我一直看著那高達二十多米十二級高的竹塔緩緩地引火起火，燒起了動物形狀的棺材，僧侶或富人棺材雕成的聖牛，勇士的長出雙翅膀的飛獅，但是，我最著迷而印象深刻的，反而是尋常百姓的半象半魚的某種怪獸，在大火燒到怪獸開始焦頭爛額時，彷彿有種奇特的微笑從牠的嘴角揚起。

我跟姊姊說：「那種葬禮不會像我們家族那般沉重而憂傷地那麼極度悲傷地可怕，或就像我們的大眾廟萬應公那般地陰森，我因此想到當年父親的撿骨到轉入和母親同一個靈骨塔的入塔，那是多麼沉重到近乎窒息地恐慌與害怕。當年老家族對我們將父親的屍體移到臺北就極不諒解，甚至對父親屍體不能始終入土爲安的某種遺憾，至今仍然扛在我們的彷彿永遠離鄉背井的不孝狀態的譴責裡。」

我想到了我自己前幾年來過峇里島的那一次，我還眞的在火葬後還看過海葬。那是一個彷彿輕描淡寫卻又印象極深極感人肺腑的畫面裡，親屬們將骨灰收拾起來，在祭司祈禱下，裝入椰子殼內，有一枝撐開的很小的黃傘，有個人會坐在屍體的棺材上方，下面馱著的動物是牛。還有一大群親人，沿途浩浩蕩蕩地走，但是沒有人哭。那法師帶著骨灰罈走入海裡時，有一群小孩仍然跟著法師走入海裡，最後的部分最感人，也是和水有關，他們會走很遠很遠，像一種儀式性的告別送行，最後把骨灰灑進大海。我仍記得，在那峇里傳統的音樂的莫名悠揚之中有種奇特的輕巧的神祕，海天一色的浪潮和晚霞雲彩，彷彿低聲而開心地一起在唱歌。

四

水一向很陰，水燈更陰。

「但那回，在現場，你好像出事了，有點被煞到而發高燒，回家昏睡了好幾天。」我跟姊姊說。「我一直記得母親生前教我們摺的『往生錢』，摺成一朵像鑽石般諸多摺面塊狀的蓮花。就是那一回，因爲，被一個師父交代，要燒來幫你收驚回魂。我那時候才知道那種水燈是以印有往生咒的『往生錢』摺成的蓮花。上面插一炷線香，也有用白紙或粉紅色的紙摺成花瓣再組合成蓮花形，中間插一根蠟燭放入水中漂流，稱爲『蓮燈』。

「一般的這種蓮燈一如水燈，在五朝以上醮典的第一場素筵普渡前一天流放，第二場葷食普渡前一天才用水燈，三朝醮或中元普渡也有和水燈同時施放的。但是這種蓮花也可以直接用來當水燈放，是用來收驚的時候。就是那回，就我們家你之外的六個小孩和姑姑們，大家都急了，怕你燒太久，出了事會救不回來，所以都被找來一起一直摺，一邊摺還要一邊念『救苦救難南無觀世音菩薩』來加持。大家摺好久也摺好多好多，然後一次拿回去原來那放水燈的廟旁的河邊燒，燒得火好旺好大，好奇怪，燒完那晚的後來，你才慢慢退燒。」因爲古代的傳說裡，從陰間走到陽間的路非常地黑，所以普渡之前必須先豎燈篙、放水燈來引魂，引那些孤魂野鬼，爲了照亮才放水燈來招引那些溺水的鬼，尤其是在普渡前一天的晚上或黃昏在河邊流放。

我問姊：「你還記得那放水燈的儀式嗎？」

在當年那可是一種奇觀，留住了古代的完全更難以言喻的陰森。尤其進行時，道士在河海岸外空地擺上祭壇供品，在岸邊宣讀祭文、念誦經懺之後，再將水燈放入水中，先點燃所有水燈頭，然後再點燃水燈，道長拿著紅色的招魂幡。有一個道士作法術念「招魂偈」時，招引水中魂魄上岸，然後領頭道士持拿招魂幡，跟著路關牌、水燈排、彩船，一路浩浩蕩蕩接引鬼魂至普渡場，在水中。在水的反光。在燈火與暗夜之間非常迷離而動人。

我跟姊姊說：「小時候被那回出的事嚇壞了的我一直偷偷地很喜歡水燈，因爲你曾經這樣被救活，雖然『水燈』一向那麼陰。」

雖然水燈一向也那麼地容易招惹些什麼，水燈彷彿一向那麼單薄一如吹彈即破，因爲古傳水燈往往有的就只是單間一層紙厝地簡陋，只是大大小小不一地以慘白紙糊屋身血紅紙糊出屋頂的那麼樸素，雖然有的比較講究一點地繁複華麗一如紙紮成的顏色斑斕的寺廟，在水燈紙屋頂還有眾多神仙紙偶所做成的護持天兵天將比較威風，但是，仍然有種一燒即化了的那麼地脆弱的暗示，就像紙做的兵馬俑屋俑那種種越華麗就讓人覺得越虛幻的聯想。

有些傳統水燈底部是用香蕉幹或樹幹或竹筒作底，使那單薄的燈厝能漂浮水面，在水燈內放置紅紙書法寫的某些「往生功德」、「普渡陰光」字樣，或貼在紙紮厝上作爲門聯，有的會寫廟名，有的會寫供養水燈的信眾名字，做功德，讓亡魂超生，可以回報恩德。燃放時在紙厝裡面安插一對蠟燭和幾炷香，有些會放經衣銀紙，有時水燈太多又是在海邊燃放，就不用蠟燭和香，宮廟派人一起將水燈放入海裡，用火把燒，會燒成大火很美。有些更大更驚人醮典法會的各主事者或斗首或字姓首等都有較大型的水燈製作更繁複考究，外形更像祠堂或廟宇，放水燈時，常作爲最先燃放的前導隊伍，稱「水燈頭」。

我記得那回姊姊出事的在基隆的中元祭，水燈頭很恐怖地龐然，以極高聳之杉木或竹子紮成筏形，上頭再懸掛燈籠的稱「水燈筏」，高可達四五丈，並分數十格數百格，每格懸吊燈，材質與形式皆不同，如紙燈、玻璃燈、龍燈等，在遊行遶境時用人力扛抬。水燈筏一如大型而奢靡的花燈。還有更多更不像話的水燈，巨大光明得近乎醮台，甚至，更多地方是用不鏽鋼架搭成高可達二三層樓以上的燈架，上面掛滿上百盞燈，燈上寫祈求吉慶或合境平安或國泰民安。

有的寫宮廟名，燈下懸吊書寫功德主名字，顏色往往是鮮豔極了的全紅或全黃或粉紅……遶境時以卡車載運，並用電力起降，就叫做「水燈排」。我還記得，這種更巨型的水燈筏排並不放入水中，反而只就在河海岸邊作爲燈塔般地發光，爲了讓鬼魂找得到水岸，找得到招引他們的隊伍，也替儀式製造熱鬧，增加盛大的聚光的光彩，但是，卻反而往往太亮，太喧譁往往使水燈的某種迷離不那麼陰森。

「我怎麼都不記得了。」姊姊說。

但是，我跟她說，我一直記得那晚上那些用「往生錢」摺成的一朵朵像鑽石般諸多摺面塊狀的蓮花，及其著火像是燒起一團團小火焰布滿了的一整個河面，那倒映的暗夜漆黑天空，那麼奇怪的所有那些不祥又不安的光景，那些救苦救難的咒語和水燈所燒出的火蓮花都隨波流放又隨風，整晚那一如鬼魅的妖風好大，那種灰飛煙滅的殘火幻影實在太玄又太陰了，但是卻又好美好美，吹火蓮花吹到有些變成的更妖幻的朵朵火花就從水上飄向天上，久久不滅。

五

那一晚，一如過去，只要和姊姊談完就不免覺得筋疲力竭，我太心虛，又談太深，彷彿辯解了一些什麼但是又發現了一些更早或更深的沒辦法辯解的什麼。

一如我在解釋我的改變，或是人生的困惑比較沒那麼困惑了。但是姊對我說：「有你陪伴在我旁邊就好了，我就很高興了。」

她彷彿永遠比我要更高明也更深入，沉浸的，擔憂的，關心的，付出的，接受的，在乎的種種都更慈悲而從容。我老覺得自己像個頑皮倔強的小孩，逞強些不夠用的自信，推翻些不夠用的人生觀，或許就只是抵抗一些不需要抵抗的什麼，證明些更不存在的什麼，用力在某種偏執而自以為進步的荒唐行徑裡，或是節節敗退又不願意承認，杜撰更多為難自己的不解，又努力地繼續辯解。

姊姊安慰我說：「其實你做不好也沒關係，你為什麼要做那麼多事，那麼用力，那是因為你內心有一個洞，所以需要填補很多很多，但是，或許你要先找到那個洞口，再去想要怎麼修補。」

我的洞到底是什麼？我納悶著，但又那麼明顯地感覺到自己那種持續地心神不寧在挽回不了種種人生終於不免會永遠洩漏下來的洩氣，暗部如陰影在夜色逐漸地全面啓動般地蔓延，或許，更就是難以描述到太空虛一如颱風要來又沒來的空洞感。

她說，其實她遇到在教會裡的很多人都是被放棄的，但是她遇到的時候都沒有說破，甚至也沒有問他們，只是對他們說：「你們每個人對我而言或對神而言都是重要的。」

她如果真的要傳福音要有很多準備，或許，她比較老才進教會，比較知道曾經犯錯的心情和悔恨，所以對於犯錯的人就會比較寬容，因為太多人要逃避就會找種種藉口說要去教會家裡反對或工作反對或自己內心反對。但是沒關係，她可以了解那種心情。要有更多的原諒和成全。

「甚至，有一個個屬靈的晚輩同輩前輩，有的年輕有的年老，有的長得好看但老是憂愁，有的聰明但是老是沮喪，很多人容易吸引很多不對的人，有些容易的事但是就是沒做好，但是，我們都很需要原諒別人或被別人原諒，有的屬靈比我高或比我低，很多主日的服事，或更多一如聖誕節感恩節的付出都使我很辛苦但又很開心。一如，我很後來才感覺到祂派了一個個跟我很像的人，讓我體驗了二十年前到現在的自己的種種困境。

「後來，過了很久，我才明白，很多的心事，其實是我對別人或自己有太多期待，所以情緒上過不去，因爲，牧羊人的任務是不只是成全羊，也要成全牧者，榮耀每個人，一如榮耀祂的方式。」

她說她的手痛，或許那也是神的意思，某種招待的任務就結束了，但是，心裡還是不安，怕沒去招待神就不疼她了，還是回去，就感覺到神就在笑她。

「年輕的時候，遇到好多奇怪的人。」姊姊說。

「我喜歡聽，喜歡收集故事，聽他們說好多奇怪的故事。」

我知道，姊姊跟我一樣，喜歡收集某些失控的轉速的，切片，斷層，掃描，種種人和事的抱怨與恍惚，有畫面或沒畫面的，有情節或沒情節的，很糟的，很悲慘，難以明說的荒唐，有些更意外地，療癒或不療癒，但當然，有些牧羊的故事並沒有那麼奇怪，而也可能只是空轉。

她說，有一回，約了一個教會的牧羊的朋友託她轉交一本書的男生，在一個小咖啡廳，那男生太久沒見了，她問他：「你好不好？」

他只回答：「我不知道。」

兩個人沒說話，很奇怪，只是坐著發呆，又不熟，她說，她不好意思馬上走，而且，他看起來糟透了，兩眼發黑，兩頰凹陷，頭髮好像好久沒洗了，但他卻一點也不在乎。

空氣好像凝結了，音樂是巴哈的平均律，一直重複而索然無味，但卻出奇地迷人。她從來沒遇到過這種人，也沒遇到過這種事，所以，只能仍然呆呆看著他。就這樣在咖啡廳，對坐，他竟然把桌上的所有糖包，都拿起來，拆開，都灑出來，慢慢的，用手指頭，很斯文又很專注地，像枯山水般地，圍成一個布滿桌面的白石般場景的庭園，好美，但又好怪。

更後來，他竟然拿起來了另外的幾個奶精，也慢慢地，一一地，倒在白白的場景裡頭，所有的白開始凝結，液體和固體有的糅在一起，有的分散開，像潮汐，像沼澤，像融雪。但他專心地調節。

「你收得起來嗎？」姊姊問他。

但他仍然沒有回答，只是繼續安靜地動作。她就看著他拿著杯子，作動作要收，把桌面的枯山水和上頭的融雪，要收場了，收到那咖啡杯裡，一切都那麼理所當然。

像魔術或像一個劇場，開始的意外，但是結束卻可能變得尋常。

所以，本來她還有點忐忑，有點怪異的擔心，有點捨不得，也有點期待，心情很複雜，就這樣子，才一會兒的時間，就好像過了好久好久。

但後來發生的事，反而更意外，他竟在所有的收場要開始之前的那一剎那，反而就隨即把杯子放開，讓其掉落，就這樣地摔破了。

「這就是我現在的狀態。」他對她說。全咖啡廳的人都在看他們，雖然有點尷尬。但是，她並不覺得不好意思，只是覺得巴哈的音樂在這種逼人的靜謐中，變得好入戲地切題著，甚至，前所未有過地，反而令從來對巴哈沒感覺的她印象深刻了起來，出現了某種出奇地動人。

她說，那時候，她覺得她愛上他了。好奇怪，她從來沒有過這種感覺，因爲，她沒有過那種被一個人迷住過的感覺。好心動，但又出奇地害怕。

「後來呢？」我問她。

「就失去聯絡了。」她說。

「再過一陣子，就聽那請我轉交書那個朋友說，」她露出一種奇怪的惋惜的眼神，說：「他不久就被送去精神病院了。」

姊姊說：「祂要我當牧師，但是那時候我在想爲什麼我被選上，難道只是因爲我願意。或是，那是另一種更深的考驗。甚至，我覺得自己還是太淺，我要講什麼，很害怕，因爲我什麼都不懂。但是，在禱告中的祂對我說，你就當成只是來幫我，只是把房間的燈開好，桌子椅子排好，等人來，不要想太多。」

後來，在禱告時，感覺自己看到一個景象，她說她在騎腳踏車騎得很累又很汗流浹背，但是神撥開天，然後給她一輛法拉利車開，要她去幫更多人，她說她不會開，但是神說車自己會動，她不用會開，她竟然看到好多蟲在推著那輛車，果然車眞的動了起來，還動得越來越快。

那是我和姊姊在峇里島的最後一天，充斥著難以名狀的潮聲與野煙。半夜聽到海的聲音，很沉很近，潮是一波一波，像是一種極低迷的混音，令人不安而迷亂，但是又令人心動極了！我們住過好幾個旅館，都在懸崖上，都在海邊。

但是，卻是最後這一晚才在睡前聽到海的聲音。

一開始，還不太確定，只覺得是一陣一陣，像壓縮機的或不明機械的雜音，低低沉沉地，不明顯。甚至，還懷疑是不是自己聽錯了。因爲，太奇怪了，太不尋常，但是還是感覺得到，像是逼近了，而且是所有聲音都開始慢慢消失之後，才開始出現的。

或是我也一直沒有留意，太多白天或晚上分心的聲響。這是最後一天，所有的事情都變得遲緩，甚至不太在乎了，因爲這旅行太久，也有點太忙而太累。到這裡才感覺到比較明顯，尤其在最後睡前聽到海的聲音的時候，海的潮音，靜下來在這裡仔細聽的時候，好像因此顯得有點不一樣了。

想起了吃晚餐的時候。姊姊說：「面對神，面對主的祝福。或許你應該仍然是充滿懷疑的。因爲對你而言，什麼是平靜，滿足，你還並不清楚。或許你更應該說出你的懷疑，每一個人對神的見證是很不一樣的，有人甚至對神禱告。如果　對我的允諾是眞的，請讓我看到彩虹，或是今天出門可以一路都是綠燈。但是你或許不是這種人，你要用自己的方式發問，用你自己的方式懷疑你的人生。你沒有神的眷顧，或許狀況會更慘。所有的災難，病，痛，都是沒有原因的，你會迷失的。但是也好，這是你的選擇。」

這間房間已然是整個旅館的最後一間，離入口大廳最遠，走廊的最盡頭，長長的牆。太長的雨季，潮濕得有如被畫下了太多國畫的潑墨般的水漬。還有更多除了苔蘚外而更誇張地攀生長成的蔓藤植物，無法無天地長成怪物繁殖成另一種肢體輪廓不一定清晰，但一定野蠻地野生開的爬牆虎，甚至就爬滿了整個旅館。尤其，太多的房間，別墅獨棟的獨門獨戶，並列排開，幾乎是雷同的外觀，一戶一戶，出簷的幾步小步階，陳舊的銅扣環，木門扇，火燈柱，然後再接到兩側的長牆，走久了，最後會覺得每一個門每一條路無限地蔓延，而且都只像一整道枝繁葉茂的迷宮圖案的其中一塊、其中一條路徑，顯得出奇地遙遠，好像怎麼走都永遠走不完那麼長又那麼混亂。

尤其是整個旅館的走廊的開始，有一個仔細地供奉神龕，空的老石椅綁著紅布，椅底下的塔身裹著更大的一如披肩的黑白相間的布，像袈裟那般地鋪陳某種莫名的莊嚴，旁邊則又撐起一把金黃得如許華麗的傘，很多小型的供品，米粒、艾草、黃花放在小竹簍中，但都已然有點被風吹雨淋地委靡，正如一個我們看不見的神祇正栩栩如生地坐在上頭，看著這裡眾生的成住壞空或僅僅地監視或觀照，加持或督促，在那廊裡走了一陣子，迷路找路了一陣子，老是會更有種莫名的更大的什麼神通是在場的心悸。

更奇怪的現況，更難解釋，像一種刻意的更誇張的風光，我們到的這時光，正是工事最大的狀態，這旅館旁邊竟然有一個更大的旅館，正在蓋也還在蓋，用鋪天蓋地的姿態幾乎完全地吞沒了這個我們住的旅館天空線完全變成是那新旅館的張牙舞爪的覆蓋，尤其它還正是工地。那三層樓空中的混凝土柱和樓板很大，尤其它的造型很特殊，是一種出奇的弧狀怪流線形，像一種惡地形的海岸地形的奇石凹陷，或是完全石化的古代巨獸化石，那種充斥著生冷灰暗的水泥的斷崖側面，坑坑窪窪，卻又無限延伸到海邊那漫長的村落的遠方。

就在我們住的那一個最遙遠最偏僻的Villa，從游泳池旁看出圍牆，就是這整座的龐大巨獸，像科幻片中那種有一天醒來外星戰艦已然占滿了城市的上空，太巨大到幾乎完全地遮蔽了所有的天空、陽光、雲彩尺度太驚人地反差，彷彿世界末日，毀滅人類的啓示錄已然啓動，那種絕望。尤其我們房裡的池邊本來也有一個石刻的長滿苔蘚的老神像，但是，在那龐大混凝土巨獸的環伺中顯得好小。

晚上，由於整天太熱的溫度和跛著走路太累了，所以我就進臥房先躺下了。

就在床上的最後睡前的寤寐之中，本來都是我比較晚睡的，今天不太尋常，突然聽到Villa裡另一間客廳姊姊在收拾行李的聲音。這種氣息好陌生又好熟悉，不像在旅館，反而像已然回到家了，甚至像回到小時候的家，我們小時候一起長大的童年的那種時光，家裡常常沒人而空蕩，父母都在忙，都不在。彷彿是某個封凍住的記憶深處的某個藏著很裡頭的身世，我們共同的身世，被解凍了在一個熱帶島嶼的某一個晚上。

我快入夢了，但是卻陷入某種很久沒有過的情緒，那時候的我們都還是小孩，在自己的房間，做自己的事，專注而渙散，有時候更冗長到沒有時間感了，只是感覺到姊姊在自己的房間做她的事，進行她的人生，用一種我並不了解的方式。但是，我知道她在那裡，就在我旁邊，用某種更深刻而我沒有留意過的方式活著，一如我像是所有的家的幻覺的完全的縮影，畫面裡我們長大過的這四十多年近五十年的時光快轉了所有的家的角落一如一場場最精密繁複的場景出現但是終究又無情地崩塌消失，所有的家人一如一個個盛妝搶戲的演員入鏡，但是終究又蕭索地黯淡離去，但是，事實上，這些畫面並沒有出現，但是，極度安靜中我一直被海的潮聲所牽動，太多的情緒一直一直地湧現。

我後來卻聽到聲音，不清楚，好像聽到院子有聲音，窸窸窣窣，好像風聲也有人進來，因爲我們住的這一間畢竟是邊間。我開始有點擔心時，卻聽到另一間客廳從門縫和高過隔間木門的縫隙餘光中好像傳來姊姊在說話，但是仍然聽不清楚，後來也好像在哭，有種奇怪的不明的情緒在裡頭，我還是不確定我聽到的是不是眞的，只是氣息停留在某種更遙遠的時光及其餘緒，我恍恍惚惚地，輾轉反側，又過了好一陣子，我仍然沒有起身，海的潮聲仍然地低沉嗚嗚咽咽，有著迴蕩而迴然不同的音的波動。突然，我竟然聽到了姊姊開始在唱歌，歌聲卻很明顯，她在唱我們小時候的兒歌！

那是媽媽哄我們睡的時候常唱的歌，而且歌聲很平靜而幸福，那時候，我才慢慢地離開那種擔心。其實我並不確定那時候我是否已然睡著了，但是，就在聽到歌聲的不久之後，我就慢慢地安心地入睡。

六

想起我和姊姊那天下午去的離旅館很近的海邊。那是海灘拉開的一整個海岸線的風光，那是許許多多靠海的小咖啡廳小海產餐廳，大多都十分老舊、輕率，沿著一處當地的林林總總的有點陰的紅布紮裹的空石椅小神龕，往海岸沿途搭起。風極大極深，從這一側的海灘還可以看到不遠的著名的四季大旅館，但是太遠了。和這邊的市井完全不同，這裡太荒涼而荒誕，有一個出了名的當地老魚市，許多當地人也會來買，有些則是海產店當場殺給客人，就這樣一整排巨大陰暗搭起木棚架的老市場裡，雖然已然是天快黑的午後，我們走過的時候，仍然還有太多魚攤開在芭蕉葉上，本來應該是很生猛海鮮式地動人的，但是卻因爲整天的太熱太髒太草草收場而很可怕，魚的眼睛都發白，甲殼的蝦蟹龍蝦都奄奄一息地晃動，太多本來都應該是最鮮活的魚缸和冰櫃都已然發霉而充滿蝕漬，除下的魚鱗和蟹殼極腥臭，在空氣中作祟。還有許許多多蒼蠅繞飛糾纏，像一個屍橫遍野的屠宰場，或就是像一個太老舊壞毀的燒杯裝滿過期腐敗福馬林浸泡的魚類的古生物博物館。

風很大，無精打采，使得海邊魚市燒椰殼的吹過來的煙、風、海的潮聲，更大更誇張。風中狼煙裡的峇里島傳統鼓笛音樂，仍然有點瑟縮，但是巨大芭蕉葉在強烈炙身的陽光搖擺不定，掃地的灰塵和路上車塵也飛捲入煙中，尤其是店裡在殺魚煮魚的地方，燒起乾椰子殼來當燃料，使得整個海岸在燒大火的時候，顯得更爲迷亂，火燒煙起的那氣味極嗆鼻但卻極像小時候在彰化鄉下的農田在燒稻草的某種好久不見的風景的迷茫，使得那像大漠的更蠻荒的狼煙。

但是，最惹眼的卻仍然是那旅館的巨大混凝土工地的巨獸，正更灰暗猙獰的像在雲中平白無故地騰空飛起。

姊姊看到了這些風光的奇幻時，突然想到了一些小時候的畫面。並且說起了糾纏她三十年的小時候的膝蓋痛，昨晚發作了。她比我最近的膝痛更深深地困在裡頭，因爲始終一直在痛，因爲不明的原因。天氣變了，身體弱了，心情沉了，甚至連不動也會痛。

那是一種因果病，太多人跟她說。

「後來，好奇怪，拖了那麼久完全絕望了，完全放棄會好了。但是，反而後來是在那種完全沒有期待的心情的冗長過程中好的。最奇怪的時間，如果仔細想，竟然是我們搬到臺北之後就沒有再痛過。」「好奇怪。竟然也就是離開彰化好的！」

我說：「或許是離開我們那老家和那些老家人的怨念才好的！」

姊姊說：「那病讓我跟媽媽去找過很多人醫，沒醫好。後來就找更多人問，問卜，問仙姑，問師父，什麼地方都去過了，問太多。」

最後，都說是因果病，沒法子醫。姊姊說：「這麼多問過的人裡，我印象最深的是去一個彰化鄉下的王母娘娘小神壇，髒兮兮又亂糟糟，只是一個農家農舍旁很陰的老榕樹下的一間破舊小木屋，什麼都沒有，只有一張簡陋的老木桌。但是有好多人在排隊等候，對她非常的敬畏而尊敬，那個本來看起來猥猥瑣瑣的中年女人，只有看兩小時。在每天的天快黑的時候，規矩很多，但是聽說很靈驗，媽媽說她不識字，但是燒香拜完起壇之後，整個人就完全不一樣了，突然臉上泛起紅光，身體變得很不一樣地從容優雅，尊貴雍容，慈眉善目。彷彿整個木製破敗的小木屋案前充滿雲彩神通的氤氳，令人不安但卻又異常心安，她在一附身之後，就開始變成另一種聲音說話，解說果報，勸人爲善。甚至就拿起毛筆，用極爲娟秀的書法開始寫字，寫出好幾頁的奇怪的中藥藥名的藥單，令人匪夷所思。」

姊姊說：「那是三十多年前的事了，記不太清楚王母娘娘說的話的細節。只記得有點激動又有點同情的那充滿神通的女人，皺著很深的眉頭。說我上幾世都是番邦的王子，那前幾世因爲帶兵打仗殺了太多人。所以這世是來還的，爲前幾世作的孽還債的，也就是幫我投胎的這個充滿災難的家還債。」

「唉！」在那張很多螞蟻和無名蟲子爬來爬去的老木桌前的王母娘娘嘆了一口氣說：「在那鄉下田野也燒起的稻草的一如現在的大火所燃成的一整片天空的野煙之前。」她說：「你這一生都是好人，也做了一生功德。可是，要看因果怎麼解，因爲怨結太深了。累世冤親債主太多找上了你這輩子，找上你這個痛得不可能好的膝蓋。」

顏麗子是如何把寶島大旅社蓋起來的（第23篇）方舟。

顏麗子好幾天晚上都沒睡好，每天都拖很晚，也又都作同一個奇怪的夢。她夢見了寶島大旅社的後院走廊尾端不知爲何出現了好多的小學校教室，而教室外頭的走廊連接到更多的彷彿走都走不完的校園，但是，很多人很緊張地在跑，因爲那裡好像出事了，剛開始她也不清楚發生了什麼事，只是雨變大了。天色變成詭譎的暗沉，雲層越壓越低，風雨漸漸強烈到搖晃整個建築的木製門窗都發出駭人的巨響，彷彿隨時就要解體那麼地激烈。

森山陪著顏麗子擔心地在廊前廊後巡視，勘察。但是，過不久就變成了更緊張而無奈地搶救，因爲更後來，雨水太驚人地注入，整個建築的木頭梁柱已然支撐不了，到處都開始剝解斷裂而不停激烈地洩洪般漏水。又過了一陣子，她終於在木頭廊底下發現了她最擔心的狀況發生了，完全無法挽回了，整個寶島大旅社竟然周圍的路都已然被淹沒了，而且水位還在快速地上漲。

所有人都慌了，而森山和她就在一樓樓板底下還看到一如原油那種黑水一直灌進來，湍急而大量地湧入，本來那走廊還只像是和室紙門旁窄小陰暗的步道，一如所有低矮而侷促的日式老木頭房子，而黑水漸漸淹上了舊木地板及和室內的榻榻米。

所有人都慌張地在想辦法，整個寶島大旅社彷彿困在一場巨大的災難中，災情還在擴散。有點像連續下了七天七夜的大雨的滂沱，卻完全沒有變小的絕望，或是整個房子已然被沖離了，變成一艘浮沉於氾濫成災的浪潮裡而快淹沒的破船。但是，不知爲何，雨下太大太急，終於淹起了大水，而且過了好久，仍然遲遲沒退潮般的狀態。

森山和她甚至在廊底的一個樓梯天井往下走的當倉庫的舊房間著急地呼救，找人來想辦法挽回，其實也很困難了，因爲他們發現了黑水太快往下倒灌，使整個角落變成像是完全漆黑的油槽，淹沒了所有的地下層。因此，底下浮出很多怪異的地下室原有的老東西，剛開始是小學校的吃一半發餿的便當盒，爛到棉絮都跑出來的板擦，木頭都蛀蝕毀壞的破課桌椅，都在黑水的浸泡中發出極度噁心的惡臭。

甚至，更後來，水越灌越深，連寶島大旅社裡的那些貴重不捨的珍藏，都沖刷而漂流到這個死角，那許許多多的閃爍的器物半浮半沉於越來越急的黑水死角，撞歪的鑲嵌鑄銅蛇頭的檜木弧形樓梯扶手，半毀的巴黎華麗的大廳玻璃美術燈，歪歪扭扭的深漆色胡桃木製酒櫃或書櫃被大水的漩渦輾轉反側地拉扯到裡頭的珍藏紅酒和精裝厚重書冊都也散落出來。

顏麗子一邊打撈一邊低泣，她花了一生的氣力才蓋起來的寶島大旅社就這樣被淹沒了。她其實在夢中還不知道這是一個預兆，一個會在五十年後發生的做大水的惡兆。整個寶島大旅社，那條旅社在街頭坐落的長壽街，連長壽街底那個多年後她弟弟當校長而她家族所有小孩包括我都在那裡念過在那裡長大的小學校，一如整個當年的彰化城都將在這場大水中淹沒。

在夢裡的最後，顏麗子和森山已然完全地放棄，他們只是呆坐在樓梯裡，往樓下越來越高的淹起的大水望去，注視著這整個建築，一如這條街和這個城，慢慢地沉沒於越來越深的黑水中，他們彷彿在一個漆黑的油槽的末端，絕望地打量，挽救是太困難了，即使森山還曾幾乎是全身走入又黑又濃稠的液體裡，爲了僅僅幫顏麗子撈起她那最心疼弧形扶梯把手的鑄銅蛇頭。

但是，就在這時候，不可思議地，他們竟然看到一個太意外的風光，一個異象，一如一種暗示，充滿彷彿是救贖的暗示。那是在他們呆坐的地方往下看，就從那樓梯最底天井深處的一如黑洞的死角，在令人不安極了的時光裡出現，那眞是一個出奇的畫面，完全無法置信，因爲，竟然在激流的湍急漩渦中，浮出一艘奇怪型號的小學校操場所安放給兒童玩的老式潛水艇，弧面帶鉚釘的普魯士藍長橢圓體造型，還有許多圓形的玻璃窗，雖然已然在漂流中撞擊得有點扭曲而不太成形了，還卡了許多的苔痕和刮傷的殘痕。但是，在那災難現場，整個漂浮中的深藍弧橢圓球仍然還是顯得那麼地可愛而輕率，因爲，就在深黑色的大水中，好多蟑螂和螻蟻和不明昆蟲就爬上了那髒兮兮的假潛水艇，像是太熟練演習過的大型的撤退，所有的生態系的極無心但又彷彿極用心的可能，巧合，宿命，神的旨意的揭示，在所有的人都放棄了，放棄了挽救。

牠們卻上路了，一如一艘方舟，往寶島大旅社外的長壽街淹成的長河，不慌不忙的牠們仍然就這樣載浮載沉地漂流而去。

旅社部（第12篇）W。

一

在W，三十五樓，看出去很動人，那是忠孝東路那一整條街綿延得又深又遠的燈火，那麼華麗，那麼高聳又那麼地晃動地車燈穿梭地流動的速度與光影的隱隱約約卻又如此激烈。另一個焦點是所看出去的Bellavita的屋頂，好多層好多道燈管連接串出的光，那弧線的光好怪異，使得古典的建築全部變暗變背景，只剩下輪廓線。像一個巨大而繁複的古典樣式的古燈，巴洛克的拱圈環繞主柱、複柱、細柱。一層層拼鑄成某種弧度交錯的光影，像某種科幻片裡刻意打造貴族皇室的旗艦太空船的古典風的奢靡而炫目，就這樣地降落在這個城這個街廓，和旁邊的信義區辦公大樓極度地格格不入。我本來是那麼看不起這個最昂貴的百貨公司，但是，從這高空看下去卻有種美得那麼奇特意外的炫目，再旁邊，可以看到更多意外的其他光景，竟然有一棟蓋到一半的摩天樓，在最高處有一座懸臂的吊車鋼架，正很慢地移動，像在施工中，大樓的樓層還是空的，梁柱都露出混凝土和鋼筋，充斥了某種粗獷而龐然的磅礡，就像最著稱的廢墟巴別塔那座未蓋好就荒廢了的高塔那般……但是，卻又那麼地唐突地聳立在這裡，還在最新最潮的阪急百貨公司的最高樓層的華麗上頭。

更底下是捷運市府站的出口，是和公車轉運站連接，上頭還有一個充滿綠叢和不規則樓梯的庭園，從遠方都看得好清楚，像一個長長馬路尾端的端景，景山在紫禁城最後那般地風水。這裡其實就在信義計畫區最邊緣的角落了，沿著基隆路和忠孝東路的轉角長起來的極高層建築一直在蓋。我印象中這棟好高的樓蓋了好久，一直到最近才落成，後來開始晚上會發光，用一種高明的燈光設計，變成整面建築體流瀉的ＬＥＤ燈影沖下，一如流星雨般地誇張。

我沒有那麼不喜歡，這著名的旅館所著名的部分，尤其最近我那麼需要療癒。而且我老是會因而想起，我是什麼時候開始變得不一樣的，酸腐，憤怒，自以爲進步，對於庸俗帶來的快樂那麼過敏。

但是，這旅館其實並不庸俗啊！它是設計旅館，又是五星級旅館中連鎖系列裡以和藝術設計最有關最用心出名的。我們的房間是很花心思設計過的，雖然並不是我意料中的那種，但是，卻仍有另一種奇特的時髦與小心翼翼。雖然我心情不太好，也沒那麼期待，但是住進去了，還是有一種被照顧到某種講究的細膩而變得有些開心。

顏色材質設計的拿捏是高明的，但和我想的不太一樣，像旅遊生活頻道上才會出現的那種很愉悅很開朗的昂貴，這旅館不用力在某些學院才辨識得出來的美學上的偏執，所有設計手勢的炫耀都大抵是像全球富豪假期勝地或世界十大豪宅精選那種調調。十樓才能check in，但一樓大廳入口仍然很大。整個巨大的挑空中，有著當代藝術裝置成的金屬懸吊物在天花板上空，像由於不明原因群飛的小型不明飛行物那麼撲朔迷離，而底下有一個造型怪異的穿像ＭＩＢ制服的服務人員站著的櫃檯。我始終記得那個巨型的造型check in深色櫃面上切割出銳利金屬的銀亮英文字母。上頭卻只拼出一個字：whatever。

二

那天是端午。

我一直被那高樓落地窗外的光景的迷離所迷惑。

後來，我自己先去十二樓的三溫暖。遇到了一個很體面的日本中年人帶著自己的兒子，一起緩緩地走進來，那父親看起來是精明的跨國公司主管，臉龐沉著而從容，看魚尾紋的密度，應該已然四五十歲了，卻仍然年輕精瘦，身上沒有一絲贅肉，但是又不像藝人或運動員的那種更爲難得。他那小孩雖然只大概十出頭歲，但是說話走路都很得體，應對極小心細膩到一如成人，那是那種極貴族的家族才可能擁有的教養。

甚至，我心中一直有種更怪異的聯想，就像一種被實驗過的人種，因爲全球的感染，在上世紀的某一晚所有的人都死了，而過了一百年只有他們父子活下來而變成了一種大自然的異數或一種瀕臨死亡稀有動物之類的傳說，編號一號二號的作爲實驗對象的物種，抵抗人類惡化的淨化。或許到更後來，就是某種父子割自己玩而發現自己傷口還會自動癒合的那種太極端的我的離奇幻想。

在空空的那全白的更衣室，尤其走在更深的樓層設施，看到了那面對窗外的躺椅，設計細節精密而有未來感的風格，一整排的雪白的白椅、白桌、白毛巾，像極了太空艙的那種嶄新明亮的太過高科技的氣息。而且，因爲完全沒人，沒有空氣中的雜質般地沒有旁人，就更加強了那種太乾淨到不太像眞的狀態，這種狀態是這個旅館的最有特色的反差，像殖民地，像溫室裡氣溫濕度都精密操控的密密麻麻的密室。

但是，這對日本父子在這種地方出現，又顯得那麼理所當然，好像這裡就是爲他們量身打造的，這種精密卻令我有點情緒，一如在偶像劇裡的場景之中，出現的以精心挑選打造過的講究人物，他們的演技太好到連得體的衣著配件或身體的小動作，表情的從容都太入戲，而從假的變成眞的，或許，就只是我不願意承認，這裡是已然進化過的地方，而他們已然就是進化過的人類及其家族，做爲這種幻覺的選民。

尤其在那一個高科幻實驗室設備般的機器前頭，那是一個極度奇怪的場景，就出現在父子走入的畫面裡，就在那一個三溫暖空廣場的正中央。從天花板降落的銀質圓柱，一直長到地面的也是銀色的地上，柱心被挖空，柱中間出現了圓形金屬托盤。仔細打量，竟然發現那是一個那麼古怪的機械裝置，甚至每五秒會有一如碎鑽般的少量的碎冰從上頭慢慢地向下墜落到柱心正中央。那竟然就是一台製冰機器。但是，結冰的流動與凝結與墜落卻考究到像是某種結晶，某種等上千年才會等到的天山奇石或琉璃，或是那種從外星無意飄過地球隕落的隕石。

那時，我看到那對父子，正從原木的蒸氣室中出來，經過那奇幻的製冰機器，手牽著手，沒有說話，步伐整齊卻又非常緩慢地一起向場景的另一端走去，好怪。我好像闖入了另一個時空，另一種溫馨感人又無限冰冷的人類補完計畫那種現場。

其實不然，那時候我只是困在極簡風的太熱的熱水池裡頭，無法分心。那是一個完全的墨黑大理石圍出冷峻而削瘦的方池，或許只能也只是一種按摩浴缸的進化版。但是，我是直到坐進去最裡頭，才發現池底嵌住的一整把不鏽鋼的弧形躺椅，造型像一部銀質的古老蒸氣機械裝置或哈雷重機的後座翹首皮椅的自詡，尤其在躺椅曲面的金屬感的閃閃發亮中，還會從很多曲面金屬上的細小孔洞中冒出氣泡。尤其當人坐到上面時，按下按鈕，一直會發出嗶嗶噗噗地冒泡的瑣碎雜音，更後來，更就會發現整個身體會完全陷入氣泡中，像進入了一個正要爆炸的鍋爐，或一個令人不安又絕望的實驗室煮沸燒瓶裡無法脫逃。

更後來，我終於離開了熱水池。但是，泡湯完正在冒汗而全身發軟的我只能疲憊地從熱水池中緩緩走了出來，也跟著那對父子走到另外一端，躺在椅子上。但是，看到他們手上卻在看另一些旅館裡的更講究讀物，有幾本精美的W旅館的全球分館的別冊，英文的國際財經報紙或旅遊指南，高檔得近乎冷門的設計或時尚雜誌，英文的米其林餐廳指南與各種異國食譜，還有更多頂級度假勝地精選集。

但是，最後我只隨意地拿起一本英文版「新中國風」大陸摩登室內設計專書。然而，看了之後，好不容易沒情緒的假日竟然就因而充滿了情緒，因爲我好喜歡也好厭倦那裡頭的餘緒，因爲書中充斥了許許多多藝術家，畫廊主人，企業主，外國策展人在大陸所找到了的迷人古建築，住了進去。打點了許許多多也很迷人的老東西，變得幾乎難以挑剔的某種懷古模樣。因爲那書裡頭都是那些很迷人的老房子所改建成一種像畫或古董的古代氣味，最後還住入古建築裡但卻精心地打理而活在現代，活在明清式太師椅長古桌美人靠……種種老家具和新裝潢相互較勁的摩登，完成更考究的收編古代進入現代的進化。但是，我仍然覺得充滿對這種摩登懷舊的疑惑。因爲，這種進化太完美了，太乾淨俐落地切題又巧妙地重新時髦地亮相登場入戲，但是，卻已完全抽離了那些老房子長出來的髒髒亂亂的身世，變成某種難以明說的異國情調式的一點也不愁的鄉愁。

一如，在這房間裡的有點不安，在房間睡著前，我感覺到始終有點異樣。彷彿一直有低音在流動，像遠方一直在播放強烈又激動的舞曲，雖然聲音不明顯。但是仍然感覺得到那低頻的晃動，還有某股冷氣口的風，隱隱約約。其實，一整天什麼事都沒做，像昏迷般，或只是發呆。

只是老坐在落地窗旁的長型躺椅，一直發呆地看出去，那是多奢侈的空空蕩蕩。在臺北這最昂貴到彷彿路上所有的草木都奢華到金光閃閃的這一帶。

我們在畫素太高液晶螢幕又太大的電視中感覺到這個旅館太未來了又太充滿科幻的暗示了。一如，我竟然就在電視裡，又看到了《超異能英雄》影集廣告，某一季某一集，名稱就叫：「日蝕下集」。《超異能英雄》裡頭的幾句對白：「我想看看自己，沒了超能力，還能做我想做的事嗎？還可以拯救世界嗎？」「你不該那麼輕易告訴別人你的名字的，如果被知道名字就會被殺。」「一直在看漫畫的阿寬說，我不想長大，也不想拯救世界。」更後來，我們更晚睡不著所看到的，在午夜一點到三點，一直在播那怪異得近乎荒唐的golf的廣告。在荒深的公路上想攔車的嬉皮們，連艱難地搭便車都寫一張牛皮紙箱拆下的紙片，上頭寫golf，彷彿沒有這種死忠的車種不搭那種決心。畫面是昏黃雜質很多的老電影畫質，像一種全球同時發生的災難片的拍法，只是一個虛擬的更懷舊地沒什麼道理的浪漫或幻想，也就是一個完全不失望的老嬉皮的等待果陀般的迷幻版。那廣告的最後，更出人意外地在許許多多車輛許久不理會他們之後。竟然，在空曠荒涼的公路上，等到了一台老式的圓形飛碟。在那麼晚的夜裡看了那麼多回之後，對那種荒唐仍然有種奇怪的窩心。另一個廣告是三十多年以後重拍的《檀島警騎2.0》要上了所播出那主題曲的Remix新電音版。主題一出來，我突然回想到小時候看過《檀島警騎》的氣氛，就像這個旅館那麼浮華奢靡般地想要時髦。尤其，在夜裡想到那時候我才是小學生，想到其實那個年代電視節目很悶也很少，因此，更不免覺得那影集和那音樂在那年代也顯得太流暢太華麗，像檀香山的那海灘、那城市、那城市裡的俊男美女和種種糾葛的夢幻，在當年那老影集裡，可是連凶殺案的凶殺，都顯得那麼地夢幻那麼地時髦。

這W旅館，在很多公共場子的大廳或走廊或電梯間或樓梯間的天花樓板大多有玻璃也有鏡面，都很精心。

走在裡頭，就像被有自己或沒有自己的鏡像包圍，早餐菜色很講究，也有很多講究的人，那buffet早餐廳的所有面外的穿廊空間設計也出奇地講究。而且，因爲有太多太多玻璃櫃面、桌面、窗面，極度地透明又挑高，所以出奇地明亮，尤其在游泳池畔可以襯托出更穿透的水光倒影。我想到蔚然海岸旁的像尼斯或坎城的度假感，海邊的地中海的天空，空氣，飽含的慵懶而時髦的氣息那種迷人。

但是，就在這時候我發現了一個奇異的角落，有一個藏教的符般法器懸起。在高處，像是要鎮住什麼那般的這個怪法器讓我想起很多傳說。因爲，傳說著許許多多的謠傳在信義區，好多大樓都有符，所有的建築要蓋之前都一定找地理師來看過，不然一定會出事。因爲，這一帶以前就是刑場，也就是墳地。最有名的是凱悅飯店，就因爲出過太多事，就在入口大廳前頭，在主要電梯的兩側，裝上最著名的密宗林雲用極大毛筆字跡的血紅色所畫出的兩張鎮鬼魂的巨神符，還刻意裱裝成畫框般的大型的畫，在現場不可思議地突出，誇張到非常地明顯。不知道的人還以爲只是兩幅紅墨書法抽象畫而已。其實聽說主要以前出過太離奇的事，離奇到旅館的旅客常睡到一半會看到有人站在床前之類的鬼畫面，所以才去想法子請神符來鎮懾的。然而，這一切也都可能只是以訛傳訛的更大也更深的誤解或謠傳。

只是，在W這裡，我想到了雷同的恐懼，因爲那木製古怪的藏文符咒幅匾立牌乍看或許像一個不明顯的從藏廟買回來有高僧加持過的法器。但仔細看，卻是一塊精密鑄造手工藏文咒語，而且就像有神明神通駐守般地在入口上方鑲嵌玻璃牆的原木胡桃木古怪梁架上，位置懸置地出奇隱匿又出奇高聳，不仔細打量還找不到。

然而，我的眼睛太好。而且因爲符匾太神祕又太懸疑了，所以一看到也就沒辦法不看到。就像星斗或日月懸空般地安置在那裡，使得我在仰泳時變得無法不分心地看著那些古怪符咒，而且隨著波浪，符形就一直晃動也一直遠去。那種感覺太反差地玄奧古怪，因爲，在那裡的現場，明明只像是一個炫目設計成像加勒比海毒梟的豪宅搖頭派對現場的時髦游泳池。寶藍、粉紅、芥末黃的兩側高彩度躺椅上，充滿了漆色極亮色的陽傘下的比基尼少女和熟女，還有更多尖叫而胡鬧的外國小孩，所有長空豔陽下的一切都顯得那麼地歡樂。雲彩太高，陽光太亮，天空太藍的五月的那種端午長假，那種在春天最後也在盛夏酷熱還沒有來之前的太過珍貴的氣候，那種空氣中少有微風的涼意，那種在露天的池畔才擁有飽含濕意到難得舒服的奢侈。

但是，我仍然只在水中緩慢地游泳，仍然仰看注視著雲彩也緩慢地移轉在藍色的天和日光中飄浮。如此看久了，竟然有種奇怪的懷疑從心中升起，因爲，那W的極大英文金屬字型裝置，那兩側平行拉高聳立的時髦摩天樓透視線，在那神祕玄奧的藏文符匾正上方看起來，突然變得那麼地虛幻，那麼地像假的。

我想到昨晚，我和她路過那游泳池畔所開放的端午夜週末的火熱喧譁盛況的景象，像極了紐約最炙手可熱夜店的撒野與風靡，那些穿著妖嬈極了的盛妝女人和用力打扮的潮男。在電音舞曲的迷幻中，在Remix那些女神卡卡或碧昂絲般最前衛的性感音頻裡，更性感地狂舞。

那些最風騷最潮的狂歡人群延伸到旅館入口大廳，迷幻電音越來越擴張而炫耀到充斥到整棟摩天樓都瀰漫著極度的瘋狂與野蠻。我跟她說：「這就是臺北最新版本的五月節。這時代最歧異顯學的端午，一如古代天候躁動百蟲驟出，然而卻有另一種現代風靡的群妖亂舞。」我想起了這種預言的重新兌現，彷彿W旅館就是這時代壓不住更多現代白蛇青蛇擅場的扭曲變形的摩天樓般雷峰塔，而且也同時容納著更多更浪漫也更妖異潮濕的如此離奇的傳說。

而那游泳池畔的夜店名稱竟然也如此切題就叫做：WET。

第二天有點晚的早上，在check out前的最後。我們又回到了游泳池畔。人變得好多，太多人check in時，就看到游泳池畔好擠。原來，池畔的座位是最受歡迎，而且兩天前就被訂光了，那裡太多人了。端午節，太大的大假，像是一種時光的倒轉，流動，所有的場景和角色登台，出場序更動的重演一回，或是演員調整，讓不同的人演同一個角色，同樣的地方說話同樣地笑、跳水、漂浮、游移。但是，有些光影的角度強烈些，某些角落的暗部微弱些沒有人發現，只有我心裡知道。我在藏文符匾的更前方池畔廣場竟然發現了一個乍看既可愛又怪異的不鏽鋼巨大球體雕塑，整體曲折又巧妙串聯的現場，安放了放大到擁有數個反光銀亮鏡面的金屬球體，有大有小，不規則地焊接在一起，形體很簡單，甚至有點可愛，有一端那一大兩小的部分，瀏覽中不仔細看，還以爲只是米老鼠的頭的放大版，但變成純銀白的某種巨型卡通人形的玩笑，那麼地歡樂而醒目。

但是走向前去，卻因爲接近到那反光的球弧面，而竟然看到完全不一樣的景象。因爲，更仔細地端詳，那每一個球面，不論多大或多小，都同時倒映出整棟W旅館高樓的高聳，也就是我仰泳時看到的L型摩天樓面高度全景。但是，怪異的是，這摩天樓全景卻是彎曲的，全部扭轉成一個最誇張的魚眼鏡頭才拍得出的變貌。那變動歪扭的建築樣貌就像一個刻意變形的模型的幻象，或就是一隻被收入狹窄法器的巨大神獸一直想探出頭的倒影。甚至，這還同時鑲嵌入每一個球體裡，大大小小的眾分身有著諸般切割但又不切割，諸般歪歪扭扭的投影但又不呈現全貌，只是不規則地複製而散置漫無邊際地發散折射，因此，在所有的池畔與樓最邊緣往下看之間，那幾乎是一團團這個妖幻游泳池現場幻象的總結。

或說，更荒謬的畫面是這些幻象也只就像數十個同時顯像的巨大哈哈鏡，好多人都過去拍照可以看到自己在不同的鏡面出現不同的鏡像，那麼地扭曲又那麼地可笑，在自己也還沒有準備去面對自己的這種變貌之前，就環伺在那裡。還在亮麗的日照前閃閃發光，更讓人覺得自己是身在幻境之中，在一種無限度逼真的Game的場景裡。

但是拍的時候，將也看到自己也被歪扭地攝入，就這樣每個人都變成那變貌摩天樓旅館的一部分，每個人身都更扭曲地蜷縮成更小的一團。像弄臣，像座騎，就群魔亂舞般地守在某巨大的妖廟宮殿之前。然而，太陽越來越大。我仍然坐在游泳池畔的唯一一個菸灰缸旁抽菸，煙霧瀰漫在越來越烈的陽光中。我就呆坐在那裡看現場一個怪樂團怪樂器的演奏，更多人來懶散地散步，或更懶散地游泳、側躺、說話、喝雞尾酒。或是，就只是閉眼地進入日光浴的漫漫而恢恢般昏迷地入迷。但是，在我噴出煙中看出去，那後頭的巴別塔廢墟大樓竟然也更巨大了。而且，更令人納悶地那高樓上頭的藏廟古怪符匾的咒語形貌，在煙霧裡反而奇怪地看得越來越清晰，所有的高彩度的符形的書法筆畫弧度變得扭曲而混亂，光暈糾葛於沉默的讖文裡，藤蔓觸手形貌的邊緣裝飾一仔細端詳竟然彷彿蛇紋地顫抖了，像是被不明空氣裡發散狂舞人們的餘溫與迷幻電音的餘音繞梁的什麼所激發，所催化，而令人愕然地，眞的動了起來。

三

我始終記得太多她說的在夜店裡裡外外發生的性愛畫面。

記得那些畫面裡的某些性愛的人物在某些場景相遇的某些方式的種種迷茫又激烈，種種充滿離奇或不離奇的狀態，演進而發生，用種種快轉又慢轉的運鏡。特寫的滴下的汗流浹背的狼狽但曖昧的濕潤浸泡，魯莽抽送撞擊肉體的聲響的回響，更多舌尖舔入後近乎愛情的某種情愫發酵的太深入的慾壑難塡的慾念橫流。或許，就是野生動物般撒野的躍躍欲試，撲殺的撲朔迷離，體液的流動，噴出，潮吹，射精更多的濕透，一如那一天的大雨，淋漓地淋濕全身。

在那個旅館待了更久，覺得更窩心地恍惚。那個旅館房間的形狀是有點怪怪的奇幻形貌的邊間，長窗弧形落地窗看出去有四五層高架橋令人暈眩的纏繞交錯，還有更遠的基隆河和灰沉沉的天空，浸泡入那天迷茫離奇的大雨很療癒，但卻是好令人不安的療癒。

她說她那晚很好，放鬆，保留，享受，沉浸當下，還留下一些美好的飢餓感。沒有太久太激烈，反而一直在敘舊，做愛變得一直分神。她說她過去在交歡的抽送起伏之間，她總是會進入一層重度昏迷模式而無法思考。但是那天太不一樣了，因爲她要跟我說她過去的色情故事，所以在我插入的激烈抽送中，她的意識仍然被迫不斷切換，時而過去時而現在，時而是自己時而像是別人，像在偷窺自己就是別人的交歡，時間和空間和肉體都溶解而糾纏不清地令她太過混亂，但也太過清醒，是那樣地層層疊疊地插入抽出包裹釋放。她淫水流得太濕太氾濫，高潮一直潮起潮落，完全無法解釋。

她跟我說那是太遙遠又太接近的色情遭遇，你不該喚醒我，不該喚醒這些殘念般的慾念的，一如最老吸血鬼吸血的古老回憶從血管的血液中追溯的死因，那般地用力殘忍而殘暴，吸吮，咬噬，吞沒所有的更淫蕩的可能但又更不著痕跡。

她說：「那是一個荷蘭人。外商公司駐台高級主管，他是一個女朋友的朋友，約了我很多次，我一直不願意，但是那一陣子過得很不好，而且就在和那時候情人吵架的那一晚心情也很不好，後來就混亂地答應了，那是在一個中永和之間的黝黑公園，約的時候已然太晚，我的心裡也明白是會怎麼樣。但是，還有點遲疑，後來，說了話一陣子，他就馬上吻了我。而且，第一次就是很深很糾纏的舌吻，他的技巧很好，但是我心裡卻不太願意，因爲我對他太沒有感覺，一切發生得太快又太理所當然。即使到了後來，跟他回家，其實他很體貼也性情很好，陰莖很大，長得很俊美高大，而且很溫柔也很會幹，我不知道我們有多激烈，只記得我們做愛做很久，一切都很完美，那幾乎是一個夢，一種身體太契合地奢侈的性交。可是，我卻更沮喪，因爲，我才眞實而逼近地發現了自己是那麼不喜歡和陌生人做愛，那只有肉體，沒有更多的什麼，好像缺了一種荷爾蒙之外的更深更窩心的什麼，我好難過，也記得好清楚，即使那個荷蘭人還是激烈地要了一整夜，在他家，很美的套房，樓層很高，視野很好，那晚來了太多次高潮而昏睡過去的我心情還是很複雜。後來，他也睡了之後，半夜我只睡了二小時就醒來，就在那黝黑而華麗的他那歐洲風的套房中啜泣了起來，覺得自己好像失去了什麼很重要的感覺，心頭挖空了胸臆的最裡頭的什麼。」她說她在死寂中穿上一件一件滿地的內衣、裙子、襯衫，然後便靜謐地逃走了。

她說她一點也不記得了，那一個完全沒有感情的做愛的晚上。

第二個是荷蘭人那晚上一個禮拜後在夜店裡遇到的香港古董商。一開始就很有好感，他很會撫摸，一如他很會收古玉，整晚他一直在說他收的太多又珍貴又稀有的各種玉器的典故，他一邊愛撫她的手，一邊提及玉的質地如何細膩溫潤無雜質才上好，羊脂白及純黃最爲珍貴的玉種，好的玉必來自新疆和闐，溫潤剔透而細緻無雜質，硬度約六度左右，古代也有陝西的藍田玉，河南的獨山玉及東北的岫岩玉等地方玉製成的古玉，現代的仿古玉多來自俄羅斯玉韓國玉或靠近新疆的清海料。但是，其色澤潤度遠不及和闐古玉，就這樣，一直緩緩說著玉的他是那麼地自詡，說她的手腕手指那麼修長弧度那麼像和闐玉的質地的又溫潤又冷冽地令人想深深浸淫。

她知道他太聰明狡猾地世故，慧黠的他太了解女人，即使他說的每一句謊言都很好聽，也知道他的用意。但是，還是很甜，她也一整晚一直被他迷住了。兩個人就一邊貼身地跳舞，從人群裡頭跳到外頭，肉體糾纏不清到一直分不開，後來到了夜店的廁所外，她感覺到他的陰莖已然很硬很久了，他拉她的手伸入他的褲襠中，幫他手淫，在龜頭縫隙中細揉他的分泌出的精液，而他也很溫柔地擁抱她的臀部，用一種很曲折迂迴的柔軟手掌的弧緣一直從容而輕微地愛撫她，使她也太入迷到陰唇一直流出淫液。後來，實在太晚了，酒精和舞都太多。她太濕了，但她還一直遲疑，只是因爲不想像上禮拜荷蘭人那一次。最後，她還是硬生生地走了，心中忐忑不安時，天亮了他竟傳訊息來，我把早餐做好了，所有的凱撒沙拉、法國麵包、羅宋湯在宋代的好幾個古玉碗玉盤上，等你來。「Out of sight, out of mind.」她說：「我很心動，可是我沒有去。」

另一個在夜店遇到的美國華僑，就住在信義區的另一個旅館裡。「那晚上從夜店去他的旅館，他一摸我的腿就硬了，我的腿太美太光滑，沒有腿毛，他很迷戀我，他很會玩女人，手指很厲害，後來他幹了我一整晚。那是我第一次肛交，他用了好高明又好緩慢的油，按摩我太久了，我全身好像都融化了。他說他以前是體操選手，對於全身的肌肉都有過人的控制力，可以用二頭肌揉她的雙腿內側，一如那種最高難度的療癒師對芭蕾舞者或體操手或瑜伽師的深度按摩，我被深深按入我一向痠痛緊張的肩頸時就馬上高潮了，之後就一直在高潮的高原上，潮起潮落了近一小時，淫水流濕了整張床單，像淹沒了白色地形地貌的湖光山色的水景那麼淋漓盡致。

「他把我舉起來，像小時候的造飛機，用兩腿膝蓋頂住我的鼠蹊深處，把我雙手舉起一如飛在半空中了，或盤旋全身一如啦啦隊拋空或離地的瞬間體位失重的種種姿勢的變幻。就這樣，和他一直做愛到天亮，在這種彷彿進入了前所未有的旋轉木馬般的遊樂園密技初體驗裡，我被迷住了，那晚上那麼地奇特而歡樂，使我太喜歡他了，即使他大我快一倍的年紀。但是他那麼細膩體貼又充滿活力，睡醒後，我們後來一起去淡水，甚至邀我和朋友吃了極講究的懷石料理晚餐，那是令人太開心的一天，我幾乎就愛上他了。他後來一直跟我聯繫，一直叫我去美國找他，他有自己的公司，甚至很有錢到有一個自己的島，他說我們可以在那個島的完全無人海灘上的每一個角落造飛機。

「如果不是那晚上回旅館時他的房間裡有一個女人在等他，他很生氣地和她談了好久而陷入尷尬的話，我或許就會眞的愛上他而跟著他回美國了。」

她說：「這種事，遇到的女人都不會跟男人講的，甚至自己都忘了那一段時光，玩得太凶了的那一段時光。我其實也一直並不清楚那時候自己到底眞正在乎什麼……」她問我：「你到底想問什麼？」

我不知道怎麼跟她解釋，我一直被她的色情故事的更多死角的曲折所勾引，牽動，不捨，甚至打從心裡又嫉妒又愛憐。

一如她說國中就看的那種日本變態小說，川端康成、三島由紀夫、谷崎潤一郎寫出來的肉身陰翳的迷離，太多那種很色又完全性無能老人依賴愛撫年輕少女的肉體的補償與折磨，所有的青春都是空幻耗盡但卻又激烈極了的激情，無法抵抗或離開，即使他們的陰莖已然老邁萎縮到完全地毀壞，一如他們對自己一生的自暴自棄的殘酷浪蕩。但是，在那個最後的幽微的時光，卻又充滿了自盡般的幸福感。

我跟她說，我就一如那變態又病態的老人，一直看著她幫我吸吮陰莖的純眞甜美眼神，撫摸撥開她的青春髮絲，那麼那麼地浸泡入這種福馬林的厚玻璃透光的燒杯裡不明動物屍體標本般的時光，充滿了肉身激烈如淋漓汗水整晚交歡或現場豪華奢靡離奇場景的遙遠召喚。

她的那段迷亂時光的淫蕩氣息的無限擴張，我仍然彷彿躲在那裡，藏身在那時刻，仔細地注視她在被一個一個不同男人激烈地插入抽送，那抱起她瘦弱全身在空中幹她的肌肉金髮美男，撫摸她下體一如撫摸古玉器般細膩的古董商老男人，曾經舉起她雙腿凌空造飛機式地激烈抽送的老體操選手的世故性愛玩家。

時差消失了。在那旅館裡，她繼續說著她的色情故事，天方夜譚般的一個接一個的淫蕩畫面，種種在交歡中離奇的高難度姿勢、呻吟、扭動、彎腰的妖嬈，在那麼多的幻覺中，我的勃起更爲亢奮，陰莖正被她坐入得如此地深入，晃動得那麼激動，一直高潮的她呻吟而尖叫，彷彿有四個男人同時在幹她，用各種不同的體位，插入她的潮濕的陰唇、肛門、嘴唇和更多的雙手的手淫撫摸中，淋漓盡致的香汗淋漓。

窗外仍然大雨。

她說：「還是好令人不安的療癒。」

我們就只能做愛在一種更像幻覺式地自嘲又互嘲裡頭的平行餘溫，一種隔空取物式的窺淫狂又不小心看到凶殺現場的恐慌遺緒，一種《全面啓動》裡不同層夢境用歌聲的沉浸串起不斷拉長的時間的無法挽回又無法放棄。

我們睏了，但又不忍入睡，兩個人仍然注視著房間裡的餘光，或許是等待了更久更窩心地恍惚，在兩人下體還糾纏在一起的不忍離去中，緩緩地一起看出長窗弧形落地窗外，看到那四五層高架橋仍然令人暈眩的纏繞交錯，仍然還有更遠的基隆河和灰沉沉的天空，所有的詩意的陰翳都仍然在，仍然浸泡在這幾天迷茫離奇的大雨，雨繼續地下大，一如淫濕的她的過去的氾濫，正重新決堤那般決心而無心地淹沒我們。

那一晚的雨中，我始終記得她那最後一個關於夜店的更離奇的故事。

她說到那年夏天住在一個交換的暑假各國大學生回國的西班牙公寓，一群室友有一晚一起去了巴塞隆納的古教堂改成的極度新潮的夜店跳舞過週末。所有人都玩瘋了，歐洲人、美國人、黑人、阿拉伯人所有的人都很快找到了伴，各自帶開去找地方交歡了，她因爲在外國，有點擔心而忐忑不安極了，她並沒有想太多，她需要感覺，也需要感情的更多一點點的什麼，這使她在那個哥德老教堂太多石雕巨大怪獸的迴廊中顯得那麼的孤單，其實她覺得好滿足了，因爲那個古建築的陰霾宗教氣息充斥在電音迷幻的舞曲巨響已然是那麼的動人，所有的年輕歐洲男男女女都那麼地俊俏而美麗，有點醉意的她走向找洗手間的路上，太陰森迂迴的走廊是太遠了，而且太暗到幾乎是走入一個地窖的最深角落。她說：「在那裡，我看到了一個永遠難以忘懷的畫面，因爲，有一對長得極爲性感的年輕男女竟然太大膽地在所有走廊的人們面前就極猥褻地互相撫摸性器官了起來，甚至，全身肌肉刺青的猛男一把撕裂那有鼻環紅髮少女的網襪，兩個人在廁所外頭就激烈地做愛起來，太大聲淫叫的女孩在男人太用力的抽送中顯得那麼地亢奮而盡興。」她說：「我看得太入迷了，就待在那裡的暗處角落，開心地看完活春宮的激烈。」

她說：「我一直看到兩人已然做愛完了，那肌肉男穿好衣服往回走了。但是，離開了十幾步遠，在那仍然充滿電音與閃爍光影的走廊另一端，那男人竟然又回頭說，很大聲地對著她喊：讓我們再幹一次吧！但是，那紅髮少女只是對他微笑，然後搖搖手。他才慢慢離去。」

然後，發生了一件奇怪的事，因爲那少女竟然轉過頭來，對躲在旁邊角落暗處的她說：「妳該試試他那怪物般的雞巴。」

四

信義區老是和怨念或和災難有關，好怪。

我跟她說，我始終記得那天下午，我正坐在凱悅大廳，想想怎麼會發生這種事，太離譜到令人難以置信。因爲那是一個颱風天，我們卻還是來這個信義區的最龐大最有名的五星級飯店，凱悅，因爲我們的家族聚會，姊姊堅持要請吃母親最愛的凱菲屋歐式自助餐的下午茶，全家一起慶祝那年的母親節。

我自己一個人先到了，坐在一樓等母親和其他家人，現場越來越混亂，看到一整團的繁瑣沉重行李和日本客人們，外頭的暴雨越來越大，他們仍然停留在要走不走的不安與煩悶之中，另一團他們的小孩安靜地坐在大廳入口的前庭，那惹眼招搖的四大巨型花崗岩圓柱與暖灰雲彩紋的大理石噴水池之間，像是一整座因宙斯無故暴怒而即將被摧枯拉朽般摧毀的希臘聖殿殘柱廢墟。但是，即使那麼苦惱卻沉默地面對這種無奈卻誇張的暴風雨，他們仍然那麼沉著。

我跟她說：「他們的沉著，使我太奇怪地印象深刻，也使這個暴風雨顯得更爲出奇意外地駭人。」

但是，在那個困住的現場，更離奇的反而是大廳另一端的盡頭，那是另一種誇張，有一個宴會大廳的一側是辦一個箭在弦上的婚禮，好多人在宴會廳外頭慌慌張張地張羅，很多該來的人都還沒來，風雨越來越大，但婚禮已然要開始了。就這樣，那對緊張的新郎新娘，就在門口和另一群來幫忙朋友般的穿精心窄版西裝年輕男人和盛妝禮服女人們，一起煩惱地商量，就這樣，婚禮的喜氣和五星級飯店喜宴的優雅都突然變得好稀薄，那種種應對暴風雨的彷彿危機處理時光變得太糾纏又太冗長。

最後，太年輕又太焦慮的他們溜到凱悅飯店的大門口抽菸。那一個新娘太惹眼了，因爲，也正在那裡等候家人到來的我也正在抽菸，在屋簷下的雨勢越來越大中躲雨的我無奈地往旁徐噴出煙時，往左側不經意地看去，但是，新娘的禮服實在太輕薄又太新潮，因爲那穿全身雪白蕾絲新娘禮服的剪裁太美卻太透明地薄，甚至薄到雙腿曲線和下體，在逆光時看得彷彿連陰毛都看得到地清楚。

我仍然站在那裡，一動也不動，也假裝沒有看到。風雨越來越大，沒有人在留意這種意外。其實大門六扇落地雙開玻璃門關了四扇，只留一扇出入，另一扇搬行李。但我留意的奇怪是，他們將一根鐵桿橫放在門的惹眼的把手上，那看來就很重而握推時也就更沉的把手，本來在完全透明玻璃上懸著，就很惹眼。而且，由於凱悅的五星級旅館的用力到近乎做作的設計感，使得那把手就像一個歐洲老到三百年的古豪宅的入口才會有的華麗，極體面銀曲面勾縫但上下有金色銅頂環鎖住，但又是改良重做復刻版古典的巴洛克裝飾的手鐲的極講究的那種新的細膩。

另一方面，就是「重」。每回來凱悅，四米高的透明的門，爲何印象中，都那麼沉。明明六扇大門加上入口大廳正面全面高到近十米寬三十米那麼大那麼深那麼多人進出的畫面，就像是被設定在一個鑲金框的電視牆上，紐約時代廣場或東京澀谷車站前那種城市最大廣場的最大液晶投影機體面板，畫質更細，顏色光澤更美，所有場景人物都更華麗地逼眞時，所令人更會引發的困惑。這是，眞的嗎？尤其，那天。那災難前夕。但那裡，用很沉的鑄鐵桿封住的大門，全面戒備，高科技的金屬玻璃，所要防禦的，不像是外頭狂風暴雨的恐怖。反而像是要封住，一個這豪華古典建築裡的可怕的什麼不要跑出去，而大家都沒有發現。只是和我一樣安靜地坐在大廳沙發上發呆，等候。等待一些什麼。是災難或不一定知道災難是否會來或已來過的什麼。

我跟她說：「這種狀態像極了《惡靈古堡》一直拍下去續集相仿的片頭或雷同線上遊戲的開機畫面。那古怪的畫面中，女主角張開眼睛，完全不記得過去了，也更不知道自己爲什麼在這裡，只發現自己就躺在病床上插滿管，但好不容易拔管走出去，才發現這座蓋在一座古典豪華宅第建築裡頭的全死白全閃爍白亮的巨大高科技實驗室都沒有人，而再往外走就發現，在那歐洲古豪宅門口，握住的古銅把手同樣地精密沉重，但卻發現推不出去，仔細看才發現古老房屋的門窗完全被用強度極高厚度極厚的防爆玻璃封住了。納悶的她，往那透過玻璃門外，仔細看出去，才發現，地上廣場上躺滿了屍體，外頭整條街整個城的人全死了。而只有一群鳥，在那裡，在地上跳躍，走動，開心地吃死屍。她那時還不知道她才是被封住在古堡裡的惡靈。雖然，蜜拉仍然很美，也穿得很性感。雖然，也沒人知道殭屍們正在集結出動，繼續肆虐。」

就是這種懸疑，高科技又古典的華麗，使那一天，使災難變得很美好。

五

那個深晚，在暗暗的已然打烊的百貨公司地下一樓那老派茶館的最深的角落，無人的場景。太沉浸於黑暗的空氣，下雨的濕透，我們在沉重的古董桌旁邊，一開始還有點害羞，只是想也沒有做過這種荒唐的事。

後來，就一直說話，一直抽菸。注視著到處角落可能的監視器，她坐在我身上，讓她的陰唇坐上我的陰莖，然後那麼隱約又沉浸地晃蕩，就這樣我緊抱著她，內心有種很深地感動。或許，是一種幻覺，一種幸福感的深深感動。

就這樣，我的龜頭越來越硬，她越來越濕，那是那麼深的插送，那麼迷離的入夢般地進入，就在那一瞬間，我在她的身體內射精了。甚至，在那麼恍惚的時光的極度亢奮之中，我有種難以明說的茫然，甚至，在那麼隱隱約約的忽明忽暗中，我還看到前方的黝黑車道的深廊中，有一部摩托車一直斜斜騎過的燈影閃過。那麼像是幻起幻滅的幻覺深處的虛幻。我們一直說話，也一直抽菸，抽好久好久，抽太多菸，我一直被她那很媚惑的抽菸手勢所迷惑。

後來，更晚了。在天井裡的我們變得更恐懼但我們更親密了。一開始，我的手悄悄地伸入她的兩腿之間，爲她手淫。她沒有穿內褲，我們仍然一邊若無其事地說話，一邊緩緩地抽菸吐煙，她的陰唇流出淫水，我的手指越伸入越深，她的下體就越來越濕。

尤其旁邊還有三個穿西裝套裝的年輕業務員在認眞地談他們的業務，在不遠的鄰桌，沒有人發現，使得我們更爲亢奮，也更爲小心。她的神情完全尋常如舊地微笑，但是兩腿卻越夾越緊密也越潮濕，那幾乎是一個完美的時光，就像是魔鬼承諾浮士德的這種太奢侈狀態的難得，而且一點都不遲疑也不後悔這種貪心，被侵入腦海的完全甘心，情願，我們都願意了，交出靈魂，演化的最後，不要未來了，只要現在。

甚至，更後來天井關燈了，百貨公司的櫥窗完全地放下鐵門，那三個業務員走了。後來，所有的下班的人也都陸續地全部離開了。我們始終忐忑，但是我們假裝我們仍然只是因爲忙太晚而依依不捨，而仍然只是在抽菸。更後來，在那個就沒有人的天井，雖然還是一直有更近又更遠的光，路人的說話聲，或驀然的人影，從天井上方的欄杆旁晃過，更遠的天空還有更遠的百貨公司高樓和五星級旅館的天空線剪影，越注視在夜空中卻越恍惚。因爲，她微笑著低聲說，你幫忙把風。之後，她就埋首於我的身上，緩慢而沉著，沒有太多的顧慮，甚至不太緊張地著急，就只是一如我們時而的擁抱，像花開了或月圓了那麼地自然而然，就這樣，她用她如玉的手拉開長褲的襠，張開雙唇，竟然眞的就把我的龜頭含入她的溫暖潮濕的口中，甚至開始用舌頭顫動地深舔陰莖。最後要離開了，才回到一樓廣場，下雨中的施工現場，許多工事，太多光影在已然關燈的百貨公司大樓之間迴盪，懸吊裝場的機械緩緩轉動位移的低沉聲響，好多人在趕路向捷運站。我們也沿路走過剛剛的野合，假裝沒事，遠紅外線。

她說：「她想起這晚上，是這麼開心，因爲這種淫蕩的狀態竟是如此特殊，因爲淫蕩竟然是那麼尋常，好像把做愛已然變成吃飯般地自然而然，只是一種無須迴避或隱藏的尋常狀態。」

就這樣，回到地上一樓，人間還人聲鼎沸。走吧，我們這對狗男女再去旅行時也來找地方多野合吧！她說，我們太危險了，整個信義區布滿了CCTV，都是遠紅外線的。但是，我笑著說，我們只是擁抱而撒嬌。只是，那種被紅外線相機盜拍的野合的男女的節奏跟姿勢可都跟我們一樣呢！

她說：「那麼，以後我們轉速調一下，慢一點？」

我跟她說：「其實我太累了，多謝你的包涵。」太刺激了，因爲我進入她不久就射精了。她安慰我，野合就該這樣。這種不尋常的舉動，應該有其必要發生的原因。一如，一部電視裡的偵探片《推理要在晚餐後》，我總又被這些說日語的故事，在日本發生的種種狀態所迷住了。在那命案中，所有人都沒有動機。在一個太華麗的豪宅中，一個推理劇的後頭，死前留言，凶手的名字，嫁禍，老實說出我的想法，案發的現場的疑惑。其實只是一部偶像劇的荒唐。

但是，又彷彿有其線索，其隱含的意思。所以我跟她說，這一晚的野合到底是什麼意思？

她跟我說：「後來回到家沐浴時，你射在我體內的才跟著經期末血塊一起流出。」這是某種太隱藏版的探險，色情的對所有可能角落的侵入，我們太激烈了，也太小心了。儘管那裡那麼黑，那麼可以避開所有的干擾、規定、人潮、噪音、夜雨、監視器、禁忌。一如那裡可以抽菸、濕黏黏的舌吻、舔、探，那裡當然也可以野合般地做愛。

她說：「我怎麼覺得我最近的種種也逼近這種逼開內心凍結的什麼的經歷。」

她說：「一如卡夫卡提過的那種只有咬我們刺我們的書的遭遇，才值得我們讀。書的遭遇，必須是能逼開我們內心凍結的海的斧頭才是眞的遭遇。」

那使她開始有一種交錯但融化中的錯覺，彷彿更野的什麼釋放出來了。我還老記得，我們在黑暗中做愛的那時候，她還假裝百貨公司的工作人員用擴音器播放的聲音，開玩笑地在我耳邊說：「天井那對狗男女好會幹，請繼續幹。」

顏麗子是如何把寶島大旅社蓋起來的（第24篇）桃太郎。

顏麗子說：「有一個女的老朋友陪我去寶島大旅社的酒吧喝酒，那天我和森山吵架，心情不好。」

兩人越喝越晚，最後她喝太茫了，出現了的有些幻覺，或許是眞的，但是她已然分不清了，有一剎那，她覺得自己的嘴感覺疾速地變大，有另一剎那她覺得寶島大旅社疾速地變小，所以她就一口把整個建築吞下去了。

朋友說她喝得太茫吃了太多，也說了太多，而且她一直沒有停，一直太激動了。但是，顏麗子並不在乎，她反而比較吃驚的是，她那時候說話的有些部分自己竟然完全不記得了。失控，失憶，自己的人生突然空白了一塊，不知道發生了什麼，又更不知道如何挽救。有點回神之後，她一直擔心自己吃了什麼？或是怎麼把寶島大旅社再吐出來？

又拉扯了更久，她們最後要一起走出去，到了寶島大旅社那很高又很暗的沙龍酒吧櫃檯，她說要請客，但是結的帳非常高，她一直想看帳單，看不清楚，就又覺得對老朋友不好意思，兩人就在沙龍那裡僵持了更久，近乎扭打起來，又昏又醉的她甚至不記得她的朋友是怎麼走的。

顏麗子第二天頭痛欲裂地醒來，朋友已然走了，但她仍然躺在寶島大旅社的某一個房間裡。她一直在回想著她的朋友跟她說的一個故事，她不確定哪部分是眞的，哪部分是幻覺的。顏麗子對來陪她的森山說她的朋友人太好但心太軟，而且就在一個專醫小孩的絕症醫院當護士，老醫生人很好，對她很照顧，但是她很痛苦，因爲很多小孩來的時候，就已經快過世了。

他們一直勸她，工作中不要融入感情，但是她沒辦法。那朋友常常會去參加小孩的葬禮，一去，回來就不免難過得沒辦法工作。「我收集很多小孩送我的小禮物，就是爲了不能忘記那些死去的小孩們。」那朋友說了好多好多，但是，顏麗子對森山說她記不太得了，甚至不太確定是不是自己喝茫了而出現的幻覺。

只記得有一個小孩跟那朋友說過一個桃太郎的故事，使得她好想在寶島大旅社裡做一間專門給小孩的房間，華麗地裝潢成一個馬戲團，或一列火車，或一個所有童話都可以搬演的劇場，像寓言，或像夢，甚至就像幻覺，都好。那小孩說的那故事好動人，但是他說給她聽完沒幾天就去世了。

從前從前，有一次桃太郎坐上了一列華麗的火車，他一直都被火車上太華麗的像馬戲團的裝潢所吸引而分心，裡頭有很多小孩在玩，也有很多小孩在死去。因爲，有很多危險的陷阱和怪物，有蜘蛛肢體的狗和貓和兔子那種種家裡的可愛小型哺乳類，有的變成了寵物，有的變成了怪獸，有的變成玩伴，有的變成了害蟲。桃太郎遇到了更多的變形動物，他並沒有全部都動手，甚至有時只是和牠們說話，還毫無顧忌地和幾隻怪物一起坐，一起睡。就這樣，過了好幾天，在火車裡的桃太郎越來越不害怕，甚至覺得好奇而好玩，他走進了這一節一節充滿了各種變種動物的車廂，甚至最後，他走到了一個更末端也更小的包廂，去找那據說是全火車最厲害的怪物。但是，往前走更近時，桃太郎在黝黑角落的餘光中，竟然看到有一隻只有巴掌大的妖猴，全身毛色是華麗的金黃色，極度妖冶而絢爛像一尊發出光芒閃爍的神像，令人不安卻又無法不注視，牠太空洞了又太靈驗，像一種妖獸，極優雅又極猙獰，極雍容華貴又極具攻擊性。甚至，更奇怪的是，牠深金色的全身肢體上還長出許多更奇怪的銀斑點，仔細看才發現竟然有一團團更小的銀白點狀的另一種寄生蟲正在攻擊牠。那隻妖猴看到他走進來時，只說：「好癢，好癢。」

還跟桃太郎說好多年不見，他們就在很多動物的車廂裡開始敘舊。但是沒有人發現，因爲沒有人理牠，也沒有人理桃太郎，因爲當他們敘舊時，才發現所有在現場的變形動物和小孩也都停止了玩和攻擊。甚至，都一起坐了下來，專注地開始一起吃起剛發下來的火車便當。

寶島部（第13篇）敗家女。

一

堂姊說，她不知爲何困住，或被什麼困住，但是，就是完全做不出來。一開始本來只是那堂課的老教授出了一個小功課，所有人要做一個和自己尺寸一樣的人台，做一個像人形或傀儡或那布娃娃等身高的身體，再幫她做之後的衣服。但是，後來人形布娃娃一做出來，她卻崩潰了。就像一部肉身從縫縫補補地精密縫合到最後剝離毀棄的驚悚劇，充滿了內心戲，冥頑不靈的冥想，怨天尤人的怨念，但是卻完全沒法子講。

她跟她的教授說，她做完了，但是，也沒做完。因爲老覺得自己做出來了的那個布娃娃不存在，她不是眞的。

那是更深的質疑，她說：「因爲我不存在，或說，是我感覺不到自己的存在。」

她的教授老露出狐疑的不解，這不過就只是縫一個布娃娃，爲什麼會變成這麼煩惱，像一種幻覺般的心理學或形上學的困惑。但是，她說：「我越來越困惑，所以後來就越做越慢，猶豫不決，所有的決定都很困難，所以變得很慢，太多不明不白的時間過了。」

她才縫了一個歪歪扭扭的耳朵，兩個大小眼的眼珠，三個不規則又不同形狀的突出物叫做乳房，四條像樹根藤蔓又像觸手的長矮腿，縫縫補補地都是血紅線在胚布上，像縫壞的傷痕，太深的刀疤，甚至就是一個妖人，用別人的肢體殘骸所重新縫合的肉身，遺棄的或出過事的暗示。

我覺得，這才是我。這人形才是有血有肉。對我而言，要感覺到自己一向很難，我一向是一個很不容易被說服的人，過去曾經感覺到自己比較存在的時候，反而卻是另一些奇怪的時光，或許就是生病到失神的時候。身體有了異狀或疼痛或失眠般的困擾的時候。覺得失控了才比較意識到自己有個身體。但是，這種猶豫的心情和工法使我做得出奇地慢，慢到同學已然縫完一整個人形，我才能縫完一隻肌肉賁張卻錯亂扭曲的腿。做的過程就像進手術房，一隻彎曲的手臂，一隻痙攣的小腿，那般地做，最後，才一一地接上到形變得更怪異的頭顱，接上彷彿抽搐到完全扭扭捏捏的身體，整個過程，太冗長又太離奇了，甚至像是在手術房裡大體解剖或易容、整形、截肢、接骨或甚至是在一個古代的祕教密室藉作法儀式的神通召喚幽靈而竟然就借屍還魂般地出現那般地靈驗。」

那種靈驗彷彿需要更長久的靈犀來進入，她那些日子裡完全地入迷到近乎入魔。就常常在深夜的幽微裡一邊縫一邊看那人形，越來才越感覺到這就是她要的，其實這人形會長成什麼樣子，在一開始她也不知道，也只是不會太雷同的尋常肉身，或許會有很多手很多腳或很多個頭顱，但是也可能什麼都沒有。

因爲人形的身體，更後來更變得跟她的身體一樣，太強烈了。但是，不知爲何，後來把散落四地的破碎肢體和頭顱放在一起，用很多排法，把她的頭身與手腳，拼在一起，但是，就都會打架，想要很用力要找一些答案。其實，「我的每一部位都很用力做，做得很精密而繁複地漂亮。但是，越漂亮就越不知道怎麼辦，最後還是接不起來的，那很巨大的像問題又像答案的質疑。她的身體到底是什麼，所有的肉身局部輪廓都出來了，都還是在，但還是沒有魂魄，魂不附體般地老是沒辦法解決。」

堂姊說，「常常做完就早上，沒辦法。只低頭，落淚，做到最後越來越成形的時候，有時候一恍神，在某些時刻的剝離之後，就會發現我變成別人在看她。她的好不容易長出來歪歪扭扭的手指、頭形、臉龐、身體，都沒有改變，但是卻彷彿緩緩溶解般地離得越來越遠，也離我越來越遠。我甚至不知道爲什麼，我要找別的理由。或許，我自己也不確定，我爲什麼要做，爲什麼要做成那樣，爲什麼要用別的方法或說法去解釋自己做的，我也沒辦法解釋原來想的。因爲，在做的過程，我不想被注視，被期待，甚至只是被看見，因爲我不想被別人看見我正在做那件事，那件我也沒辦法解釋的事。最後把布娃娃等身的所有局部全部拼出來之後，像是爲了要紀念什麼。迴光返照般地重新看著她，然後召喚，然後爲了找回什麼般地拍照。

然後把布身穿上去，但是最後卻完全不行。也就是她感受不到，爲什麼那個人要穿，爲什麼要那樣長，長成那樣子。我也沒辦法解釋，也沒辦法告訴別人：我應該要怎麼樣，或我可以怎麼樣。說到後來，根本就像我沒有做也沒有事發生過。我做的那個身體根本不存在，我的身體也不存在了。做人形的過程，有一個同學會因爲同情而陪我，我會常跟他抱怨，他也跟我抱怨，抱怨很多形的事、縫的事、人的事，抱怨很多。但是，我越聽越發現我抱怨的卻是我自己。他問的我的問題，或是他告訴的我的狀況，我根本沒有辦法解決啊！不是根本沒辦法，而是更激進地根本不想。因爲，那就是我。但是，他卻也因此說破了一件事，之前有一個很深交的同學也跟我說過。他說我對別人的質疑完全沒有反駁的能力。我並不知他說的是不是事實，是不是我眞的陷入那狀態，但是，我眞的沒有認眞地面對過自己以外的別人，而且如果再加上情緒，再加上那人形，我就會更失控，也就會很難受地完全困住了。」

同學跟她說，他的比喻比較貼切。他說一般人看到一座山，沒有山洞，沒有路，就會離開，可是我一直在繞著山跑，自己在找看不到的路，但根本沒有路，卻又不死心地一直找而不放棄，就像是繞死胡同，她不知道他講的是不是眞的，就像一開始的那自己到底存不存在的感覺的問題，是不是完全沒辦法解決的執著。到後來，她發現了自己太無法分心在肉身之外，因爲完全沒辦法同時處理很多問題，只能處理這個問題，只能進入這問題的更裡頭的層面。沒有感覺就怎麼做都可以了，就失去了做那個人形布娃娃的眞正原因。甚至這件事講不出來，一直沒講，但是到現在，也不是因爲他跟她講。最後，就只能坐在那個布娃娃旁邊，什麼事都不能做。

還有一件事，關於人形她在做這件事之前，她會覺得，在透露情緒之前，所有人都很狡猾，大家都不說法門，只在罵她好高騖遠地做人形的事。因為，她老是想了一個很難的東西，她覺得可以，但永遠做不出來。總之是一種一定要賭最險的局的賭徒的心情而等待失敗。

她說，「我到底有什麼毛病，我怎麼會用這種方式做事，怎麼會有這麼多麻煩。怎麼沒有辦法解決中間空白的部分。不知道怎麼做，甚至看不到選項。這些後來才慢慢出來的，本來是我沒有預料的。人形做出來的現在才遇到了，肉身的神通及其變幻到現在，才明白竟然有這麼大，大到我完全看不見，像盲人摸象那樣地恐慌，或許我也有狡猾的部分。因為說了這麼多，還就只是在空談，沒有用，我也很想用力，但是還做不出來，所以後來就只能坐在那裡一動也不動，什麼別的事都不能做。雖然已經刻意把一些次要的別的事刪掉，我以為透過閃過別的事，可以專注於自己的肉身的更裡頭的困擾。

而且我一直就是，這樣講出來也沒有用了，因為害怕一講出來，還會被人家以為只是末端的情緒，而不是開端很困惱的什麼。更多時候，我也只能老坐在人形布娃娃旁邊。我和她這中間空白太大。但是我卻又對她感覺那麼強烈。有時甚至強烈到我必須要蒙著眼睛縫她，完全不敢看她，才能著力，或是在一種密室裡藉著那種很昏暗的泛黃的燈，才能入手。

然後，裡面還有一件很小的但對我來說很煩惱的事。因為，我真的不懂布娃娃到底在告訴我什麼？那時候仍然每天都這麼糟，常常無意識地就低頭抽搐而哭泣了起來。」

她跟我說：「那時候發生太多事了，我覺得我不行了，我感覺不到我的身體，後來，才開始想要找。」而且，甚至是因為一種令她害怕的更神祕的狀態，最後她哭了，一直哭。她說：「更後來，每到半夜的時候，只要自己落單，那個被我縫成妖怪的人形布娃娃就一直跟我說話。」

二

一個京都做的老洋娃娃，堂姊說她當年去日本念服裝設計的動機是關於她小時候收到的這個奇怪的禮物，那娃娃的身形跟一歲小孩差不多，但頭比一歲小孩大一點，頭跟四肢是某種神祕莫測的塑料材質，但身體是用布做的，裡面塞滿了特殊質地的某種古怪棉花，不知是原本就塞得極細膩精密地緊，還是隨著時間棉花已然更不知如何地變質，所以是一個抱起來有奇特到近乎肉身感覺的娃娃，抱著相對於柔軟的身體，但不時會碰觸到那些比較硬的塑料手和腿。或許因爲身體是棉花做的關係，所以這個娃娃只能一直坐著，或是躺著、趴著，就是無法好好的站著。記得小時候搬動這個娃娃時，常常會被塑料四肢打到，因此而亂發了一場脾氣。

因爲那娃娃是在她還沒出生之前，是四姑買給大表姊玩的，這個娃娃是一種著名的京都手工製作的「洋娃娃」，有一頭咖啡色的捲髮，某種異人館才會出現的日本人在那個時代所想像的洋人那種難以言喻的奇幻，穿著用和服花布花樣所剪裁成極貼身講究版形的華麗洋裝，普魯士藍的透明度極高的玻璃球瞳孔的眼珠，捲曲弧度又美又長的睫毛，那是某種歐洲貴族小女孩的極完美的妝容扮相，有種太精心打造而令人隱隱不安的氣息，尤其是被當年店家不斷自傲提及的最大的特色，某種動力或重力機關的巧妙裝置，使得洋娃娃躺著的時候，眼皮就會跟著闔上，那在當年是多麼不可思議的事情，太不可能地逼眞，接近眞人的栩栩如生，也因此，令她又愛又怕。那是她小小的內心想去日本學做衣服的某種最早的心動。去那一個服裝的設計可以奇幻到像幻術的國度，彷彿自己手工就可以做出一個美人，像一種有魔術的魔女。

那眞的是一個太昂貴的娃娃，所以表姊長大了，就一路往下，傳給適合大家族裡的表妹或堂妹們，後來到堂姊手上時，已經是第三第四手了！就她有記憶以來，那洋娃娃送過來時就已然放在一個常打不開的髒兮兮的厚紙板盒子裡，上一個太愛這個洋娃娃的好動表姊每天抱著她玩甚至抱著她睡了好幾年，後來因爲玩太凶，近乎被玩壞了的她就有點令人不忍地殘缺了，那眞人頭髮材質植入的曲度修長優美的捲髮就亂了打結好幾團，有些地方還被剪成一塊禿一塊禿的膚色的頭皮，殘留下來的一撮撮超短頭髮，洋裝破了幾個洞，蕾絲四處脫落，身體的部分，灰灰舊舊的。堂姊說：「小時候我眞的非常害怕，害怕看到她的頭髮，害怕她跟我一起在房間，害怕她的眼皮轉動，有一種日本人偶的眼神的陰霾而神祕莫測，後來就更害怕碰到她，碰到她永遠都梳不開的頭髮，害怕幫她換衣服。因爲她頭比較重，常常不受控制的東倒西歪；我害怕跟她共處一室，只要她靠我太近，換來的就是失控的大哭。小時候的夢裡，好幾次坐在角落的娃娃，張著大大的眼睛看著我，頭髮開始越長越長，娃娃的身體開始越來越高大，我一直尖叫。有一天伯母心血來潮，拿了一些小孩的舊衣服幫她換上，那種一歲小孩的衣物和帽子穿在她身上非常合身，頭髮的地方實在無法挽救了，所以就拿了個毛帽全都蓋起來。復古成熟的臉孔，下半身卻是混合搭配的嬰兒服飾，頭上還配著五顏六色的毛帽，娃娃的樣貌變得更奇怪了。後來，我越來越害怕看到她，因爲她的眼睛變得非常恐怖，隨著時間越來越久，眼皮的機關變得不是很順暢，打開有困難，有時候娃娃明明是坐著，卻呈現半閉眼的狀態，有時候一睜開、一半開，就像有一種情緒，怨念，不屑，迷茫，忐忑但是又只能困在眼前的這個家的角落，我心中越來越擔心而總覺得，有一天會在夢中，被她用念力念死。

回憶，是那麼重要，甚至是最重要的部分，就是因爲它已然失去而且再沒被打開過。

堂姊夫說他找出來一張枯山水前他們的合照，在黑白的枯燥畫面裡頭看到她，他的前妻，我的堂姊。現在回去看起來，他們那時候還很年輕，那是二十年前在京都一起念書的時候。

我記得他們提到過一個古老的木箱，那是他們當年在一個天滿宮的京都最著名的古董市集買的，那時候，他和我堂姊剛結婚不久，他還在念博士，她碩士畢業也已經去一個日本的和服設計的老店當學徒，所以決定買了一個舊的有和室座敷的木製老房子，剛買來不久，整個房子很有味道，京都的舊建築，離大學和和服店都不遠，窗外的風景極美，可以看到後院的南禪寺延伸極遠極濃密的林蔭與河流。但是，前面那個屋主剛搬，所有的家具都一起帶走了，整個房子近乎全空，他們也不在乎，就花了很長的時間在裝修房間。但是最後，一直在找一張客廳的桌子，找了好久都沒找到，他們打從心裡喜歡的。後來，發現了這個舊皮箱，很老很美，充滿日本幕府時代的鳳凰狐狸種種神獸銅雕古風細部的優雅，上頭有精心刻字的舊銅扣環，刻一個繁體中文的縮寫。那就是她名字的「秀」字，所以，堂姊夫就堅持要買回家送她，而且就當主廳榻榻米上唯一的桌子。因爲眞的很大而且很沉重，放在空的和室舊房子的主廳正中心，眞的有著奇妙的老派的種種巧合，太多巧合了。但問題是，那大鬍子的京都古董市場老闆說，他一轉手來時，那舊皮箱的銅扣鎖、鑰匙不見了。所以他也不知道裡面是什麼，因爲他也從來沒打開過。就這樣，他們用最好的價錢就買到了。

但是，他們就一路沉重地拖著那裡面不知是什麼的舊皮箱回到家，放在主廳，在和室紙門和迴廊之間，就眞的當泡宇治抹茶的茶几，上頭可以放清酒、酒杯、瓷碟，放起司或和菓子。朋友來了，都很喜歡也很好奇，坐在那箱旁看著老房子旁一個奇幻的庭景，小小的堂姊自己手工打理出的枯山水，有人猜裡面是舊書、舊和服、老器皿、毛筆、硯台或燭台、木製的老書架，因爲晃動會有雜音，像是撞擊了什麼。奇怪的是，即使那麼多人問，但是他們還是始終沒有打開過。就這樣，他們在那房子，住了兩年，一直到他們離婚了，他們賣掉了那老房子，還是沒有打開那舊皮箱。

相對於過去，即使就只是啓動「過去」這件事。他說：「我們都不免某程度上地變質而黔驢技窮了，因爲好奇怪地我們總不免會變成我們擔心變成的那種人。累了，病了，傷了，廢了，想怎樣也沒辦法再怎麼樣了的那種人。或許，早也就變了，只是不願承認。一旦發現，就會更擔心，更疑慮，我變成這種人多久了，爲什麼我都沒發現？然後，再繼續追問，那麼到底發生了什麼事？我現在怎麼了？我現在的問題是什麼？如果沒辦法挽回眞的只要誠實地去面對現在，這樣就好了嗎？那過去到底是什麼？回憶，到底提醒了我們失去的什麼？現在，一如所有的京都大文字燒或祇園祭或櫻花盛開又瞬逝的慶祝，一如眞的把人生就當成美到近乎虛幻的舞台，就當成祭典然後一直找櫻花般太美太剎那般就花開花謝的事就好了，這樣美是不是太容易幻滅地恐怖。」

中年，沒出事反而就出事了，因爲久了也不再好玩，也不再有什麼值得慶祝，因爲，我們想的，往往都是在有很多經驗之後的事，在一個位子太久了，已經沒有從來沒看過的了。但是，有一回出了狀況，才發現自己有一大堆奇怪的過去，從來不知道也沒想過的人生，這時候突然變得困難，老是在下一步要怎麼走，因爲和過去都不一樣了。也因此，不免會懷疑起自己，過去的人生錯過了什麼，錯過的那種種狀態。過去，大概像什麼聲音味道，樣子感覺起來像什麼？然後重新往回看再往前看，就不免會覺得自己的現在，未免有點不眞實了起來。「關於自己一定是誰，想變成誰的人生」那種太年輕的想法一仔細想，就不免好像發霉了，發臭了。

但是，他說他會願意離婚，也是因爲承認，他們走不下去了，一如大多的夫妻，也不想再勉強，在京都那兩年，他們過得很相愛過，但是後來就慢慢不愛了，承認其實自己還在更多的前面的不知名地帶之前，不再是年輕的時候。離婚，回臺北，使人生在第二次把這懷疑丟出來的時候，也可能會辛苦，因爲不知道怎麼重新面對這種人生的不知名地帶，不知道怎麼重調人生的調子，不知道未來要怎麼過，要怎麼重新想。

這種人生要什麼樣的技巧或目的，這種人生眞的是想到就做得出來嗎？也因此不免開始批評起自己所做過的，開始拋出更巨大的問題，爲什麼要做一大堆事？也知道有些事太虛幻或太庸俗到完全沒有什麼值得冒險，卻還很用力做。有時候，不免會想起這種用力只不過是逃避，因爲也不知道值不值得再做下去，就反而更用力做，這樣就可以不用想。所以，我們要找一種人生的可能，更抽象一點。後來，或許我們堅持一定要做出來的這件事，其實不一定做得出來，即使做出來了，也是很偶然的。我們的人生是那麼想像枯山水或像那老木箱般那麼地純粹地美麗，但是，其實我們都只是在躲地獄。

「關於離婚你堂姊她或許一直沒原諒我。」他開始有點恍神地說：「人生堆滿了『人生要怎麼過』這個想法，問題是我們怎麼想人生這件事，最好的是，人生都還沒開始，沒有活過，活出什麼來。所以也不可能一定要怎麼過。」

他說：「我後來放棄了把博士念完，是因爲想清楚我們重視有經驗後的人生不如重視經驗本身，因爲經驗本身是不前不後，不大不小。經驗不是空間的，甚至經驗不是時間的，經驗只是在那裡。一個人覺得自己很有經驗了，有時反而糟了，就像隕石的撞擊一樣，人生要保有那種，隨時被撞的不安。甚至，有一點感受就可以。」

他說：「有時候，活了那麼久了。我覺得我對人生還是一竅不通。」一如，二十年前的影片裡，他說他想起來了，他是怎麼愛上她的。他那時候的人生出事了，在念博士，變得很空虛，很虛無不安，不知如何是好。

有一次，他印象好深，其實完全偶然，在看她的時候，走路，說話，髮尾不小心掉下來，但是她不挽回去，也不理，繼續走路說話，還是很快樂。就想學著她，一起走路說話，或像她那樣，希望會有她那種快樂的感覺，他就跟在一起好多年的她求婚。

我有一回過年回彰化，遇到堂姊，問她後來從日本回來還好嗎？還提到那個老木箱。她說，想起來了，關於那個舊箱子，有一回有一個通靈的朋友來他們日本的家裡吃年夜飯時，他一進主廳，本來很久沒見，大家滿開心的，但是，後來他一看到那舊皮箱就有點緊張，問他們這箱子怎麼來的，裡面裝什麼，他們笑著說了在古董市場好不容易找到了也好不容易才搬回來的過程，他就沒說什麼，只是那晚氣氛就有點不太好，他有幾次欲言又止，又好像擔心什麼，而始終沒說。

只有在過了幾年後，堂姊回到臺北又遇到他時，他竟然就馬上問起那箱子，他提到了那箱子是有「過去」的，他也不知道是什麼，也說不上來，但是，那箱子裡的回憶是很沉的，和某一個老家族的身世有關，好像留下了一些線索。但是，有點模糊，他也不知道是和什麼有聯繫，他只有在去柏林看猶太人博物館時看到一個集中營的老猶太教長老的箱子有過這麼強的感應，像是，在進瓦斯室前幫他們禱告用的。

所以，他也不敢多說什麼。

堂姊說，直到他們搬離那日本老房子，箱子就留在那主廳和室的榻榻米上沒有帶走，後來也就不知去向，他們也沒問，那舊皮箱還是沒有打開過。

三

在後來迷上時尚或說迷上設計以前，堂姊說她小時候以前有一段時間一直覺得自己很像一隻天鵝，美麗到近乎不可能，因為那是用一種最高難度的姿態出現而看起來完全地優雅的矛盾所揭露的美麗。

因爲她是從小就跳芭蕾，而且，因爲就在骨頭完全沒有長完整前就跳了。所以，整個身體好像被下咒了般地打開。就開始從長壽街上一家老舞蹈教室的幼童班一路跳到最高級進階班，甚至以後考慮變成是那種優雅的芭蕾舞老師或是專業舞者過一生。但是，後來發生了很多事。那些本來應該是天眞可愛的孩子，後來，就一定會變，變成了一個善妒而充滿惡意的成人。

那種一個個爲父母親們炫耀而穿起來的可愛是一種可怕的徵兆，終究會變成另外一種詛咒，一開始，堂姊說伯母和其他家長往往只是隔著透明玻璃外看著自己的孩子在跳舞拍手和家長們一起開心，他們並不知隔著玻璃窗的裡頭出了多少事，舞步跟不上節拍而出錯，往往會緊張到胃痛，頻尿，昏倒種種地嚴重。也許家長們一開始也只是希望孩子能有種興趣養成與抒發，但是到更後來，就不免完全變質了。

因爲，當時舞蹈班上，老師最後會從中挑選出三位來培訓高階芭蕾。

堂姊說：「我是其中的一位，碰巧的是我們三個女孩子，也是當時班上感情最好的三個人。」從剛開始老師另外的培訓課程，同樣的音樂，同樣的舞步，同樣的標準，最後再決定出最後一名有機會可以和老師到國外去學習進修。因爲如此，常常就是課程結束後，跟老師拿鑰匙，跳到半夜才回家。小時候的腳，因爲骨頭沒有長齊，在穿硬鞋之前，都要裹上一層層的糖果襪和貼著厚厚的透氣膠帶，在腳趾尖前，也常常跳到腳都流血，就靠一個支撐點，腳一蹬，看起來優雅地撐起整個身體。但是訓練的過程眞的很苦，她們三個還也一起念民生國小同班同學的好朋友也從一開始聽到彼此被老師挑選，大家牽起手又跳又叫擁抱彼此地開心，但是到後來的課裡頭時常老師必須做選擇的時候，嫉妒就開始了。

她說：「我沒有這個問題，因爲我一開始是相信老師做的選擇的，有些舞步老師選擇了我，有些選擇我另外兩位好朋友，這樣持續了好幾年，什麼都好。就到最後那一刻，老師選了我，希望我跟她到國外進修，開始了其他同學的報復，敵意，可能因爲還小，雖然沒有做出什麼太誇張的事，只是有時會把我的芭蕾舞鞋藏起來，和把我的跳舞用具拿走，還有我辛辛苦苦收集的獎卡。但是，我們的感情已經開始變質，或許，不只是她們變質，也是我自己用我不明白的方式面對這一切惡意之後，內心也已經開始變質。」

但是，更後來的意外，卻是另一種更深的惡意，隱瞞，暗盤，出賣，反正是那時候太小的她所不可能明白的更成人的迂迴，因爲，「那最後出國的人竟然不是我，而是另外一個我們三人之中最漂亮也家裡是長壽街上開的醫院最大而且最有錢的那一個女孩。」

「而且，那一天是我最痛苦的一天，因爲我最尊敬的老師還就同時當著我們大家的面說：『以後不要想當舞蹈老師，因爲這太苦，如果能再選擇一次，我不會再選擇跳芭蕾。』我知道，那只是藉口，推辭，掩飾，或刻意的安慰。對我，或對所有沒被選上的人。就因爲如此，我當時心都碎了！之後，再怎麼樣，都提不起像以前一樣的心力去跳，又過了一陣子，沒有起色，最後也就放棄了。」

「尤其上了國中後，功課開始重了起來。所以，心情也不一樣了，當年的原因也不一樣了，也就沒有再繼續跳了，就只是偶爾換成跳街舞，只是玩或轉移或不捨，但終究是放棄。本來，或許我想的，也就是給自己的一個交代吧，爲自己的夢想給個交代，爲對你有這樣期許的人給個交代。但是，我心裡知道，那一天以後的我，已經完全變了，完全放棄了。已經放棄自己可以像以前那樣執著，近乎瘋狂地投入，跳芭蕾到近乎著魔那種狀態，變成了另外一個人了。」

她說：「我打從心裡地完全失敗了，不再相信，不再相信大人，不再相信舞，最後也不再相信自己。後來才又在服裝設計上找到了另一種夢，另一種相信自己的可能。」

其實堂姊夫是一個念過博物館學博士的倫敦老藝術家，他的作品很動人，但是他說的話卻更動人，都是關於收集，收集的故事。

他說他喜歡收集東西，或說，他喜歡「收集」本身，蒐羅，採集，就是不斷地尋找，找各式各樣的有關係或沒關係的東西，用來展覽，破杯子、舊式電話聽筒、土製手槍，反正，他在乎的是所有收集的可能，形或功能或年代或地緣或更多的種種分類學，有意圖的收集，有些是沒有意圖的收集，但即使是沒有意圖，還是有收集者的潛意識在作祟。

更後來，到了網路裡，收集變得更不一樣地複雜，一如他自己做過一個網頁叫做侏羅紀博物館，很多逼眞老照片整理成的古圖電腦圖，還有很多精密描述的考證式科學分類術語，但是卻完全是假的。這些展法很古怪，很多很久以前的器物、標本，老時代就做成的獸、蟲、古生物木乃伊，蝙蝠可以用音波看、飛，還可以穿透牆壁，用科學期刊報導式的文句語言來描述某些近乎荒誕的牠的神力，使人半信半疑，用這種方法。

堂姊夫說他本來是博物館的門外漢，後來常常去博物館，甚至去館藏的倉庫，看到更多展覽館不展的物，那些可能比展的物更有意思，或許那是開始的開始，一如人生的故事一說起來，其實沒有開始也沒有結尾，所有的故事都有它自己不一樣的發展，一如史詩或劇場或小說的不同寫法。

他說：「可能在一個晚上，在一個地方，有人呼救，有人聊天，有人埋怨，有人說夢話，所有人都在說話，但是話沒有關聯，只是一堆句子的碎片，有關沒關的對白，裡頭有一個鬼和五個人，有很強烈的情緒，角色，劇本，聲音。但是，如何把這些收集來的故事的碎片接起來成爲最後的故事，我們所不記得發生所有的事，一如每五秒鐘拍一張照片，來拍那件事，拍那個人，甚至拍他的一天或一生，都是一種，收集。或是，比較看得到也看得清楚的收集。」

堂姊夫做過一個展覽，那一屋子手套二百多隻，有的一隻，有的一雙，有的新有的舊，有的像一個鬼故事，甚至有一雙是堂姊小時候在長壽街老家四姑幫她用毛線打的，看到那照片裡的那雙已然有點黝暗紅起毛球的小手套我都還記得。

他說，因爲倫敦太多人用太多的理由甚至春夏秋冬都戴手套。他喜歡收集找不到的手套，收集人和手套的各種關係，有的破了，有的髒了，有的丟了一隻，有的還出過人命染了血，二百多隻手套，很多朋友的，自己的，陌生人的，他就是刻意地收集他們和他們手套的故事，收集手套和街道和生活和城市的故事，而且是刻意是要偶然發生的，不是買的，要更深入手套和人的更內在的關係，關於手套的幸福、恩惠、紀律、殘忍，一如上百年的母親生前留給女兒的遺物蟲蛀了的蕾絲晚宴手套，十九世紀軍官軍裝閱兵的儀隊握槍握到磨損的慘白手套，五十年代礦工推礦車進山洞的又黑又髒的殘裂到好幾隻手指都不見了的老挖礦手套，還有更多更多這種線索，可以收集更多人生的更幽暗角落的剪影。

堂姊夫說：「其實所有的收集都是有界線的，也都有自己暗中訂下的規則，科學家般的故意精準或故意破壞。一如，收集更特別的，更怪的，更曲折的，種種遭遇的可能，一如收集噁心的昆蟲，奇形怪狀的蛾，大如手掌的甲蟲，七彩得太過斑爛的蜈蚣，那麼地不同，反正規則也很怪，就是收集所有不像蟲的蟲。」

在倫敦，和京都很雷同，收集是心理學的，犯罪學的，考古學的，動物學的，種種更正常或不正常學說的。什麼都可以收集，他說。

像是他去過的一個倫敦上個世紀的某個怪爵士建築師的家，那老房子，他死後變成一個博物館，太多奇怪的老建築的殘塊重新拼出來的各式各樣房間，柱頭、列柱、雕像，拼湊在所有的牆角、欄杆、天井，密密麻麻地複雜到像走進一個人的腦子，太多變化的西方維多利亞時代廊廳亭台樓閣式的華麗妖幻的變形，使得太多建築的不可能變成的可能。一如很多京都的老廟古庭園和收藏國寶佛像法器的寺裡的神祕兮兮的博物館。

其實，他說收集的動機，一如偷東西，爲何偷？只想把我能弄到手的東西弄到手，越稀有越好的稀有的動物植物礦物，所有的被收集的，都有其個別魔幻的理由，烏龜甲殼是非洲叢林有史以來最大的，留聲機是英國最早的機種的，怪球形石頭是從月球來的，種種……所有在場的，都號稱是全世界唯一的，號稱和神祕學或宇宙觀的關係，是革命性的，是充滿教義或反教義的激進派教導的。

收集，在他當年工作過的倫敦博物館裡是更小心的，被分類的方式，被放入展間的方式，被用來說故事的方式，在英國，這個當年殖民過太多別國的國，幾乎所有的故事都和殖民地有關，所以所有的博物館的收集都不免和殖民歷史有關，非洲的面具一如奴隸的黝暗，中國瓷器一如沉迷鴉片煙的慘白，拉丁美洲的印加金字塔殘塊刻文圖錄一如挖礦挖墳般的哀傷。

一如，倫敦的自然科學博物館，用最巨大的地方，放最重要的館藏古物，一如放龐然的化石恐龍骨骸展侏羅紀，或是放蒸汽機展工業革命的故事，放坦克展第二次世界大戰的，用更多更不同角落的空間的光線昏暗的路徑，讓人走進去在那裡想到更多關聯，故事越說越大越充滿敬意，就像是到了教堂，像看到神。堂姊夫說：「一如梳子，怎麼可能這麼古老又這麼美。」

他說，一如他去的那回的牛津人類學博物館所正在展羅馬的梳子，好幾個房間密密麻麻地陳列出大大小小幾千把奇形怪狀的古董梳子，古銅製宮廷用的、中世紀農家農婦自己削木頭削出的、純金法老王時代埃及送給羅馬皇室的，甚至到工業革命之後的不鏽鋼或塑膠射出成形的米老鼠太太的玩具梳子，都好古老又好美但也好奇怪。

他說：「牛津人類學博物館太有名了，他們至今還更發明某種古老的分類學來收集或來展覽，現在還跟一百多年前的展法一樣跋扈，頑固，老派的他們那麼自信他們的學說，他們數百年最權威地研究的人類學和社會史學，一如他們大量收集的太多來自埃及，中國，日本，印度，非洲，印第安部落的古器具。」

他在那博物館裡老是在想：到底故事要怎麼開始說，標本的花鳥蟲獸要怎麼上場，怎麼分類，怎麼陳列，怎麼展？收集一如更激進地理解標本，或更對標本發問，爲何放入倉庫？爲何精密編號？爲何有些會展有些就永遠不會展？

有時收集也沒用了，因爲所有的碎片都下場雷同。有些很容易就被記起來，有些很容易就被忘記。一如，他曾在某博物館裡所看到的一隻蜘蛛蟹，那是沒辦法展，因爲沒辦法分類，沒辦法描述，沒辦法說故事，所以只能永遠放在倉庫，那是一種驕傲，他說：「那博物館在展的是他們的視野，他們對人類學式的人類的更尖銳的收集，用他們收集的從中世紀、文藝復興、巴洛克，到現代來種種在羅馬長出的不同文明不同時代找來的更多對梳子想像的夢幻，和某種因之探究的人類那種種更瘋狂的投入與著迷。」

梳子，就一如這瘋狂的標本，是一個故事的開始，因爲標本被收集的原因，教我們更多爲什麼人類這樣想像與理解自己，像考古學家，從某動物指頭的化石就可以發現的種種對那個人類文明的證實及其更多無窮無盡的猜疑。他說，在博物館裡，他還看過更多所有繁複的展出的所有奇奇怪怪的，一如史前動物化石、爬行動物標本，甚至飼養著活的昆蟲，讓人們看到緩慢的演變，演變的老時代的來福槍，十八世紀農具，早年漁夫獵人自己做的手工鞋，更多更多的什麼及其演變，收集，洗腦，可以歌頌也可以詆毀。因種種演變同時告訴人們他們比以前更多擁有了什麼，也因此暗示著世界會變得更好的，所以不需要革命。收集也更有紀念性，一如蓋博物館在那更有紀念性的建築本身裡，一如利物浦博物館，那裡本來是法院，當年最華麗的新古典主義風，那其實不免是充滿殖民時代歷史，一如所有的華麗的老房子在背後的陰暗。

他說，一如他也去了臺北的蔣介石紀念堂，那裡也在收集那個偉人或那段歷史，種種有點難堪的紀念什麼的故事，太大太可怕，他們的歡樂太顯眼了像無效地諷刺那個偉人和那段偉大的歷史。

收集，一如旅行中所看到的一個城市在街上的塗鴉，使那一個城市變得不一樣了。有些奇怪的畫壞了或噴漆噴得很可笑或很可怕的牆上街上塗鴉圖形，對他而言，都是故事的碎片，故事在街道上發生，他說他因此喜歡極了在陌生的城裡亂走路，有時可以在紀念的地方，找紀念的城市裡的參考點，找路，找樹，找廣場，找河，有時最後會找到一個碑，有的有紀念性，連接到的某一個事件，使那一個紀念碑，可以說故事出來，可以收集這個城市的到底發生過什麼有的沒有紀念性的什麼，但是卻反而可以猜測出一些沒有紀念碑的故事。一如他說，他有一回跟著堂姊回我們小時候的長壽街老家，在路的末端找到了一個廢棄太久的防空洞，斑斑駁駁的混凝土造而且長滿荒草，沒人留意過的路旁，在彰化老火車站附近的長壽街尾巷子裡，沒人留意那或許跟以前發生過的戰爭有關。我還記得我們小時候防空演習還眞的躲進去過，很潮濕又很噁心地惡臭。

他說這些怪建築就像城市的收集，一如他小時候，在英國鄉下，放學就坐車，不直接回家，老去城市其他地方晃動，喜歡就下車到處去走，走進某些街頭轉角的暗地，看這個城更內在的模樣，如何走樣，他一直收集廢物，彎曲的鑄鐵古釘，破碎到缺口無法裝水了的老水桶，錫製的玩具軍官小傀儡，大正時代茶道師傅搗茶的無名但又極講究的茶器，丟棄的手工打造有點天眞又有點恐怖的小木馬，還有太多太多。甚至，那個從來沒打開的上頭有一個堂姊名字秀字的古木箱。

其實，從小的他就始終有意無意地心裡明白，某些碎片只對某些人有意思，收集本身就是故事了，那是他和我堂姊的故事。所以，到後來，所有的故事都是更深的收集的人的故事那般地逼問，更尖銳了地問起：收集是在哪裡？爲了什麼？爲了誰？

所以，他們當年的和室榻榻米上他自己那放滿太多這些廢物的又髒又亂的書桌或是那沒有打開的木箱，都是他的「博物館」。

四

堂姊說，當年，她去日本念書的時候，看到好多奇怪的和衣服或和設計有關的事，但是印象最深的一回，是一部紀錄片。她說，那是在日本的時候，有一次她在課裡看到一部服裝設計師的紀錄片，本來只是想待一下子就走，沒想到一看就完全走不了，好像內心的某些更裡頭的什麼被找出來了，和我們那個家族，那個時代的跟著布店長大的童年有太深的聯繫，使她看了一直很想哭。

電影裡那設計師說他最熱愛老照片，因爲看這些照片，看他們在裡頭穿的衣服，就可以完全明白，當年，他們的生活，他們的家族，他們的歷史。在死去很久的另一個時代的他們完成他自己的想像。一如那些古老的工人或軍人的制服，其實那些人都是最苦命的人。

最吸引他的是，領子，大衣的領子，那老照片充斥了老時代裡世界各地的人，再怎麼窮的他們所穿的衣服，都還是很迷人，女工在工廠煙囪前，流浪漢在街頭，屠夫漁夫穿著很髒但很自然而然，就在他們的又臭又亂的老攤子前抽菸好像是他們一輩子的某一刻，但卻正也就是他們一生的最濃縮的縮影。在老照片裡頭，你可以找到眞實的人，他們不是穿衣服，而是穿著「眞實」，一如，在十九世紀，在冬天很冷，你穿衣服是因爲很寒冷，爲了活下去，所穿的這種衣服和你的更深的聯繫，依賴，祕密，衣服就像家人或朋友。不像現在的很多很有錢的人，認爲衣服只是消費，他們可以消費任何東西，甚至消費生命本身。他們不了解衣服應該就像樹木、石頭、雲、山這種更根本的存在，他們以爲可以買所有的什麼，但是這是不對的。要想法子回到那個時代，因爲貧窮，被迫去用這種方式穿衣服，看衣服吊在牆上，就可以認出來那衣服是誰的，是哥哥的或是伯父的。

有一張是他最喜歡的，那個人穿著尋常、破舊而寬鬆的衣服，很動人，尤其是眼神的憂鬱。堂姊說：「這好像我們小時候，即使我們家開布店整條街整個街廓裡都是布店。但是，整個城卻仍然都還沒有成衣，沒有品牌，沒有百貨公司的年代，那個我們還沒有衣服買，沒有賣衣服的店逛。甚至，長大過程還要撿七個堂兄弟姊妹衣服穿的年代，四姑會用布店的剩布做衣服給我們這些小孩穿的年代。」

電影裡，還說了更多後來的和做衣服有關的故事。「人的身體本身是不美的，做衣服就是爲了要找某種狀態的均衡，很難。一如人的某些難度更高的品性，一如：慷慨、高雅、溫柔，都是如此狀態的均衡。但是，在做衣服中，這是矛盾的，我在找這種矛盾，找不可能的均衡，但或是也在均衡中破壞一點點，用做衣服來表達這種狀態眞的很難。從那裡開始，從質地，料子，形，觸感，那都是相同的困難，接近一點。現在，此時，此地。做衣服像同時吹奏兩種奧祕，液體和固體，逃離的和留下的，衣服的玄奧，找尋，隨時準備要做，他的助理好像預先知道現象，他說我常常在等那種狀態來臨。但是，做衣服又非常競爭，生意，做最好，但是要尊敬其他的所有人，不用對自己做的衣服保密，沒辦法被抄襲，沒人可以偷你的設計。衣服的本質是袖子要修剪到怎樣要修剪幾百次，來感覺袖子，有時候，我覺得我，不是什麼服裝設計師，只是一個裁縫。」

「做衣服要很專注到忘了時間，不停地做，這我沒有問題，花兩三禮拜來理解一件衣服，像奴隸打開桎梏，打開風格的牢籠。我想設計的是時間，我只了解我的現在，和過去，不相信未來，我只是活在現在，辛苦而小心地。我想趕快變老，讓未來趕快結束。」

在那裡，每一件衣服，襯衫，裙子，被做出來，被保護。問他爲什麼，他說：「我不太在乎顏色，甚至不太在乎。把一切放一邊，不能把什麼抓太緊，像歷史的感覺，衣服就會在那裡。」但是，他還是一直在那工作室鏡子旁發呆，抽菸，看模特兒試穿他設計的衣服，想著怎麼修改。或是，他到外頭，抽菸，做事，笑，繼續地忙，鏡頭走入城市裡在擁擠的施工中的街道走路，在櫥窗的一朵很大的紅玫瑰的櫥窗。在東京新宿火車站的大樓前向上看到的百貨公司天空線。

在那電影裡頭，那設計師講到了更多小時候他也跟衣服一起長大的故事。他說：「即使到現在，常常我還是覺得我只是一個小孩，大概因爲我從五歲開始，一直在店裡待著，媽媽是裁縫，她那麼辛苦地在做衣服，和另一些阿姨們每天都守在縫紉機前，從早工作到晚，我就是在這群令人心疼也心愛的女人堆中長大，在她們面前，我永遠都不可能長大。尤其，當年我的父親很早就去世了，而且是那個時代最沒辦法也最難過的狀態，第二次世界大戰，大東亞共榮圈的夢與夢魘。他是戰死的，甚至他的沒死的戰友被抓去西伯利亞，下場更慘，我讀他們寫的東西，最難過的時候，就會想起我父親。所以，對我而言，戰爭沒有結束，沒有戰後這個概念。我想爲他們做一點什麼，延續一點什麼，用衣服。」

堂姊說：「那設計師讓我想起我們的父親和他們的父親。」

當年從當日本學校校長的祖父經歷的同樣難過的第二次世界戰爭，甚至是被日本人抓伕去南洋打大東亞共榮圈戰爭而失蹤的外公。

堂姊說她在京都的一個臺灣同學還跟她說過一個眞正敗家的故事，他阿嬷的，那個時代到底是怎麼回事？那太遙遠了。那個時代到底發生了什麼人生的困境，什麼對人生的期待的永不滿足，都跟現在完全不同了，或許更接近蛇郎君那時代，他說到他阿嬷出事了，因爲她那時候常發病，而他們都不知道爲什麼，只是很花力氣在跟她解釋所有她想的都不是眞的。

因爲阿嬤一發病，人就會回到她年輕時剛嫁到這個家很苦的那段日子，然後把我爸小時候的鄰家女孩當作是我阿公在外面養的小情人，那是老實的阿公不可能做的事。小故事中她甚至會不自覺地把時間弄亂掉了，會把西元一九六六年當成民國六十六年。她會跑去銀行查我阿公的帳戶，把簿子裡最右邊一列的金額統統加起來，說阿公賺了這麼多錢，卻一毛都沒給她，一定是給了那個外面的女人。還會把身分證、印章、健保卡、銀行簿子偷偷藏起來，卻又常常忘記藏去哪裡，我爸幫她補辦健保卡，太多次了，辦到健保局都認識他，連阿嬤的照片也不需要了，她常常會去警察局報案，說我阿公偷她的東西，警察也沒什麼能查的，因爲沒證據，我阿嬤發現怎麼這樣就沒事了，馬上又說阿公家暴，使事情變大，我爸還被叫去問。現在臺中市第六分局的警察們都認得她，其實第六分局是很遠的，我阿嬤住得離那裡有段路，也不知道她怎麼去的。阿嬤的病，因爲被爸爸帶去看精神科吃藥，控制下來沒有再惡化，但每次去做測驗都是在失智的邊緣，雖然至少出門了還會記得回家的路。阿嬤念到小學六年級，只聽得懂臺語，不識字，護士每次都很有耐心跟她用臺語聊東聊西，然後中間突然跟她說：「阿嬤，我跟你說三樣東西，阿嬤聽好喔！火車，」護士一邊拿起桌上一個個小玩具，「杯子，白板，等一下我問你的時候，你要記得告訴我喔！」就這樣又繼續聊了五分鐘，我阿嬤好開心有人跟她聊天，一直講一半是事實一半是她自己想出來的小時候的故事，主要是阿公怎樣對不起她的故事。

「阿嬤我剛剛跟你說了哪三樣東西？」

「嗯……什麼火車、杯子跟白板。」看完醫生出來，她還跟我爸說她覺得那個護士好奇怪，「爲什麼要問我火車杯子跟白板？」

我爸自從知道阿嬤是老年失智後，都把那個她一直重複講的故事，稱作「阿嬤的錄音機」，一開起來就有兩個多小時，有時候她直接來我們家，還會神祕兮兮地帶一些銀行簿子和衣物要我們藏起來，我都會努力的和阿嬤用我那個不怎麼標準的臺語聊天，那是很糟的臺語，爸說那是國語講太多才會有的奇怪的腔來轉移她的注意力，可她都還是講著講著就會記得打開「錄音機」，我們也只能心裡還滿慶幸。

他說：「至少她還記得自己要做甚麼，就這樣所有人都會忍耐地聽完她講的故事，然後再送她回家。或許，就像一個行星因隕石入侵發生繞行軌道的偏離或浪潮突然因天候而太無法預料的翻滾所引發的異象，及其因之的吉兆，有點離奇，又有點可笑。但我們仍然還是必須要很有耐心地聽下去，聽這些阿嬤的恐懼，她面對她的情人，她的家，她的時代種種破敗了的恐懼，而且是越怕就顯得越那麼地可笑。」他說：「我爸說過養鰻魚的人，撈了一箱準備去別的地方賣，一定會在水裡丟一尾鯰魚，因爲有天敵，鰻魚的生命力比較好，載到市場前才不會死掉，我們阿嬤就像阿公的天敵，天天都會鬥他，這樣我阿公身體才會還算好。」

堂姊才跟他說了我們家族養鰻魚的故事，那血淋淋的故事。

其實，聽的過程，我一直恍神，因爲我一直想到那一部印度人拍的美國電影，《水中的女人》，一個無趣的公寓，裡頭有一群不同的國籍的人住在一起，環繞在中間一個游泳池，那是一個如何拯救世界的老神話，變成床邊故事式的童話。電影裡的一個來自另一個世界的女先知，要啓發寫出一本後來改變全人類的書的作者。但是，那公寓的房子變成一個隱喻，無趣，平庸，住著一群很尋常的美國人。但是，裡頭卻是一個神、妖、人種種的互相試探與交手的抽象的現場。故事迂迴極了，但是所有愚昧的遭遇，猜測，誰是療癒者，誰是大力士，誰是解釋者，誰是沒有祕密的人，他們都不知道彼此對彼此的意思，直到受了傷，出了事，看到了妖怪，才知道這一切發生的事，都是有原因的。印度的古神話，那種果報，不幸如何挽回，殘酷如何面對，原諒，如何救贖彼此生命的缺陷，無意的或故意的，但是過程充滿危機和未知的威脅及其誤解，一如堂姊所說的種種敗家的故事。一如所有的天敵或敗家故事的始終充滿誤解，一如在她被神鷹接走的那一剎那，那曲弧形的水中的女先知出現的那神話般的游泳池，從天空往下看，就像一滴眼淚。

顏麗子是如何把寶島大旅社蓋起來的（第25篇）養豬場。

森山說，建築，有時候，就像是養豬場。

森山年輕的時候曾經在日本皇軍中服役過，本來還是軍官。但是，後來出過事，他甚至變成了逃兵一段日子，後來又被抓回去軍中。然而，他的父親動用了和軍中長官的交情，所以，就從輕發落地放過他了。但是，爲了不要再有更多的節外生枝，雖然沒有嚴懲，他還是被流放，甚至就是被派去鄉下的小軍營去養豬。

他說，他只是很難忍受那一切他在軍中看到的，與其說他害怕或反對戰爭，不如說他害怕或反對死亡。甚至，是對死亡的漠視或理所當然地完全不在乎的操作。

但是，這種殘酷的領悟反而是他後來才慢慢明白的。甚至，就是他到了養豬的地方，才眞正而深刻發現的。因爲，他在養豬場每天看到的就是他最害怕或反對的。

在屠宰場，在一開始是因爲豬的體味和豬圈的惡臭所困擾到完全沒辦法進食，甚至每回接近豬圈就開始反胃而嘔吐。但是，過了一陣子，他克服了氣味的困難，就開始進入了另一種與排洩物的攻防的不解，因爲豬圈太狹窄，豬群互相撞擊排擠，有時候排洩物和食物甚至會混在一起，但是牠們並不在乎這種混亂，一邊吃一邊拉，然後又一邊吃自己拉的或別人拉的，這種失控又完全無所謂的狀態甚至比臭味更讓本來就有強烈控制欲甚於潔癖的森山更爲難耐。

所以，對森山而言，死亡反而是一種比較容易理解和掌握的狀態，他開始比較了解他本來不曾了解也不曾深入的面對死亡的荒謬感，他以前所害怕或反對的死亡。甚至，是對死亡的漠視或理所當然地完全不在乎的操作。在這裡，卻變成他唯一能掌握的或許是唯一的存在感的來源。

豬隻也許是有預感，牠們即將被殺，更不願意被這樣子地屠宰，雖然不知道到底機器會怎麼殺牠們，怎麼支解牠們，怎麼處理牠們的骨骸屍體，或是怎麼像刑具地用刑。但是當牠們一開始被懸吊起來，就不免開始掙扎地尖叫，越來越大聲，抵抗，但是沒用。

有些被挑選過的豬，或已經被閹過的豬，每每被抓住，就更掙扎般的蹲著，用力不讓他抓起的，甚至還有尿出來的害怕膽小，卻也逃不過他，甚至更逃不過這更殘忍更龐大的屠宰場的死亡機器的精準。

每天送那些不自覺的或不懂事的豬群進屠宰場。森山越來越沒有感覺，一如更透明更直接的傷害自己的量身訂做，每一刀劃開皮膚希望都是精準無比，拔出內臟更是毫無猶豫的冷血，像是數字一樣沒有小數點般的乾淨俐落，死亡更理所當然，也更荒謬。

但是，有時候，他覺得寧願再老派一點，再手工一點，再逼近死亡的潮濕而混亂一點，屠宰場的機械流程的精準和流動，有時令他覺得太抽象，太不像是他所想像的那種更血淋淋一點的眞實感。因爲大多時候他一直想像是拿著一把生鏽的老式屠刀，揮刀並冒著可能失手割不開也割不斷的那種，從可能失控到更確切控制的滿手是血的狀態。

但是，更多時候，死亡顯得更爲渙散而渺小，尤其是完全失控而沒有意義的意外，尤其是時常發生小豬的死亡。甚至就是母豬不小心睡覺一翻身就壓死的，那種意外，那種被母豬壓到窒息，卻滿不在乎的小豬神情，其實更令他難忘地記憶深刻，那是他第一次被叫去處理某一頭被母豬壓死的小豬，他幾乎完全無法忍受，也無法解釋他所看到的那種更荒謬的死亡。

母親害死兒子的，她甚至沒有發現，所以沒有內疚，沒有憐惜。只是森山呆呆地楞在那裡，一如那死去的小豬，一動也不動的，牠身體已然開始發涼發黑，沒有鼻息沒有心跳更沒有生命。但是，他也不知道爲何自己可以在後來的一剎那之間，就彷彿想開了，或就是不再想了。

就在越來越順手地清理起其他死去的小豬時，他覺得自己就眞的像是個屠夫一樣，熟練了起來，就一如完全沒感情也不在乎地用力抓起，懸拉，扯身，然後，就這樣搖搖晃晃地丟進收屍的小鑄鐵籠中。

死去的小豬旁邊卻是更多小豬的兄弟姊妹，牠們無感情甚至無感覺地圍繞著的死豬，壓著，嗅著，搖著，或者就更不在乎地踩過。有的小豬臉上有些奇特的表情還一直浮現，眼皮鬆弛的瞇著，吐出小舌頭，但是就好像一堆青春洋溢的小孩，不知發生了什麼事，也不知牠們錯身而過的死亡找上了別的手足，繼續地推擠或玩鬧，森山甚至就在那些處理小豬屍的冗長過程裡養成了打量死去小豬的神情的惡習，他甚至就在收屍鑄鐵籠箱裡，挑選姿勢角度比較好看的那些臉孔，更仔細地打量，其中有的就像一個舌頭半吐瞇著眼的小女生，那麼地逼眞而可愛，這使得牠們的死亡，更突兀跟恐怖地荒謬著。

日子久了，森山其實覺得反而是出生比死亡更辛苦也更荒謬。出生，中間過程其實更辛苦，尤其是半夜的接生，很臭也很黑，尤其是吃剩的豬飼料，很濃稠很臭。出生，有時是完全相反的更離奇的死亡見證，因爲生小豬，常常會是難產的，一次母豬往往生太多隻了，那巨大的豬身一直顫抖，呼吸很快，其實叫聲也很微弱，一直抖動，一直扭曲而不安地躺著，往往在夜裡，被搖起來不甘願地去幫忙接生的森山，一直覺得自己是在噩夢裡。因爲在豬的產房，整間豬舍的豬群仍然在半睡半醒，接生的人其實也是，昏昏沉沉，往往要很久以後才能清醒到中間到底出了什麼事。

開了產房的夜燈，找到要生的母豬，一邊安撫豬，讓不安的躺平。然後，更困難也更尷尬地，是另一邊要伸手進母豬的陰道裡，那是一種奇幻的神祕經驗，很難描述那種在生命的發生的現場的氣味、場景、光線，那麼晦暗陰霾卻又那麼活生生地湧動。但是，在那奇幻的生命發生的現場，森山仍然一直很害羞，因爲他要傾身伸手進入那母豬的很巨大的陰道壁，往往很黏稠又很潮濕，因爲就要生了。所有的狀態變得更激烈，他一伸手就幾乎整隻手肘都伸進母豬的性器官裡，而且不能遲疑，不能感覺到太多的自己情緒上的震盪。因爲現場總是極度地匆匆忙忙，所有人都需要緊張而精準的待命，伸手進入，馬上要抓小豬出來，一隻一隻，瘦巴巴的豬，肉色的，瘦得很像狗，體毛是白色的，肋骨都還滿明顯的，但沒有立刻睜開眼，其實過程很快，要很熟練，不然會出事。

有一回的晚上，森山還碰到了麻煩，因爲母豬生太久了，而且子宮太深，他整隻手都伸進去了，還找不到最後的幾隻小豬，就這樣，他好緊張又好害怕，再找了好一會，弄得滿身汗，一整隻手臂，都在那母豬的陰道壁裡頭找，找到後來，太慢了，出來的小豬都是死胎，豬身都發黑了。

也許產具就是刑具，有時候還更是要開腸破肚流滿肚子的水後才知道有幾隻小豬。出生就是死亡，更荒謬他到退伍的許久許久以後，還會作這種噩夢。他所蓋過的建築都變成了養豬的地方，變成了屠宰場和接生房甚至是取精間，而走進去的人都變成了待屠宰或待出生的豬隻。

寶島大旅社或許就是這養豬場裡，最華麗也最荒謬的一棟建築。

因爲森山跟顏麗子說，最荒謬的其實是取精。那是養豬的地方的一個最深的密室。房間裡，什麼都沒有，全空的場景裡只有一張像椅子的長椅，橘色，還是咖啡色他都已經分不清，像一個劇場，殘酷劇場。種豬被困在欄杆裡，連翻身都沒辦法，但卻很有精神氣力地吵。那是豬舍的最末端的某一條巷子，很長很深，大概有三個豬房單元長。但是，只住著一隻最被照顧和矚目的公豬，也就是傳說中的種豬，牠是深咖啡色，很壯，屁股後面掛著兩個睪丸，極大顆，漲紅著，像一種奇觀，一種演化的關鍵的生物鏈的最頂端，肌肉男，從調情到交配的超人氣王子，那種種光束打入最閃亮的焦點。尤其，旁邊三個豬房是養母豬的，極白的豬，體毛是很細膩地純白的，陰戶很深紅，但是已然弄得很髒，牠們很不安但也很激動，始終隔著柵欄互相地深聞，用氣味用低吟不斷地試探對方，試探更多的什麼，而且有那麼多隻倚圍著欄杆，用某種更隱隱約約的氣味向遠方挑情，後來種豬就發情了。森山說：「我們在這時候就會趕到那取精室的殘酷劇場，小心翼翼地在長椅上噴上費洛蒙，然後再悄悄離開。」

森山和其他人們就退在外面，看豬在裡面，後來就趴在長椅上，扭動，一直噴氣，帶有濕氣地扭動。這時候他們要進去，幫助牠，用手，跟用器物溫柔地進行，那眞的是生命發生的荒謬時刻。

老兵跟他說，就跟吃飯睡覺一樣，有時候也會出錯，因爲種豬們會害羞，牠們也會不好意思，所以牠們會吃不下去，睡不著，射不出來。

然後最年輕的森山就必須專注於一邊安撫一邊調情，有時候甚至必須整個晚上半睡半醒，但還是得溫柔地幫那巨大的種豬手淫。

旅社部（第13篇）恩主公。

一

「第三隻眼」很大的四個閃亮的字，極龐大又極亮金的字，筆畫粗糙的怪楷體，而且就直接嵌在那棟三層樓建築物立面上，像某些廟宇中神格極高的殿堂進落的匾額，或園林中極險的亭台樓閣水榭兩側對聯上頭橫披的命名，很突兀卻很搶眼，又怪異又理直氣壯。像藏廟壇城深處、中世紀的山中修道院苦修密室、某祕教總部的禪修最高閣寺才有的規格。

這是恩主公這一帶難以名狀的奇幻，「第三隻眼」也仍然是我覺得最怪的一家，因爲它還是在更大的松江路上，下面一樓騎樓梁上還有另一面也算大字的招牌，上面也有令人不得不屏息注視的「智慧學院」四個字。那並不是出現在某個小鎮，或某個偏僻的寺院裡，而卻是在都是辦公大樓的松江路上的一個較矮的店面。變得很不對勁也很尖銳地刺眼。而且，所有的旁邊的店家也同樣地不對勁，小型的老派精工錶行，寒酸刻印名片請帖店，再旁邊是草率重新打理裝潢出來的某科學中醫診所，某泰式養生館，某養命藏天命理中心。這一帶就像一個老萬應公廟旁邊搭起的不明市集，一個古代城池格局中前朝後市的更後頭的黑市。甚至，這大樓自己店立面的「第三隻眼」大字旁的左上牆頭還眞的就架起很大的廉價小型破爛看板，但是上頭還是有發亮而俗氣的「套房出租」輸出電腦楷書字。

彷彿所有的我所想像的神祕都只是幌子，仔細看就會露出馬腳的郎中騙術。因此，我的打量我的小心那種種好奇，就不免變得更可笑也更荒唐地不倫不類。

我跟她說：「行天宮這一帶越走就覺得越是空的。不像之前去的北投或大稻埕或火車站。這裡像一個因爲時差而懸著的地方。沒有根莖的更土更往下長到髒髒亂亂的什麼，沒有歷史恩怨仇恨也沒有行會幫派械鬥的扎根到盤根錯節所可能引發的混亂。所以，太乾淨了，太漂亮了，所有的門面，都只是給不知情的香客看的，彷彿這個恩主公的陰森這麼多年來從來都沒有長出來也使得這一帶所有亮出來的、看得到的、賣得起的，都彷彿是那麼地像虛的或假的。」

就像在有一次坐到的某計程車司機的車上，有一個象牙雕的觀音立像。上頭有一個純金打造到閃爍發亮的法輪，旁邊打紅色的繁複的中國結收邊成圓形，是六字眞言的圖案，金線勾成的字，裡頭有些高彩度的字形塗色，像西藏的法器，但是細節已然磨損到殘破不堪，那佛像尺寸不大卻很尊嚴。

「市民大道大塞車，南港交流道那一帶有廟會。路過的駕駛請小心，台九線有狗的屍體。」車上的廣播還仍然一直在播。

另外，旁邊還有更奇怪的。那仔細看，竟然是一個透明的佛像，小小的，大概只有合掌兩個拳頭大，但卻安放在圓形木雕的底座上。像一個缽，一個法器。但是卻發光，就放在車的駕駛台前，那是個用水晶做的彌勒佛。我跟他說可不可以借我拍照。我覺得祂很妖嬈很奇特，但我只說我跟祂好像很有緣。他說好，一路車一直搖。怎麼拍都是糊的。還一手拿佛像一手拿手機，完全沒有敬意可言，但也沒辦法。

我心裡一直好忐忑不安。而且，肚子很大的曲面可以看到車窗外的城市的倒影。扭曲的，有些模糊，縮小，臉的笑，可以看穿過去，有些刻的刀過凹痕沒有磨亮。變成霧玻璃般的砂磨痕跡，未完成，不透光，肌理，沒眞的刻得極細。但他說是有被加持過的，有法力，我拿在手裡看，有點毛毛的。

陽光有時照進車裡，我想把祂放在光裡拍。但是晃得太厲害了，幾乎沒辦法對焦。有時車停在紅燈時，光就不見了，一直拍不到我想拍的。

何況，佛的臉的弧線在某個角度看變得有點變形，所有的倒影捲入了額頭，鼻頭，臉頰的半球體裡再像用魚眼鏡頭拍攝般地出現，變得古怪而猙獰。

他說：「很貴。但是，我買這種佛像不太在乎價錢，看緣分。而且事實上，在路上，眞的很靈驗。我覺得祂冥冥中救過我好幾次，有一次連車都快撞上了，還是閃過。」

在恩主公廟這一帶所有的這種佛像聽說也有這種靈驗，即使我們什麼也沒買，只是在巷中，緩緩走過幾個暗暗的小店，只叫花生湯配油條和另一碗有桂圓枸杞味的紅豆湯加湯圓，在這冬至後的第三天，走了好久了，天還是好冷，想喝熱的甜湯。

我跟她說到台一冰店之類的一些臺北老城帶的老店才可能有的更多甜湯的窩心。這家怎麼喝都像這一帶那麼的不太道地。更後來，我們從喝甜湯的桌上看過到黝黑的對街，那裡很多怪店，有一家最怪，鏽蝕的鐵門半掩，裡頭燈暗暗的，店面從外頭看進去，還不小。好多黑石切開可看到大型的水晶，奇怪長相但髒兮兮的珊瑚、靈石、天珠。怎麼看都像贋品，但是，卻被拱成某種昂貴而稀有的珍寶。甚至，還有一塊可唬人的巨大看板，上頭寫著：所有奇石皆可，刻字兼開光。就這樣從這夜裡看去，這巷中的狹窄街衢深處的這一家一家的破舊不堪的店，都是這麼自以爲玄奧地怪異。我跟她說，我從來沒想到這裡竟還是在臺北，在這個城的中空的空洞，像一些不明挖開的裂縫、空隙種種大大小小黑洞，有些無以名狀的神祕與不堪。

恩主公後頭巷子裡一直有這麼多古怪的古董店。甚至，再過去就是臺北市區裡唯一的老殯儀館，我在那裡參加過太多次葬禮，送過太多人。甚至，沿著殯儀館，一路排開的店面，都是最老的棺材行、葬儀社，很多櫥窗都可以看到各式各樣的牌位、骨灰罈。

這一帶，覺得就是什麼都是假假的地方，很用力要變眞的。新的可以變舊一點、世上可以變世外的，運不好可以變好的。一如那條最著稱的算命攤成排的地下道。那裡，像是一個古代或許是傳說一群先知或一群郎中，一堆神人或一堆騙子，沒人知曉，只是永遠那麼熱鬧，那麼喧譁。因爲有一種集體相信著某些舊世界的什麼可以拯救新世界的應驗氣息，所以繁殖出這個廟的繁華，也繁殖出更多的廟旁的奇觀，因爲這裡就在臺北的摩天辦公大樓地帶，還有許多大大小小的各行各業公司會去朝拜，有著穿整齊西裝的業務，甚至穿著套裝的ＯＬ會去邊拜邊求，所以，那裡好像一個繁花盛開的神明的後花園。除了廟的祭祀用老佛具店還有好多好多更新奇繁殖成的伴手禮店、水果店、按摩店，甚至有可以直接去新竹或中正機場的公車站。

那已然掃蕩過的離恩主公不遠的農安街，當年可是一個林森北路和吉林路那色情區的極紅極火熱的後街。吉林路都是理髮廳而林森北路都是酒店，在過去是那麼膾炙人口地妖嬈而華麗。

但恩主公卻又以另一種姿勢華麗著是另外一種膾炙人口，那畢竟是個著名的廟。還香火很盛，還有著名的讓人過香或抽籤或收驚的靈驗極了的地方。

這個廟雖然不那麼老，畢竟還是有滄桑的。

「這旅館附近你熟嗎？」我問她。

「只有跟父母去行天宮拜拜過！」她說。

我想大概所有住過臺北的人都來過恩主公過過香、收過驚吧！我沒想到的，反而是check in這旅館之後，才發現那裡離旁邊的行天宮那麼近。我也太久沒來這一帶了，在我小時候的印象中，這裡已然在臺北盆地的最北邊，離商圈很遠到已然要上高架橋快出城的地方。

好久沒到這一帶了，這裡是擁有太多太多大都市裡的晦暗陰森又不得不來的地帶，那麼令人不安地不祥又不忍。但是，我一直最難忘懷的，還是那一家古怪的店門上掛著：大道公會。

因果神通刀療，一回二百五十，治百病，消業障。

我嚇壞了，因爲，就在那現場看到了那師傅就拿起菜刀在那病人身上一直砍一直砍。但是，又捨不得走，就發呆般地站在那裡一直注視著，這一切一如古代神明上身起乩發功救人的神蹟現場。

因爲，那個滿臉橫肉師傅好像極度恍恍惚惚卻又極度專注在用菜刀砍人的狀態實在太古怪了。

旁邊有一個歐巴桑好心跟好奇的我們解釋著，這種用刀在病患身上剁砍來治病的古代療法，其實是一種神通。那個歐巴桑說：「這種刀療原爲中國古代醫療法，失傳很久了。我老公可是去日本學的，因而，古代在中國是開始於卜筮、祈禱、禁咒、砭石之類那種很難說的冷門而古怪的治療，後來在唐朝隨和尚傳至日本。在日本刀療師還更神祕地要求一定必須是修行極深的僧侶，而且，刀療前先設道場、上香、禱告、念經、持咒、請法種種極愼重虔誠的儀式，才可用加持過長武士刀來刀療。雖然我們這裡是用臺灣菜刀就可以了，但是我老公還是會先用碘酒醒血然後運氣下刀，他的用刀很慢而跟著走很準的經絡，所以如果有內傷的地方一砍就一定很痛。」

因爲，這種刀療也就叫做「因果刀」或「業障刀」。沒辦法，那歐巴桑嘆了一口氣地對我們說，她老公這種刀療師傅可是承擔了所有病患的業障，一邊醫也一邊會吸很多病人的病氣。

就這樣，我跟她說好奇怪，怎麼看都好可怕，因爲那刀上的碘酒怎麼看都像血一直流。但是，不知道爲什麼，卻覺得有種古怪到無法解釋的好血腥卻又好療癒啊，那被砍病人雖然也疼痛到呻吟，卻好像露出一種更古怪的得救般的幸福眼神。但一邊嚼檳榔一邊吐汁像吐血的那師傅還是往他身上用力揮刀，一直砍一直砍。

二

她錯過最後一班捷運，我送她下去坐計程車，我有點不好意思，她說沒關係。

我送她離開後，回到這老旅館前，本來還想出去走走。但是已然太晚太冷。我也太累。就這樣無力地坐在一樓那不大的大廳著名的老沙發上，有種早期現代主義風格的不起眼但極細膩體貼的講究，甚至，沉浸於那深夜大廳昏暗的光暈中，端詳起大廳末端那精密華麗屏風上暗銀的雲朵圖案的美絕曲線，那種弧度的流動就像老樹的枝葉無限蔓延。極爲動人還有種那個年代的含蓄與優雅。

然而，這老旅館在臺北是那麼有名的。那些有名的過去發生過的故事。三十多年的老旅館。以知名的法國菜著稱外，這個老旅館所講究的建築和室內設計是一種現代主義歧出地有點怪的風格，叫做Art deco風。

所有現實立體的圖像在這種風格裡都被轉換成某種折射又投射出來的歪斜輪廓，不仔細看還以爲是三度空間退回二度空間的深度變淺了的隱隱約約，就像把眞實世界的人地事物的鮮明壓扁平成了壓花標本般的樣貌而已的那種妖術，有種把妖怪收入一幅畫軸裡那類的不祥的怪異削減切扁的奇幻風景。

那些check in的年輕或年老的櫃檯人員們，像是精挑細選過也精心訓練過的，人和建築的總體樣貌十分接近地講究，身高很高制服很挺，但是人卻仍然是小心翼翼地打理客人。一如整個過程，他們的眼睛始終彷彿仍然仔細用餘光注視著我們的身影。

另一側大廳沙龍長廊深處有一道懸掛很多黑白老照片的牆垣，那是三十多年來這個老旅館的引以爲傲極了的歷史照片。很多藝術家類型的全球名人來過，甚至都住過這旅館的著名總統套房。卡列拉斯、馬友友、阿格麗希、馬歇馬叟好多名人簽過名。

大廳長廊尾端竟然就出現了一張華麗的總統套房曲弧型長沙發，在那空蕩的沙龍前精心地陳列，使得這些歷史顯得那麼栩栩如生。

但是，我卻又想到庫貝利克的《鬼店》。有些不尋常近乎不祥的聯想，彷彿那些曾來過這個老飯店裡的幽靈仍然在這一帶盤旋著。

在旅館法式餐廳的晚餐裡，她跟我說，她前一晚看到了一個寵物節目。在裡頭，她想到了太多事使她太沮喪了，或許她說，她完全無法理解，爲什麼那麼多人喜歡貓，喜歡這種可怕的陰森動物。甚至該說，是這種喬裝得如此可愛的怪物，在節目裡，有一個著名的貓咖啡廳，充滿了奇怪的美輪美奐的浪漫，太歡樂地離奇，那是一大群貓。在那個充滿花的粉紅色咖啡廳的所有角落，主角是一隻叫做塔姬的可憐的眼神有病的小貓，還有牡丹，馬卡龍，和其他幾十隻大大小小的貓，甚至，放出來以後，大家都在一起玩，陪客人一起鬧與入戲地搶著玩貓棒。

有些貓前輩們累了，睡了。那隻眼睛半瞎的小貓才走出來，開始玩小魚的玩具。因爲所有大貓都不和牠玩，疏離牠，牠顯得有點可憐，又因爲眼珠瞳孔歪斜而有點可怕。後來，才有一隻最老的老貓出來哄牠，帶牠進去。嗚咽而失落的小貓，彷彿有病，但是又有心。那是某種令人看了不免會引發的不安與不解。好像一種恐怖片裡的生態的某種氣味。像一個寓言，怪物們的，不在場證明，深深地入迷，不舒服也不會不好意思，太可愛的不知如何害怕，但是，我心裡明白，寵物其實對我而言就是怪物，可笑而近乎不可思議地可怕而逼近。

她說：「我沒養過。只是那天有一個人一直在跟我說她養的狗的事。那讓我想到其實我從沒眞正養過寵物。一個連自己都照顧不好，或者，不敢付出承諾的人，是沒有資格養寵物的。」

我跟她說：「或許養寵物和養小孩一樣本來就是不道德的。或許這是因爲我們對自己和別人任何關係的發生的可能都期待太高。太不容許陷溺，失控，對期待或不期待都沒法不在乎。」

她說：「不。問題在我們。不在養寵物或養小孩，在我們本身。甚至，以前小時候養過的狗不算，因爲那並不是我眞正想要養的，只是看姑姑養的。我甚至從小到現在都避免跟寵物跟小孩甚至跟別人有感情，有任何更多什麼的牽絆。」

我跟她說：「我們都有那種精神狀態上太精準的太難，或說，就是一種控制狂，對所有的沒法子挽回或拯救的現況的愚蠢與失誤與混亂，都太耿耿於懷，所以一下子就累了，或累死。」

對於身邊那些人和事的不對勁，說破了的，假惺惺的，裝糊塗的，冒失或冒犯的試探，我們都很不耐煩。這種不耐煩反而使我們接近，使得我們能在旅館裡互相消怨恨式地埋怨，說眞心話，說對這個人間的不滿，事實上也沒法子改變什麼，但能夠細膩而精準的人事在我們身邊卻永遠是那麼稀少。我們或許就也只是這樣有一搭沒一搭的聊著，就覺得夠好了。寵物的逼近，只是使這種恐懼變得那麼地鮮明。

最後，我們更累了，因爲在離開旅館前最後兩小時半談心半賴床與再度沉睡，是很甜美的。我們睡前還看到的電視正在報導：巴拿馬運河重機器，那是一種巨大的像太空站或油井鑽台的打撈淤沙的船，太誇張了的複雜沉重，放炸藥炸開更寬的河岸河床巨石。每天二十四小時運作。好像有種文明深處的困頓開挖、深入而永遠無法終結的工事。

另一台是說英文的名叫NOW的頻道。正在介紹某種未來電玩軟體，華麗的許許多多古代現代場景：殘破的中世紀城堡，高科技的未來風摩天樓，已然變成廢墟的地下鐵。但是所有裡頭玩家扮演的人都一直在殺人，抬著巨大複雜的未來風怪槍械向所有可能方向亂開火，而且在不斷出現近乎迷宮般的走廊樓梯中不斷移動。有種怪異的暴力、速度、血腥。但那節奏與視覺的逼近與疾速實在太動人地好玩，我一直記得被那未來巨型怪槍械開槍打破的人的腦袋爆裂的一剎那，噴出的腦漿和鮮血變成慢動作般的畫面，破爛的腦殼，脊椎頂端的骨髓骸，爆開的半碎球體眼珠都太逼眞而寫實地浮現，太過不可思議地華麗美絕，甚至就像水上芭蕾舞者以高難度動作入水時濺出的水花反光那種種折射與繞射的粉紅色光暈的炫目，完全令人忘了那種死亡的殘酷。

最後，我送她去捷運站。回來時，路過恩主公廟，繞了一個彎，換了一種走法。竟然就發現了完全不同的古怪到無法無天的遭遇。

有一家，很龐大的三個連續怪店面。有石獅子一對，一個二公尺高的有標示穴位的銅人像，但是塑膠做的公仔形式的。但是仍金光閃閃，但是深漆色的胡桃木製門額上有貼了一張法師用毛筆寫就很多怪字的符。怎麼看，都像是地理師或風水師攤位，某種祕而不宣的密教或邪教分壇之類的地方。之後，在旁邊，有好像也跟著連鎖的另一個怪店，就叫做大溪地按摩。入口看似什麼芳療中心。但是，很不尋常，因爲門口旁邊的廣告照片很糟，不但很髒很醜，有的還褪色到像數十年前的老照片或靈異照片，有一張特別地離譜，因爲畫面中有一個烤箱用的古怪造型木箱，上頭圓洞正冒出來烤的人的頭顱，那人眼睛緊閉一如完全無法喘息地緊張痛苦冒冷汗，另一張是面目更模糊的更多人正一起將全臉塗滿髒兮兮又黏稠的黑泥，本來可能是用死海泥在敷臉那種講究的芳療體驗，但是，在這個狹窄侷促又古怪的玄關旁泛黃照片畫面裡，卻因爲拍得太離譜。所有人都不免那麼呆滯而無助，怎麼看都像巫毒教的施法受刑，或法輪功被殘虐的可憐照片那麼恐怖。

但或許這只是個做黑的，假按摩的，有點色情的鬼地方，不像我想的那麼恐怖。但是，一如恩主公的恩主是什麼，一如這一帶的陰森是什麼，我其實始終不是很清楚。

只是，仔細端詳太久，雖然太陽很大，但風很冷。我一邊覺得很熱，一邊內心卻很冷地猛打噴嚏。

三

她嘆了一口氣說，這個恩主公廟和她因之想到的京都是充滿悲劇的，但是，不是我們想的壯烈的那種往往都歪歪扭扭極了，一如阿龜。

她說她常想到那回旅行有一天下午看到的大報恩寺，就是那種歪歪扭扭悲劇的最好版本，西元一二二七年，有一建築工頭在梁柱切割上發生錯誤，而後，在工事差錯的絕望時刻，竟然由於最聰明絕頂又最善解人意的妻子阿龜的極險又極高明的建議，才能以千鈞一髮的困境逆轉而近乎不可能地成事而順利上梁。然而，這種動人的困局獲救已然是那麼地難得一見，但是，故事結局卻是令人不安的更爲動人，因爲阿龜在拯救困局之後，卻還爲了維護丈夫的工頭的匠師名譽自殺了。

像一個烈女，但是，卻更壯烈，也壯烈得更歪歪扭扭。就這樣，得以她的墳墓就葬於大報恩寺的廟前，還因此有一棵很大的阿龜之櫻在廟的入口。

這故事奇怪到太不像眞的發生，就像假的像虛構出來爲了教忠教孝地教女人要殉於夫和殉於夫的匠師技藝。但，怎麼想，還是覺得不對勁，即使她那麼不太在乎蓋廟的匠師技藝，但是，她還是覺得太特殊了。因爲日本的古廟前從來沒有女人名字和女人的墳墓。

然而，她在趕時間，快五點了，但還是先進去看大報恩寺更著名的國寶館，參觀著稱的古代千手觀音和羅漢群老木雕，還有珍藏歷代宗教和貴族的古物，還是足利義滿的書法手卷古笈。然而，博物館裡的餘光很幽暗，空曠的展覽內室十分地奢華考究，甚至在許許多多古佛雕及古阿修羅神像之間，她還一直感覺得到某種近乎神祕的神通。可是，現場竟然完全沒人看守，使她忍不住地拿起相機對著不該拍的神祇一直偷拍，一邊拍還一直覺得可能會有冒犯神祇的天譴，而始終忐忑不安。

然而，可怕的卻是在已然一千兩百年的古寺本堂建築，裡頭所有陳舊屋身深處的更老而沉的佛像佛壇壁畫香爐掛軸都那麼地名貴而奢華，是不可多得的神物。

但是，所有的意外的最高潮，卻在大報恩寺的最後頭。那是，當她走完前端廟身的所有收藏和供佛本堂之後，離開之前，不經意地一路繞過側殿要回到原來入口的走廊旁若無人的缺口，前端有一小路，她沒多想就順路走進。但是，就在這個時候的這個地方發現了最令她心悸的一個角落，既恐慌又恐怖。

那裡其實本來只是木製迴廊前的老夾層，老木製家具都有幾個玻璃櫃靠牆擺放，仔細一打量，卻竟然就發現了更多意外，因爲那數層夾層的老木櫃中，太驚人了。因爲，所有的黝暗木櫃的角落深處，都正陳列出密密麻麻的阿龜的人形，乍看沒什麼，但走近細看，她嚇壞了。因爲，太繁多而奇幻，也太細膩而詭異，小小的髒兮兮的舊玻璃櫃面看入，竟然有大大小小數百個阿龜的傀儡人偶的變貌，最大的是盡頭某一尊龐然大物的惹塵埃皆已灰暗落定的近三米高盤坐大小的阿龜巨型雕像，最小卻各式各樣手捏手畫出只有一兩公分的小頭顱的阿龜，神貌殊異。但是，也有脈絡可尋地令人不安，因爲都溫馴得太悽悽慘慘，雖然神情那麼逼真，有的笑，有的點頭，有的趴著鞠躬，有的瞇眼打盹，有女體變貌地更離奇，有的四五個奶頭外露，有的甚至變美人魚身，有的手上還拿一隻陰莖。但是，每一個阿龜的模樣都那麼溫馴的都胖胖的，都穿和服，都不好看，但是都極客氣的像內將地跪坐著。

那像是某種最古老人形的最新潮變身，主題變奏曲中的某種揮之不去的主題中最令人不安又不忍的同情，一個女人，一種美德，一種懷念與紀念的更深處，那種種近乎殘忍的自己還心甘情願的死，就在那些古老人形的容顏上用某種斑斑駁駁的形貌破滅來註解歪歪扭扭極了。

一如那廟裡的很多阿龜的笑臉早已老舊到皮膚剝落垮塌，但是更不忍的陰森，卻是她那麼委屈仍那麼客氣到像整個臉都爛了還在盡心力微笑地陪笑。

更後來，她說：「我迷路太久了，最後那路繞了太遠，所以太晚才走進哲學之道。那時候，天已快黑了，那櫻花季時充斥賞櫻人們身影的遲遲流連和櫻吹雪般風光的璀璨晶瑩花瓣的亮白紛紛，竟然都完全消失了，完全地空空蕩蕩，這是京都的特殊效果嗎？那麼熱鬧到絡繹不絕的哲學之道，天色一暗淡下來，竟然沒有任何殘餘的光和人。」這使她走了好久之後，越來越擔心，不知道發生了什麼事也不知如何是好。因爲，所有的路，所有的心情，都像是被下咒，或被神隱，因爲莫名的緣故，變得不安到不祥，又不能如何。

就這樣，她只好往前摸黑找路，又走了更久更遠點，才勉強在近乎完全漆黑的樹下看到兩三個路人，有一個男的在失魂落魄般地溜狗，一個老人在發呆到近乎打盹地抽菸，一對情侶一動也不動地在深深淺淺地擁吻，仔細打量，好像都是在緩慢到近乎停格的狀態，好奇怪。所有白天喧譁的人聲人氣在這些仍然像幻影的人影中反而更稀薄，彷彿都消失了。甚至，在越來越冷越令她心寒的某些閃現的念頭裡，都還會懷疑起這些她看到的人到底是不是也迷路了，或這些她看到的到底是不是人。

越走才覺得越怪。又過一陣子，也又看不到人了，不但沒人，而且在路兩側的老店也都收了路燈也都暗了之後，尤其陰森。比起以前她小時候跟老師同學來郊遊賞花的童年旅行來，那滿滿地都是人都是櫻花都是店家在招呼的種種熱絡，是那麼地歷歷在目。然而，那晚上的這裡怎麼會這麼離奇地走樣到竟然完全不一樣了。

而且，越走天越黑到完全漆黑。樹影越死暗。就像是某種更龐然巨身已緩緩全然收山了的山妖，冗長的獠牙利爪都費心費力藏匿了起來，就那麼婉轉隱約地隱身於連接於那幾個哲學之道旁古老寺廟的廟身後頭。

最後，還竟又下起紛紛擾擾的又潮又悶的薄雨。

眞是越來越怪，像是一個無心的觀眾冒失又冒犯地誤入了某神劇演出的後台，或花燈的高大燈火樓台藏燈芯火種起火的底部，或繁複機關算盡的龐大遊樂園的機房管道間夾層，更可能是闖入而打擾了某種可怕的消災收妖的極凶險盂蘭盆法會的收場，而發現自己被困在那法會所祭出勾勒成的結界裡，她出奇地害怕，感覺現場已然冷清到令她心悸，或許已不是冷清，而是更凍結，在某一時刻，把溫馨或可人的部分都抽走了封住了。或說，已然進入那結界的最陰沉的深處。

其實，整晚失心瘋般迷路的她有著前所未有的害怕。但是，這種害怕也使她好心動。她跟我說：「我心裡老是在想：這最後一晚的意外，這沒人的哲學之道，對我而言，到底是什麼意思？」

那天又走了一天，中午本來還有點想放棄了。

她想，那天已是最後一天在京都了，本來還想就放一天假，什麼地方都不去，什麼事都不做。但，後來，她仍在看那一本很冷門的寫京都的怪書來當導遊，走了古怪作者說的古代京都人才會去那種種擁有太多謠傳的謎團般的地方和走法。

但越讀那怪書，就越會遇到怪事。

沿著地圖，往某條大路下走，還有另一個更直接的千閻羅堂，門已關了，她勉強而好奇地往老殿門的玻璃門扇所留的一洞口往裡看，太黑了，太充滿了閻羅堂完美的想像。

在最裡頭的閻王，那麼地隱隱約約，那麼地恐怖到看不到全貌，只看得到他臉下的吐出的舌，幽幽的血紅光影就打在那裡，其他更深深淺淺的幽暗的光景，只更勉強地看得到一些前面的神桌，小鬼，　座，布簾，但很隱約。她拿照相機對著洞口想硬拍一張，但竟按快門按不下。

就在她那麼緊張時，聽到一陣鈴鐺聲從後面外頭街上響起，回頭看，只是一個小學生書包背後吊鈴在搖，雨還在飄。她說：「這是全日本最大尊的甚至是唯一的拜閻王的廟那吐舌的巨大神像極著名地詭譎，我想到我以前去旅行時，一不小心看到這種城隍殿或死神廟，路上總發生一些怪事。」

她說：「我想起太晚才走到哲學之道的原因了，那是因爲下午的時候，猶豫了很久，還是走上那本書裡提到的那一個叫神樂崗的聖山。那是西元八百多年，一個像鬼谷子又像摩西又像清海無上師的人創了的教，叫吉田神社，從古時候到現在都還有人在拜的地方。那山離銀閣寺不遠，想了好一會，就繞進去看看，之後，想著或許可以才接著走入地圖上離銀閣寺不遠的哲學之道。」

「但是，一走上山就發生好多怪事。」她說：「下車進鳥居，往山上走，雖然離市區很近，就在馬路邊，但一走進林中，就馬上陰森起來，好像有種隔離的氣氛很難明說。再走一段路，就更陰森，地上很潮，樹很密，落葉很多，路不寬，但還好走，只是一路都沒人。好久才看到一個人經過，一下子就又不見了。走好一陣子，一直有一種低音，彷彿是鳥叫，也像是蟲鳴，有時也像風聲和葉子在樹林中交錯的混聲，起起伏伏，幽幽盪盪。不知是什麼。但是，聽久了，就也沒再多想。」

她又走了好久，高低起伏許許多多之後。最怪的是，她發現了林中一直有一個個塑膠布緊緊蓋上的巨大的覆蓋物體，像不明功能的巨型機械，沿著森林的某種秩序，還有很多不同的安裝與排列的布局，只要往深山走更深入，過一會，就會發現有五六個，再走一段路，又有六七個，再走，還有，不知有多少，也不知有多遠多深。

再更仔細看，那不明巨型機械極像精密到密密麻麻按鍵極多的高科技儀器，不像農具，因爲包得很複雜而仔細，上頭還有工業表格填了一些註釋功能效能之類的字，她說她完全看不清楚。反正，那些不明覆蓋物體極度令人毛毛的，像一種末世的肅穆又不祥的氣息，像整個山在做不明的生化實驗式的實驗，祕密而致命，所以更像是走向祕密教派總壇的山路上的埋伏，而且是高科技的某種機械即將引動的災難什麼的。或許，她說，只是她想太多了。

再走一會兒，找到了一個小神社，是有拜和菓子神祖的神社，再旁邊是有拜料理之神的神社，有點小甚至可愛而可笑，但她在一個樓梯上看到一隻很大很掙扎的蚯蚓從土中探出頭來，和一堆螞蟻搏鬥，牠的全身半透明又黏又噁心的蠕動變得很動人，她蹲在那裡看得失神。

後來，終於找到了上頭那個異教蓋了一座八角形叫大元宮的總壇，很難想像，和別的寺廟都不一樣。所以，那時想找找看，最後是繞了好久山路才找到，但門是關的，只能從縫裡看，裡頭陳設考究，但不知爲何，她老想到在古書上看到的某種藏廟或印度廟，很大很古，但不能直接進去看，很多喇嘛或苦行僧在旁邊作法念經，有的禁忌更繁瑣的他們會千萬交代，不是信眾就只能在外頭一個洞口看，而且要彎腰，要暗暗地端詳，好像有什麼，但她看不到那種種妖裡妖氣的神祕。

她說：「我始終不明白，但宮裡的他們，一如千年前也一直都持續那樣的神祕在那裡。」

可是，大元宮總壇的那裡很怪異地很亮，但完全沒人，只有她。連建築迴廊旁外場本來的可以喝茶或洗手或賣祭奠品的地方也都沒人了。她始終沒找到人問，也始終覺得奇怪，像鬧鬼。

終於離開那總壇建築的神祕而從側殿出來了，她還是有點慌慌張張，幸好在驚魂未定中，遇到一對很馴良客氣的父子來廟埕前面空地踢足球，她跟爸爸問路，他爸爸很木訥，用很糟的英文指了一個方向，她道謝後慢慢離開時，回頭，看到那捲髮和臉都黑黑的兒子，他邊踢球還邊跟她揮手。

她始終覺得那揮手的手勢好窩心，因爲那是她驚慌的那一天裡唯一有人的感覺的一瞬間。

因爲更後來，離開父子之後的她又在山上找路找了一陣子。最後，累到停在一個拜狐狸的竹中稻荷神社，一坐下來，才發現那一帶又是另一個神祇的領土，有著另一種神祕她說不上來，只看到了好多好多個大大小小的石像木製屋座，圍著中間一個空的亭子，方位和角度的拿捏很巧妙地講究，有種莫名的氣息，就像擺了陣下了咒的法術所圈出的陣地。是某種墓穴玄奧的神祕機關。但，她卻看不見，只覺得整個廟埕的場域很悶卻很涼，很安靜卻很恐慌，她在那裡待了很久，一直抽菸，完全沒有人，林中忽有忽無的低音，變得更明顯，有移動很慢的風，她甚至看到自己噴出的煙，一整團，就像停在那裡，亭邊，很慢很慢地但不消失，很久很久才飄出向林中渙散。

太巧了，那時天色還亮著，只有她一個人，坐了好久了，陰沉的林中，神社中，凝結了一種陰暗，很難描述。但突然，完全意外地，坐在那裡失神的她才發現，前頭，兩隻狐狸石像中間神社的整排紅燈籠全在那時，竟同時亮了。

那陰暗的凝結卻更凸顯也更深沉了。她說她完全說不出話來。

像是感覺到某更大更深沉的山神附著的巨獸什麼的，打開了眼睛。

四

我一直在想，這個恩主公廟是從這個城一條消失的河的盲段，從其末端的沼澤中長出來的，從一個以往老時代那麼靈驗的小鸞堂蓋出來的這時代的大廟，這裡頭有太多太多這個城的種種疾病與不幸的背書。因爲我想到的那又老又咳的枯瘦解籤師所說，這個廟的過去，有太多幸與不幸的緣分。他指著牆上的行天宮的歷史沿革念念不忘地說：「不容易啊！不容易啊！當年死了很多人，我們恩主公卻救了很多人啊！」

西元一九四三年，有一個空真子師父及師兄弟，在臺北城永樂町設立「行天堂」，恭奉關聖帝君。當年，玄空師父遂與「行天堂」關聖帝君結緣。

西元一九四五年，三峽「白雞」、「海山」二坑煤礦附近瘧疾肆虐，玄空師父為地方請命遂得關聖帝君聖允，闢一靜室創設「行修堂」。不久疫情趨緩，遠近信眾無不叩謝感恩。

西元一九四九年，居住於臺北縣樹林的基隆煤礦業主黃欉已經在臺北林森北路、民權東路一帶興建小齋教鸞堂。不久，鸞堂即吸引不少香客前往參訪，並形成多達二百五十戶住家的違章建築。

西元一九六〇年代初，將小齋教鸞堂擴建為廟，當時那個廟地仍為瑠公圳末梢支流和沼澤。

我跟她說：「這個廟太新也太老，一如整個龐大的恩主公廟裡，有太多太新也太老的花樣、行頭。有太多古時候才有的人和事的至今仍然風行，有很多分香的、收驚的、念經的、抽籤的。彷彿所有古代的煩惱苦難到了現代都依然還在還困擾。」

廟埕正殿前頭有人收驚。以科儀著名，所有人都身穿淺藍道服，都像道姑的歐巴桑，極專注而虔誠就像是那種從來沒有消失過老朝代的白頭宮女。

所以，恩主公保佑太多人了，人潮太多，好幾萬人，常有明星、政客來拜。那個穿海青很莊嚴的老道姑對吃驚的我們說：「連外國人都來。」所以廟門旁還有一張巨型的輸出電腦海報裱框，上頭有三叩九拜的方法圖解還有密密麻麻的忠實英文翻譯。另一側廡的拜殿還是可以拿籤和找解籤師解籤，她得意地說：「籤文也有英文的喔！」

我想到更多。牆上有一張廟的詳細介紹。寫著：行天宮，恩主公廟。主祀關公，行天宮是臺北武廟，廟門大門沒有門神，用櫺星門一〇八顆門釘代表一〇八顆星宿，大殿供奉的神祇都是武功高強的武將或仙人。分別為：關聖二太子關平、先天豁落靈官王善、孚佑帝君呂洞賓、關聖帝君關羽、九天司命真君張單、精忠武穆王岳飛、南天將軍周倉。

我跟她說：「所有這種武功好的古人好像下場都很慘，前頭的『地下道』還變成是『算命街』，與龍山寺那一帶的算命街一樣有名，共二十二攤。每一攤算命先生聽說都是神算。」

但是，最好的時代已經過了。我跟她說：「這恩主公廟旁以前長出的吉林路，是個奇蹟般的奇觀，竟然整條路全部都開理髮廳，是最殺的花街啊！」

在臺北當年理容院最妖嬈的全盛時期，可是出奇光芒萬丈地閃閃發光，近乎不可能的華麗，每一家店面都爭妍鬥豔，由於路太狹隘，而建築面寬也太窄長，所以各家店家就用拚場式的火熱刻意將建築的入口門口爭奇鬥豔地裝潢成各種最聳動誇張的華麗風格，有做成仿古樣式展現：巴洛克風、羅可可風、希臘風、羅馬風。有許許多多的古典柱子和裸女雕像站在二三樓弧形的陽台或窗台的妖嬈拚場，一如更早年的重慶南路和迪化街在它們人氣最盛旺的更老時代的風光。只是更亮、更騷、更金屬感還有仿霹靂布袋戲風，仿金錢豹風，仿太空船風那種電光的更台更聳又有力的時光！

那條路上，在當年也充斥了更多穿西裝的泊車小弟，圍事，穿開高衩禮服或旗袍的女生出來幫忙燒金紙的騎樓那種店的風光現在早已沒落了，脂粉味或人味都已然從整條路撤走了。到了完全蕭條荒涼的現在，只剩下一些不起眼的又髒又舊的種種尋常小店，小館子給附近商店上班的人吃的。但後來有些羊城魯肉飯、鬍鬚張、周胖子的老店連鎖店在這裡開分店。

我們走了好久，後來我選了一家看起來最老舊的牛家莊，髒兮兮的充滿壁癌雨漬的斑駁牆上還有用毛筆草草寫的斗大的楷體怪字，菜名有太多太多。煎煮炒炸皆大歡喜，牛郎織女最愛牛肉，牛心，牛胃，牛雜，牛肚，牛腸。最後，有一道寫了最大字的本店最拿手招牌菜：炒牛佛，牛佛紅燒。

她問我：「牛佛是什麼？」我笑著說：「大概就是牛的雞巴吧，或許也是牛的第三隻眼喔！」她也跟著笑。我看她有點不好意思，就說：「那是我猜的。其實我也不清楚。」

在旅館房間打開電視的新聞裡，竟然也正報導了好多難以想像的雷同的恐慌感。

有一則新聞是關於搬家的悲慘，由於房東和房客爲了押金的糾紛而不歡而散。但是，搬家後數天，一直有屍臭味道傳到同一棟老公寓的又髒又深的走廊上。後來，才發現了這個悲慘的狀態：原來的房客那家人在原來房子裡，爲了報復房東，把一隻白色柴犬綁在流理台，綁了好幾天，讓牠活活餓死，就這樣，完全無人的空房子裡，那可憐的柴犬一直到發臭，才被鄰人發現有可怕的異味。更後來，才叫警方來開門。電視螢幕上所出現攝影鏡頭跟拍的某種又晃動又聳動地如此聳人聽聞的畫面中，那柴犬全身慘白皮毛已然泛黃發黑，狗腹已然塌陷地近乎乾癟而烏青，口吐白沫的臉頰唇鼻都脫水而龜裂斑駁了，脖子在項圈兩旁充滿牠掙扎想掙脫的傷痕累累，還有狗屍旁的許許多多牠死前的排洩糞便尿液上空，仍然充斥許許多多揮之不去繞飛嗜血的蒼蠅。

後來，進旅館房間，我們說了很久的話。她說她的人生又出很多事，心情又在很混亂之中。但她仍然還是不想做改變，或許也不知道可以改變。我問她：「所有正在做的事裡，你想做的是什麼？你能做的是什麼？你做了會快樂的是什麼？或許，更要問：你到底要什麼？」她快哭出來了，只是更沉浸於沉默，對我搖搖頭，說：「我不知道。」

「沒有人和你談這種事嗎？未來想要怎樣？現在可以怎樣？所有人的事都是有可能的說謊，喬，談判，鬧，哭也好，多要一些什麼，或拒絕一些什麼。」但，她都搖頭！我只好就說到我也曾這麼混亂過好長的時光，那是剛退伍的那幾年，很認眞過也很相信過一些事的那時候。但是現在已然都不太在乎了的我開始說到了一些我也忘了很久的事。後來，我說，明天去恩主公那裡抽張籤吧！今天就先不要想了。

所以，就在旅館裡開始放了我帶的一部義大利色情片給她看。我跟她說因爲她老提到想去義大利旅行才帶這片給她看，然後接著大笑說是騙她的。其實我心裡想的只是在這部電影裡依然充斥著太多這種太新也太老的什麼，那是一個在羅馬文學節所發生的故事，其實很虛幻而做作。但是，那裡頭有點誇張的義大利老派的色情感還是比現在流行的美國色情感要有意思多了。自由大膽地開玩笑挑逗，所穿的所有精心設計過的衣服和場景都尖銳地出乎意料些講究。慢慢的運鏡，那是一段曝光過度的夢中，女主角穿著設計感極高的性感現代服裝，卻遇到一個像宙斯的穿古裝的老詩人浪子。甚至，夾雜著好些許許多多的俏老頭、花美男和女主角的做愛挑情的細膩，她的性幻想變成了古代神話中被天神臨幸的最進化現代版本。還有些場景故意設計得一如羅馬神話，有的在托斯卡尼老森林裡，有的在文藝復興時代老廣場，有的在愛琴海中古帆船，有的在一個羅馬著名的古蹟裡的有點色情感的壁畫下，有的在可以看到聖彼得教堂巨大神聖屋頂尖塔窗口前，在複柱的弧度繁複的巴洛克式古典建築立面曲型陽台中，最後有人偷窺有人唱歌之中，女主角和老宙斯激烈做愛的色情橋段太迷人。他們就在這種種太老又太新的幻覺中，隨時隨地的恣意妄爲地交歡，卻依舊雷同神祕又冶豔。

神話裡的諸神，即使也都只是幌子，所有羅馬的古建築雖然也只是提供電影中做愛的場景的更多奇幻。但是，在這種人生混亂的時光中看起來還是很動人。

我們在電視前邊看邊做愛，她終於開心了起來的，甚至是太入戲了。她模仿女主角坐在宙斯身上用小蠻腰晃動並強烈地抽送我的陰莖，就在我身上，就這樣抽送了太久，我卻一直沒有射精。

「我的腿好瘦到好像快抽筋了，你害死我了，你演得太爛太不像了。」她生氣地對我說：「幹！那老宙斯不是很早洩嗎？」

顏麗子是如何把寶島大旅社蓋起來的（第26篇）溫泉。

森山對顏麗子說，他最近好像被困住了，始終很低落，所有的起勁的感覺都消失了，心情或存在感一開始低落，諸多人事的累和忙和憂鬱就一起都又回來了。

他們想在某一個溫泉旅館裡邊做愛邊敘舊，但是他無法勃起。就這樣兩人竟然談了一整晚，森山談到好多他的往事，往事裡他出的事，到現在一直沒有起色。森山跟她說，現在的我變了，變得前所未有的低落，甚至，很怕人，也很怕事。因爲蓋寶島大旅社的情緒進太深而入迷了，所以很怕來，但也很怕不來。

顏麗子安慰他說：「這是一種更內在的怕，更內在的困難。但是，會過去的，因爲，蓋寶島大旅社就好像修一個廟，所有的事，所有的困難，都像是修行的修煉，要接受也不用怕，因爲我們是被神明保佑的。」剛開始很難，但是要練習會變好，因爲，要始終能接受自己和別人，就算是做錯做不好也還是要接受，打從心裡去原諒，因爲，所有的狀態都只應該看到善意的部分，甚至應該打從心裡地接受別人的犯錯，別人的罪惡，別人的罪惡感。她更深刻地說：「做得好不好，都應該不是由你判斷。」她語重心長地安慰他：「那應該是神明的意思。」

這麼多年來這麼虔誠在拜觀音的顏麗子是充滿這種渡人的。她帶許多人在工地現場，在寶島大旅社的工地，在森山不在時，她面對也照顧過很多困難，很多糾紛。但是，她會安慰勉勵工人們，即使累，忙，做不好。但是，別擔心，她又說了一次，因爲是我們有神明保佑的。要本來就心存善念地去渡人，善念，是要學習的。但是，森山對她說：「我的問題在於我聽不到神明的意思，也打從心裡完全沒有善念，不敢有依賴神明的狀態，因爲我是一個沒有信仰的人，是一個犯過錯而沒有辦法原諒自己的人。」

他甚至逞強地說：「我的人生只有懷疑，懷疑是我力量的來源，我沒辦法相信，或許因爲年輕的時候，我出過事，有過一陣子，曾經完全地憂鬱，甚至就是完全地壞掉了。」

森山說他變得只有躲藏，近乎冬眠式內在的罪惡感的侵蝕，自我挖掘與攻擊，不原諒，不接受，自己的種種人生的犯錯，所以躲藏得好累，好不安，雖然後來離開家離開日本來到了臺灣，到處蓋重要官廳的建築而得到了聲名和尊重，也曾歷經過年紀大了之後的風雨和衰老和枯竭和病，想開或想不開的種種。但是時常還是會陷入很深的憂鬱，即使森山他因爲想辦法降低憂鬱的併發症，而躲開了更多的人間消耗，避開更多名與利的感染源。只是讓自己的人生低空飛行，不出手，不傷害，不抵抗，只像是養病式地自嘲，小心翼翼。但是，還是躲不開更內心的不安。

顏麗子問森山：「你打從心裡是快樂的嗎？或你是不是來看我或來看寶島大旅社才會快樂？或是，到底你要做什麼才會快樂？」

他說：「蓋溫泉旅館。」

她一直笑，安慰他說：「你那些官廳太莊嚴太沉重太充滿意義的建築蓋太多，或許這樣也好。」

森山知道她一如溫泉那麼療癒，他內心從來不知爲何有人可以那麼充滿了溫暖，充滿了他所一向缺乏的原諒，對別人，或對自己，他說，我沒有心，沒有更多期待，只是吃止痛藥般地面對現在的低落，或是更深的他也無法逃離的憂鬱。或許，他說他眞的只是想逃離，逃離一切，逃離建築，逃離蓋房子這回事，逃離那時代在臺灣的其他日本建築師莫名的熱中，逃離他們老只是迷上那些歐洲流行的花樣。他們竟然進行了前所未有地崇拜與引用，那些歐洲的建築的裝飾：怪異的花草柱頭造型，柱式，山牆嵌入沒意義的城徽或圖騰，徒然的好看或華麗，版本太翻新太破太碎也沒關係，有些建築竟然連粉紅粉藍粉紫的顏色和款式都用了，蓋成某種繁複但一定是仿歐洲古典的樣式，而深深引以爲榮。

森山越來越低聲地說：「我好厭倦，好厭倦了。」一如所有的森山的想起來過去的某一刻的憂鬱及完全無法抵抗地沉淪，人生中那種自己不知不覺地緊緊把自己困住了的絕望。

「我只想離開。」他泡在溫泉的熱湯中，哽咽地反覆這一句話。她在溫泉裡緊緊抱住恍恍惚惚的他，顏麗子想對森山說些什麼，但是卻完全說不出來了。

森山嘆了一口氣，終於跟顏麗子說起一件他很久沒有提起的往事。那是他當年陷入了極度罪惡感的憂鬱的起源，現在的被困住了的始終很低落的感覺和當年好像，在當年，他父親是個有名的畫家，從以前，即使有母親在，還是就有很多學畫畫的女學生在追他爸！

他一直沒辦法接受和原諒這件事。尤其，森山提起那一件往事，那一個他印象最深的很狐媚的女學生，她長得極有靈氣地妖嬈，穿衣很大膽時髦，妝極濃極細，頭髮長到腰，很迷父親，父親也很迷她。

他本來以為那一次會是個生大病的父親可以在一起久一點的安分女子，但她看起來還是妖精，在之前的畫展會場，父親介紹他們時，她還誇他很俊美，這使森山很不安。森山對顏麗子說：「被妖精說俊美，不是好事。何況，那時候我還那麼年輕。」那妖精胸口是第凡內的古典限量項鍊，還是父親陪她去當年的銀座排隊買的，她身上的都是名貴的好東西，寶格麗的手環，香奈兒的戒指，歐舒丹的法國精油，是一種古怪的鐵瓶子，老式的，像工業用機油，頭很小，很複雜，但是細看就極動人地精緻美麗，看起來都是別的男人給的。

父親問她哪裡來的，她都只說朋友送的，她都只微笑地說起品牌和那些好東西那裡名貴的故事，一如那寶格麗手環是寶塚的那個女主角戴過，那香奈兒戒指是王妃最愛的款式，銀座一個古董店找來的愛瑪仕的維多利亞風銀項鍊……

森山說：「有些聽起來就是唬人的，但是我父親就是愛聽，說她好聰明好識貨。」其實有一回年輕的森山回老家去探病，父親在午睡，他和她獨處喝茶。

她雖然不熟，但是十分健談而溫暖，還跟年輕的想考上東京大學的他說了好多她去過歐洲看過的好美又好浪漫的老教堂和古建築的故事，森山說他後來念建築還可能就跟這一個妖精有關。後來說久了，竟然在喝茶時跟森山訴苦起來。就說起她在變成妖精之前還清純的當年，還曾和另一個六十幾歲的男人住一起過幾年，就是他帶她去歐洲玩的，有錢極了的那老男人家裡在東京近郊山上的別墅很大，傭人很多，甚至養了六條狗。她說有一回在街上看到他摟著別的年輕女人，他六十多了，滿頭銀髮，但是還長得很帥，又很聰明地世故。她沒辦法抵抗他的魅力，她說那老男人甚至年輕的時候在京都開過可以召妓的溫泉旅館，女人都要自己試過，看女人看三個地方，牙齒、指甲，和眼神，那女人成色如何，他一眼就可以看穿了，是個狠角色。但是其實對她不好，當時年輕的她又想不開，離開了幾次都走不掉。她最氣的是，那老男人有時還會記錯，像是提到某事，他會說到：「之前我們去伊豆的修善寺，我跟你說過的那次。」但是沒有，一定是他記錯了，他是跟別的女人去的。

她說到這裡突然變得很傷心，近乎落淚地哽咽，森山竟然還就勸她，既然要跟這麼複雜的男人在一起，就不要問太仔細，問太多，免得自己難過。

她就哽咽地跟森山說：「我知道，但當年的我就是不想聽，我明明就知道他只是在貪戀我的美麗和年輕的肉體，一如你父親，一如你。」

她勾引他，那是他第一次做愛。後來因此充滿罪惡感的他有很多年沒有回去看他父親。

後來他輾轉聽到她終於離開了父親，也離開了日本，然後自己一個人去了歐洲，在某一個維也納著名水療的溫泉旅館裡自殺了。

寶島部（第14篇）太子。

一

我始終記得媽媽跟我說的那一個故事。關於太子的故事，關於那個地方，那個把日本皇太子活活打死的地方，就是那個著名八卦山山腰的古砲台。

那是在當年一個著名電台的後頭，在當年，媽媽才十六歲。從鹿港來彰化工作，住在電台裡，當播音員。工作很重，壓力很大，還不時有老台長對年輕女播音員輕薄的傳言。而她剛來，第一次離鄉背井。還只好住在女生宿舍裡。有一回那老台長就帶她到古砲台前，跟她說了這一個太子的故事。但是，邊說她卻邊哭，之後，即使是她自己一個人，只要到了那裡，她就會一直想哭。

那老台長自詡自己是個讀書人，說了很多關於這八卦山的歷史。尤其是這砲台和看出的大度溪大度橋的典故。因爲，實在太著名的。其實，那裡是個崖上，八卦山腰一個長了部分濃蔭的凹口天險，戰事上的名戰場，兵家必爭之地。因爲，就在山上，可以據高望遠附近的地形地貌風景，砲台看出去的遠方，就是大度溪上的大度橋。

臺灣正中心的大河，大度橋是中間唯一的通路，一側是山，一側是海。因此，只要切斷大橋，這個島就變成兩塊，完全無法運輸軍車坦克士兵，甚至後勤補給就全斷了。那河床兩岸拉開拉長的天空一向很空，河也拉得很長，而大度橋更就用力地跨入般地橫過河面，像一幅太容易入畫的風景畫，只不過畫面會有種奇特的空曠感。大度河是荒溪型的河面，河水忽大忽小，夏天很乾，冬天很潮，因此河面無限地拉長，竟然是充滿了大大小小的灰白卵石，沿著河岸和枯小的河流之間蔓延得好遠好遠，非常地超現實，畫面會有種很荒謬而不眞實的美感。

那老台長說：「這八卦山上的大砲，有很多傳說。聽說日本太子就是因爲在那大肚橋上看我們八卦山的地形時，被這八卦山上大砲活活打死的，也有說是打在太子太近的身旁而活活嚇死。在我讀的某些日本資料中，也有人說太子因爲被八卦山的大砲打中，受傷後退到臺南醫治，而後才死亡，有太多說法了！」但是，媽媽其實一直很害怕，一直沒法子仔細聽這太子的離奇故事。也沒法子好好地端詳那河的風光的美，因爲，她擔心老台長會對她亂來，也因而會更想起自己身世的可憐，太小的弟妹仍然在鹿港，外婆隻身前往基隆走私，甚至外公已去南洋從軍失蹤了，想到自己就只能困在一個山上，被人覬覦又不能走，也不能說，眞的好慘，一想到這裡這種人生茫茫，眼淚就一直滴下。

那是那種古老年代的充滿害怕與離奇的故事。不過，有太多的以訛傳訛。

一如，被活活打死的並非太子而是另一個王子，日軍主將北白川宮能久親王，而且北白川宮並非明治天皇之弟，而是天皇之叔。一如我長大以後對找到的西元一八九五年的資料有太多的理解與誤解：日本政府突然宣布日軍近衛師團司令官北白川宮能久親王於十月二十八日因瘧疾死於臺南享年四十九，但眾多臺灣父老陳述卻都否認日本政府的宣布，其真正的死因是當北白川宮騎馬渡河，被埋伏在路邊叢林裡的義民軍，以長竹桿之端加綁鐮刀將北白川宮能久從馬上砍下。北白川宮能久親王的頭頸嚴重傷害，傷及血管血流不止，延至就醫。但流血過多，無法可醫即死於張厝。抗日英雄立下了大功後，立即隱身而去。日軍看到了自己的統帥被戮受傷身亡，也不知被何人所殺。全體日軍陷入瘋狂狀況，見到臺灣人即殺，不論男女老少被日軍濫殺人數眾多，事後鄉民只見橋之間的河水全部都是血。這是日本皇族第一次在海外陣亡，所以為紀念北白川宮能久親王特別以王者之禮在臺北圓山建立一座約一萬六千坪的「臺灣神社」在今日圓山大飯店的現場，其內供奉能久親王之牌位，並在神社前特別建一座「明治橋」即今日的中山橋，並以其死亡的十月二十八日為國祭日。

被誤解的太子就是那個北白川宮能久親王，也有人說是病死的，那是因爲日本人怕沒面子才說能久親王是病死的。這種說法傳了很多年，有人提及北白川宮能久親王在嘉義義竹被「竹篙鬥菜刀」砍傷，還是抬到鹽水八角樓重傷薨去。但是，其實八角樓是「伏見宮貞愛親王紀念碑」。其實，當時各地都傳出能久親王死於該地起義軍之手，新竹、苗栗、大甲、彰化、雲林、大林、義竹、鹽水、佳里、善化等地。每個地方都會說能久親王死於當地最有名的某一條橋上，某一棟建築裡，某一個廟的廟埕前。在彰化，就變成了大肚溪上的大肚橋上或八卦山牌樓下或甚至是在大佛前。其實，當年連大佛都還沒蓋，這麼多年來都弄錯了，沒有人說這些以訛傳訛的稗官野史，只是太子怎麼被菜刀砍死的故事都變成了像廖添丁級的膾炙人口，而且是吳樂天版那種刻意地誇張而激動的。

我在多年之後找到了一份資料提到了那親王的死，就覺得「竹篙綁菜刀」怎麼可能砍死太子，因為這份〈故能久親王殿下御容體書〉是完全現代醫學的臨床紀錄。那是一個最高度嚴謹的軍隊和醫療的科學式講究才有可能完成的精密，使得傳說的那「竹篙綁菜刀」的故事變得更只是像故事。

主要就是：那次八卦山戰役中打得太慘了，日人山根少將死了，能久親王也受傷，後來拖一拖也死了。日本人為了能久親王，把八卦山上的「定軍寨」燬掉，蓋了一個很大的「能久親王紀念碑」。當年蓋在八卦山的北白川宮能久親王紀念碑，剛蓋好的幾天，「王」字半夜還竟然掉下來，好像鬧鬼。

其實，從日文的文獻記載可看出對歷史的記述是多麼細微。明治廿八年十月十八日，由嘉義出發之際雖感微恙，但以師團行進中，並不介意。待行軍抵達大茄冬仔腳後，拜診情形如下：十月十八日下午一時三十分，殿下告曰：「本日未明三時左右起，即感腰痛及輕微惡寒，不介意仍隨軍出發前進。下午一時二十分抵此地（大茄冬仔腳附近的安溪寮莊）後，感覺頭重，口渴，全身倦怠。」拜診時，體熱三十八度四分，脈搏八十一，舌濕潤，覆少許白苔，因此診定是「瘧疾」。處方「鹽酸規尼涅」與「鹽酸里母那垤（リモナーデ；Lemonades）」，勸其靜臥。此日氣溫九十二度（華氏；攝氏三十三點三度），行程五里。十月十九日晨，體熱三十八度二分，脈搏七十八。夜晚，體熱三十八度一分，脈搏八十，觸知脾臟稍增大。昨夜有安睡，仍全身倦怠，起居稍懶，故本日乘「轎」前進。到達後，稍有疲勞之狀。處方同前。……十月二十八日，未明三時半，呼吸數衝突性增加至四十；脈搏不正且軟弱，算則為百三十五。且左肺滲潤波及一般，聽取到水泡音、笛聲音等。至清晨五時，體熱上升，至三十九度六分。脈搏幽微，百三十六。呼吸是衝突性淺弱，其數四十五。四肢厥冷（けつれい：三十五度以下），冷汗淋漓。精神朦朧，人事不省。因而，實施「龍腦」的皮下注射，與「武蘭垤（白葡萄酒；ブランディ、Brandy）」的「注腸（由肛門注入腸內；灌腸、浣腸）」。再三反覆，一時脈搏稍復，忽又轉衰；至上午七時十五分，病症最危篤。十月二十九日、三十日、三十一日，及十一月一日、二日、三日、四日，病症與用藥，同二十八日。十一月五日，上午七時十五分薨去。根據以上之症狀，擔任治療的各位醫師診斷，是「惡性瘧疾（malignant malaria）」，兼發「肺炎」侵入腦中樞，致心臟麻痺而薨去。

但是我喜歡另外一派提及的誤解，古俗語說：「鹿港風、彰化蚊。」太子不是被砲打死的，反而是因爲瘟疫或被彰化蚊子咬到才併發瘧疾去世。但是，這種種更複雜而莫衷一是的推論，越推論就跟我最喜歡的說法越來越像，眞是古怪的天譴：「那親王，其實是被我老家的蚊子活活咬死的。」

二

「日本太子是被臺灣人用『竹篙綁菜刀』砍死的！」一生大半活在日本時代的叔公說：「太子是怎麼死的，你們小孩知道嗎？」年輕的時候因爲通靈又海派常去三太子廟跑而外號就叫太子的叔公說，彰化這地方本來就很陰，我們小時候因爲那地方有竹圍，風吹竹林時有嘎嘎聲，所以大家都認爲有鬼，不敢靠近。但是，我還記得小時候的我聽這故事時，老是在吃肉焿。長壽街尾的車路口有一家很有名的肉焿攤子，兼賣麵線好好吃，每次叔公帶我們去吃就會講一遍，他老指著路對面不遠方的那竹林和挖到而埋了十八具屍骨的「十八英雄公祠」，還有旁邊的屠宰場，我們就這樣一邊吃肉焿一邊聽殺豬的豬叫聲，一邊還聽叔公再講一次日本太子被用竹篙綁菜刀砍死的故事。

叔公說：「以前八卦山死了太多人了，像我們家小時候住過的地方，對面就是火葬場，而且在我們小時候稱爲舊番社，在忠烈祠、節孝祠後面有二個井，在八卦山下的你們念過的那中山國小旁，有人說是彰化的眼睛，稱爲『日月井』。」

叔公說：「『紅毛井』是荷據時期就有，是由傳教士所開挖。而『番仔井』應該是由平埔族所開挖，幾百年來一直很靈驗，有人拜，如果出事了彰化就瞎了。」還有八卦山下中山國小那一帶原來是痲瘋病營。有太多傳說，鬼魂、瘟疫、王母娘娘，據說中山國小後有一口井，用井水清洗病患會治癒痲瘋。中山國小禮堂後有一泉水目前仍會湧出泉水，救活了很多人。另外還有太多段救不活人的故事是，北白川宮能久親王和彰化或八卦山有關的還有一段佚事是，有人說北白川宮能久親王因被八卦山的槍砲打中受傷後退到臺南醫治而後死亡。所以，西元一八九五年農曆七月九日，因日本人攻進城，彰化人死傷很多，故七月初九是本地很多人的忌日，十八王公也是七月初九忌日。當時彰化城內的人，只要家裡有刀槍者，日軍就一律格殺勿論。也相傳當時有位姓沈的人家，因中了太子爺的爐主，將刀掛在客廳，但日軍卻未搜獲，所以那沈家人認爲是太子爺保佑。但是，八卦山的北白川宮能久親王御遺跡碑在西元一九五六年被挖掉蓋大佛，結果當年就發生八七水災，死了很多人，據說和北白川宮能久親王的怨念有關。

還有更多怨念的故事，乙未戰爭。叔公說：「在光緒二十年，西元一八九四年，發生中日甲午戰爭，日本人打到彰化，現在長壽街尾端三民市場處有一個隘門，有十八人被關在隘門外，與日軍交戰後均戰死於此。隘門外那地方原來是垃圾場後來要改爲屠宰場時，發現有人的骨骸，所以就建『十八英雄公祠』。因爲要蓋屠宰場所挖到十八具屍骨覺得很不祥，當時鬧得很大，日本人因爲要安撫這些死去的人，所以才蓋了這一個小廟。但是那地方竟然就是蓋在我們家旁邊。」

八卦山有太多鬼魂，太多鬼故事了。因爲發生太多在上頭的戰役的陰森，其實，八卦山之役義勇軍在此被重創，使得後來民間籌建八卦山大佛時，還特別將古戰場上尋獲的許多骨骸收納到大佛身後的兩座靈骨塔內。

或許因為彰化的人太惡化了，或是八卦山在全島戰略上太險要，所以這座我從小長大的山是一再地發生戰爭，第一次是在更早的清代林爽文反清的那場戰役，也因為這山的天險要害易守難攻而曾令清軍也戰況告急，一如後來的抗日的戰役。或許這山也一直是一個腦後有反骨的巢穴，一個叛軍永遠集結的總部地那麼殺也那麼險。當年，彰化人對日人的抵抗，使日本人稱「彰化市」為「惡化市」。

但是，在這麼多年以後，從小在這裡長大的我仍然覺得恍惚。在看完了八卦山的那些當年印象中巨大而懵懂的大佛、佛寺、靈骨塔、六牙大白象王、九龍池、雙龍搶珠之後，更覺得奇怪。當我站在這塊好新的碑前面，即使我看了每個字，卻還是覺得很恍惚的。因為，我小時候完全沒看過，或完全不記得看過這塊碑，一如當年的我完全不記得，甚至完全不知道「臺灣民主國」也不知道「八卦山之役」。那碑上的文字也很陌生。那是一個被忘記的戰役。甚至，是一個從來沒被知道的戰役。一如八卦山那一個防空洞，現在變成一個紀念館，紀念一個戰役，太遙遠的戰役。西元一八九五年抗日紀念館，從一個所謂的文學步道旁就能看到紀念館，外牆上寫著：一八九四甲午戰爭、一八九五乙未戰爭，日軍進占臺灣，戰事紀念館。入口處牆上寫著：一八九五八卦山抗日保臺史蹟館。

那裡，其實是一個很陰森的地方，小時候，我們都很怕那個防空洞。那裡太大、太黑，我們跟著伯父天亮前摸黑去爬八卦山時都會經過那一帶，還有一個十八閻羅殿的小廟，非常地恐怖，很多花燈般的人像雕塑，很粗糙而庸俗。但是，淋雨之後，臉上都有黝暗的雨漬，苔痕，或被毀棄或被摸壞了的臉孔變得極為悽慘或甚至猙獰，像毀容了的或妖術失靈的山怪鬼魅。我們，總是很快地路過，不敢多看一眼。那一帶林蔭濃密，潮濕到霉味極重極沉到彷彿永遠不會解脫的結界。何況，我們還那麼小，天色還那麼早那麼黑。

過了那麼多年之後，走進了這防空洞，我心裡還是毛毛的。即使，光箱輸出照片的黑白人像與文字是較接近人間的害怕，分別以燈箱，櫃位，玻璃的透明與半透明，那種種較接近現在的影像與聲音的所謂展覽，這令我比較不會那麼毛毛的。但是，只要走近防空洞的隧道內，仍然有種奇怪的既壓迫又空洞的感覺，一如當年的太潮太沉的霉味，使人仍然好像可以感受到那時代那戰爭裡頭的更緊張也更壓迫的氣息，那種完全無法逃離的臨場體驗，那種我的童年或更早的日據時代的人們進到防空洞內感受戰亂的避難的某種狀態的封閉與緊張。

至少這些不免太新的某種的概念展覽所太安靜地解說著甲午戰爭、乙未戰爭及八卦山會戰經過的慘烈，和我當年對這防空洞過去的害怕相比，實在是太尋常了。

那是乙未八卦山戰役碑誌：「一八九五年四月清廷戰敗媾和簽定《馬關條約》將台澎割讓日本，同年五月二十九日日軍禁衛師團登陸澳底，六月七日日軍進入臺北城並於六月十七日舉行始政式。八月二十五日日軍抵達大肚溪北岸而吳湯興、吳彭年、徐驤、嚴雲龍等亦各率所部之黑旗軍，鄉勇會，集八卦山約八千餘名南北聯軍，合力鎮守彰化，並於八卦山架設砲台砲擊進駐於大肚溪對岸之禁衛師團。八月二十六日清晨，山根信成少將所率之第二旅團全面南渡，黑旗軍劉驤部以後膛槍砲抵抗。上午十點巡視前線中的北白川宮能久親王中彈負傷，第二旅團長山根信成少將及參謀續方中佐中彈陣亡，其職務分由第一旅團長川村景明少將及第四步兵聯隊長內藤政明大佐接手。八月二十七日夜，內藤大佐將左翼戰線延長派出迂迴隊從大肚溪上游渡河，八月二十八日清晨迂迴隊從八卦山要塞東面攀登入侵與要塞守軍展開白刃戰，上午七點右翼之第一旅團開始渡河向守軍正面推進，兩面受敵之守軍乃決定棄守大肚溪，將防衛線退至八卦山砲台並集中兵力試圖擊退日軍。上午七點半左右八卦山要塞已被日軍第二旅團第四聯隊攻陷砲台，李士炳陣亡。黑旗軍所設置之野戰砲與山砲均被日軍擄獲摧毀，此時守軍已失去地形及火力掩護，開始敗退至彰化城，然日軍砲火猶烈而守軍原以彰化城作為預備陣地，惟守將李惟義得知八卦山要塞失陷後即率部向鹿港撤退約兩千名聯軍，在彰化城東門外全數遭殲滅，客家領袖吳湯興與徐驤黑旗軍將領吳彭年與嚴雲龍等皆力戰就義至此，乙未八卦山戰役遂告一段落。」

但是，不知爲何，我在看著這個近百年前的戰役，彰化市其實是惡化市的現在版本，卻像是某一個近來流傳極廣的某個極誇張又極愚蠢的宅男王子寫出的爛故事。

那是一個關於八卦山大佛的網路故事。

古老的大佛，在故事裡，變成是網路傳說中的臺灣祕密武器：

終極人形戰鬥兵器。西元二〇三三年，在澎湖外海，有一個巨大的物體在行進。司令官：「現在情況怎樣？很不樂觀，所有接近目標的偵查船都沉了，不過由雷達分析看來，可能是……哥吉拉！全員戒備！」臺北總統府。哥吉拉入侵！日本鬼子，沒辦法解決竟然引來臺灣，馬上聯絡彰化縣長，設那裡為第一前線基地！」彰化縣政府：「全員戒備！啓動大佛自衛系統！」「第一、第二固定鎖解除，冷卻液填充完成！」「遊客疏散完成，金紙動力爐啓動，三牲四果準備完成！」「擲筊儀式結束，大佛同意攻擊！」之後。「目標哥吉拉，如來神掌發射！」剎那間一道金光自大佛手中激射而出，激光通過處連海水都被蒸發！如來神掌擊中哥吉拉的瞬間，有如核爆！由於熱量過高，蒸發太多海水，使現場一片煙霧瀰漫。「掉了嗎？我們斥資三百億美金，結合高度精密技術的大佛可不是擺好看的！」「沒有！目標仍然存在！我們只燒掉它一層皮！」「如來神掌第二次發射！」「不行啦！擲了十五次筊，大佛都不同意發射！」「快聯絡彰化中山國小校長！」「校長，縣長發出飛彈發射指令。」校長：「沒辦法，雖然飛彈很貴，但危機當前，只好發射了，全員進入作戰指揮室！」校長推進書架的一本書，忽然整個校長室下降到地下十五公尺處；操場下陷一公尺，並向兩邊分開，露出五十枚高爆超音速飛彈。「好像有小朋友在場打籃球……」但是。五十枚飛彈仍然應聲發射，產生的音爆震碎了好幾戶民宅的玻璃！飛彈就命中了哥吉拉，拯救了這個島。

彷彿是某種惡童作業寫出來的卡通影片式的災難故事，所有的場景都栩栩如生地被貶値成某種這時代的童話，八卦山就在這時代的又愚蠢又可笑的惡趣味中，仍然繼續彰化又惡化。

一如，上回去掃墓時聽到了的八卦山現在竟然變成了賞鷹的勝地，但仍然又殺又險。我完全不記得小時候有老鷹，但是現在哥哥說他太迷上老鷹了，因爲，以前的王子都會去打獵，尤其是獵鷹啊！所以，他帶他兒子每年都會去參加那「鷹揚八卦」。那是一個在八卦山上建了野鳥生態館和賞鷹台，那太奢侈的八卦山生態旅遊中心提供了全島唯一以灰面鵟爲主體的生態展示館，並介紹了八卦山山脈的特色和動植物種類，甚至，在每年三月盛行起賞鷹，所有人從位於山丘上的賞鷹平台下望，可看到整個八卦山脈的又深又遠的稜線，也可清楚觀察到灰面鵟起鷹、捕食、盤旋、落鷹等姿態的美絕。

但是，對鷹而言，八卦山仍然又殺又險，這座青綠綠的八卦山，有太多相思樹與樟樹，使得每年的清明節前後，都有一群群南路鷹飛過，棲息在太濃密的樹林中，也因此使得有一些極高明的盜獵者會設陷阱偷捕這些野生動物。

哥哥說：「一如所有內行的人都會說：『南路鷹，一萬死九千，都是死在八卦山。』」

三

「我從來都不覺得自己是王子過。」我跟姊姊說。國中開始去念寄宿教會學校之後就完全離開家的我，突然想起來了更後來的許多事。

在峇里島太昂貴旅館的那個大年初一清晨，那旅館實在太大太空曠，風光太美。我們吃完早餐，就一直坐在那裡，發呆地看著遠方的海水和天空那種不同的湛藍，從淺藍到藏青到普魯士藍層層相互滲入又相互折射的光影，就像某幅淡彩而恍惚的山水畫，太迷離了。我好像因此想起了某些當年的難以明說的畫面及其餘緒。

「你有沒有注意到那個人，今天我們吃早餐看到那個鄰桌的年輕男人，全身版型特殊的米白色麻質衣裳，穿得極考究神情極優雅。簡直就像一個，王子。』姊姊說：『像是一個從小都被有錢的家裡照顧得太好的小孩。談吐中，有一種不自覺的驕傲或甚至頤指氣使的模樣。令人有種難耐的厭惡感。」

姊說：「我印象中，你小時候也是這樣的小孩。」

她笑著說：「很難相處，很討人厭。你是到了很後來才改變的。你知道嗎？」

「是爸爸去世以後嗎？我完全不記得了。」我尷尬地回答，我有點不好意思地陪笑，也一直在想我的小時候。我眞的有過自以爲是王子的時光嗎？或不自覺地令人討厭的狀態。但是，我眞的是完全記不得了。我甚至不知道我姊姊是這樣看我的或我們的童年。我們的父親還在或已然離去的時光。我們對人生理解的方式及其反差及其遽變。或說就是，那一段段往事不同角度切割的不同餘緒。

姊說：「那個旅館裡很討人厭的王子讓我想起在教會裡遇到過的一個人，他就很感人。那時候，我剛到教會沒多久，這個男生瘦瘦小小很不起眼，可是他做的工作是很辛苦的。他在泡沫紅茶店打工。但是，給我印象很深刻的是：他非常謙虛，我那時候一直以爲他家裡很苦，他只好這樣子來對待人。但是，我後來才知道，他家不是有錢而已，而是很有錢，但是跟我們家當年一樣，出事了。後來就變完全地不一樣了，一開始是他們家的生意有狀況。也就是因爲他爸爸用他的名義去投資，後來整個公司垮了，弄到最後欠人家九千萬。然後他變得很慘。只好，白天幫人送快遞，去泡沫紅茶店打工，來慢慢還債。但是，即使如此，他仍然很樂觀，最可取的是，他做什麼事都是最勤快的，在教會服事時，他都會去做最卑微的工作，要搬桌子，會自願來幫人搬。而且，不是只有幫我一個人，甚至，他幫我們整個教會裡面所有的人。送便當來了，幫忙所有人拿便當，一直說『我幫你，我幫你』這樣子地付出。所有事，他都跑第一個，甚至是每次做粗重的工作，他其實很小，很矮，很瘦，看起來就是手無縛雞之力，但是每次要搬很重的東西，他就是跑第一個。以前我都不知道，我一直認爲他從小生活很苦，所以他用這種方式來博取人家對他的認同。但是，後來有一次我們去參加一個分享會，在發表的時候，他說到他的心願是『我希望九千萬能趕快還完。』我那時候覺得很奇怪，他怎麼會有九千萬，即使，他家也許不是很有錢，但也已經不是我們看到的那麼窮。就這樣，我知道他這情形之後，我就對他很好，我除了對他的遭遇很同情以外，也是由於他對人的那種無私的回饋。眞的，我以前誰都不認識的時候，剛去教會時，他就對我這樣，後來我慢慢在教會做了很多服事，他每次還是都會過來問：『你有沒有需要幫忙？』就是，完全主動的，很主動到令人感動。所以今年感恩節我就送他一個禮物。通常，教會感恩節的時候，教會幾個比較常幫我忙做很多事的人，我都送他們禮物，也就爲他準備一份。但是，因爲教會男生女生分得很清楚，就也不太主動跟男生有太好的關係，可是我跟他就很熟，也是因爲我跟他女朋友滿不錯，他女朋友對我很好，所以，我就送他們一個小禮物，他那個感覺，卻是很感動。我送他其實是不貴重的禮物，他們現在生活比較苦，可能需要。結果他就趕快買了一個東西來還，來送我。這令我更感動。像是一種人的更內在教養的極度小心。但是，卻是打從內心的。主要是因爲，人一生當中很平凡，沒有遇過什麼太迂迴的痛苦，那或許也很好。但是，如果他的人生有更多的經歷，他的規格才會看得比較遠。因爲，只有在有過很好的狀態中掉下來，才知道什麼是眞正的壞。那種人如果有機會再爬起來，他才更能夠體會窮苦人家的苦，就不會有驕傲或甚至頤指氣使的樣子，就像那個，王子。」

那旅館實在太大太空曠，風光太美，我們吃完早餐，仍然還一直坐在那裡。仍然發呆地看著遠方的海水和天空的光影。仍然像山水畫的迷離。就這樣，呼應了那昂貴法式餐廳的晶瑩剔透的落地玻璃反光。整面花紋色澤奇特的大理石長牆的亮麗。胡桃原木設計成桌側不規則曲折造型餐桌的考究。弧度精巧又奇特的銀製餐具手感的沉而細膩。這裡，實在太像一個過度悠雅而華麗的王室的宮廷天井。

「很多人令我很感動。因爲這種態度，所以我剛去教會的時候，因爲一開始，我覺得我很可憐，但是，後來遇到過很多人，從年紀小到年紀大的，遭遇更糟的什麼狀況都有。常常，在教會忙的時候，那個男生有時候要買咖啡給女朋友喝，就會來問我要不要喝咖啡，他要去買咖啡，就順便幫我買，還不收我的錢，說要請我。他那個女朋友生過病開過刀，第一次看到她我就覺得很奇怪，我以爲她是天生的，眼球有一個是歪的。後來才知道她的頭蓋骨開過刀，所以她沒辦法做某些主要服事的工作，很辛苦但也更難得。可是那女朋友跟他一樣，也很願意去服事。可是因爲她的狀況比較差一點就更辛苦。因爲這個女孩子她更沒有錢，而且只是在工廠做作業員，但是還很慷慨地令人感動。」

姊姊最後說：「就像那一個王子的分享他母親的困難，我聽了一直哭，因爲，他媽媽讓我想到媽媽的那時候，他的故事的悲傷安慰了我。」

另一個教會的女孩跟姊姊說她媽媽偷偷在吃一種止暈眩的藥，但是一開始不知道，每天醒來眼前一陣黑就一直哭，晚上也哭，每次只好一直跟她說，你要冷靜，她就露出一種很無奈的表情，她很怕，我知道，但她又很好強。他的單親媽媽以前是公司的主管，最近才退休一年多，五十八歲，抽菸，喝酒才能睡，現在都不行了。「她每天下午一點去麥當勞，回來用小楷抄佛經。當年她十八歲從花蓮到臺北，適應力很好，但是，現在要跟那病好好相處了，那一天去醫院看她，好可憐，醫生在她耳朵灌水，在臉側貼很多個點，才能測出來，整個過程都很痛苦。最近，我媽終於可以自己去醫院拿診斷報告了，有時候還是會昏迷，會吐，現在不能吃肉了，起司，蛋，所有體脂肪高的東西都不能吃了，現在常常非常地緊張，就這樣家裡現在都是我在弄了，我哥一點也不管，一如我爸，只剩下我。」她無奈地說：「我變成了媽媽。」之前幾個禮拜，都是她在照顧她媽媽。

「有一天早上起來，發現她不見了，我嚇死了，後來才發現，她在麥當勞。交代她，吃漢堡要把起司拿掉，她咖啡還是喝，沒辦法。」她說：「我媽左邊耳朵掉了一塊軟骨，會暈眩，走路會歪斜掉，脊椎長了一個骨刺，壓到神經，從來沒有過的症狀，她很少身體檢查，所以，變得很可怕，她一直覺得她活著的整個世界都暈也都歪斜了。」

「突然覺得我還自己可以走，雖然歪歪斜斜地走。」她媽媽安慰她說：「但是，還可以走到麥當勞，我眞了不起。」

因此而越來越不懷念過去父親還在的過去的姊姊說，一如她後來的人生一直很不想去打掃。開始很抗拒去做這些事。就是因爲想起那段往事，我們以前剛到臺北跟媽媽去幫人打掃的時候。發生了許多來不及想就做了也就過了的事，有了太多不愉快的回憶，那時候還泡過不好的洗潔精，得了所謂最勞碌的「富貴手」。

你還記得嗎？那段日子，其實國中開始很緊張地就去念寄宿教會學校之後就完全離開家的我，突然想起來了更後來的許多事。「我從來都不覺得自己是王子過。」我跟她說，「那時候正在當兵在很慘的工兵部隊學爆破很恐慌都從來不敢說的我週末放假出來，和另外在惡忙的你的很辛苦上班六天的業務外，我們都要陪媽去幫人家打掃，一個禮拜有一個下午的打掃。」那是一個五層樓的古蹟但又是一個童裝的工廠，一個奇怪的充斥老樟木腐朽和劣質洗潔精的下午。現在想起來，好像一場夢。

但是，那時候可是一場彷彿在古戲臺搬演荒謬劇但是又極冗長且充滿內心戲的折騰。那一個做童裝的小型怪異工廠，就藏在那一個老派的迪化街式透天厝裡頭，大稻埕快到大橋頭了的那一帶，老式木刻樓梯在側面，又高又窄，光線昏暗不明，走起來又陡又怪，像要去某個繁複的密室那種黝暗。那老建築到處是複雜的舊木梁結構騎樓廊道，再塡入也有點舊的許許多多工廠機器，而且每一進每一層的狀況不同。第一層的前幾進還有某些玻璃專櫃的童裝店面。在古蹟之外，麻煩的是玻璃面的灰塵汙垢也要仔細打量而側身擦到無比光澤透亮。第二層幾進古木梁架下竟然是辦公室，小心的是辦公不同區塊隔板或椅桌舊家具細節的溝縫的塵埃黏稠。最高幾層更荒謬，許許多多土埆磚牆，斜屋簷灰瓦下紅磚地都變成是最辛苦的兩排大型電動縫紉機，像一個咬緊牙關才咬破一半的時空膠囊，又苦又澀但也不知降落在那個時代的荒蕪與荒誕之中。只是，這回我進入這不古不今的幻境的身分變了，不再是外太空降臨的文明學者探險家，而是當地怨念最深的土人般的奴隸。去過幾回之後就會發現，他們需要的是一群博物館員或整個古蹟維修小組或清水寺的僧侶日夜如修行般的戮力，才有可能進入那維繫所謂乾淨到一如枯山水的幻覺，尤其就在透天厝臨迪化街之正面爲傳統閩南式磚木部分最難清理，外承重內柱梁牆面以下以仿石舊土埆磚基座，都已然因爲年代久遠到建築的角落都傾圮而失修，僅僅支撐著殘破古紅瓦或穿瓦衫覆蓋屋頂的老建築，所有角落都甚至掃把幾乎都沒法子掃進入最深處的陰霾，各進間的天井採光和各進間天井處的老廊道木雕刻和亭仔腳騎樓柱以磚砌成懸挑之階梯疊澀層裝飾，都斑駁太久雨漬太深到根本無法洗無法清無法挽救了。

單拱型之清水磚拱閩南式建築的種種土埆壁木架樓板，到了第三進之雙開木門、牆面爲土埆墻及外牆的穿瓦杉等皆保存完好。正面店門分成三開間，那老樟木中央板門爲可卸式厚木，兩側窗板分成十到十二片樟木板，開店時可全數巧妙轉折卸下，木接卡榫極巧奪天工地精密。長門腰板以下所做雕工更是極高明的木刻師父。檜木雕刻栩栩如生的仙鶴、蓮花、童子、算盤種種左右側之直櫺窗，都極美極動人。但是要仔細地擦拭所有弧度深處的積灰，眞是令人恐慌地近乎不可能。

我後來有段時日，就變得痛恨古蹟，痛恨起大稻埕那些古蹟那麼地繁複精緻到華麗地令學生時代的我如此眷戀但現在又如此折磨。甚至，痛恨起這種由下人們血汗所維繫的富貴人家的富貴。

常常去打掃的時候，還有些歐巴桑在加班，我們趴在古蹟地上擦地磚的時候，還可以看到機器轉動中布邊從切開縫合的縫隙噴出了布屑和刷出的棉絮，在又暗又陰沉的桌面下角落深處，一如雪花般地飄落，那麼離奇又那麼美，像霧中風景，像柳絮翻飛的浪漫。但是在那時候，卻是非常令人痛恨地，因爲我們是趴著用抹布擦所有的地板，但是，媽媽特別要求不能用拖把，怕會不夠乾淨，她太愛面子了。

所以，都要花更長的時間，而且因爲棉絮會卡在腳踩的機械踏板旁的金屬支架曲線彎道上很難擦拭，桌下太深太高近桌面的地方擦不到，太低太靠腳踏板面的部位槽縫有機油，要擦很久很久。甚至，有時我們在擦的時候，她們還在趕工，棉絮繼續掉落，沒完沒了。

常常中午去，一直做一直做，還做到天黑，還在做，好像怎麼做都做不完。我常常會在桌底暗淡的角落，邊擦邊偷偷凝視專注極了的媽媽，想著那年剛好五十歲的她一年多前還在八卦山腰的別墅，扶輪社社長太太，彰化大戲院成群員工極討好地叫總娘的總經理夫人。但是，卻甘心地來做這種粗工，自己拚命做還要求我們要更仔細地把每一個細節都做好。

後來，因爲趕的時候都不戴手套，還因爲洗潔精不好，幾次之後，才發現糟了，手掌連手背都脫皮或是皮膚皺到後來開始又痛又癢，過敏得很嚴重。但是，在洗手間洗手時，我們就這樣地細看著彼此的手，那些淺薄粉紅泛光的掌紋，像某幅淡彩而恍惚的迷離山水畫。痛到後來就默默相視地笑了起來。「原來，這就是富貴手，好富貴。」那就是我們的童年。我們一起過的童年最後的餘緒，那也就是當年爸爸過世破產之後，我們剛從彰化搬到臺北的那一年。

「王子的手都爛掉了。」姊姊還是笑著對我說。

四

或許我只是不願意承認我是嫉妒我哥哥的。

我嫉妒，他是太子，他是父親的王國裡眞正的大王子。他所擁有過的或放棄過的，他在乎的或不在乎的，他所理解的和他所不解的，種種我至今羨慕的耿耿於懷。雖然，大我五歲的他和我某段時光是一起長大的，甚至是他幫我長大，他影響我的種種遠比他想的和我想的都多。但是，這也是我在長大很久以後才明白的。彷彿繞過了一個暴風雪才看到的霧中風景，我們以前所相信的，所一起想去找尋的、冒險的並不一定像我們原來想像的那樣。對我來講，這個家族的故事，其實是在找一條一條從我身上長出來的線。但是長大後，那線一條一條地燒掉了，就像是保險絲不知爲什麼而整個燒斷了，像那種還來不及備份就當機救不回來的過去。尤其，我哥哥這一條線更近也更深，因爲跟我重複太多線索了。所以這一條線對我而言，就像是個交錯了太多一燒就會完全燒壞了的開關的死穴要害，是第七也是最險的封印。我不得不承認，或許，在某一個鏡面的倒影或返光折射中，他其實就是我。

一如，仔細想想在小學的時候，因爲他，使我就開始進入一種歐洲王子的教養，少年維特煩惱般地煩惱著如何聽巴哈，聽布拉姆斯，開始看尼采，看赫塞，看黑格爾，這些怪物般的人物對我人生是有極深的影響的，就像我的天眞提早被燒掉了般的火勢殘骸，或就像提早打開了我封住了第三隻眼或封住了尾獸的封印。就像是父親當年帶著我們去晚上的夜市吃蛇湯，天亮去八卦山拜大佛一樣充滿了太深太遠的像神話也像寓言般的暗示。只是我們太小了，太無法了解那神話的神諭或寓言的預言。

一如在一個人的小時候所受的一如被下咒般的影響，其實始終很少在後來長大後被提及。因爲那些童年裡的大人們讓他跟著看東西或是看著他長大，都充滿了很難被解釋清楚的影響。從來就不曉得那影響藏在腦葉深處的哪裡？甚至，只在不太清楚的某段回憶的某段時刻的碎片偶爾浮現，偶爾找到了某些和過去的差異時，才覺得出事，才決心要重新開挖出土，才發現到那整段的回憶可能因爲什麼原因或什麼動機般地被動過手腳了，那段日子是不是值得呢？那影響到底多深刻呢？甚至，其實就重新回到燒掉的或打開封印的那一刻，重新懷疑起，那影響使那個人的更後來的人生變成了什麼？或是使他在後來的某一個瞬間做了某一個決定因而改變了他的一生，一如更多的質疑。一個變態殺人狂的誕生，一個毀滅性超能力兒童的出現，一個個奇怪的人變成奇怪之前的兒童到底受了什麼無可挽回的影響？他們是被植入了什麼？這種強殖入侵般的植入，到底是爲了什麼？

這些無意的或刻意的植入，到底使什麼不可能變成了都有可能，正常變成古怪而天眞變成邪惡？或許，這些懷疑都是無謂的理解，我對我哥哥的理解使我進入及再進入比對自己的可能，使我回到當年的我變成現在的我的那些我早已遺忘的現場，或許，那才是更深入地洩露些什麼充滿意義的可能的現場。一如一個已然忘了爲何受傷的傷勢。在這中間的找尋過程，不是爲了療癒而是爲了找到了傷的更深的解釋。像是在身上燒一種藥，當聞到燒焦並燒出肉身上的水泡、炙痕後我們才會知道更裡頭出了什麼問題，其實這種封住封印的動機的找尋往往是最傷的，是很痛也是很難的最傷的部分。想到我哥哥這個太子總是讓我想到這種焦味。

我第一次比較清晰地看到這種我們一起長大的霧中風景。那是在我第一次去德國找他的時候。那年，我剛退伍的夏天，要去希臘參加一個國際學術會議，之後在歐洲跑了二個月，後來，就刻意繞去法蘭克福找他。

他開車帶我到柏林，我們在路上一直說話，一直說了一個禮拜，我們大概有好幾年沒見面了，又離那麼遠，後來，發生了好多事，就像《雨人》那部電影，只是狀況剛好顛倒或是也沒有顛倒，像那對兄弟。一個人可以這麼精明的和這世界近身糾纏，可是另一個人可以這麼昧於現實的跟這個世界完全疏離。但是就在那一段開車的路上發生了太多的回到過去的內心戲，交錯在我們的旅行裡。那電影是動人的，可是他們在回憶過去的事情，中間發生的變故、扮演的角色其實並不是他們原來想像的那樣，也沒有人跟他們說時間過太久了，弟弟和巨富父親鬧翻很久了，離家太久之後，接到父親的喪禮通知才回去，處理他的遺產時才發現他爸爸把錢都留給一個他完全不記得的住在療養院裡的智障哥哥。他爲了要爭奪遺產所以騙他哥哥上路，要幫他過戶錢來還他生意的債，本來要坐飛機，但那哥哥太害怕了所以只好開好幾天車上路。那故事其實是在這段上路的過程中打開的一種公路電影式的打開，在過程中不斷地爭吵出事，倒敘他們的過去，比對他們的所有對人生的理解的反差、懷疑、深信、困惑，種種逃離的近因與遠因。電影最後往往有一個非常複雜的結尾，用來完成對彼此的從未知到深知，從誤解到了解種種相互修補人生的救贖的部分。

那太困難了，一趟旅行和兩個人生的從完全不信任的對比到不得不重回昔日的艱辛比對那最動人的一刻，現場的重來一回，傷害的核心，那一次大家都不願再提起而最後大家都忘了的意外，那是那對兄弟的一個最後的死結，但是他們竟然都不記得了，那是很小很小的時候，在浴室，洗澡的弟弟被熱水燙傷而一直哭，他哥哥一直在抱他想救他是爲了保護他，但被以爲是要傷害他，所以才被不得已地送走，因爲怕再出事，才因此被他們的爸爸送去療養院的。也就是從此被從家裡趕走了。弟弟後來在旅行中，吵得走不下去的那深夜的一個爛旅館裡，才回想起來，他很小的時候，總是有一個人在他洗澡時會唱歌給他聽，所以他叫雨人，後來就不見了，其實不是「rain man」，而是他那有自閉症的哥哥叫做「雷蒙Raymond」。整部電影，一直都盤旋在兄弟的這一種從現在回到過去雷同傷害的反差之中，他的一生因爲他的弟弟或說因爲要救他弟弟而因此完全犧牲了，他一生的後來也從那一次意外之後完全改變了。

可是我跟我哥哥那年的那個旅行的那一段路其實也很怪。從法蘭克福開車到柏林，那是一段什麼樣的時光，我坐在車子的前座，看到一個太美太乾淨得不像眞的風光從前方不斷地出現再從旁邊離開，就像一種幻覺，像一種電動間的遊戲，坐進一個駕駛艙，在一關一關的公路跑車大賽中那種場景設定的華麗，天空湛藍，每一個路口，彎道都那麼的完美。尤其那年我剛退伍，每天早上在一個旁邊就在養豬的旗山軍營中被豬叫吵醒，又臭又髒又醜到我已經習慣了那種到處吐檳榔汁，西瓜包甜的又熱又台的公路電影般的人生的那時候。

其實，一如一個太子般的我哥哥還是在法蘭克福大學念書。他不知如何跟我描述，法蘭克福是多麼的市儈，但是小時候我在他的書架上看過法蘭克福學派的書，那時候柏林圍牆剛倒第二年，東西德剛統一，那是一個充滿變數和風波的年代，因爲，波折太大，那時候德國很亂，我哥哥那時候還在車上帶球棒，我哥哥畢竟只是個讀書人，我哥哥一進柏林，非常緊張，黃臉孔，尤其是在東柏林，有很多越南人，東柏林的人那時候極端仇視黃種人，尤其是光頭族人。「那些人就會想找東柏林人的麻煩。有一種最明顯的就是黃種人，因爲共產國家那時候最菁英的人都跑去東柏林念書！就是會搶他們飯碗！那時候柏林很亂，他們只要看到黃種人，Skin Head那種激烈派就可能會攻擊人家。」那時候我怎麼會聽得懂，我怎麼會知道他很緊張？那時候我剛退伍，去一個柏林那個很漂亮的地方看美術館，我哥他去那個地方卻帶一支球棒，那是他進入這個世界第一線的理解。中間我們也去過馬克斯的故鄉的古城，也跟我講過很多故事或去找他朋友。我終於享受到，他在國外當留學生，貴族般的生活。他在那裡十年，用一種奇怪的方式，度過他青春期最後期的太子過程，那非常奢侈。

我印象中的我哥哥，一直是一個斯文的人。或說，他才是一個眞正的少爺，眞正的得寵地長大的王子。他是長子、長孫，就是太子了，所以所有家人，長輩、祖母、姑姑，都非常疼他。到了青春期，他住的房子就是我們以前在八卦山上的別墅，他還是樂隊的指揮，小時候就可以買非常貴的原版唱片，他開的第一部車就是爸爸的賓士的車，然後他大學還沒念完就已經在念德文了，我爸幫他存了一筆錢讓他去德國。在那個年代，究竟是怎樣的一個人會喜歡德國喜歡到那麼著迷，他聽的音樂也是，都是布拉姆斯、貝多芬、巴哈，那種又悶又冗長的管弦樂團交響樂，那種西方的古典音樂。而我小時候在看他的時候，我看不到這些，因爲我太小了，我開始念初中的時候，史懷哲是他拿給我看的，他和我說他是位音樂家，鋼琴可以彈到巴哈的等級也是位文學家，可是他跑去非洲行醫。我哥哥以前書架上全都是德國人的書，他非常喜歡德國人，這是有原因的。他在念大學時，他在學校其實是跟一個中國通史的老師在念哲學的書，所以他事實上是有跟到的人。我覺得他的品味，還有對這世界的理解，是有他有意思的部分。可是這個前提是他眞的是在一個他像太子地被寵愛的人生。

但是他後來完全變了，也只跟我講過一件事。我們如果是王子，那需要一個國王，那是一個全知全能全才的角色，那個人就是上帝。

你有沒有想過呢，我們活過了這些人生，或是我們遇到了像爸爸去世這些事對我們來講到底是什麼意思，然後他開始就會進入一個完全類似像教會裡面在討論這種事情的一個，其實就像是完全重新發明的一種史觀，他覺得這都是一個過程，最後會到一個我們要重新回到主的懷抱，可是他很認眞問我：什麼是眞正的幸福？

「很不尋常，和我們小時候怎麼長大的，完全不同。」哥哥說：「我們在見證的時候，通常見證會講你覺得主在你身上做了什麼改變是好的，但是，最後的這種分享，有時是針對心裡最不舒服的地方，你需要別人爲你禱告的地方，對某個人不願承認的憎恨，某段不堪往事的難以釋懷。這個部分很多人會提到他們的難過，讓大家分享，也了解更多困難，這時候，心情不好的我就覺得我自己的困難其實還好，以前我剛去教會，每次小組在分享，我說完了都會哭，因爲，從那種感覺，他們表現出來的態度，從他們身上得到的分享，反而更動人。即使，後來，我的故事都講完了，聽人家在講的時候，我還是一直哭。」

完全不信主的我卻完全地不相信他的另一種王子故事的新版本，而只是想起那一年，在那段開往柏林的路上，我說到了一部電影。

那是一部關於某一種怪異的定義出來的王子的電影，但卻是一個極沉重的悲劇，開始的畫面，即是在一個破教室裡的小男孩變成恐怖分子的寓言。最精準細膩的喚出，分鏡從窗口那遠眺沙漠惡地形的美絕而寧謐的風光，很久沒動，然而，許久之後拉近鏡頭，才知是在破窗框後看出去的景象，外頭是烈日炙照下弱風吹唯一一棵椰子樹葉動地幽微顫然，而裡頭是一個破落不堪的教室，四壁徒然到唯一可以辨識的是正前牆上那黑板被剝落後的殘遺框痕，更恐怖的是鏡頭很緩很緩地拉進室內後，才發現完全沒玻璃的空窗洞裡，那已無課桌椅而地上都是積累多時灰塵的骯髒教室中，是一群荷實彈眞衝鋒槍的恐怖分子部隊少數幾個阿拉伯士兵，有一個正在幫那一群眼神空洞的少年理光頭，頭髮掉落滿地的畫面裡，是很多又髒又瘦小的小孩赤腳和幾雙又大又沉重的成人軍靴。在電台司令那又淒離又抒情的電影配樂曲唱腔的迷亂中，近乎殘酷地哀傷，那電影預告的鏡頭最後最長的一個拉近是停在那一個唯一有眼神而瞳孔專注散發極度凶狠精準殺氣的正半歪著頭在理的男童臉上。對他而言，所有的苦難如苦修的歷程就要逆反而乖張地打開，他看起來是如此頑強，就像個不世出的食人族部落最具殺氣的王子，寓言中要拯救並滅亡原力的少年絕地武士，或是傳說中終將騎上史上最巨怪飛獸的阿凡達戰神般的獵人，最後也最強的氣宗裡勢必要繼承拯救世界任務卻又逃離的神童，但其實他都不是，他只是一則悲劇的註腳。這電影拉開的序曲，是一個太驚人也太動人的故事，一個最神準狙擊手恐怖分子少年時代的出場及其惡行，母親及其受虐者的更後來更沉痛哀悽的追憶，找尋、拼湊出身世的荒誕巧合，與更慘不忍睹的透過他妹妹從頭找起的找尋。那部電影從他母親的封在信封裡寫給兒子遺書的遺言開始的，那像是對這個王子的詛咒式的預言：「因爲我違背誓言，所以愧對於心，天地不容，請讓我裸體下葬，臉部朝下，背對世界，墓碑上不能放石頭，碑文上不要刻我的名字。」

但是，哥哥卻在那時候也說了他的一個夢。

夢中的我們兄弟一直在走一直在旅行中。心裡覺得我們就是王子出巡而躲開人群，但是故意地走進某個古城的深處，在老街蜿蜒的很多巷弄裡充斥上百年的老房子，卻迷了路，那一路太迂迴繞道一如迷宮，或就像京都那種怎麼走都走不出來的心情，但是卻也不會擔心，就一路走一路逛。然而沿路風光極美極好，古蹟廢墟，我沿路走拍照。但是，更後來，我走進一戶人家的破落中，那裡像被燒過了，只剩斷垣殘壁。我靠在牆角，倒在一台木製的又破又小的推車上，向上拍破洞屋頂可以看出去的天空，陽光從木梁架間照入的光束很美，灰塵飄浮在光裡頭，像孢子，空氣凝結了在一破房子，我被迷住了，就在那裡待了好久好久。又過了一陣子，有雲，光有點改變了。這時候，有人走過來，有點不懷好意，因爲街上完全沒人，這廢墟也更深更荒涼，而且下午有點晚，天快暗了，等我注意到，已然來不及了，那四個人走進來，臉很沉，哥哥心想不好了，這是搶劫，我們落單了，他們都穿日本高校服，年輕，手上拿的刀有點奇怪，像手術刀，他們講的日文太快腔太濃重我聽不懂，但是，我說我可以去領錢給他們，但是，他們聽不懂又僵持了一下，那個年紀最大的男的，對我們說，你們不是王子嗎？我們要你們的皇冠，我說我們沒帶出來放在旅館，這時候，他們又彼此說了一些話，有點爭執，那最靠近我的其中一個動怒了，衝向我，砍我一刀，我用手臂擋，就割在手肘，鮮紅的血就噴出來，那時候，我還倒在木推車上，還在拍空屋頂的天空倒影，那種姿勢，一直到發現有人進來了，我都還來不及移動，只是把拍照的萊卡相機往身後臀後塞，怕被他們搶走，那這一路拍的就白拍了的不甘。那時候的廢墟裡的光影黑白反差極大，因此，他們穿的日本高校服，更黑也更白。我極害怕，我想到了我在高中學校裡有一回遇到的幾個穿制服的學長，他們在校園角落，在一條偏僻的從教室到宿舍的小路上擋下我，跟我要錢的事，我跟哥哥說，事情拖了好一陣子，後來平靜了下來。但是，那段日子，我都再也不敢走那條小路。在夢裡，哥哥說我還一邊流血一邊求他們放我走，但是他們一邊大聲叫囂，卻沒有讓步又撐了一段時間，大概失血過多，我頭開始有點暈。後來，心裡越來越慌心裡想著，再拖下去不行了，我說我去拿錢給他們，我心中其實比較擔心我們會不會死在那裡。其實他們的意見也不合，彼此還在吵。但是，僵持太久了，我覺得這樣下去不是辦法，就做好準備，打算逃走，就再往前衝出去。

他說，他們一群人一起拿刀砍我，我還記得手術刀砍入手肘的那一刹那，那種痛，有種奇特的難以明說的害怕，快轉的畫面。像整個蒼白的蛋殼被打開的那一瞬間，而全身如蛋殼的少數黑斑竟然極速擴大，刀痕如裂痕地拉長，剝離，黏液，懸而拉長，蛋黃的更裡頭的薄膜也瞬間破了。我就在還來不及感覺那種眞正的刀刺的痛前。不知爲何，眼前就進入了某種超現實的場景的打開，心中驚悚卻也恍恍惚惚。當我整個人撲向門口，他們也動身了起來，就像慢動作一樣地，拿手術刀刺向我，從不同角度，不同速度，不同的刺法，眼看著就要刺到我時。

夢就醒了。

顏麗子是如何把寶島大旅社蓋起來的（第27篇）蛇鑿花。

一

那可是他此生最得意的鑿花。

老師傅在寶島大旅社屋頂的佛堂梁上鑿花刻的十八羅漢像很奇怪，和古時候的羅漢長得不一樣極了。他太了解那些典故了，那些中國人物畫的造形，但是，他老出奇招，粗中帶細，大刀闊斧，不太精雕細琢，把清奇、法力無邊、救苦救難的羅漢，左進燈尊者，右觀經尊者，伏虎尊者，進果尊者，達摩尊者，進花尊者與慎思尊者，種種一個個刻成「掏耳」、「撚鼻」、「抓背」、「伸腰」的懶漢古怪姿態，但是傳神極了，充滿神通。羅漢們身上還盤著或腳上還踩著，一條蜿蜒的栩栩如生的蛇身。

刻好了佛堂的更後來，開心的顏麗子就叫老師傅照他自己的意思亂刻。在寶島大旅社每層樓的走廊和樓梯口梁上鑿花都隨意刻幾個他想的古怪姿勢的懶羅漢，當門神。

那愛喝酒的木工老師傅從小可就是神童啊！他從小就出生於鹿港木雕世家，自十三歲開始跟隨二伯父學大木作傳統建築木雕技術。身為木匠家族的嫡親後代傳人，小時候就在樟木頭的香味中長大，常偷偷趁大人休息拿起雕刻刀自己刻，他師傅說他小時候一出手就像神童，那師傅笑著說他一生都在做木。後來，更老的他已經完全成精了，在樟木上就直接刻了，瘋瘋癲癲地完全不用先在紙上畫樣稿，不用依樣稿鑿出胚模，雕刻直接下刀，從初步雛形到細部的修，對他而言，好像在玩、在鬧，完全不費力。他喝了酒老是會亂說酒話，說以前的師傅教的「人物」、「花鳥」、「博古」、「雜碎」基本木雕本事，其實沒什麼用，傳徒「四點金」本事，都是教二流的刻工。

有一次顏麗子請他吃螃蟹，他不但後來刻螃蟹，連裝螃蟹的「蟹匣」都刻出來了，甚至連蟹匣的竹編紋路都刻出來了，雕刻河濱石上十一隻毛蟹。其實一開始他可是下過苦功夫的，他們家傳的是臺灣的傳統木工，大木作、細木作、木雕三種，他都下過功夫。他一開始學的就是小木作，一般人看得懂的是細木，叫作「小木」，因爲主要是各式家具、佛具之製作，鹿港家具名聞全臺、家具店數、細木作匠師最多，但是沒幾家是遵古法製作的店，他一開始就學最難的古法，清式，甚至到明式。另一種是大木作，在木建築梁柱上的，鹿港地區早期稱這種木雕爲「鑿花」，鑿花原屬於木作的裝飾工，連日本人都讚嘆的老式斗拱、雀替的「欄間雕刻」那種半立體木頭之透空雕刻，他刻的鑿花可眞是鹿港最維妙維肖的。他說他後來什麼都會做，也什麼都做過了，做玉如意彩牌，番花草，寺廟建築的雕刻、家具的裝飾、佛道教的神像，純雕刻桌椅、匾額、屏風，越做越精密繁複地華麗到他自己都很難忍受。

自己後來開了木器行，更做很多有錢人家裡的廳堂，鹿港黃慶源家花園「金銀廳」，雕刻彰化楊府家具，豐原新萬仁林家神龕，玉如意彩牌雙龍，案桌雕刻，埤頭陳家大厝興建，鹿港許家「謙和行」雕刻案椅家飾眠床，玉琴軒彩牌。最後，連鹿港最大最華麗的辜府家具，案桌雕也是他刻的，甚至日治時期在總督府文獻中都有提及他的名字。

老師傅跟陪他喝酒的顏麗子說：「不像你，他們只是要一些好看的雕像啊，那些有錢人可眞不懂木刻如何才能傳神啊！」

鹿港木工師傅，養成是師徒制，很多是家傳的，大木作用福杉，細木作用檜木，木雕獨鍾樟木，但是，他什麼木都可以刻，只是他的老木雕刀可是不能動，那是跟了他一輩子的寶貝，他一生都用手工雕刀，用手刻才能讓木傳神，「只有二流的木工師傅才用電的刀」。因爲他十八歲就跟家人去著手進行鹿港天后宮的重修，那是最難學的，因爲大部分的人都看不懂，大木作。後來做了更多的廟，好多媽祖廟案桌前九龍匾上的龍臉猙獰的神情活靈活現像要飛起來了。重修鹿港龍山寺，做過鳳山開漳聖王神轎，鰲峰宮神轎，重修通霄媽祖廟，觀音亭紫雲巖供桌，醒修宮鳳輦，鹿港天后宮大殿案棹，埔鹽四聖宮神房，鹿港奉天宮案棹，臺北艋舺龍山寺案棹，臺南元天宮案棹。甚至重修彰化孔子廟，刻孔子廟大成至聖先師孔子神位，他說：「孔子不好玩……」顏麗子跟老師傅去看過他在苗栗岳王廟神龕人物堵，鹿港奉天宮大楣雕刻上的封神榜神仙們的大戰中的天兵天將，「這些怪人才有的玩，才比較可以刻得亦正亦邪，半妖半神……」

除了刻在傳統寺廟，老師傅還刻洋鬼子的，他刻過給天主教教宗加冕「祭台聖體龕」。還有很多教堂，萬華天主教堂祭台聖體龕，鹿港天主教堂祭台聖體龕，溪州天主堂祭台聖體龕，田中修女院祭台，鹿谷天主堂祭台，甚至刻過耶穌十四苦路浮雕像，「我不認識祂，我都把耶穌想成佛祖，反正要刻得很斯文很可憐，很好欺負。」後來，總督府建府二十週年慶祝，他刻的佛祖和耶穌像竟然被當國寶還一起被送到日本臺灣博覽會參展，酒醉的老師傅說，那都是別人替他吹牛的啦。

森山陪著說：「其實老師傅刻的那些掏耳、撚鼻、抓背、伸腰的懶洋洋的古怪羅漢一如那些眼神妖嬈的蛇形蛇身柱頭還是最傳神。」他才笑了起來：「幹！你這日本鬼子算是識貨，這才是我來幫你們刻寶島大旅社的原因啊！」

那老師傅喝醉的時候跟顏麗子說，他外公對於木頭，才是活生生的啊！他一生對木刻的傳神，都是來自於他那一個外公在嘉義的大林山上的林場。那個木工師傅說，他外公家冬天到門口，就可以看到對面山上白白的，下雪。本來整個山頭都是種樟木，在做樟腦油、樟腦丸，後來都是給日本人打仗用的。還有相思林，相思木比較硬，可以做黑炭，他們家就是山上最老的炭窯。小時候他們外公家的小孩一起去窯場幫忙，出來全身都是黑的。剝樹皮，一人一簍，小孩下課要去剝樹皮，燒熱水。他舅舅鬧他，老喜歡偷他剝下來的樹皮。山裡有蛇，不像其他小孩，一如顏麗子，他不怕蛇。他小時候過年都會跟母親回娘家，那是阿里山的支脈，海拔一千米左右，再上去，都是番仔，會獵人頭的。山下就是日本人的糖廠，小火車。那裡比鹿港窮很多，整個村子只有一台腳踏車，小孩不能玩，大人騎去番薯市場賣，邊騎邊用扁擔挑兩邊，放木炭。

他在鹿港學木工，出師後，就在忙，只有過年過節回山上。山上的空氣好，活在森林裡，家裡前後都是樹，他們山上的人，很拚命，所以身體也很好，人都活好久，他的祖父活到九十幾，家裡一直都五代同堂。他外公家就是沒辦法在山腳買地，種田，他舅舅家有六個兄弟，都是做木頭的，有的是伐木工人，有的燒木炭窯，他們會笑他所做的這種蓋房子的細木作，是最不吃力的。小時候，他們兄弟都要跟外公到山上砍柴，堆一整個倉庫的房子，只爲燒熱水。他們有時沒有鞋穿，上山去撿草，要想辦法自己編。草鞋要自己做，大人做大雙，小孩做小雙，做多了還可以去賣，去番薯市集賣，但是他外公一點也不在乎窮或苦。他老記得他的外公教他，一種在窮苦中長出來的火和木頭的魔術：「竹簍放火炭，古時候手工做的暖爐，用一種鑄鐵的盤，引火要紅，好暖，不能放太多，不然會有煙，會熏。」他小時候每次來都不太會引火，老弄得整個房子熏到好像燒起來一樣。過年的最冷的時候，然後找土豆，用火炭烤來吃，最香。「常陪我喝酒，改天，我也幫你雕這兩仙最神的。」老師傅老醉著跟顏麗子說。

小時候，他最迷他外公房間的那帶妖氣極了的老木雕兩仙，一仙是鍾馗抓鬼，一仙是老子騎牛。但是，奇怪的是有一隻他外公抓來的響尾蛇屍做成的蛇皮，就盤在他們的身上，好妖又好神，他們就這樣一邊看著這些半人半鬼的妖神，一邊嚼著火炭烤熱的花生，聽外公講蛇郎君的故事。

旅社部（第14篇）夜店。

一

「當那怪物般巨大野獸的手碰到那美女的時候就注定了牠一定要死了。」那是那部重拍的《金剛》電影中所引的一段印度古寓言的話，在片中畫外音的旁白裡，她印象好深好深。她對我說：「你知不知道，或許，你也一樣，你碰到我，你就一定要死，不論你有多巨大，多像怪物，都逃不了。」

那時候我正跪在她後面從兩腿之中舔她的陰唇，在那東區的lounge bar洗手間裡，那個晚上是從那個姿勢或說那個畫面開始的。

那是我和她第一次去lounge bar，我們沿著路的盡頭走向裡頭，我按住正面木門扇一個有店名字樣的鐵件；以爲那是門把，推了幾次，即使很用力，卻還是一直推不開。但她卻從左邊那完全沒任何印記的另一扇木門推了一下，就走進去了，我在跟著進去的同時，有點不好意思，好像被騙了，被開了玩笑，或就是被愚弄了，被自己愚弄。

而她卻知道某些玄機或某些法門，知道我不知道的某些遭遇如何變成某些災難的可能，那種知道的奇特，很吸引我，就好像是一路注定的走向死亡的或走向可怕的路的必然動人的那種開始。就在這一家lounge bar，在東區的巷子裡，甚至，在她家附近我沒有去過。上回，我送她回家前也曾經過，她提了一下。有一棵型很美的樹在門口，清水混凝土與空心磚做的牆面，是一個用心做過設計的店，我沒有多說什麼，只是跟著走進去。

「威士忌十二年，Whisky Malt……Magallon我都喝這種，很醇又很順，味道又不會不好，有些威士忌喝了第二天就糟了……」我跟著點了一模一樣的。「你好從容，有一種你這種年紀少有的從容，以後注定會變成一個可怕的人。」我並沒有告訴她更多，告訴她，像她這種美女還擁有這種從容的稟賦，以後是如何使別人更致命，但也必然會使自己也因此活得更辛苦。

她笑了一下不理我，只又喝了一口。我又吻了她耳彎一下，然後手繞到後面從她低腰褲往下滑。「對面桌的男的看得都勃起了吧！」她說。

其實那時候，我們身體已經纏在一起很久了，我的舌滑過她的耳畔、肩、頸，時快時緩，甚至兩頰到鼻尖。「你差點把我的隱形眼鏡舔掉下來，哈……寫到日記上。」我用了連我也沒想過的各式各種舔法，有時則只是用我的臉頰鼻尖輕輕滑過她的臉頰鼻尖，但往往是越來越不像話地越舔越濕而越淫。「坐在那桌的好像是我的朋友，五個人裡那個最靠裡面的女的，還有她對面的男的。」她說的時候，我並沒有那麼留意，因爲光線有點暗，而且已經很晚了又很吵，我們也只是想找一個不引人注意的地方喝酒。

「我那個朋友也算是個藝術家，她做的和戴浴帽有關的攝影，作品大概都是照片，裡頭都拍她自己，都戴浴帽，然後衣服有各種不尋常的變裝與各種角色扮演之類的出現方式，在臺北的各種最有代表性的尋常的角落出沒就這樣，戴浴帽的她穿羅莉塔裝出現在國父紀念館，穿旗袍出現在西門町，穿性感護士服出現在總統府。」

「我喜歡的是男人，猛男，肌肉男肌肉越壯越好。」我們聽得到隔壁桌她的那個藝術家朋友說的話，爲了辯護她不是同性戀，而且因爲有點醉了，所以愈說愈大聲，愈來愈露骨。「我可是自己脫過男生的內褲。」「我幫他口交，但是那男的還是陽萎了有什麼辦法！」後來，在一桌人的起鬨之下，她越說大聲也越勁。「我穿SM女王裝和一個肌肉男在一○一的廁所裡做愛過喔！」

那時候我並沒有太認眞分心地在聽他們說什麼，反而，卻被她說到的事所吸引住了。「你搞過的最奇怪的地方在哪裡？」她漫不經心的說：「在停車場的BMW的車蓋上……」

「搞了多久？」

「兩個小時。」

「車子旁沒有人嗎？」

「偶爾，旁邊有些車會經過。」

「我沒你厲害，但是，我在公車上搞過。」我也假裝漫不經心地說：「她坐在我陰莖上，像你剛剛那樣，在花東公路人很少的公車上。有一個小孩還回頭一直看我們，他媽媽還叫他不要亂看。」

「還不賴！我沒試過，以後我們可以試試喔！」她露出不太吃驚的神情，好像一個太老練的老饕並不會對別人說的料理有太多好奇的注意那般的輕鬆以對。

這使我更動心，但那時候我並沒有跟她說。

我並沒有更刻意地追問，正如同我也沒有再刻意地聽鄰桌女藝術家的是不是同性戀的熱烈。

「你吃過的菜也不知有多少了？別騙我。」她說。「我覺得你搞過太多人了，但是，你說我很厲害是什麼意思？」她大概覺得我太花了，或許因爲我的長相，我的口吻，或只是她心裡有點不服氣，或許只是因爲酒，因爲在這個暗暗的店裡，所有的事突然都放大了，都變得期待更高，或情緒也更高。

她更加地對我提過的性的冒險提出嘲弄。她說我說過的那些做愛的壯烈，都太可憐也太可笑了，我盯著她的低腰褲，低胸上衣。在餘光中，我忽然發現她眞的太美，身材太好，太知道自己的性感及其所向披靡，所以覺得我好像不夠拜倒在她石榴裙下。

「遇到對手了！我會在我日記上這麼寫。」她微笑說她可以寫出一堆lounge bar日記，後來日記再出一本書就叫「你們這些童子拜的觀音」。第一天叫「lounge bar的肌肉男爬蟲類」。第二天叫「lounge bar的花美男的滴」。第三天叫「lounge bar裡我的戴浴帽的女朋友來了」。

「眞的嗎？我不信，你根本就寫不了幾天。」我笑她。

「其實很少男人看得懂我寫的，他們只是想吃我！」她說：「有很多個男人，常來這裡，我們很常見面，也長得很帥，但就是吃不到我。」

「雖然我在這裡天天吃別人，但他們也吃不到我，有一個花美男叫我去他家住他那裡，他睡沙發，我睡床。我去了，花美男的他討好了我一晚，但還是吃不到。」她依舊用這種滿開心而不在乎的口吻說著。

「只有一個嗎？還有吧！」我問

「還有一個是和我年紀差不多的有婦之夫。」

「爲了扯平。」我說：「我也供出來好了。」

「我和一個SM女王有一腿。」

「也只有一個嗎？」

「之前也有過的另一個女人已經先停住了。」

「爲什麼？」

「有些事……我遲疑了一下，沒有跟她提及更多的我的某些對做愛還是很天眞而保守的困頓，諸如：對女人或對自己的罪惡感，常常在做愛後反而對自己絕望之類的事。

我早發現她一直有意無意地在凝視我，但我有意閃過。因爲，她的眼神好動人，但又好像有些更後頭的什麼。「你看著我。」她低聲地說，但我是個不太會用眼神的人，而她是。

她的眼神太誘人太迷離，在我習於和她四眼對望時，突然所有動作都變成配角，所有的舔都因爲她的眼神而變得更刺激，我盯著她的眼神，她的臉與舌卻一路滑下，從躺進我懷裡，我的陰莖就硬了。但是，我的眼睛卻無法動了，一如被她那最性感的眼神纏住。

就這樣，在那lounge bar裡最深的沙發的角落，我們說了好久好久的話。但是，我仍被她的有意無意的凝視所糾纏而有點心亂，一如金剛。牠被抓到了紐約，看到另一個文明的災難，在那電影裡，這種女主角天眞又世故的凝視的大量特寫變成某種很深沉的痛苦，一如那片中她的同情變得那麼地無辜又無情，她的心繫於人間的苦難與遭遇巨大惡魔的痛苦，變得那般的不忍與風情的如許動人。

「我喜歡你的鎖骨，雖然那一定不是你最自豪的身體的部分。」我用手指滑過頸子。但她卻用手解開我長褲的扣子，手指伸進去撫弄我的丁字褲，所以後來當她穿上大衣，我也伸手解開她的拉鍊，裡面穿比基尼也不冷，我摸到她小蠻腰往下的柔軟的陰毛……

「我騙你的，我沒有穿上你送的丁字褲。」

「那我要懲罰你。」我把手指更深地插入她的陰唇深處，在淫水中蠕動，另一手卻往上用力捏住她的豐滿乳房卻感覺到她的亢奮，當我用力地捏她乳房越緊越痛時，她陰戶裡卻流出越多。

「痛嗎？」

「好痛！」

「其實我有點生氣，因爲被你吃過之後的女人好沒有價值。」她說：「我知道，吃掉了就沒有了。」我把頭埋入她的胸口，舌唇大力含住整個乳房，半吸半咬地故意弄痛她了起來。另外還用兩手用力扳開她的雙臀，手指在那不斷流出淫水的陰蒂滑動。

「那好。」我更用力掐她……。

「眞的好痛！」她笑了。「用力懲罰我吧！」

「好！」更用力於指尖，更慢地握緊握實那曲臀後緣，甚至刺入她更深的肉裡。

我覺得她好痛也覺得我好痛，一如金剛那種痛，牠巨大的手掌握住她玩弄她抓住她，行走跑步甚至與別的怪物鬥毆時，懸在半空中的她是嚇壞了的。但我想金剛也在經歷一種更後頭的牠也不知道是什麼的對牠自己的

「痛」。

「我看著妳的簡訊手淫。」在她耳邊，我輕聲地說。我一邊用手，一邊用舌繼續激烈地愛撫她。

「很有用，我射了兩次。」我呻吟著。

她卻不太高興了起來，並帶著嬌嗔地說：「隨堂測驗，星期六你說不寫簡訊了是爲什麼？還有，上一回去那夜店回來以後爲什麼你就失去聯絡了？」

「後來沒見面的這幾天我在和別人做愛時一直想到妳。」我繼續輕聲的在她耳朵旁說著。「好像在那夜店洗手間裡，跪在你後面，舔妳的陰唇那種姿勢……」

「那樣我就好硬，幹她就像在幹妳一樣。」

但是，說著這些這麼色情的話時，我卻已然沒辦法勃起了，即使她的身體早就那麼亢奮，那時候，我才意識到我有多醉或說多累了。那幾天，我的整個身體陷入一種極度的亢奮卻更極度的疲憊！我一直沒有發現，直到我陰莖這樣軟弱，直到我終於也正面回應地凝視起她那美得像災難般的眼神。

後來，我的肉體就更爲失控了。在lounge bar那幾小時太激烈而持續的擁抱裡，在更猛更烈的擁吻裡，那種種近乎像《金剛》片中荒島上出現的大型古代生物遭遇彼此的相互的本能性咬噬攻擊，我咬緊她的脖子與乳房與下體，有種想在上頭咬出留下永久印記般的惡意。但是，仍然是醉得那麼恍神。

說話說了好久以後，我突然想吐了起來，卻要裝得沒事般地談笑。

我離開她的擁抱，抽開身體，喝了一口水，看了那些lounge bar那幾小時也激烈持續的許許多多別桌的男人女人好一會兒，對她說：「我們都好假。」就這樣，持續舔著她的耳彎下緣，持續對她低聲地說些她的藝術家朋友的壞話，說些我想咬她吃光她的鬼話。然後，心裡想：「再撲上去。」我心裡太清楚了，再撲上去有多危險。一如那走進入口的她所知道而我不知道的某些玄機某些法門，撲上去某些我永遠不可能知道的種種遭遇，種種災難，好像金剛那一路注定地要走向死亡的可笑的開始。

二

那天，其實才是逼供的開場。

一如走進那店，才發現一切都太荒誕了。我太累又不太能喝，爲何還要來？

一如最後頭的那一張像人皮做的皮沙發，很大，很軟，但太深了，坐下去，好像就永遠爬不起來那麼深。

更奇怪的是，那怪沙發所放的角落和所放的歪斜，那麼怪異。那角落是一個lounge bar式的自成越隱密越好的死角了，沙發圍成裡面好多角落中最死角的一角那裡最幽微，最隱約，因爲就刻意地放在店的最後頭，面向深入後院花園的大落地折窗外，完全開放到讓外頭夜色的光暈可以折射或投影地滲透到室內怪沙發的落點就在落地玻璃正前方，只後退五十公分寬讓人可以走入的小走道，好險又好窄。更奇怪的是，就在緊接的玻璃旁，店家還在走道上放了同樣奇怪的一條僅四十公分高長金屬茶几，寬二十公分長卻快兩公尺的極窄桌面。那是用像摺紙般極薄的不鏽鋼片所摺出的科幻感極高的削斜板形，又長又瘦，就像一個極限主義式冷酷雕刻，太空船的局部板金，狂派變形金剛變成車型時的某處斜切擋泥板，那般夢幻的模樣，放在那裡，就像一把匕首斜斜插入這個深夜lounge bar的心臟般地古怪。反正，整個現場太疏離了，就像一個櫥窗或美術館裡孤懸的陳列物件或裝置藝術品的莫名其妙，怎麼看，那怪茶几怪沙發都不像眞的給客人坐的。

但，我們還是眞的就坐下來了。而且，坐下來之後，更細看，桌面側面看是V字形的，中間的溝往兩邊緩緩升高，也就是說，桌面是斜的，杯子碟子放上去也是斜的。我們點的酒杯裡的酒在那桌上表面竟也變成是斜的。我想到《全面啓動》那部電影裡在夢中的豪華飯店大廳，乍看沒發現但細看卻全不對勁那種，窗外有風雨，吧台杯盤都歪歪斜斜那種怪異感。雖然沒有人說出來但空氣中充斥著荒誕。我們就坐在這種荒誕之中，招搖地，像櫥窗裡的假人模特兒式地坐在大窗前的沙發上，卻一點都不在乎。

坐這沙發，一如來這店，都並不是故意的。這裡我經過也進去過數回，也只有那晚，才眞的坐下來。

其實，名字怪怪的那店，充斥了許許多多的收羅與精心打理老行頭的店，的確如此，像一堆無來由的電影道具間，或一個沒有劇情的劇場場景，或陰陽魔界式的古董店，但極白，極素，更像某種將原來老店家具全塗白漆就當服裝設計旗艦店的疏離，其實，可能也只是很優雅，很抒情，照顧得很好，南法小酒館常有的那種不太沉重的懷舊感的裝潢。

帶她來也是意外，因為原來約的另一個lounge bar關了，而往旁邊走走，才不小心找到的。事實上，好多意外，我也沒想到她今天會答應出來，原本我也沒有心情，也沒想到要約她。只是她的來信太心事重重太像近日的我。所有的事的發生，都太自然而然了。

更後來，就這樣，我們一起那麼荒誕地把全身躺入那過大過軟的沙發深處，陷入，等待某種夢境或雷同的不確定狀態。

看著窗外的夜色，空蕩的花園，斜斜的酒杯裡的酒。看著我，她說：「我可以開始逼供了嗎？」更後來，點酒的時候，我有點慌。「二種長島冰茶有什麼不一樣？」我問他。「二代喝起來，有點像酸梅湯！」那送酒單來的長得很時髦的小男生用一種有點開玩笑又不好意思的微笑說。

我說：「那就一代二代各來一杯吧！」

「用酸梅湯來下藥！」她笑了起來！我背對著另一邊，人比較多的地方，她坐最裡頭的沙發，一開始只是說話，接著剛剛逼供的故事。但，喝了幾口之後，我有點昏，她也有點昏，我們開始有點不好意思地對彼此笑了起來。我開始是把她的手放在桌前，打量她的很精心打扮的上指甲油的顏色，肌膚的細膩，手心的弧線，若有若無地撫弄，用我的指尖又輕又緩地滑過她掌心的曲面，當她開始有點感覺地顫動了一會兒，我低下臉，開始舔她的手指，從食指尖到拇指旁到虎口，用一種很色情但很溫柔的緩慢。

但是，她沒有拒絕，還把眼睛閉起來，臉的神情有點緊張又有點亢奮，但又假裝沒事地從容著，那使我繼續著往下舔每一根手指，從指根到指尖，再回來，用很慢的舌的滑過。整個lounge bar的空氣好像凝結在這桌前。

我並沒想到會發生這些，會發生得這麼快，或許不是因爲舔，也不是因爲醉，而是因爲我們雷同的心中的暗部，我們雷同的對這個世界和自己的厭倦，或不願承認的不快樂。但即使我不知如何下去，但我們的吻卻沒有停。

「我很同情你。你遇到一個和你得一樣的病的病人。」我說：「所以或許，我們不要吃藥了，我們吃別的。」我繼續吻她。「你吃我，我吃你。」我對她說：「我們都太乖了。」心裡卻不免想著，好可憐，其實是兩個病人，兩個憂鬱症患者的互相慰藉，兩個人都困在自己人生的泥淖中，但不願意承認。

「你好乖。」她低聲說：「但你也好壞。」

「這一切都好像沒發生過。」我跟她說：「正在發生的，即將發生的一切！都像沒發生過。」

「或許，你說的，都是騙我的，所有的你說你煩惱過的，正在煩惱的一切，都是假的。甚至，你才十八歲，就說自己已經二十八歲。」

她笑了，她變得開心起來，我也變得開心起來，突然所有的沉重都變輕了。但，就在這時候，邊笑邊盯著我看的她說：「但，我一直騙你的不是這些！」她露出一種奇怪的眼神，「而是，我沒說到的我想復仇的前男友的另一些事！」慢慢地說：「他其實是個恐怖分子！」事情變得有點複雜。我想，她以前一定出過事。

「他其實很恐怖，很像野獸或怪物那麼恐怖。」

我跟她說，我們不免都很恐怖都想復仇。有意無意，有心無心，一如我們有一晚一起看的那一部茱蒂佛斯特演的復仇人電影，在極度混亂而充滿犯罪感的紐約，她是一個抒情而幸福的電台主持人，被歹徒攻擊，已然要結婚的情人竟然當場死了，她昏迷十二天醒來，獲救。但是卻完全崩潰，悲傷，冗長的沉浸在哀悼，恐懼，重新走出家，街頭。紐約的那又骯髒又可怕的大街，地下鐵，完全沒法子恢復了，她說，就只是變成另一個人，變成了一個陌生人。她完全無法入睡。每天晚上在紐約的夜路中走一整晚，本來她就用機器錄音，在街上漫遊晃蕩，節目叫做《城市走路》。後來重回，但是非常困難，城市是突變的，有機而我們完全無法理解的困惑，無情。她在播音現場有很久很久說不出話來。她太敏感，也太難從那可怕的遭遇回神。買了黑槍，誤殺一個惡人，又在另幾個場合誤殺另幾個惡人，受傷。但是，也很忐忑不安。開槍是那麼艱難。一個好心的黑女人鄰人同情她，幫她療傷，跟她說，在她的國家，惡人把槍給小孩讓他們殺人甚至殺父母，只是爲了證明人是沒有界限，所有事都是有可能的。但是，一旦開始，就回不去了，殺一個人會在自己的胸口留下一個永遠無法彌補的洞。

我跟她說：「嗯！或許，我們在某種狀態裡，也都有洞口在胸口。所以，我們都正在殺人。也都在有意無意地互相掩護，你像她在暗中邊害怕邊勇敢地殺人，潛回這城市活下去，用更扭曲的挽回與自暴自棄，冒更多更深的險而不知道是否可以生還地入魔，在廢墟，在暗夜，在惡人環伺的地帶，殺人，發抖地開槍，但是，她還竟然要接她的節目的對這種復仇匿名的群眾call in，那般煎熬，辯護又躲藏，逃離又逃不了，我或許就一如那好黑人警察，讓你半夜睡不著可以打電話，到接受採訪分析犯罪現場及手法的無用，到追蹤案情的破不了案的苦惱，到最後挨子彈在極度痛楚中幫你脫罪還僞造死亡的現場的所有細節，補償，救贖你。」

「雖然在外在現實中彷彿什麼事也沒發生，或許也沒救贖到什麼。只是多明白點，你的自暴自棄的無可奈何。」

我跟她說：「你就不要折磨自己，不要看這種恐怖片了。」

這部電影，其實是眞正的蝙蝠俠或蜘蛛人應該變成的進入近乎崩潰絕望又必須活下去才開始殺壞人的故事，裡頭完全不好看的可憐，無辜，失落，沒有武器和武術和超能力，也完全不想當英雄被崇拜甚至僅僅地被注視，只是沉默近乎死寂地找尋出路，自己要如何活下去，和如何殺壞人，如何拯救這個城市的絕望，只是不小心撞在一起，那種眞實。一直哭，一直無法睡，一直無人理解也無法逃離的眞實的恐怖。

那個晚上很難睡，我們在大風大雨又沉浸在變天的潮濕與不耐煩，太忙也太煩悶在太多事的最後，回到旅館完全睡不著地滾動。所以就又死拖活拖地再看一遍這一部我已然看過太多遍的電影，但是，仍然是那麼地不耐卻也不忍。

我跟她說，我住過那太多黑暗的城市一整年，就在紐約的太多暗巷太多灰暗時光的走過的那一年，完完全全就是浸泡在這部電影的那種空洞但是又無法逃離的陷入那城市所有角落都可能出事可能遇害的恐懼。有一個跟我同年去的臺灣藝術家在某一天回家路上被搶，從後腦勺打昏，醒來，已是兩天後了。所有身上的相機錢包背袋全部不見了，但是，命還在就很開心的又瘦小又狼狽的他，在我兩個禮拜後去他工作室探望好不容易恢復到可以回神工作的時候，卻一直很亢奮地指著牆上那幾張極大極繁複核磁共振機器所拍出來的腦部斷層掃描，喃喃自語地說了好多醫生的擔心的那些暗部血塊的陰影，可能的併發症，失憶或失常的種種掛慮。但是，他說，他有種好奇怪的難以置信的開心，他想把這張病態的斷層照片拿來做展覽，近乎歡呼般地炫耀，喋喋不休，使我們整群太擔心地去探病的人顯得好可笑，但是，我在那種荒誕的現場，卻沒有更多開心或不開心的煩惱了，只是，會在某一個閃神的剎那中，想到一個更逼近也更迫切的完全無法恍惚以對的可能。那就是，「萬一」。那個雷同可怕的角落深處和那個無法無天的可能時差裡，如果，被打昏的是我。這個念頭，就是在昨晚重看的這部電影中，重新打早已忘懷的內心最深的顫抖餘地中又緩緩升起。

她笑了。我們其實已擁吻很久，而且更後來，我還把她的手放進我的長褲裡，拉開內褲，讓她用手握我，我的龜頭，她一開始有點不好意思，但後來就眞的握住了。「用力一點！」我在她耳邊說。她哼了一聲，我手伸入她的裙子裡，在她大腿兩側愛撫了一陣子，更後來就撥開內褲，將手指頭深入她的陰唇中，那時整個lounge bar裡的音樂也突然變成非洲的或拉丁美洲的鼓聲，她變得很激動，我也因此將手伸入更深的方式抽送，她好濕，好久沒這樣了，但是整個lounge bar空氣卻凝定住了，那是很暗的一個角落，但我們也太過分地當場就手淫了起來。

她說：「這件恐怖的事我沒有跟別人說過。」臉上表情猶豫而沉重。

其實，她不像外表看起來那麼的年輕或天眞，「其實，還發生了很多事。」她說的好像只有幾句話，但我一邊聽一邊想，在日本長大的她一定經歷了一個巨大到完全無法讓旁人理解的過程困難、辛酸。但我也不能說什麼，而且我住的地方就像垃圾堆，就像人生已然也已剩下垃圾了。

一如她的眼睛很暗黑，她的刺青很怪又很陰沉，她的憂鬱症所出現的強迫症變得很極端，所有的人生都好像困住了，所以所有的事如果不是弄得極用力不然就完全不弄，到後來，當然整個家就完全放棄了，從來不整理的舊書和舊衣服放得到處都是，變成像是廢物收集場。「其實，她應該是個太浪漫的人，只是發生了太多事而放棄了更多人生，最後就完全放棄了浪漫。」我心中明白，因爲我住的地方也越來越像這樣，越來越亂，越來越失控，到了一種很難形容的放棄的狀態，一如她的混亂。

「只要還活著都還好。」她笑著說。但我也沒說什麼，只看著她的手說：「你的手是很好命的那種手，很大，很細，手指很長。」這麼多人生的沉重好像都不需要更多的解釋，我想我們在這lounge bar說這麼多話，我想她懂，只是沒說出來。

「我就認你當乾女兒！」我對她說，用一種開玩笑的方式。

「但我是乾媽！」我自己都笑出來了，但還是有點醉。

她說：「好！我們亂倫……但卻是用蕾絲邊的吃法吃，你先吃掉我，我再吃掉你。」

三

更後來，我跟她說了一個我被吃掉的故事。

那晚，開始時，穿緊身黑色馬甲的A找上了我，剛到夜店的我仍只是很慢地和她說話，有點不經心，邊喝酒邊調焦，好像還在猶豫，腦海還在校對準心，但下個畫面卻已是她把我手指含在她有牙套的唇裡，很色情地舔著，像難度極高的口交，但我指甲旁脫皮小傷口卻痛了起來，A出現後就一直有點怪，在之前的很慢很像的舌吻時，我試著她幻術般的技巧，初時很享受，但後來，卻隱約感覺得到她那牙套的尾端還有鐵件伸起，突出地，銳利地，在口腔裡，在某些我的舌不小心盤滑過她齒唇縫隙如峽谷如穴口的神祕空蕩中，舔到了，雖然我沒說，而且這事也不令我害怕，但卻不免因此有點隱約不安。

「沒有來夜店的人對常來夜店的人有很多奇怪的想像，覺得我們比較敢，比較壞！」A說。「但，我很喜歡這種誤解，會讓我感覺自己比較複雜、比較看不透。」後來，天快亮前，我才快轉般地想到，剛剛開始我們也不過寒暄，直到移往一個比較安靜的角落某個小包廂的沙發上，才說了好多話，好幾個小時，喝酒，不再跳舞，說到很多很多。

她說：「我個性有點怪，跟一大群人出去，我會喜歡的反而是那種自己留在包廂裡或坐在吧台自己一個人的男的，因爲對我來說，那是最沒有敵意。」因爲夜店霓虹光線照耀的假水晶簾子閃閃發亮，在光線昏暗的吧台前，我還是一直分心，因爲會不免想著她那唇中牙套的鐵絲，像河床在暗夜被發現有擱淺的不明飛行物殘骸，我並沒有去營救，也沒去通報，只在那裡，拿起手機畫素很低的鏡頭向暗處的光中的機械突起物的怪誕拍去，不安的不是沒有救援，也不是太詩意，或怕冒犯，只是擔心拍照的小閃光會不小心啓動那或許是外太空異形物或受傷河神或多觸手妖獸，而祂重新飛起並掠奪起這個星球，就會導致世界末日發生。

當然沒有發生，只是她輕聲地，倒在另一側的暗端，頭也沒回地說：「想不想上我？」

A那麼不在乎，那麼自然而然地出現，令我反而不安地想起更多，一如某些王家衛電影裡那些故事中角色、場景的同樣迷人也同樣放浪，雖然華麗但也都不免是混亂到令人不安。

她的又長又亂的髮散在沙發枕上，趴著，在這個又冷又白又素到幾乎什麼都沒有的包廂角落。

這沙發的燈開得很小，包廂近乎全暗，中間半透明的玻璃那邊那種太古怪的光，厚石的牆和地板和天花板側滲出的影，昂貴蒼白的彎曲的側面，我想到年前我也帶別的女生來過，在那燈前，隱密地但激烈地做愛的當時，霧玻璃般的往事的若隱若現。但現在，在沙發上，在這裡，看著那暗暗發光的過去，也像個極超現實的場景的蒙太奇。

但我想到的，卻是我都已好一陣子沒出來夜店玩了的那種調焦的依稀恍恍惚惚，或更早前那淫亂幾年的從容，或就是最近參加太多派對的煩悶。

大概太晚了，好怪，那夜店牆上竟在放起卡通頻道，但卻是無聲的，我轉頭過去，恰好看到某部卡通片結束了，正在片尾播的主題曲，螢幕上跑的字幕：「心靈的微風，只要用力去做就可以哈哈哈哈！」

另一部接下來的卡通片，故事更好笑，一個小孩在跟桌上的玩具說話，它們都很小隻，但也都會動都會說話，有一個章魚先生，加一隻別的小動物。後來更怪，它們在天空和另二隻眼露凶光的兔子的決鬥。「爲了毀滅地球，竟雇用章魚機器人來搶寶物！」兔子說：「你們這些人類好壞，眞的是傳言中的掠奪者！」

「我最討厭人家跟我說『我跟他只是soul mate』之類的話！」A說：「C他們有班底，會有一群人一起來，有人是負責定包廂的，沒包廂的話會沒地方坐，跳舞滿累的，包包沒地方放，但默契裡不會追班底，裡頭有五個人，男的往往會追女的帶去的別的女的，C說那是她的soul mate的這個人John，我目睹他同時追其他三個女的，還舌吻，有的女的還已經坐到他大腿上，甚至餵他吃櫻桃。」

「你絕對想不到他們都很小，有的還是學生，白天穿T恤牛仔褲去爬山的那種年輕人，但到了夜店，男的穿得體面極了，而女的不但穿很辣，而且都很敢，馬甲，短裙V領還V到快肚臍，但笑起來的時候就會發現他們其實很憔悴，臉會因爲太常熬夜到眼下凹下去得很嚴重，在這裡交往的，本來就沒有正常人！」

A說：「C後來玩得開心就會變成班底的一部分，班底其中一個人是C的前男友，是這樣開始的，然後跟裡頭的每一個男的都上過了。但，那有什麼不好！」

「你幹麼這麼認眞！」我說。

我邊聽A說話邊分心看著另一側的包廂有兩個看來像混血兒的女的在那裡划酒拳自拍、跳舞，也竟開始舌吻，之後甚至脫得只剩性感內衣地拿起手機合照也故意假裝沒事。A說，她有一回和C大吵了一回。她說，她和C太常去那個夜店了，在記憶裡，那是第三次還是第四次，那晚在夜店玩到瘋，有一個男生向她搭訕，她很驚訝他沒有搭訕C，使C很不爽的離開，她們才吵起來的。

「我覺得你變得虛榮。」不會抽菸卻抽起菸的C說。

「你還不是也會抽菸，難道虛不虛榮有那麼重要嗎？」

「我還小的時候就會了。」

「喔！所以就只有你可以做『不好』的事，是嗎？」她說心裡想。

「我不喜歡夜店裡的氣氛，太吵太暗男生太不帥了！這是不好的地方。」A說完又順手抖抖菸。

「我喜歡那種墮落的很華麗的感覺！」

「你是怕露出你永遠瘦不了的手臂吧！」A說她瞇了一下C因夜店內熱空氣而濕透的牛仔外套，心裡想，那裡有人在那種地方穿長袖！

「所以就說你變了嘛！而且你的香奈兒包好俗好老氣喔！根本不配我送你的這件洋裝，我還是覺得要上一點年紀再用Chanel比較好。」C批評A的綠色露背裝好糟，也一直嫌剛考上大學家人送的Chanel皮包。A說：「你很煩！我就是這樣啊！你自己還不是花錢如流水，只是你都亂買，連去逛地攤，買衣服也要故意買得比我多。莫名其妙的什麼都要比較，就連你說『不好』事情，都不能做得比你多，你不覺得自己很矛盾嗎？你才不是不喜歡，是因爲夜店裡太多辣妹，把你比下去！男生都不看有點肉肉的你，所以你不爽吧！」A說，她心裡有一連串的更惡毒的OS。「因爲，那是C在夜店外頭抽菸時說的話！我一直都記得，因爲那不像她會跟我說的話，可能是因爲忌妒還是自憐還是眞的苦口婆心勸告，我要幫她記得的她所說的話，以後來印證我沒有錯！」

A說：「從國外遊學回來後！C就變成名副其實的西餐妹，而且喜歡利用網路認識各國的人，在夜店外頭的很多女孩，也喜歡像她這樣沒事說說幾句英文，老外搭訕時會主動貼過去的！」

「上次和我英文老師去另外一個party時，大家都在抽大麻，我也抽了！後來我就和他朋友做了！但是他陰莖好小，跟J比起來，實在差太多。」J是B在國外認識的男友。據C說，那段日子，他們每天瘋狂做愛，J的尺寸有幾次讓東方體質的C痛到流血，可是C瘋狂愛上比較大的尺寸，說起東方男生，就覺得丟臉！雖然J傷她很深，她某種程度討厭老外把RU486當維他命吃，C爲J墮過胎，在剛回來時，眞的和另一個讀臺大的小雞雞的宅男搞在一晚後，更加認定這個既定的事實。C說：「我一開始並不想和他做，但大麻讓我太爽了！都沒力氣反抗，他又硬著要，所以我們就做了！後來，早上起來他問我會不會恨他，我只是說：『不要再說了！』後來有幾次他打電話約我要不要去抽大麻，我就知道他又想幹我，所以就婉拒了。」

C說：「可是沒有男朋友，就很悶！而且我那陣子又很想要。結果認識了T，當然也是在網路上認識。T是另一個夜店的老闆，眼睛很美，可是因爲近中年，有點微微發福一點點禿頭，但是有錢！我跟T說：『我也想在他的夜店打工。』T說不行，因爲我太正了！他沒有辦法調酒，招呼客人，光看我就夠了！我心裡想男人都一個樣。可是還是很高興他跟我調情，T眞的很會哄女人，我看他夜店裡的妹都是他的菜吧！那天晚上我們就在他夜店裡的吧台做愛了！超爽的！他一直說我很漂亮！說我以後不管帶朋友，還是自己去都不用錢，我現在要開始想要怎樣讓他買禮物給我！」

A說：「但，我和C不一樣，我看到的John，也不太一樣，幾個月前才第一次說話就看了他很久，後來幾次來的時候，我也玩得超開心，裡頭的C是我好朋友，跟她說那男生叫John，因爲他也在把別的女生，C說她有去他家住，但才認識，蓋被純聊天，但她一直說她很同情那男生，ABC，在國外長大的過程很辛苦也很曲折，但他現在放棄攻讀生化博士而回臺北來很認眞地想當導演！這些她說的或他說的，我才不相信。但，John的眼睛眞的很美！」

「在夜店，這裡頭最傷害的是，如果所有人都最在意這個，而你不在意，就反而會激怒他們，那種時候，後來再見面時，我不尷尬的原因是我假裝我一點也不喜歡他，故意不理他或假裝沒事！」A說：「但，John靠過來低聲在耳邊對我說：你看到我和其他女生舌吻不會怎樣嗎？」

「他不像有些男的太飢渴到太沒自信就只是爲了討好女的，也不像有些男的太自戀到就只是爲了要炫耀，那是很無聊的。」A說：「很多男的其實內心很不安，但爲了保護自己，第二天見面就會跟別人討論，說你昨天上了那個女的。但，John不一樣，他很聰明地說：『大家都戴面具，不用奇怪，不用去想，不用去爲自己的話負責，那也很好啊！或許，這樣反而更眞實！』」

我留意到混血兒更後面的螢幕裡的畫面，電視轉到HBO，雖然仍還是無聲，但，可以看到一部很糟糕的叫什麼「魔咒」的吸血鬼片，因爲我正在那種抵抗力快用光的時候，就滿慘的。看那部恐怖片裡一直噴血或噴噁心液體，或一直有很假的砍頭截肢畫面出現的難耐，卻可以因之而分心。在片中，很多很多特效，變得直接，而比較容易地害怕或討厭，或有種因有明確的可逃離對象所以反而鬆一口氣，即使結局是悲劇，地球沒有毀滅，但女主角雖然復仇了還是死了的，還是很容易的看的大爆炸的荒唐又誇張，那種開心。最後，甚至，死了的女主角還變成了下一個吸血鬼。

「我懂，而且往往到最後狀況都會失控，但是那才好玩吧！這裡本來就不是我們可以想的，這裡什麼都可能發生，這才叫『夜』，這才叫『夜店』！」我開玩笑地安慰她說：「在一個陌生的地方，如果一個人對於自己從哪裡來，要去哪裡或爲何在這裡是很清楚的話，就不會覺得奇怪。但在這裡，夜店本來時間好像是靜止不動的，地點也好像消失的，在這裡，所有的都不見了，變成一個nowhere！」「夜店，本來就是一個nowhere的蒙太奇。」John說。

「是啊！John在這nowhere更是王子，他是開BMW，常常在沙發上跟陌生女舌吻到認識的，但挑到這些人跟他上了卻也都沒事，John這麼吃得開是因爲，他上過之後，可以讓這些女生不會撕破臉，那就對了，因爲是有些默契的，這才是眞正夜店。」A說：「雖然我不太相信他，但John更迷人的是，他會嘲笑他自己，有一次他感傷地說：我覺得我老了，跳到high時，竟好像小時候在國外教會學校跟著去望彌撒般地竟有種『被神碰觸了』的感覺，我眞可憐。」

「我的生化研究所老師一直叫我回美國去，跟他繼續作研究，微晶片，實驗晶片，生物晶片，管徑只有十的負六次方那麼小！我所有的同學們眞的還在實驗室裡被操得要死，只有我逃出來了，還回到臺北，在夜店裡閒晃。」A提到John說過：「但有時還是逃不了，連夜店這裡的空氣，對我而言，有時竟會突然變得很難理解地怪，還是和朋友一群人在包廂，還是很high。但某瞬間，仍然使我覺得自己好像還困在另一種透明的實驗室裡！」

「聽起來好像《惡靈古堡》下一集的開頭！」A說她笑他：「那天，John還說，夜店其實就像《入侵腦細胞》那電影裡的那種心理學家潛入變態殺人狂的夢中，在夢的蒙太奇中，沒有人是清醒的，也沒有人知道陰謀怎麼前進或陷落。但在裡頭，其實有些情節跳換失控，或有些『景觀』像被動過手腳，變得無法無天，好人變壞人，凡人變惡魔，這些夜店辣妹都變得像男主角做成的SM人體標本，在光的投射下就像片中在玻璃的櫥窗中，精美地，被窺視也被收藏！」

在這角落小包廂的沙發上，我一邊想起，和A舌吻時她那牙套的尾端的尖尖的銳利的神祕，在這夜店越來越晚的空蕩中，會不免還想著，會感覺得到仍然的隱約不安。

心情其實還是隱約不安的A說：「今天，我只約了C、John還有John的朋友H來，為了希望可以上到John，我還刻意穿了緊身的黑色馬甲，反正他一定會是我的，從他這陣子每天打電話給我，想來，我是這麼認爲！」

「但，不知道是場子太大還是人太多，跳舞一陣子後，我們就這樣散掉了，我到處找他，在Hip-Hop區或是電音區，或是其他的包廂裡都沒有看到，而且有點醉了！回到包廂在抽悶菸，同時彈了菸頭，不巧噴到眼角，痛得我直流眼淚，然後衝去化妝室沖涼水。化妝室是挑高的，兩側牆壁往上延伸最後以細長的水晶燈束收在一起，光線是暗紅偏紫的妖魅詭異，沿著走道兩側牆上有壁燈微弱照探，地板在走道部分是黑色的地毯，底端一張深色長沙發，有時很多醉倒或腳痛的殘妝女生坐在那裡，往往會顯得破敗嬌憐，可是那時卻沒有人，而進入廁所則是擦得很明亮的白色大理石地板，很寬敞的空間只有三間廁所，我卻聽到微微的喘氣的聲音，前兩間是沒人，好奇心促使我躡手躡腳的走到最後一間，隔著門板，聲音是交疊重複的，高高低低，很小聲很微弱但也有點刻意，我好奇地站在第二間廁所馬桶上偷偷看過去，在那裡，我找到John也找到C和H。在昏暗的燈光下，藉著唯一的暗紫色壁燈，我看見John半張臉的表情很陶醉很痛苦，眼睛緊緊閉著，一如那恐怖片裡的俊美鬼魂，他的下體隱沒於黑暗中，似乎正沉醉從後面插入半趴半站著的C的兩腿之間，而C伸出舌很專注地舔著H的陰莖，他們的肉體交纏著，暗紫光在臉上，像極了《入侵腦細胞》裡那夢境中的神祕：既陰沉又華麗，既邪惡又天眞，既淫蕩又神聖，既施予又掠奪。」A說：「但我慌了，腦袋就像之前第一次和John舌吻時一片混亂，或許像無聲電視裡，影像不斷又恐怖又荒唐又可笑地重疊快閃，但卻完全沉默，使所有的發生過搬演過的再迫切再逼眞再令人屛息的一切，也只像是幻覺，只像是夢。那些人、那些事、那些我親眼看到的眞實在那裡，竟變得如此地不眞實！」

「或許這就是夜店！」A索然地說。

最後，她給我看John剛傳來的簡訊：「我想起我想認識你的理由了！是因爲你眞的很聰明也很騷！但C的眼睛像，蝴蝶。」

A對我說：「所以，我才找上你的！」

顏麗子是如何把寶島大旅社蓋起來的（第28篇）元宵。

老師傅說：「鑽燈腳生卵葩」，那是老時代的一種說法，因爲臺語的燈與丁同一個發音，代表生男孩，因此往昔元宵節鹿港的女人都會刻意在燈下，希望鑽到燈下走，好生男孩。「怎麼可能，眞是神經病！」老師傅一邊說一邊笑。

那晚森山和顏麗子跟著老師傅回去他老家看鹿港龍山寺的花燈，因爲森山太煩惱了，蓋寶島大旅社即使不是他原來想像的那麼必然慘烈或可笑，但是卻也不是另一種蓋廟那麼的必然莊嚴隆重或盛大。

其實，森山始終很煩惱，他覺得自己太入迷了，他總在某些逼近或錯身或誤入的工地現場感覺到困惑，因爲寶島大旅社有種奇怪的困難，但是又有種奇怪的保佑，他說不出來。使他有種無法抑制的又怕又愛，一種不知爲何老會動容式地感動，但是，他一直強迫自己疏離一點，清醒一點，再世故些地趕快在工地處理危機處理吵架處理未完成的種種。但是，他老是持續地困惑，或許，這其中太多怪事仍然令他自己也很難以明說地煩惱。

一如那段時日雨下太久又太大了，寶島大旅社停工了幾天，森山很煩惱，那是一些時常發生的工地閃失，二十年來那他很熟悉的趕工拚場子的可能意外。所以，老師傅就帶他們到鹿港來看元宵散散心，好像在做法會，老師傅說，在鹿港的元宵燈節規模老是做得很大，燃燈五萬盞，花燈花樣繁多，那年的龍山寺裡請人做巨型的燈樓，廣達二十間，高一百五十尺，金光璀璨，極爲壯觀。他以前也去做過主燈的木頭支架，就是等於蓋了一個小小的但一樣華麗而神祕的廟，而且最後是燒掉的。

在大火中拜天公，就像送給神明一樣。那一年的元宵節延長、擴展的更是自初八點燈，一直到正月十七的夜裡才落燈，整整十天，與過年春節相接，白天就是市集，極其熱鬧，夜間燃燈，更壯觀，特別是那繁複精巧多彩的花燈，更使其成爲過年最後的高潮，龍山寺前頭還有更多的舞龍、舞獅、跑旱船、踩高蹺，種種日本人很難想像的廟會中那極誇張的人身起乩淌血仍然拿刀往自己身上用力砍的怪異演出。

光起起落落調前調後的神像花燈頭髮手臂眼珠的移動與發光，當場走一回，就夠奇幻了，那些花燈的神像甚至不用亮，神情的栩栩如生就可以發光。

他們花了好幾個小時，穿過了那一如在鬼魂出巡的長夜裡，神仙妖怪都那麼花枝招展地湧現而閃閃發光，他們就這樣走了整個晚上，就從天亮看到天黑，始終沒有辦法走完。而且，整個好像在神明底下跟人群擠來擠去的流動更像是尋常的人在體驗神明的神通如何閃現如何消失地無常，滿動人也滿嚇人的。

那是森山第一次看到臺灣的廟裡七爺八爺的出巡，太龐大而晃動得令人不安，而且走太近而看到的那些巨身神偶的鬼一般猙獰的臉，會有種意外地恐怖而驚嚇。所以，顏麗子安慰這幾天沒睡幾小時的他，「也夠意外了，你一定很愛又很怕，因爲你不就是想在蓋的寶島大旅社中找出這種又大又妖的建築的神通嗎？」

「關於元宵節的來歷，說法很多。但是，其實都很傻。」老師傅跟顏麗子和森山在還飄著小雨的花燈街頭說：「在很久以前，古代，城市和山野、人和獸的距離還不太遠時，凶禽猛獸很多，四處傷害人和牲畜，人類始終在殺獸和被獸殺的狀態裡過日子，但是，有一天出事了，有一隻神鳥因爲迷路而降落人間，卻意外的被不知情的獵人給射死了，天帝知道後十分震怒，立即傳旨，下令讓天兵於正月十五日到人間放火，把人間的人畜統統燒死，天帝的女兒心地善良，不忍心看百姓無辜受難，就冒著生命的危險，偷偷駕著祥雲來到人間，把這個消息告訴了人們，眾人聽了，嚇得不知如何是好，過了好久，才有個老人家想出個法子，他說：在正月十四、十五、十六日這三天，每戶人家都在家裡張燈結綵、點響爆竹、燃放煙火，這樣一來，天帝就會以爲人們都被燒死了。後來，到了正月十五這天晚上，天帝往下一看，發覺人間一片紅光，響聲震天，連續三個夜晚都是如此，就以爲是大火燃燒的火焰，人們就這樣保住了自己的生命及家產，爲了紀念這件事，從此每到正月十五，家家戶戶都懸掛燈籠，放煙火來紀念。」

其實，這故事和用鞭炮來嚇走年獸保平安的故事一樣地離譜，老師傅老覺得神明沒那麼好騙或好嚇，一如祂們沒有那麼簡單地好心或壞心，都是人自己在傳的，但是，神明是眞的，只是沒那麼傻。

看到花燈的尾端，他們都累了，所以，他們就停在龍山寺前頭，看著人山人海在看著充滿神祕的光影但又如此繁複精密亮相的花燈。

佛祖涅槃、觀音下凡、八仙過海、鍾馗抓鬼、濟公收妖，種種奇幻的半人半神的故事華麗地登場。老師傅最後就在那光影的奇幻中安慰他們。寶島大旅社要進入最後階段了，但是，他們還沒有準備好，這棟建築太怪，太大太繁複了，最後一定會有太多麻煩，一定要像古代廟裡要安佛祖金身那麼地小心，太急了，會犯錯，會被神明懲罰。

老師傅跟森山和顏麗子說，不過也不要難過，這些困難都會過去，蓋這個寶島大旅社就像他以前在蓋廟，尤其是大廟，常常會在快蓋好之前都會出一些大差錯，令人不安，也令人著急，再仔細想了一想，其實這些差錯或許是神明在教他一些什麼，暗示，啓發些更新更怪的什麼。「其實說眞的，或許你們也不應該知道寶島大旅社是什麼？你們期待太高了，你們想蓋出來的就像過去我所想蓋的一座廟那麼龐大，那麼神祕……」一如一座元宵的花燈其實就像一座神明會眞的走出來的廟，蓋得好，也會像某種高難度的法會的醮臺，那麼地華麗而繁複精密，那麼地龐大而神祕。

那些神明的故事，很難懂啊！

一生只生了三個女兒而一直很遺憾的老師傅最後笑著說：「其實，你們不覺得要生一個男孩，就像要蓋一座廟一樣困難嗎？」森山在回程裡跟顏麗子提起，他突然想到自己在很久以前的小時候作過的一個夢。

那是他曾經在一個念書的寄宿學校的時候，他在夢中一開始並不知道是在作夢，只以爲是一個尋常的意外。

那時候，他在半夜裡起床，跌跌撞撞地走到公用廁所小便，因爲在寤寐之間，一不小心，就尿到小便斗外頭，但是，不知爲何，竟然就被一個也湊巧同時去上廁所學校的老舍監在現場發現，所以，竟然當場就被抓起來，甚至，在很短的時間內被帶到一個學校的密室去審判，他不知爲何這麼小的過失會變得如此地誇張地處理，來的審判團裡甚至有校長和其他校方高層的人，神情嚴厲極了，完全沒有心理準備而馬上認錯認罪的他在那裡極爲沮喪而顯得很無助，因爲，最後的判決是那麼地荒唐，他從來沒聽過有這種刑罰，太像一種刻意的嘲弄，甚至是一種惡意的玩笑。他們對他的懲罰，竟然是叫他在一個晚上，關在廁所裡頭用衛生紙沾水用自己的臉做成一個個的面具，然後，再把一個個的面具安裝到學校的每一個角落，而且要在每一層樓、每一條走廊，甚至放在每一道牆面。但是，森山小時候其實是一個很膽小又害羞的人，他害怕犯錯更害怕被當眾懲罰極了，所以，對他而言，這種懲罰的困難，不在費時費力的辛苦，而是在貼出來給所有同學看的羞辱。而且一個晚上趕出來的面具都必然會做得很草率、很平庸，像某種做得品質不好的垃圾般的玩具，或就只是變成像紀念品店或在路邊市集叫賣的很廉價的爛東西，那更令從小就很自愛又很講究的他更羞愧。

「爲什麼是面具？」「爲什麼要用衛生紙做？」「爲什麼要安裝在學校的每個角落？」森山說在夢裡他都不知道也沒有爭辯，只是很害怕就只好很快開始動手做。「一開始，我不知道怎麼用衛生紙做面具，只是想著就用衛生紙放到自己的臉讓它乾。後來，那麼趕那麼無助，就只是在處理著一個一個要戴到臉上的東西，但不確定是面具，或只是用我的臉所做的另一張張的臉。」

顏麗子關心地問：「後來呢？」森山說：「我只記得我越做越生氣也越羞愧，但是卻也眞的做出來了，而且也眞的一個個面具去安裝，最後，完成之後，不可思議地，我竟然看到那一個個安裝在牆上的我的面具也是那麼地生氣而羞愧，而且，在許多同學看到之後的訕笑之中，卻整個臉都看得那麼地清楚，竟然好像很多花燈般地同時在發亮，我好傷心也好煩惱，心想以後怎麼做人地那麼一急，然後就醒了。」

寶島部。尾篇。清明。

一

整個夢完全地困住了，好混亂但也好迷幻地近乎不可能的奢侈華麗，那是太多光太多未來感到全部建築體四面都是極透明落地窗的那種最頂級高樓層中，也竟是在那一棟從當年長壽街老家原地所重新蓋起來的近乎不可能逼視的摩天樓豪宅裡。翻修了多年到後來已然是一棟像科幻片中自命不凡充斥智慧型玻璃帷幕結構與設備的高科技建築，而且所有內部裝潢都是全新落成的反光投影，鏡像太栩栩如生到充斥了彷彿是某種實驗室的太晶白太透明倒影中的金屬感，除了那老天井的原地原尺寸所重建的新天井外，其餘的陳列與設計配置都是不一樣的前衛到有點怪異的風格，那是我從來沒有想像過太未來感的光景。

我不知道這老家是什麼時候改建的，也不知道怎麼會蓋成這樣，甚至，我不知道我是怎麼回來的，或為什麼回來，但是，我到的時候，所有人都已然到很久了，甚至，那裡頭卻正在辦某種極盛大慶祝著我不明白是什麼的聚會，後來才發現那像是一個吃潤餅的古怪派對。

一如多年來每一年清明的時候才會有的光景，因為大家一起掃完祖墳回來，在拜了一輩子了的一樣還是永遠太熱又太遠的八卦山後山墳場，一路走一路找墓，最後到了祖父和太祖父和更早顏家祖墳的墳頭，女人們去燒點線香，安放一大堆扛上山的牲禮供品讓一大堆蒼蠅在拜的時候就會圍過來一起吃，小孩們去壓又黃又紅的一疊疊成行成列的粗糙冥紙墓紙，男人們開始整那整年沒打理的墓地，砍雜草甚至長出的樹根樹頭，拜祖先也拜后土，每年我都記得那太老的叔公在最高的地方抽難聞的黃長壽菸看太藍長空也看太忙的子孫繼續忙，反正最後總是在回到老家後大家老全身汗也全身髒兮兮地正等著吃潤餅。

那天井中的老長桌上還竟然就放滿了太多潤餅料的圓瓷盤，一如懷念起過世的祖母和姑婆，太多瓷盤中近數十樣的各色講究的顏色鮮豔繁複的菜色：高麗菜、胡蘿蔔、豆芽菜、荷蘭豆、韭菜、芹菜、香菜、青蔥、小蔥、皇帝豆、滸苔、豆乾絲、肉絲、蝦仁、香菇、蛋絲、扁魚酥，還有我從小就最愛的菜市場老店的花生粉。

在太未來感的天井中吃太老派的彷彿古代的料理，還是有種令人極懷念的溫暖，尤其一如魔術般地張羅所有的數十種潤餅料卻只要用一張餅皮就可以把這些料都包起來的吃法一如玩法的吃，大家還是一如小時候那般爭先恐後地在慘白老瓷盤中放上薄薄一層餅皮，死去多年的姑婆竟然出現了，還很仔細地交代著我們早遺忘的某些包潤餅的更高難度細節，一如第一層一定要先放乾料，如花生粉、滸苔、扁魚酥，可隔絕濕料，免得把餅皮弄濕就易破，然後在乾料上放濕料由大而小由粗而細，先放高麗菜再依次疊上不同的蔬菜，再放豆乾絲、肉絲、蛋絲，最後才放蝦仁、皇帝豆，在包餅前還會再撒上最後一層花生粉，才能鎖住所有的料。

我在那裡突然想起來小時候我都拿捏不住包餅的竅門，要不包太大把餅皮撐破了要不包太小就沒有豐盛的感覺……那種怎麼包都包不好的沮喪。

在那摩天樓未來感光影充斥的天井中，大家還都因此會邊吃邊談起小時候在老家如何吃潤餅的太多瑣碎往事，一如老流鼻水的堂弟老把潤餅濕料混到他的鼻涕在一起熱熱的噁心地吃，一如四姑怕胖完全不用花生粉，但叔公和小堂妹都愛吃一小捲一小捲全部包花生粉的當甜點，但是堂哥和哥哥卻在比賽誰包得潤餅包的最大又不會破。

還有很多老家的遠房親戚都在，有的認得有的不認得，但是他們都很開心而盛重，甚至都穿著講究極了，這使得我內心滿慌張的，雖然我還是喬裝完美地得體到表面上絕看不出來地瀟瀟灑灑，和大家坐到老天井所改裝成的新天井的諸多昂貴小牛皮長沙發之中邊吃潤餅邊敘舊，陪客打點招呼那些有點難纏的遠房親戚中的幾個長輩，甚至仍然有禮貌而狡獪地應對到可以說幾個眾人都很盡興的笑話來引開注意。但是，我還就是打從心裡地有點怕生而不太習慣這種場合的場面話的攀談打量。

然而，最令人迷惑的華麗，還是這一整層豪宅在高樓的數百坪的太奢靡裝潢，窗口看出就是全彰化甚至從八卦山到大度溪的絕美景致的驚人，那種眺望得到的視野極遠挺清晰，簡直就像蝙蝠俠或鋼鐵人家那種最高樓故意炫耀的奢華或是從雅典衛城像從神的奧林匹克山頭看下人間那種海派。

但是，我印象中的高樓景觀與派對的繁華美好，在發光而炫目的那麼金光閃耀卻就出事了，只出現了那麼有限的一小段時光。後來，有一個遠方親戚的小孩一哭，竟然極爲可怕而冗長的災難發生了，所有的盛況都無法躲開的從極微小到極激烈的災情持續入侵，晃動塌陷。一如不明原因厄運完全地襲擊，地震或天氣的劇變中引發的洪水或颱風，並不清楚。但是，接下來的燈火閃爍失靈，樓層牆壁歪斜，杜梁混凝土爆出，機械管線的失控，卻全然地同時發生而且像是全變成慢動作地那麼逼眞而逼近，那麼仔細地逼我們看著自己身邊的人一個一個倒下。

但是，奇怪的是我仍然沒有意識到這「災難」的恐怖與悲慘，而反倒跟堂弟借他的高畫素單眼相機，想拍這些瞬間發生的所有極怪異的景象，竟然沒有同情也沒有害怕地在場，還充滿了我也沒辦法解釋的好奇。這使得我拿堂弟的皮套打開了的老式相機拍時，反而還在想這台機身我不熟而仔細找著上頭要調光圈快門的按鍵，而沒有留意到整個大樓還在激烈晃盪的餘震中，而且因爲震到已經快倒了地樓層崩塌滑動了，所有的撞壞的家具和尖叫的人都開始甩出破裂的落地窗外，我仍然留意到身邊的那發生的令人難以置信的所有慘狀，用心但無力挽回的挽救，就這樣看到了堂弟和很多親戚正努力地幫忙大家族裡應變地危機處理著可能可以挽回的種種，我後來也開始去幫堂弟的人。幾個助理、司機、家人、帶朋友的那一群穿著講究但反而變得更狼狽的朋友們的小孩，想法子集結到另一側的某一角間去躲藏而盡可能逃生往避難所，或盡可能地幫忙所有人疏散甚至從窗口陽臺因爲想求生而懸吊出緊急狀態的長索拋往不可能的角落，想更多近乎不可能的法子突圍。

後來，災情稍微停歇時，大家仍然極不安還就慌慌張張地從逃生梯往上跑，最後才逃到了屋頂，就這樣幾乎跌跌撞撞地累得倒在那裡喘息，一直沒停歇地害怕持續地驚心，因爲不知還會發生什麼更恐怖的災變。

那時候，我卻竟看到了那個穿全身雪白極昂貴講究西裝的在派對裡的堂哥早就待在那裡，他竟然完全不理會這個災難及所有的人，還繼續完全不在乎地在屋頂花園的躺椅上抽一如一小捲潤餅的雪茄。他完全不跟著逃，還只是笑。

在整個摩天樓卻更又開始搖晃下墜而所有人又開始慌了的那時候，他完全不理會所有老家的族人甚至也不理會他自己。

就在那時候，我才發現，狼狽到全身黝黑破爛的我卻太理會所有人而自己變得沒人理會，最後落得更慘，還邊逃邊發現自己慌亂中好不容易找到而拿在手上的那一個黑垃圾袋卻好像破了，有些什麼已然開始掉出來，袋裡所裝的方才慌張收拾了那所有我從老家搶救出來的最重要物品都亂了。攪亂了。那叔公的Leica古董相機。爺爺留下的他拍了一生的家族黑白老照片的那又舊又厚的相簿，父親留給我的舊勞力士錶和都彭打火機和老鋼筆，母親臨終交給姊姊的當年師公送她的那件黝黑老棉袈裟，卻完全找不到了。

後來，在慌慌張張中，破袋裡只剩下一堆別的鬼東西。但是，我還來不及看，也還來不及想到這些鬼東西時，摩天樓就更悲慘地完全崩垮了，旁邊的倒塌中危樓灰塵如霧般揚起。但是，那個最後的極瞬逝的時光對我而言，卻變得如此地緩慢，因爲，我在我和那黑袋子一起從屋頂和所有家人同時慌亂跌落的那瞬間的最後一瞬時，看到天空也看到雲層，也看到那太老長壽街所長出的太新華麗摩天樓，近乎同時灰飛煙滅的既炫目又陰霾地令人難忘。

然而，最奇怪的是，所有彷彿凝結的時光裡，就在墜地前的最後墜落中，我竟然一直聞到一股古怪的香味，彷彿小時候在長壽街老家天井常聞到的一種氣味，老樟木雕刻的二樓女兒牆曲弧可倚欄杆的樟樹木頭味，姑婆在天井種了一輩子的盆栽花種的種種朱蕉、盆菊、蝴蝶蘭、常春藤、山蘇、非洲菊、杜鵑、鹿角蕨、彩虹竹蕉、巴西鐵樹、秋海棠、火鶴花、虎尾蘭、黑葉觀音蓮、非洲堇、黃金葛、繡球花、白鶴芋、春石斛、鐵線蕨，太多太多那麼混種混味的花香。還有四姑和媽媽在神明廳點香拜觀音菩薩做早晚課的鹿港沉香環緩緩燒出的煙霧瀰漫的香氣，還混著廚房拿出來所有潤餅包剩吃不完已酸臭的剩菜，加上餿了的更多熱菜肉湯燉雞獅子頭魚骨鴨頭的混一整鍋的廚餘，還間或摻著西瓜皮香瓜子甜水已然悶熱腐敗的怪味種種，太多太多。就在我墜落前還沉湎於這種混合了所有童年時光荏苒餘緒的餘味之中，我還看到，一整家族般的密密麻麻渾身如撒落的花生粉或炫目陽光般金黃的果蠅就從那打開的黝黑袋口展翅飛翔，往崩塌但仍烈日當空地如此華麗的天空彩霞末端那麼燦爛輝煌地群飛而出。

二

那個墳地叫做「皇穹陵」。四姑說：「這裡原來是一個大將軍的墳地，風水很好。」這次回老家主要是因為四姑的八十歲生日，也是因為她說要交代一些事，有種不太好的預感，所以我們心裡有點不安，而且更因為她所交代的「要葬在哪裡」的這種事的令我們不安。因為在我們太大的所有家族裡或在我們太遠的長大過程中，甚至在我們遍體鱗傷的回憶所翻飛起的種種像所謂的「納骨塔，靈骨塔，骨灰，塔位，寶塔，往生，牌位」所有怎麼拜怎麼祭祀的字眼在過去，都是不祥的，在現在所謂「生前契約」這字眼都還沒有出現以前，甚至是避諱到完全不談的。因為這種種關鍵字都聯繫到一個更關鍵的字，那就是「死」。我們是避諱談這個字的，甚至避諱談和這個字有聯繫的所有相關字，因為，那些字眼都是不祥又不敬的，尤其是對長輩，對那種真的已然感覺到死的逼近的長輩。尤其，又更是從小看我們長大的極親的四姑。但是，過八十歲生日的她卻一點也不在乎這些避諱，還反而更仔細地說「做法會，還會連祖先一起請出來做。」四姑開心地說：「有一種『滿天星』這種型的房間很漂亮也很寬敞，我的遺照旁還可以放一張祖母的遺照。」

「今天去做法會的時候，師父他們有說，一般的厝骨塔最後買到的人還只給一張紙，但是，這邊不會這麼草率，而且因爲那裡都是他們的地，他們自己的建設公司，師父很疼我們，還派車直接來載我們八卦山拜拜這一群師姊去看。」姑姑說她跟也快八十了的伯母提過一起去，但她很不想聽地說：「還很早，不用看。」這回看到了八十歲的姑姑的新髮型，是一種染黑的短髮西裝頭，側分像小男生，沒電沒燙還自己染。

「連師父都說我變年輕了。」她說：「只差沒換壽衣，像當年慈德佛堂那張阿姨幫你們媽媽做的，甚至像回到家插管才抽掉這些事，都會幫忙。」她後來拿出一個紙袋的資料。「這裡做的越來越好，從原來的一甲變二十甲。」我看到紙袋的最上面有三個字。皇穹陵。

「有些人做到頭七，五千五，有些人做到七七就比較貴，反正你就是幫忙看，看師父的意思七萬，十八萬，二十萬，二十二萬，有的加一成，一期三千地繳一年八個月，就圓滿託付。」我和姊姊更仔細地把那張印得極複雜的DM摺頁更仔細地打量，原來這就是所謂的生前殯葬契約。

內容不錯，而且可以分期但還是要利息。姊姊在看預算的所有細節：「皇穹陵，地上二樓建築及地下一樓，南投縣名間鄉三崙村內寮巷八〇六號，冠遠建設股份有限公司團隊自行銷售無代銷商，主要銷售為納骨塔及祖先牌位。」我在看建築的一些交代：「類別，價格，使用情形。管理費：一般骨灰室每室五—十五萬，孝區二十—六十六萬，特區三十六—六十六萬，骨甕室每室二十—八十八萬，牌位三—七萬。」還有更多照片的很多電腦繪製的透視圖，看起來假假的，但是我不敢說。

「毘盧精舍的毘盧大殿興建中，冥陽兩利的現代及人性化管理服務，採萬物歸宗入土為安之地宮陵寢設計，隨緣居咖啡廳，毘盧齋堂素齋餐廳，花園步道，莊嚴的鋁合金納骨箱設計，停車百位近鄰著名寺廟，受天宮長駐法師每日早晚誦經，農曆初一十五日全堂午供，清明中元及年終舉行追思祈福大法會。」怎麼看起來都很像一個主題樂園的廣告。

我不該多辯解或辯駁他們對死的想像，因爲那是我自己的困惑，不是四姑他們的。我跟姊姊還爲這個大將軍的墳地說了很多好話，再怎麼說這裡照顧得很好也很多熟人可以彼此照應。至少，這是姑姑拜了一輩子之後自己選的，她甚至自己做了決定，還講了出來，交代了自己的後事的所有細節。

其實四姑好勇敢，在她那個年紀她那個輩分，大概也因爲她看了太多人往生了，這多年來父親、母親、另外三個姑姑、祖母……還有更多更多親人，她晚年甚至還常幫人家念經，跟大佛殿裡的師傅到彰化各地幫往生的人助念，所以她那麼不害怕，不害怕我們這個家族所害怕的和「死」相關的種種。但是，更不知死的我或許連害怕也不知，面對這皇穹陵，就更有點不知道要說什麼，只是我想到太多的我自己的後事，我可不想要葬在這種主題樂園般的墳地，甚至想到我要葬入土嗎？主要我也不想有人拜，也不會有人拜，所以也不會有交代的焦慮，我想試試那種更不會令人不安的葬法，家族對死亡的不安也留在家族裡而不用再交代。

「我的後事或許要拜託你！」我在姑姑沒聽到的時候，低聲地跟姊姊說：「我還滿想要去西藏天葬餵禿鷹，或去恆河灑骨灰的。」

「我們家族對鬼的想法其實和對人的想法很接近。」姊姊更後來跟我說：「那是一種在非常害怕的地方所長出來的非常害怕的念頭，因爲我們長大的這地方太苦了太可憐了，所以太恐懼沒有可以依靠的什麼，我們小時候不太能明白，但是，現在就越來越了解，這種對於『餓鬼』的恐懼。」

姊姊說：「在拜父母的靈骨塔裡也有很多DM，上頭往往寫很多這種清明和普渡的典故。」

「中元普渡，除了目連救母，在七月十五普渡亡魂外，後來民間又繪聲繪影地增添七月一日鬼門關開門的傳說。因爲，閻羅王大發慈悲，七月一日那天放出餓鬼到民間討食，所以七月一日時家家戶戶要擺十二盤菜，讓餓鬼吃食，通常這時會大量殺生，預備食物祭餓鬼，讓牠們吃飽，才不會上門找事，一個月內左鄰右舍輪流祭拜，有人拜初一，有人拜初二，一個月後，吃飽了餓鬼又回陰間。所有人都很怕餓鬼。因爲，餓鬼會到處跟人家搶東西吃。」

我想起來了那個跟著媽媽去拜拜從小聽過的故事，那個最有名的餓鬼就是目連救母故事裡的那個，母親。

我注視著那DM上栩栩如生的那古畫，所有的畫面看起來都十分陰森到像老藏密唐卡，而且是很老的畫法，很繁複而華麗的曼陀羅壇城圖騰裡出現了長相猙獰的「燄口」，牠是個有多手多頭神通的鬼王，在那畫面中上半部是有一回阿難在靜坐而神情不安害怕，唐卡旁的解說文字提及了鬼王現身，而充滿了神祕莫測地威脅，那鬼王對阿難說：「明天你就要死掉，成爲餓鬼，墮入餓鬼道；若你不餵我吃食，我會讓咒語實現。」

而且那DM上唐卡風古畫中的下半部所畫的即是更多的情節，阿難聽了鬼王之說很害怕而趕快找佛陀求救，佛陀就告訴他如何餵食餓鬼如何用咒語餵飽牠們，以脫災厄。這是古代最有名的餓鬼典故，裡頭更提及唐末這部經典曾失傳，到了元代又復傳，也因著這部經典重現的諸多傳說的繪聲繪影，餓鬼說在民間就更爲流傳廣遠。

我更仔細地看著那古畫中的恐怖近乎殘忍的畫面，那些成群半枯骨半腐肉的餓鬼十分地恐怖猖狂，團團圍住了阿難和佛陀，他們卻在某種陰沉詭譎的阿修羅環伺的緊張中仍然捻成有神通的手印，兩眼莊嚴的眼神看著遠方念咒，放出壇城城門四方的頭綁紅巾的牛羊，緩緩地無辜地走向血腥而殘暴的餓鬼群。

我一邊看著那畫中餓鬼群的壇城卻一邊老回想起曾經看過的一部恐怖片。

那電影名叫《1408》，那數字是一個旅館房間的編號，那是一個鬼故事，電影中的作家男主角被邀去那個著名的鬼旅館房間，那是紐約的某種典型維多利亞式老高樓裡的旅館。

男主角老是說：或許這不是眞正的鬼旅館，其實我只是被下藥，在酒或巧克力，進門前旅館主人他們請我的，所以我開始有幻覺而已……但是，越來越多怪事發生，有各種鬧鬼的恐怖，但是都不太一樣，一如消防的灑水頭灑水了，一如牆的裂縫滲血出來了，一如他一直看到有人從每一個陽台跳下去，一如最後他從房間窗戶看出對面的大樓窗口有一個人影在呼救，但是一看，那人就是他自己。

他一直跟自己自言自語：別把別人扯進來，這裡設備很差，人員態度不好，但是恐怖指數滿分，而且我是來工作的，不能慌，聽說是電路老舊引發的大火……在幻覺中的窗口地毯壁紙都開始可怕地剝落燃燒甚至震毀。但是，眞正恐怖的，還不是壞了的現場，而是他壞了的內心。因爲他所有一生的遺憾都找回來了，他離開的家人，他內心的那些不甘或不捨，都找回來了。但是找回來的他的家人不是變成鬼，而是好像還活著地出現，一如電視裡播出他們一家以前的家庭錄影帶，在老客廳做遊戲，他正和妻女的選醜比賽，金魚姊妹第四五，父母也做歪嘴歪鼻排二三，窩心的女兒做鬼臉說她是第一名最醜，但是，回頭過了另一個門，男主角就看到他爸爸坐輪椅的醫院病房說他很遺憾沒等到兒子來見他最後一面就死了，甚至生氣的父親詛咒他說以後會跟他一樣孤獨而悲傷地死去。甚至，更後來他妻子也出現來哭著對他說爲什麼要這樣對待他們的女兒，雖然試過了奇蹟的治療想盡辦法救她，但是，女兒還是死了。而且他一直手機不通，他的一生總是困在怪地方，那彷佛就是他的工作，後來他到底傷過多少人的心？他記得女兒快死前問他：你相信有天堂嗎？眞的有上帝嗎？

他在那房間裡快轉了他一生的悲傷：一如變冷了變廢墟了的這旅館房間使他了解這裡沒有任何生命或溫暖，一如搜救的他們找不到他，他們衝進去房間裡但是房間是空的，他們發現男主角消失了，但是他其實還是困在那裡，甚至最後他只能注視著電腦的聊天室浮出的兩個小畫面裡那個因女兒去世後離開的妻子，但是，恐怖的是竟然後來出現了另一個自己在跟她說話，然而那不是他自己，他跟妻子說你要來救我，但後來就有另一個自己反而跟她說：「別來，這是陷阱很危險。」更後來，男主角還嘗試爬進空調管道裡但每一個孔看出去的房間都還是自己的某個可怕回憶中的場景，對他而言，那是一個一個恐怖的劇場，一幅牆上的畫，一艘船和畫裡的海水都滿出來了到淹到整個房間，使他快溺死了，但是，最後浮上來卻是在洛杉磯的海邊，他太太來醫院看他，他其實還困在紐約的恐怖旅館裡，但潛意識引發了夢境使他像是在酒館裡和前妻吃飯也像是兩天前還看到她甚至抱她而撫摸她的頭髮和臉，使他像是醒了發現自己寫下這個回憶變成書拿到郵局要去寄，但那時候才看到了那一群工人搗碎那郵局的牆所露出仍然是那一四〇八房間後頭的壁紙櫥櫃，他才發現自己還沒離開那房間。

他不是已經離開了嗎？其實沒有，甚至，女兒又出現了但再一次死在他懷裡，他一直心碎地對她說：你不能死你有很多條路要選要跑，但是，房間裡仍然在放ABBA的歌仍選擇途徑，但是沒有用，他仍然是在那一個壞毀了的房間裡髒亂而黑暗，電話打進來，他接了，他彷彿是有自由意志的可以照自己的意識選，他可選擇跳樓也可以選擇快速退房，他說，地址在萊辛頓街二四〇五號，而且有太多人就自殺了，但那是在鬼屋待久了的妄想症，他準備好要退房了嗎？他永遠都不可能離開這房間，他一直都很自私？但是，他不必要這樣結束。最後，他放火了，旅館開始疏散了，他太太來了，離開了之後他嚇壞了，結尾時他對因爲這旅館的恐怖事件而復合的妻子說：「至少我沒再寫鬼故事，這些舊東西會引發不好的記憶，而且我這回寫很快，因爲知道自己要寫什麼。」最後，男主角找到舊紙箱，裡頭有一台舊的錄音機，老錄音機的聲音是女兒的「爸爸你不愛我了。」他說：「不，我愛你。」電影就結束了。但是，我覺得這部片始終沒有結束，他可能還困在那旅館裡，而且那房間逼問中最恐怖的不是鬼，而是人，而是人的對不能挽回的人的不捨，那太像是這裡是一個卡夫卡式的迷宮或村上春樹式的海豚旅館，或許，對我而言就太像是所有的清明節或所有餓鬼典故中的無窮無盡的逼問。我們始終不可能逃離的對於死去的家人的恐懼與虧欠。

電影中間有一段對話，很具代表性的小場景，那時他正因爲幻覺而認眞地對打開的冰箱說話。而且，裡頭竟然眞的是一個小劇場，裡頭的那旅館主人的老頭問他：「你該問自己，你怎麼會在這裡？你來這旅館是爲了什麼？」他問：「那旅館到底想要我的什麼？」

「不。是你自己想要什麼？你什麼都不相信？你想爲什麼要有鬼！」老頭說：「是爲了讓人對死後有一點希望。」但是，我們卻只一直看到他一動也不動，只是專注地跟冰箱說話。

三

雖然，我覺得樹葬應該更有啓示或更辛苦更迂迴地感染我們一些餘緒。但是，並沒有。甚至，也並沒有更多別的什麼發生。她說：「我姑姑是樹葬的。」從小，我就沒辦法被別人了解，或變成那種期待被了解的人。她說：「其實，還是有許多想接近我的人們自認爲是了解我的，但是，我甚至爲了不要被理解，做很多努力。可是，畢竟也沒有用。反而被更多人誤解。」

「我姑姑是唯一了解我的人，在我小時候！所以，我和她很親。她太聰明了！」她說：「但是，也因爲這種聰明，她一生惹來很多麻煩，做了很多令人費解的事。」

在清明遇到她的我說：「或許，這也就是她選擇樹葬的原因！」

她說：「我不曉得，因爲太聰明的她一生一向就很令人費解，所以後來她和我也一樣變得更極端，仍然在各種躲不開的人生之中，更小心地躲藏。或許，那也只是一種消極的抵抗。對她而言，人生太難了，也太辛苦了，在生活裡，她會完全避免去找人說話，或故意避免遇到任何人或甚至爲了完全不要遇到人的狀況，更躲藏而更焦慮。」

吃完清明的潤餅，在電腦前看著她拍著她姑姑樹葬的在巴黎那個公園的照片時，我們兄弟一直都有種奇怪的心情，端詳著那古巴洛克時期就留下的老公園的湛藍長空風光極美，在有點肅穆的林蔭中，那灑入骨灰的有點陰沉的大草原卻異常地茂密，極綠極美，有種奇怪的詭譎地抒情。

她接著說：「從小，我就在想爲什麼很多人喜歡把自己的事情跟別人講，我完全不行，完全不能和人家說一些心裡的話，甚至，長得越大，就越來越不容易，更後來，都躲著別人，甚至連跟人打招呼都很困難。」

「樹葬，到底是什麼？」我問。

她說，在大陸大多老派風水師的說法，這種樹葬是極不孝、也極不祥，而且對子孫而言也是很可怕的。但是有時也被繪聲繪影得很可笑。她開一個檔案給我看，電腦上還眞的有一張很可怕的相片，像是畫質很差而且拍得很難看的樹葬墓園，旁邊還寫了很多更可怕的描述。「祖先靈骨不宜擱在家中或樹葬、海葬，現代風水，第二種反射是，大凡人死之後，其靈骨內之DNA還是需要吸取正電的磁波，來補充其生前被破壞的基因磁能。因此，其靈骨若無法從大自然中，取得其基因所需的正電磁能，即會循著其基因磁波率，找到與存有其基因之後代子孫身上，去取得補充其靈骨內DNA內之所需，因此，其後代子孫才會罹患跟死者生前一樣的疾病。這種現象，醫學界通常稱之為遺傳。」

「好可怕，怎麼說得那麼像《惡靈古堡》！」我不知道怎麼安慰她。

她說：「雖然，姑姑的葬禮令我難過，因爲我想到了我們自己，有一天也會這麼樣死在遙遠的異國。但卻因爲那旅行太緩慢太悠閒，使一向很忙很急我就突然好像進入一種人生的時差裡。竟然，就變得好像一個偷渡的虛幻，那當年去看姑姑而待下來的酒店在那個靠古運河的老木窗邊角落，還有五層樓古老房間的華麗陽台，讓時光充滿了迷離與凝視，飛去巴黎看我法國人姑丈，他後來也想法子帶我去看姑姑的『花園』。」

「姑姑堅持不立墓碑，一如其他樹葬的人，那公墓裡的『回憶的花園』就是好多後人的悼念與追憶之碑，花園草坪上灑滿了所有樹葬的無名氏們的骨灰，陰森在綠意盎然間被淡化不少，有一種更能與逝去親人交流的開闊感，既感傷又歡樂，有點奇幻又有點不安，很難明說。這種沒有個人墓碑的，我也是頭一回看到。樹葬，那些姑姑在巴黎的朋友竟對我說：或許這種花園，反而更應出現在你們那裡，比較更禪意、更東方、更自然的，自然而然。」

她說：「樹葬讓我想到一個人存在感來源是什麼？存在感或許就是我們會怎麼被過去和未來辨識，那正是因爲樹葬是永遠地廢除了祖墳的紀念感，永遠拔除了和家族的聯繫了，所以我想到的是：我們存在感的來源一定是和我們的過去有關嗎？一個人的存在感一定要和祖先和家人和更多的別人有關嗎？尤其那年最後要走的時候，我看見姑丈回頭看了花園一角揮了揮手，嘴巴念念有詞，我感覺姑姑還是幸福的。」

「那回，即使是去奔喪，但似乎很長一段時間我已沒有過像這趟旅行裡的緩慢而自在，不像因爲工作的忙，變得對幸福不再那麼渴望了，就這樣，在一路上都眞的自然而然許多，可以沒有那麼多這樣那樣的過不去，一直到現在似乎還有這種餘緒，我常常打從心裡想改變，至少還可以保留那種緩慢或悠閒的不再那麼介意。」她說：「甚至我在旅行的某幾天生病了，發高燒，都不太那麼在乎了，希望我從巴黎帶回來那種打從心裡的不介意，就像樹葬，像灑骨灰入土的那種對人間繁瑣禮數的不在乎，不介意要可以留全屍式地一定留下來什麼的，那種人生最後的自在。或許樹葬，對我而言，就只像是一種提醒。一如我從小經常性地心跳都只在九十左右，一生中遇到好多次都差一點死去過程發生了的事的奇怪！」她說：「在跑步的意外中抽搐而昏迷。在醫院裡急救卻麻醉失敗而醒來。在救護車上心臟近乎停了地休克。和你做愛時突然氣喘發作完全無法吸呼種種。總是就在這種差一點死去的時候，會想好多。」我說：「即使，沒你那麼誇張，在一般人死的時候，或葬的時候，他們也總會想多了解自己一點，或進而會想要從別人身上得到跟自己有關的什麼。」「其實，那也是徒然的。或是，因爲那種面對死亡的恐懼和不捨，而想要多了解自己些什麼的這種期待往往都是徒然的。」她說：「因爲，我們總是還沒準備好，往往也只能想到一些活著時更深的煩惱：一如，快死了，這一生裡到底什麼才是自己要的？什麼其實是自己不要的？甚至爲什麼自己老是在要一些自己以爲需要但其實是不需要的東西。」

她說：「我姑姑老是讓我想到自己。想到我自己這種從來弄不清楚的要或不要，事實上，這才是痛苦的來源，也沒法子閃躲，一如要怎麼死？怎麼葬？但這種葬禮的事往往還會有更多人的別的牽掛，或是種種意外的和差錯的。」我記得她之前提過，她身體不好的父親回大陸找親人的事，去過上海，找過風水師，就對姑姑自己堅持葬在外國又還樹葬更爲不能原諒！

我說：「我有一個晚上作過一個夢，就在一棵大樹下，但是很奇怪，就像電影裡的那種夢，心理學家潛入變態殺人狂的夢中，但沒有人是清醒的，也沒有人知道陰謀怎麼前進或陷落。但在裡頭，有些『風光明媚的美景』其實更像被動過手腳的空鏡頭，好人變壞人，強者變弱者。或是發生更多混亂的差錯，畫質很差，演得很糟。所有角色都亂了，路人變主角，男的變女的，大人變小孩，甚至死人變活人了，總之，整個過程，情節跳來跳去，都極像失控了，甚至無法被描述的清楚，就像某種拍壞了的電影。但是，唯一奇怪的是，不管發生什麼，所有的人來來去去卻一直都仍然只環繞地走在那一棵大樹下。」

我對她說：「我好想變得像你或你姑姑，我那種夢或只是像夢一般混亂的人生，只是一種逃不開的困境。」但是，卻仍然一點都比不上她的旅行，比不上她姑姑的人生。她人生最後的樹葬那麼地不在乎，對我而言，那夢只像是去接近，比較不是做全景式的觀照，不像故事繁複而充滿寓意的電影，而只是像寫成一首籤詩，或一張塔羅牌的牌面。只能萃取一些訊息，或許只是極歪斜地充滿偏見。可是卻不可能極反動也極失控。

「然而，一如你說的，最後去了你姑姑的公園。或許，人生的後來就比較不在乎，所以，也比較想得開地不一樣了。」我用一種同樣無奈的眼神和口吻對她說：「我年輕的時候也沒有想過死，也沒想過『樹葬』這種事，也不覺得這是可能的，但是，現在越來越覺得好動人。所以，即使普通人往往認爲是那麼奇怪而荒謬，然而，一如去西藏天葬，或去恆河海葬，我卻都很想試試。」

其實，很難。或許也並沒有我想的那麼壯烈。在一個很尋常的世界裡，某些『樹葬』楬櫫的奇特與荒謬，竟反而變成容易被忽略，樹葬，只不過是更尖銳指出人的私處般不可告人的對死亡的誤解的種種，像那夢裡的，那或許只是我自己所害怕的極端形象，被遺棄的懊悔和我更因之的自責種種。小時候的我從來都沒發現，所以也都沒忘記，甚至，就不願承認的好多的畫面那麼令人忐忑的糾纏。或許樹葬楬櫫的死亡本身是變的。變得不再一定要紀念些沉重的什麼而變得曲折，變得輕盈，變得無法無天，變成像夢那般地有意思。

「最近想起這回旅行，總覺得好沉重，好多事仍然在那裡，我也還沒力氣去開始收拾。」她說：「回來時，在飛機上不能動時，看到一部很糟糕的叫什麼『魔咒』的恐怖片，卻很想看，雖然，因爲正在暈機的頭昏拉肚子的全身無力，像防火牆，防毒軟體，都不行了，那種抵抗力快用光的時候。也沒想到會看到那麼糟的恐怖片。糟成那樣，但是。好奇怪。那種愚蠢的恐怖，卻反而令我滿開心的。」她說：「完全不像是恐怖片前頭的某些愛情電影廣告裡說的『這是特殊場合，是留給會被這電影感動的人』或『因爲有一部電影很好叫某某，是十年來最感人的片，千萬不要沒帶面紙就來看！』那種很流行的浪漫。」

她說：「因爲，我小時候心情不好，就很喜歡看恐怖片，看那裡頭一直噴血或噴噁心液體，或一直有很假的砍頭截肢畫面出現，就很想笑，也可以因之而分心，在片中，很多很多特效，變得直接，而比較容易地害怕或討厭，或有種因有明確的可逃離對象所以反而鬆一口氣，那種開心，即使結局是悲劇，女主角復仇了還是死了的，但卻又有點套招式地，可預期地笨，傻乎乎地但卻仍然血淋淋地。」

她說：「在飛機上一直看那爛恐怖片的時候，我也仍然會分心，因爲我會想起，我在這回去參加的樹葬。或是，看到那姑姑下葬骨灰灑滿的花園，所引發的心情的餘緒，或許反而更困難。」

「因爲在那裡，關於死的卻較不容易明說又更揮之不去的所感染，那種心情的沉重，反而因爲抽象得太詩意而抒情而不容易被想念或感傷。」她就這樣一邊懷著這種樹葬的詩意的抽象，但一邊還是繼續看血淋淋恐怖片愚昧的恐怖。

嘆了一口氣的她接著說：「雖然嚇人，畢竟那恐怖片還不會是一如那電腦裡上海風水師說的那般可笑。雖然，也越來越像，這些年以來的這些所謂災難片不都是如此，也都越來越蠢地血淋淋。其實這些矛盾，一如這個世界還眞的是越來越令人費解。」

「那風水師發現，來尋訪的信徒的皮膚病很嚴重。當場以法眼向這位太太全身的DNA掃描了，就發現這位太太的病症，原來是她去世母親之病所反射。後來，當場就問她，她母親的靈骨是否有葬好？是否放在靈骨塔或海葬？後來她說她母親就是樹葬，果然，她的皮膚已經長出很多的腫塊、瘡疤而且裡頭都爛到像被蟲蛀的樹洞，一如被下咒，有的斑駁地刺痛而噁心地化膿，有的輕觸就汩汩地流出濃稠的血水。」

她最後只笑著回頭對清明回長壽街掃墓的我們說：「那你們以後會想怎麼死呢？」

四

令人恐慌的另一種荒誕持續了一整天，因爲我們清明去掃墓。但是，其實沒有掃，也沒有墓。

因爲不是回長壽街而是去金山的一個古怪的靈骨塔，最後安葬在那裡有很多原因，但主要是因爲母親堅持。生前，一生虔誠禮佛的她跟拜拜的同修就去看過那裡，覺得那山裡的風水頗好，決心所有人都要葬在那裡，以後一起在佛塔的大仙三寶佛祖前安心地念經聽經，像是一種回到天上的幻影，一種西方極樂的遠方所投影出來的幻境，尤其母親整個更虔誠的晚年甚至吃全素，受菩薩戒，每天做早晚課，每個月都千里迢迢去各名寺古剎禮佛朝山，即使身體越來越不好還是令人難以想像地越拜佛拜得越勤越用心。

「每天可以和很多人一起看到佛祖，聽到誦經，就會打從心裡地很開心！」我記得媽媽是這麼說。甚至，她也因此交代過土葬在彰化老墳場的爸的墓，在撿骨之後，要火化，然後移來和她的塔位放在一起。「這樣比較有伴！」那時候還很堅持的媽媽說。

到了她去世的十多年後，而我爸也去世快廿多年了，時間過得很快，但也發生了很多事。但，每年我和兄姊三個人都還是會在清明節左右一起去一趟那裡拜他們。

那裡，沒有像老式靈骨塔還有石製骨灰罈，上面還有鑲嵌亡者照片，旁邊有插花、插香的地方，有些地方刻著或手寫著類似墓碑上的種種文字：祖籍、生歿日、第幾房、姓氏、排行第幾的男的或女的，還有些會放著亡者生前喜歡的小玩偶、紀念物。雖然常因爲這樣，花謝了、香灰沒清，或放久已沾染灰塵，往往還有祭品壞掉或花瓣爛了，而且在密室裡散發揮之不去的腐臭味，更弄得有點髒、有點恐怖。但，我有時會懷念這些較古舊較破敗、較土氣又老氣的陰森，聞起來，拜起來，總比較像是一個既怕又愛、既生又死，地方的靈驗，令人會因之而覺得儀式的氣味、氣氛都仍在，所以相信感應仍在。

但這裡，據打理塔的禪寺的出家人說，他們是故意完全不想這樣的。那地下三層的放靈骨罈進櫃的地方，一排一排，很乾淨，但也太乾淨了，比較像圖書館藏書架或游泳池的寄物櫃。而且，櫃的面上，只有名字，也還甚至只是電腦字輸出印在塑膠板上的名牌，和其他的名牌並列，放成高十個長二十個的整體也是塑膠射出成形的暖灰白色的櫃面，地上鋪的是一般家庭用大小的瓷磚。天花板也是裝如一般辦公室的那種輕鋼架隔板，照明也是亮白的成排日光燈管，因爲所有的陳設、所有裝修的細節都太過尋常，所以反而很怪。甚至，竟尋常一如家裡或學校或公司的儲藏室。就眞的像是在一個普通大樓的地下室，只是更乾淨，更冷清，更少人來。但是，越走越久，就越感覺那裡看似沒事但怎麼感覺都怪怪的冰冷死寂，就像一個荒謬劇顚倒了什麼的場景，或一個卡夫卡式無窮無盡的迷宮，或許，就是那種找尋了很遠很久很耗盡畢生心力之後才發現那個最令人恐慌的通往冥界的遠方就在很近很尋常的這裡。

就這樣，我們往更裡頭走了一會，找了好一會兒，才找到我爸媽在編號九十九的櫃位的方向，我們跪在很冰很冷的地上，合掌地拜拜然後一起沉默了好一陣子，在這種太乾淨又太冷清的陰森之中。之後，我們就從編號九十八和九十九之間的走廊走出來，我發現只開了三、四排走廊的燈，走的時候，其他走廊都還很黑，但更遠的地方近乎還竟是完全黝暗的。黝暗得彷彿是一走去就直接走入冥界遠方的令人恐慌。

我在那個太深太白太冷清又冷靜的地下墓室裡走了好久，腦葉回憶卻一再快轉的流離出某種黏稠扭曲的幽暗，一如那災難片裡那個巨大災難深深掩埋的地下室，我始終記得那災難片一開始還是抒情的，所有故事裡的角色陷入他們原來的動機所引發的危機，缺乏說服力但又充滿普通人生困惑的共識，有點必然同情的認同，因爲他們如此地和我們雷同，只有些微差異但又必然如此相近。而且，就在上山的車上，引發無窮逼近的投射地拉開序幕，一如我們兄姊三人，交代那一群人也正爲了個別人生階段性的困境而煩惱著。一如過去前集災難每回都令人嘆爲觀止：整座大型雲霄飛車的解體的驚恐，連環車禍中每一部車輛的追撞衝裂的激烈，偌大的七四七數百人航班飛機的慘烈空難的爆炸，每每都全場景高畫質的慢動作特寫的逼眞地逼視。這部續集則更是更大規模，極度龐然壯觀的大吊橋在意外中不可思議地完全垮落，那兩端數十條沉重的金屬纜繩索開始崩塌，特寫鏡頭中的細節，就更觸目驚心：轉旋失誤的鉚釘，扭曲斷層的鋼骨，橋頭橋身錯位地支解，更後來，則更深陷於逃離的人沒有逃成，所有的橋身塌垮下使得歪歪斜斜的混凝土變成弧度驚人的拉扯，恐慌的人們來不及逃離而一一墜下，最後全車上的人都罹難地如此悲慘，但是，只有他們八個人下車而倖免地更顯意外。我在那個看似沒事但怎麼感覺都怪怪的冰冷死寂靈骨塔一直有這種感覺，我們家的家變災難後至今沒死的人一個接一個又死去，而我們是少數倖免者，但是，極可能我們一直沒有倖免，只是還沒被找上，還沒理解到我們只是在度過我們的餘生那麼地不知死活。

我跟哥哥姊姊提到了那電影的更後來，所有情節的細節都變得更爲誇張，所有的空鏡頭反而變成主角，所有的日常生活裡的尋常東西反而變成凶器：辦公室文具中零碎但尖銳的諸多刺手指出血的圖釘，廚房歪斜反光的菜刀，燒熱的開水壺滾水聲、插座或瓦斯爐或電燈泡的種種危險器物的閃爍明暗、鍋子上的大火，切肉的利刃，插頭沒拔的絞肉機，烤箱中叉烤羊肉的叉子。都可能殺人，甚至窗外風聲雷聲竄起一如惡夜侵入的所有可能，所有尋常的東西都變得像鬼東西般地異常令人不安，因爲所有人都正面臨更多種隨時可能會死的暗示。

那個靈骨塔的所有角落都讓我有種無法逃離的感覺，永遠走不出來的迷宮般的地下墓室那種冰冷死寂的疏離，洗水果洗供品的髒兮兮的水池洗手台及其破舊鏡面的反光殘像，刻意舉辦大型法會所搭出的消災牌位與臨時怪佛像的諸多桌上的那飛滿蒼蠅的盤中因爲天氣太悶熱而已然有點腐敗的祭品，那已然太老舊的厝骨塔頂也看似沒事但怎麼感覺都怪怪的塔頂三寶佛祖佛堂的太高太空曠，那些陰森的場景一直讓我聯想起太多這部災難片式的死神會在這些怪廊道怪祭桌怪佛像的某些片刻出現來追殺我們，所有的太尋常的塔裡冰冷肅穆的地方，都變成是被無窮追蹤的死角的難以逃離，或許，這只是我這種孽子的多心而引發的分心，或許什麼事也不會發生，這只是一個依例上香的清明，一個後代馬馬虎虎也無妨的交代。

但是，對我而言，這十多年來每年都去的那地下墓室的冰冷死寂卻始終揮之不去，一如我們家的家變災難的續集，而我們三個後代的倖免者終於被找上，終於也因此理解到我們再怎麼逃也逃不了，不過只是在找尋我們不可能有餘生的最後死法及其場景。或許，我心中也早就知道我們都逃不了死亡。但是，我只是想要那死亡場景可以更荒誕地華麗一點，那顯得多麼地可笑而切題。

所以，我跟越聽越不以爲然的哥哥說起，我對電影裡印象最深的那一段死法，那是其中一個人去針灸時發生的意外。

那一個人本來是想去一個東方風格Spa做有大量色情暗示的芳香療程，一開始的美豔入口櫃檯接待小姐穿著性感低胸爆乳的緊身旗袍令他充滿了太多淫蕩的幻想，可是，一走進了裡頭有點迷離幽暗的長廊之後，卻完全不一樣了，他發現自己被意外地帶入了另一個古老而古怪的老房間來做某種古法療傷整骨，遇到了那穿老道袍長得像虎姑婆但說廣東話的老太太，她緩緩地拿出陳放長長短短古銀針的一個極考究的老木針盒，鏡頭停在那古老針盒上頭有蛇頭吐蛇信的雕花細紋太栩栩如生到彷彿有被施咒的恐慌，再轉向燈火昏暗的密室裡的所有怪異陳列的種種舊裂彷彿水漬已滲出符籙幻象的老瓷花瓶身，猙獰一如已入歪門邪道開光過的恐怖石獅，還有大笑的像嘲弄他不知死活地陷入色誘的怪異石刻彌勒大肚佛像，然而，他還是緩緩地趴下，臉在床洞中，慢慢昏睡，再過了好一會兒的後來，那老太太開始用最古的古法對他下最長的針，竟然誇張地插入胸口、天靈蓋，甚至連四肢到腳踝都插滿長針，像假的也像巧的特殊效果，或許也更像失控的金屬芒草草原的搖曳地如此詭異地美麗。後來，那人被古法按完也扎入針時還沒事，竟然就昏睡了許久，在那時睡夢中，壓眼珠應該就是沉入最深的經脈調理的伏流地入夢入定。但是，這部電影把這一幕入定當成充滿傷害的暗示，太多針太多部位也是太多不可能的巧合。所以後來就太可怕地完全出事了，他面向下地摔落地上，所有的針都倒插出血，然後意外地小火燒布和燭火，然後燒成全暗房起大火的可怕，最後他是在地上爬行求救中頭被古檀木櫃上的那訕笑的老石彌勒佛像砸死，甚至，在電影畫面中的特寫裡，他死的時候陰莖還竟然是勃起的，但是腦顱卻整個都碎了。

但是我卻覺得那場景眞的好奇幻又好可笑，那麼地荒誕又淒美。我跟車上的哥哥姊姊說，因爲他的身上還插滿了針灸的針，映著火光就一如現在窗外那從靈骨塔下山以來蜿蜒山路上，那沿路停滿也來拜拜的賓士BMW奧迪那名車群再看出去那滿山芒草，那般地撒野亂長也那般風姿搖曳地又哭又鬧。

五

我想起一個夢，在夢中，我被找去測試某種儀器，那是最近所發明了一種新的技術，關於某種更高階的人體移動的突破，據說是至今還沒人破解的機密，可以透過傳輸，可以傳送任何人去任何地方，可以從那一個城要去任何的另一個城。但是，奇怪的是去程是瞬間完成的，只需要一刹那。但是，回來會有時差，可能需要一整年或更長的時間還不確定。

這發明始終引起喋喋不休的爭議，使所有人都在討論，充滿不安但好奇，那摺疊時空的路徑技術可能的費用或保險，另一個城可以多遠，或是人體會不會在傳輸過程感染或變異地受傷，這太像一種廉價的科幻電影題材的噱頭，或是古怪馬戲團裡的愚弄觀眾的愚蠢騙術。但是，不知爲何，我最想問的卻是，到底那時差的一年是什麼狀態，是不是就像昏迷或就已然死去，到底我會怎麼了？會發生什麼不測？甚至，被啓發了什麼？那一年我有感覺嗎？是我被冰凍封藏起來，還是也馬上就過了？或是，我眞的可以到我想去的地方嗎？眞的瞬間就可以到嗎？

後來，還是進去了實驗室。甚至，還眞的開始測試，之後，我竟然眞的瞬間被傳輸到了一個陌生的地方，那是一個空曠的森林末端，有種奇怪的神祕莫測感。我本來是想去峇里島，但是仔細看，我所到的那裡應該不是峇里島，而只是一個好像是峇里島的地方，但我也沒有把握那裡是什麼地方。後來，找路找了好久，看到某些人彷彿正往某個方向在聚集移動，我也跟著很多人的那密密麻麻的密林中古道走，後來就跟那一群人到了一個像道場的不知名的地方，那裡是一個極隱密的森林深處，有一個又小又老的村落仍然人煙聚集，但是，村裡一走進去，就看到了一整個莊嚴肅穆的場子極爲玄奧地壯觀，彷彿一種古代的陣式被重新地原尺寸精密放樣而完全講究地重蓋起來的原貌，多層樓高的重簷疊嶂近乎一整座古廟形貌都被重現的巨型醮場，花燈牌樓站上諸多古裝忠孝節義故事人形傀儡的繁華炫目舞台，甚至在更多長幅繡滿符籙字樣的血紅布旗飄飄盪盪彷彿在招魂，這些極其誇張的陣仗將整個廣場張羅得那麼龐然而盛大，尤其因而襯托出雷同那種廣場正中央的繁複卡榫所建築出的巨型竹架構像搶孤高臺更爲高聳，也更暗示著其所撐出的某種極浩浩蕩蕩的祀典即將來臨。

我在現場繁忙的聚落裡的人群中走動，找不到路，也找不到其他一起來的那些人了，所有神祕的狀態正逐漸地在打開，從遠方慢慢接近，而且所有人都越來越聚精會神，暖場的所有陣仗一場一場地開始舉行了起來，就這樣，我站在現場目瞪口呆地張望，太多的我看不太懂的行頭，雖然我什麼地方都沒去，也沒想去哪裡，就只在那廣場附近找路走路，本來雖然猜測那天會有些更多的慶典遊行，但是問了好一會兒也沒什麼頭緒，不知在哪裡，也不知要做什麼，後來想想，這樣找太累了，所以，就放棄了。只又去逛到聚落裡小路的老菜市場，走了好多次之後，我想到了很多角落的光影中那些老店一輩子都在賣老東西的老太太，有一條街好多日本昂貴講究的老東西，那一家賣類似手工天婦羅有數十種加蝦加魚漿式的口感選擇但出奇地好貴，那一家賣近百種的大根漬物而且都可試吃的小碗密密麻麻，每一種都好好吃，連試吃都要吃好久，有一家箱壽司太專業到古法是用一尾全魚從橫側斜切放入壽司飯，之後看起來還是一整尾魚，那一家鯖壽司可以賣一整盒，也可以只買一片而且用樹葉包，但同樣好吃。那一家串烤鰻或雞或牛肉但附一小紙杯的魚湯的湯頭極鮮到令人不安地好，那一家髒兮兮地但奇怪地生意極好地同時賣章魚燒和純極了的霜淇淋，我大概都記得，彷彿可以住下來了。

然後逛來逛去舊路，聚落老街留下來數百年的店鋪老地方，還留著的最窄到太不可能的古代。最後，再無意地逛。就進去順路的一個昨晚看到地圖上的古著店，沒什麼太心動的什麼，但是最後，卻在一個小店最尾端的角落，看到一個日本怪怪的黝黑大馬皮手袋。像古董式的老東西，很多握把有纏繞的皮繩，像刻意的古劍柄或老弓握把的細部，極細膩考究，皮形的袋身造形和細節都很繁複的，像馬鞍旁的配件馬具，袋身很多不規則側底出現了許多不知爲何的暗袋和怪把手。怎麼看都很奇怪，像一個浪人劍客流浪太久背在身後的老舊行囊，或忍者的佩帶暗器的伊賀古傳祕袋，或甚至就是一如一種安放符咒或法器的京都陰陽師的老手袋，那般不知如何用又不知爲何長成那般的黝黑暗沉地玄奧。

之後，走太久，也太累了，出來就坐在廣場旁邊的攤子喝冰茶。後來，來了很多來來去去的人，年輕的當場親嘴的大膽情侶，胡鬧的穿日本式水手服但指甲很花的女同學們，但是，有一家人特別惹眼，他們全家都說我聽不出來的語言，像泰國或東南亞的那種毒梟的打扮，或誇張到太像一個科幻片的遭遇中ＭＩＢ那種有點惡趣味的反諷。那家人吵吵嚷嚷地吵起來了，穿花襯衫的父親在玩手機電動，一直不理人但一起身就怒目要揍那半身右臂有極大幅精密鳳紋刺青還穿得太妖豔的濃妝母親，三個小孩極冥頑不化地在咖啡廳亂跑，還一直來亂拉我的衣服猛做鬼臉。他們吼來吼去，但是說什麼連委屈的那店員也聽不懂，也無法勸說，就很無奈在那裡觀望。

我心裡想，這眞是一個完美的縮影，我要離開了，在意識到這種一如幻覺的眞實，好動人。聽陌生的語言，看陌生的人在陌生的地方，有種動人的疏離。但是，也因爲這是奇怪的一天，所以我就假裝自己不在場地不在乎，只是繼續低頭抽菸。

後來，竟然聽到了傳統音樂的吵吵嚷嚷，一整列人馬就從咖啡廳旁路過。

提古燈，舉長旗幡，雙人一列的陣形的隊伍少女穿華服，有一團還戴怪鵝白長古禮帽，最後的重頭壓陣是四個上濃妝的全套出祭典的靈童騎著駿馬，在眾人的列隊歡迎中出場。這彷佛是一種天佑的玄奧，來自未知的祝福，一個意外來到這種地方的禮物嗎？意外到完全放棄的決心不要了之後的偶然與巧合。最後一匹馬，走在隊伍的最尾端，在那麼長又那麼遠的遊行中，那有點厭煩而疲憊不堪的馬顯得很無奈，當我在更留意地打量牠的頸側彷佛因爲被騎太久而有點受傷疤痕的時候，牠竟然慢慢地停歇下來，憂愁的眼神突然淚眼汪汪地注視著路旁的我，不知道想跟我說什麼。

後來有人在吆喝，有更多人張羅更多場子在發生，有人在盛裝遊行，有人在奏樂，有人在陣頭拚場，就這樣，我一點心裡準備也沒有，就被捲入了這場彷佛已然在吵吵嚷嚷地揭幕的開場。後來，所有人都圍觀在全場的最焦點注視的奇觀，那是一個精心打造近乎三層樓高的巨型稻草人，極度地精巧，栩栩如生，就巍巍然兀自挺立地站在廣場中央，像巨大得無法逼視的天神降臨守護。

有一個穿古裝盛裝的祭司，登台，向觀眾及主祭的長老鞠躬，像一個清明祭祖的最重要儀典的開場。然後回頭，起身，用最古代的弓箭，搭在弦上，用力向稻草人巨大的頭顱射出一個火苗，才一瞬間，那巨人就迅速地燒起來，越燒越離譜，竟然就燒到廣場其他更龐大的竹搶孤臺和布旗甚至主體廟會的醮場和花燈舞台，都熊熊地燒起來了，但是，沒有人呼救，沒有人慌亂，彷佛那祀典就應該這樣子發生，這樣子進行，這樣子起大火，而那麼多聚落裡的百姓和工匠和法師，甚至連市井的所有路人和我這種誤入的陌生人都要殉葬於這場大火嗎？我納悶著，也想找出路，但也就陷入那陣式的迷宮，竟走不出這場大火。聞到自己身體也燒起來的焦味，但是卻不覺得痛，就在那時候，我又發現以前夢見過的場景又出現了，那狼狽破爛的還邊逃邊發現那所有我從老家搶救出來的最重要物品也在這場大火中出現而起火。那叔公的古董相機，爺爺的家族黑白老照片的相簿，父親留給我的舊錶和老鋼筆，母親臨終交給姊姊放入神明桌底當年姑婆送她的那件黝黑老棉袈裟都起火了。後來，在慌慌張張中還來不及想到這些鬼東西時，彷彿又看到了也同時悲慘地完全崩垮中的長壽街底那寶島大旅社危樓灰塵如霧般揚起，就這樣，看著整個龐大的廟會祀典的火海越燒越大越炫目，連整個老村落和森林都一起起火了，但是，心中突然有種難以明說的極其傷心又開心。

六

我想到了有一年的清明，我沒回去掃墓，卻去了日本。

寶島，眞的是店名。

那年，那一晚在新宿車站走了好久好久，又迷了路，一直看到別的小田急線大都營線的入口，但沒有ＪＲ的，一路看到好多攤算命的，暗暗的路邊，一個紙燈上頭寫書法，命或運勢，有道姑也有穿僧服的光頭和尙，有人一邊搖扇一邊吃拉麵，橫丁一條小路都是賣吃的，好多人，髒髒亂亂的，都窮兮兮的模樣但是又彷彿很開心，好多狹窄的老店，燒肉，關東煮，拉麵，中華料理，店裡有好多大陸人用口音不明的中國話大聲吆喝，大概酒喝多了。

在離開歌舞伎町的路邊還有更多濃妝或有點年紀的流鶯般的女人穿得極暴露，和旁邊的像保鑣或拉皮條的刺青壯漢都是大陸人，還一路都聽得到他們說好像是四川口音的普通話，還正邊抽菸邊調笑或數落旁邊聽不懂的日本人，甚至用手機在大聲找人或罵人也分不清，但是那天發生太多事了的我就假裝沒看到也沒聽到地一路走過，太晚了，就只是想找地方落腳。更後來，找了很久，想要就走進入那膠囊旅館四樓入口，仔細看標示，有著奇怪的刺青肌肉男圖案，寫著泥醉與入墨者勿入。更誇張的是晚上十二點了，櫃檯有四個人在處理check in入住，竟有數十多人在排隊，我想了想，試圖跟著混進去，一直等進來了但也想還不知道排隊要排多久。

我回想到太多小時候不愉快的往事，當工兵的或當學生的過去，那種老時代寄宿的種種，甚至回想到了那前幾天在飛機上又看到《辛德勒的名單》一直出現又逃不出去的那種集中營的最終極版本寄宿的恐怖，總是令人不安到更加慌亂。後來還就離開了，因爲想了好久，走了很長一段夜路，就覺得還是要想法子落腳，就眞的到了剛剛路過的西口二十四小時的DVD店。我一直想到在臺東海邊當兵時，放短假，回不了臺北，只好去鎮上，去臺南，去高雄看MTV過夜，那段日子，很慘淡，看A片手淫看到睡著，第二天一早再收假回部隊，充滿那時代那種不甘心或緊張或放浪，就這樣一整晚困在一間極小的密室裡，充滿過夜精液黏濕衛生紙異味的噁心，泡麵的調味包醬料又嗆鼻又重味的濃稠，和廉價香水混合的氣味的怪誕，在那時候，還是覺得有種短暫而畸形的幸福感的。甚至，時間一久，都不太確定，是不是眞的那時有那麼多過夜的委屈中的激動。

或是，更後來一直在旅行的二十年，去各種外國的時候所落腳種種骯髒噁心到近乎離譜的旅館房間，一堆怪地方遇到的怪人怪味道，這裡和那些又古老又怪異地方比起來，還算乾淨的小間，浴室的淋浴間，噴水孔有四五種，按鍵有電腦顯示，金屬的開關把手好幾個，但都怪怪的，甚至還有一扇彎門壞了，是半透明壓克力的，我一邊洗，一邊怕掉下來，有個滑軌的滾輪鬆脫了，扳不回來了。整個地方雖然一直有差錯但還卻都太新又太亮到像假的，像電影布景，像老科幻片中長途飛行的太空船個人艙，那種人工長期睡眠用但總會出事的那種未來的裝備。

像就走進了那種未來感太強烈都市裡的最狹窄的最暗部的某種深處角落，困在歪歪斜斜的混凝土叢林裡的流沙或深溝裡，像體驗一個未來的博物館，像好奇異國情調到像老人類學家僞裝成土人去古聚落做田野調查的那種天眞來面對的「未來」。就這樣，我走了進去，整個怪金屬色的極小房間大概只有半坪多，一米一乘兩米的小間，突然完全不想看色情片了。想到好多小時候的事，從長壽街老家離開後，我彷彿就一直在過這種隨時隨地打尖的人生，沒有家，只是在教會中學十二個一間破宿舍和大學租一點也不雅的雅房，當年當兵一直換單位工兵工寮營舍，和更後來流浪漢般到處旅行的爛旅館之間打尖，那種種羅漢腳的行腳及落腳的永遠匆匆忙忙的倉促。

離開長壽街的我後來的一生好像是沒有未來的，一如我也沒有家而只有旅館的命，被老家族放逐之後就注定只能飄泊在這種永遠羅漢腳式絕子絕孫的身世裡，從一個爛旅館換到另一個更爛的旅館地活下去。從過去回到更過去，而未來始終沒有來。那店裡竟然有一個大陸來的工讀生，人很好，看了我的證件，突然開始跟我說中文，介紹我怎麼使用，從挑片，morning call，浴室，客氣解說。但，那時候，我還是有點不好意思，因爲，就站在一排一排分類專業的色情光碟前，很窄的走道，好多鬼祟的男的也在打量架上的許許多多片子的封面，從種種美少女AV偶像女星的美豔，人妻熟女到近親相姦的淫靡癡態，調教或野外露出到SM的古怪遊戲，甚至是糞女王葵、失禁尿美公主類的變態。但是太過疲憊的我只是想去洗個熱水澡，倒頭就睡。但並沒有辦法入睡。那種狀態的荒謬使得房間空氣都變得太沉重而時間變得太緩慢到近乎停止，電視上的鐘是黑格子狀的，時分秒之間的冒號會一秒一秒閃動，只有秒的數字在動，但無聲地一直跳。

房間角落有一個滅火器的告示。使用步驟一二三，三個圖案，黑色的工業器物剪影的幾何圖案，手按住一黑把手，指頭勾環，壓好，像是某種令人費解的危險實驗室的警告號誌，或冰冷的老時代工業機器的印記，甚至，就像極了當年我在服役時當工兵時代的手榴彈詳盡圖說。那Toshiba電視螢幕比我家的大四倍。因爲沒開，全黑，只有倒影，就是我的臉。完全沒有聲音，只有一點空調的低音。

後來，就睡著了。

夢中，我到了一個荒涼的廢墟般的地方，沒有人煙，那是在八卦山的後山，只有一間完全安靜到近乎死寂的寺廟。在一個老式的草頂屋簷的涼亭下，那麼地沉默，令人不安地浸入，所有的人都保持靜默，打坐，連附近的野狗和山猴在附近亂跑胡鬧也沒人理會，甚至有一條蛇爬上涼亭的蓆上，但是牠沒有咬人，直接爬上老木雕菩薩佛像的舊供桌，竟然就完全不動地一如盤桓在佛祖旁打起盹來。那老和尚對我說你來這裡想問的關於未來的期待都是錯的，你想找的過去的悔恨也都是錯的，未來會怎麼？過去會怎樣？你都忘了，也都不該知道，一如你到處都遺忘了些什麼？但是，要怎麼記回來也很難說，可是可能所有你的記憶都藏在某些角落，你如果能在這面對看得到大佛的涼亭裡好好地打坐，在打坐到夠深夠入定的時候，或許佛祖保佑，你就會想起來。

我其實不太相信，但是，後來還是在那裡等待。但等了太久，還是沒法子打坐到入定，卻竟然因爲太疲憊不堪就睡著了，在夢裡頭，我回到自己的小時候，看到了自己還是小孩的模樣。但卻已然是做所有後來一生太成人的近乎可怕的事，那是我的未來嗎？未來的我什麼都記不起來，但是我還滿開心的，一如我的家人們全部去世之後，只剩下我一個人住在長壽街那一個那麼大的老房子，和始終沒有重修的那寶島大旅社廢墟，那裡始終充滿了謠傳中太多可憐或可怕的故事。就在那個越來越破爛的老房子住下去，後來年久失修到線路壞毀老是停電，木製的破舊天花板始終在滴水，屋頂的老式旋轉電扇轉速忽快忽慢，大家開始起疑，到底怎麼了。但是，我還是只是一個小孩子，還是一個人待在姑婆那間最華麗典雅的和室，在榻榻米都開始有雨漬而發霉崩塌陷落的角落終日發呆甚至完全爛醉地喝酒，有時像是起乩而失控地跳舞，或是把當年寶島大旅社遺留下來的日本老木頭傀儡，古董祥獸銅雕，一柄古法鍛造的極名貴武士刀，但是卻邀請了一堆惡鬼般的魑魅魍魎來一起喝酒，喝到整個狂歡變成近乎暴動的現場，一起起鬨地看一條蛇妖變成美豔的女子，表演起美豔過火的脫衣舞秀。最後我還和一條人臉的魚做了愛，她一整晚都一直對我說：「你好猛，我好愛，我們好浪漫。」

就驚醒了。

醒來之後，離開之前整理桌前，所以仔細看看那經理給的古怪的小籃子裡，有一個保險套和一個手淫用內有濕海綿的紙圓筒，美少女整群穿學生服，一張護貝的使用書，寫著：「本人確定，始末了！安心，環境，守客樣之會員登錄，必要。東京都條例之知」。全黑垃圾桶很素，像工業用的，很大正方形的口正下方，寫著Would u like to review what your life should be?

最後，在濕紙巾上我第一次注意到旁邊印著的店名很大很明顯的出現，在正中央就出現了這兩個字「寶島」。

顏麗子是如何把寶島大旅社蓋起來的。尾篇。臺灣閣。

我老想起我姑婆顏麗子在我小時候跟我說的另一個故事，關於寶島大旅社，也關於臺灣閣。

姑婆老是說，御苑這龐然的空地就像在繁忙昂貴擁擠到難以想像的東京都這充滿摩天樓的城市之正中央挖空了心臟，那是一個那城中最像心臟的地帶，當年，她和森山常常牽著手在廢棄或其實完全還沒有開始的地帶徘徊散步，那裡種種大樹的難以想像的龐然的高度其實是一種還滿容易讓人迷惑的狀態，看著一棵棵的老樹，巨大的樹身被懸起，甚至運過來之後就挖開地洞埋進樹根，讓龐然的一棵棵到整林的森林在路邊站起來或是盤踞開來，樹上長滿青苔，有的老樹就像從別的廟所遷徙過來的那近乎百年的古老身軀，常常讓她感到恐懼但又好奇，她常常在剛挖開而還乾涸而沒有湖水的這個巨大的玉藻湖旁，和森山擁抱偷情，那也是個太冷的冬天，使他們一邊接吻一邊發抖，但是又覺得無比的幸福。或許我那時候太小，我姑婆沒有講太多偷情的細節。或許是我聽也聽不懂甚至聽過也忘了。

但是，那御苑的臺灣閣，或許就是森山對我姑婆的某種更迂迴隱約的懷念與追憶。

因爲雖然那近百年的「舊御涼亭」與中國傳統涼亭的格局有種古怪的差異，不太對稱，不太甘心完全依全然的古式涼亭做法做，尤其採兩層卍字斜屋簷造型布局，很多梁柱雕花都有點小心翼翼破格的怪異，一如當年的寶島大旅社那般隱隱約約藏匿的講究。尤其，我老是記得那個當年的交代，年老的姑婆對小時候的我說的，那是一種近乎童話或傳說般不可能的交代：「你長大後，也要去那裡，替我再去看看那地方，其實，那裡被森山做得太多破格布局而變得太陰也太凶險了，但是我幫森山在那老建築底埋了一個辟邪的寶物，用來鎮住了地方的壞風水，才穩住了所有被牽連引動的地煞，以後你長大了之後，如果去那裡一定還可以看得到他和我的在那老建築上的用心良苦。」

多年後我終於去看臺灣閣，這一個傳說中的老建築。這個當年幫我老家蓋完寶島大旅社之後的日本老建築師森山後來在這御苑裡蓋了這個舊御涼亭有太多的傳說，據說當年蓋的過程我姑婆幫他太多忙，從老中國建築的種種斗拱雀替起翹工法如何成規矩到文公尺上的吉凶尺寸如何趨吉避凶，甚至還幫他押運那滿船的阿里山巨杉木來日本，就這樣後來還住下來幾年在那工地陪他一直到完工。但是，我卻是過了這麼多年後才到了這裡，而且從遠遠看去的那臺灣閣的屋簷起翹屋身竟然就彷彿是一座怪森林裡的怪廟。我是從在另外一條路的路口走到橋頭轉進來看到的那一剎那，竟然就開始下雨了。

我始終記得去找那臺灣閣的那一天，我是從新宿的火車站南口開始找路，一直迷路，所以就用手機上網找，但是一打開google map竟然出現了那種最繁複的全部變成數位定位的三D地圖，所以一路上就像是在用一如一種極端的諜報片或科幻片的視覺的高科技感來打量，打量這古代的遺址，這一個古老而巨大到彷彿永遠找不到或找到了又走不完的花園，這個名叫御苑的以前完全對人對外封閉也如同完全不存在的天皇園林。

但是，我心中仍然老是還記得在一個法國符號學家某一本關於日本是一種符號帝國的書裡面，講成整個東京是一種隱喻，一種城中的一個怪異的中空，那巨大城市中空的地方所指的就是神宮和御苑和皇居，或許更是指難以想像的某種空的狀態。因爲新宿火車站那一帶非常大，從東口到西口中間有好幾個龐然到沒有邊緣的巨大百貨公司怎麼走都會迷路到完全像個迷宮，有些路怎麼走都很不一樣，我後來一路在找路，還是常常走錯一條路就完全迷路。

後來找路找到了在南口過了高架橋的另外一邊的那一路上，仍然一直有很多波折的新宿這一帶，我始終沒有走過來這一帶，也沒這樣子走過，往御苑的鐵橋太遠太大而人太多。

我一路找路，找這擁擠的巨大城市中怪異的中空，但是卻仍然老只困在擁擠的街道上，一路上我看到太尋常但又太不尋常的畫面碎片，看到了演劇的霓虹燈招牌或是奇怪的嘻哈舞曲的耍賤炫目，或是尋常商店放DVD的流行音樂少女歌手團體海報的性感招搖，之後才開始看到了有點空的停車場廢置中的老舊機械在歪斜馬路旁邊的懸浮又懸疑，甚至在那路旁所出現的工地巨大怪手所正在開挖聲音異常轟轟隆隆地咆哮中，我還看到了一個非常窄小的怪廟身，接近地打量，才發現竟然是老時代保佑新宿舊車站的某個極稀有的奉納雷電道老神社。

越接近御苑的地方開始越來越冷也越來越空，一路還越有銳利的此起彼落的烏鴉聲，我想那裡是那麼地充滿黑暗的暗示，所以或許越晚就會有更多黑暗的人接近，果然，就在這天皇園林那接近雷電道老神社的舊門口，沿著路旁延伸出去竟然出現了很多死黑的角落。

我看到了許許多多又髒又臭的可憐流浪漢們縮身在旁邊，窩藏在那一帶更後頭那更多的破爛紙箱和塑膠垃圾袋中，那裡應該是流浪漢們落腳的更冰冷的荒涼到近乎荒謬的地方。後來在更接近御苑的門口，還發現了更多流浪漢正用更多把破爛的塑膠雨傘和瓦楞紙板還有撿來的睡袋和毛毯圍出自己的角落，用許許多多的舊塑膠袋包裹他自己隨身的破東西，但是，旁邊卻有一隻髒兮兮的花野貓，眼神專注溫暖地看著他們，或許正守護著入夢太深仍然還是睡到邊發抖但還邊打呼的牠的主人們。

或許，天氣實在太冷了，所以我也走了越久也變得更辛苦也更忐忑不安。最後，終於開始走進了一個更沒有人的地帶，也終於走到了那御苑的體面考究的門口，雖然那裡是個側入的後門，也只有一個用老派書法寫「御苑」字樣的舊木頭匾額在門口，但是彷彿就是某種魔幻的幻術正要打開的暗示。走進御苑，就馬上感覺到那種近乎死寂的秋天到冬天完全凋零沉沒，和我一路找地圖上的那種巨大城市的中空感極爲不同，那凋零感裡頭彷彿有種很飽滿的看不到的氣息充斥著。

一如，裡頭森林雖然冬天落葉但是仍然竟然有兩棵巨大的樹枝分岔到一種奇怪地枯枝繁多漫漫的景象，空氣極爲冷漠但是卻出現了更古怪的溫室的老時代建築……

那是一座和尋常老洋館頗爲不一樣的地方，除了那一座舊洋館御修所裡面有一個客廳充斥許多中西合璧的建築鑲花，有某種蓋在明治二十九年著重在某種歐洲時代裝飾風的老派華麗外，但是另一端的溫室卻已然改建爲完全嶄新的鋼骨結構玻璃幾何造型，另一種新時代講究的機構設計是另一種飽滿。因爲溫室建築裡頭支架橋和蜿蜒的長路一路都有著東南亞地貌的各種山洞和湖泊，甚至更令人驚訝的是它裡面的溫度竟然就像亞熱帶，就完全像是某一種太空艙的實驗室。更仔細打量，那就是日本對大東亞共和圈的某一種更龐大的想像，一如當年第二次世界大戰所要建立的那個南方的或是更複雜的對亞洲的理解，溫暖地跟外面零度左右的溫差太懸殊而令人不安，因爲更驚人的卻是裡面全部都是熱帶及亞熱帶的綠意盎然的生態系，一如我來自的島嶼，我長大的天候……那麼地飽滿，而因此令人有種難以描述的情緒，因爲裡頭就正是他們所不熟悉的對熱帶亞熱帶的那種期待征服的野蠻版圖的好奇。

我離開那個溫室時，天色更變幻而感覺天氣越來越陰冷詭譎，所以就下決心不再分心而要找一條最近的路直接去舊御涼亭，因爲如果天候更慘烈，一個人在這一個空曠到一如鬧鬼的地方完全沒有可以地方躲雨躲雪，一定是個太多厄運會發生的災難。一如我以前去過別的太多老帝國時代所留下來的皇家園林，往往充斥著也像這裡雷同的昔日的皇室的古代怨念，充斥著至今已然沉沒枯竭到近乎死寂中仍然殘留有太多那個老時代詛咒般的陰森。那是更不祥的慘烈。

樹種變得更爲陰森而巨大，這裡眞的是個與世隔離的皇家園林，甚至裡頭出沒烏鴉的聲音更低沉古怪，像是一種更來自另外一個老世界的怪暗示，牠們墨黑色的翅膀用某種不優雅的方式飛行，潛入另外一片枝葉稀薄的樹梢，最後潛入了一棵最末端更陰沉的孤株梅花樹上。就這樣地我更往一個冬天幾乎更枯萎的森林深處裡走去，那邊的樹其實低矮一點的枯枝還是分岔繁複。

我後來才發現這一帶沒有葉子的樹竟然全都是櫻花，寒櫻、枝垂櫻、修禪式寒櫻、山櫻、大島櫻、小彼岸櫻、緋寒櫻、染井吉野櫻、一夜櫻、關山櫻、鬱金香櫻，每一種都有故事，其實這裡是賞櫻的地方，是日本庭園中央入口的一個非常美的，應該是春天來的景象，但那時候卻完全是空的。我走經過的途上經過非常龐大的湖，上面有游得非常緩慢的鴛鴦，在水面用一種太優雅的緩慢浮動一如飄浮在半空中，整個湖面是整個結冰的，可能是碎冰的不至於冷到太離譜，所以像某一種奇怪的水面波紋狀的碎塊，所倒映的天空和旁邊橋的弧度所延伸出來的木頭欄杆舊式的路的光景，這個湖，水很清澈但又有一種奇怪的陰暗感，旁邊都是落葉，鴛鴦在划水的時候，所划出波紋弧度優美的小小的波，使得遠遠的天空和樹林中所傳來的低沉的機械聲音，有一種奇怪的電影般的回響，尤其這烏鴉也遠遠近近的吱吱咕咕叫起的時候，到這段路突然這烏鴉又遠遠近近的吱吱咕咕叫起的時候，那隻怪誕的肥烏鴉身形非常奇異地巨大，羽毛非常漂亮，有種怪的藍色的光在黑色的羽翅之間。

最後來的那段路就真的完全沒有人了，所有的樹上都寫著染井吉野應該是吉野櫻的樹種，甚至纏著很多包紮的塑膠袋和布在某一個巨大的樹根樹幹上像包裹重傷的傷口。

就在完全沒有人的路上，突然有一隻烏鴉叫得非常的淒厲，好像是一種要告訴我什麼的暗示，那時候我才走到另外一個門口了，我想我終於到了這一個奇怪的地方，這一個名叫臺灣閣的舊御涼亭。

但是，到了這裡，我才發現我來錯了時間，冬是最失焦的，御苑的春夏秋冬裡，春天可以看滿園的櫻花，夏天可以看池上所有的蓮葉和蓮花，秋天就是看楓樹各種不同龐大楓紅的華麗，但是到了冬天卻幾乎什麼都沒有，只有枯竭到近乎乾燥死寂的風光。甚至，整個臺灣閣都沒人了，亭台樓閣中本來的美人靠已然被用木頭支架欄杆所架封起來而不能靠背所以也不能坐下看池。所以沒有人會停歇流連，只有在從舊御涼亭的池前看出去，那幾棵松樹在湖畔怪異石頭所圍成的一如盆栽的故做前景，還留住了某種賞心悅目的賞析畫面中的可遠望全園風光天空線的氣勢磅礡，一如《臺灣日日新報》大正十三年一九二四年十二月二十二號作爲報紙頭條的一張奇怪的用國畫畫成的這個看起來像小廟又像小異人館在一個湖上面橋旁邊森林之中的寫意國畫，勾白描的建築屋身弧形那隱隱約約的詩意盎然，甚至在報紙老式粗糙黑白畫質中看起來竟然就像當年姑婆給我看的寶島大旅社殘留下來的古老草圖，一如那臺灣閣望出的池心，又古又今又東方又西方的某種那時代的餘緒的遺址，依舊氤氳迷離，一如整個御苑主景的某種難以明說的感人又動人，但是，絕不是冬天的枯萎詭譎。

然而，百年以後，卻有了令人髮指的另一種意外的動人出現，或說，那是另一種更詭譎的異象，因爲在後頭全園主景幾乎枯黃的草皮底色與在更後頭龐大的林蔭所撐起的天空線上，我始終沒有辦法不看到更後面那巨大到像太空梭一樣的新摩天樓，那樓身橢圓洞和交錯的結構體所交織的高科技形象的全新科幻片般的基地，坐落在旁邊幾棟配角式老式混凝土摩天樓之中顯得特別地炫目，甚至在旁邊的天空線前頭又灰又暗而雲中帶雨的陰離之中，就像是正要升空的遠方的太空船那般奇幻而令人費解。也因爲冬天的天氣越來越冷，然後雨越來越大，我想我必須要往回走了，在離開之前，我始終一路上還是無法不看到那太空船般的摩天樓建築，想像著未來正如同其高度的驚人而始終俯瞰著整個御苑。而我的鞋底開始被雨水滲入受潮越濕也越冷，那彷彿就是我找尋我姑婆當年在這裡離奇的狀態的縮影，無以名狀地潮解。一如以我百年後的忐忑不安地接近與想像，越接近就越感覺到難以解釋我所看到的種種臺灣閣的神祕而繁複的狀態的令我恐慌。

在回頭的路上，我經過的所有地方都已然完全關閉，已然完全空了。就在那時候我又走了一段路在更空曠的花園的路上，冷到全身都已然全部凍住的我看到有一棵近乎半倒的樹，它身上被纏繞了更多的塑膠布，整個巨大但是扭曲的樹，樹幹上全部都是枯黃的葉，用繩子纏繞著白布，非常像是受重傷後的很重重疊疊地包紮，整隻木乃伊般的殘缺而凋零的屍體的暗示，但是又有種枯山水般死寂而孤絕的美。

最後我開始吹口哨，吹一首我姑婆小時後教我唱的民歌，〈茉莉花〉或是其他的我連名字都想不起來的日本演歌伴隨著烏鴉的奇怪聲音，放送的廣播好像正在說已經快要閉館了，後來走到了更大的空地了，有一台空的園車經過，我覺得又迷路了的我必須往另一個更奇怪的陌生方向走去才能夠離開這個鬼地方。這時有緩慢的管弦樂曲演奏的廣播聲音出現，是〈驪歌〉。但是聲音非常的近乎弦樂哭泣婉約延伸的默默想起伴隨著烏鴉的叫聲和其他接近天黑時不明鳥類的啼鳴，有一種奇怪的送別感。這時我卻同時突然好像聽到森林裡面有一個奇怪的男人的聲音，可是我看不到那個人，聲音好像在喃喃自語什麼，可是我聽不清楚他在說什麼，彷彿是個老園丁或是另一個流浪漢，他後來竟然也開始跟著哼唱起〈驪歌〉，但是我還是沒看到人，我甚至在天越來越黑而心裡越來越毛時閃過一個念頭，莫非這個男聲就是回來看他的臺灣閣的森山的流連忘返的亡魂。那聲音那麼的低沉而溫暖，而且最後就哼唱起當年姑婆教我唱的那首日本演歌……忽遠忽近，餘音揮之不去。

一開始走入御苑時，我在迷路的路口看到了某一張整個園的空照圖，標示整個巨大而綠蔭蔓延的走向，我在那樹蔭中一直在找尋涼亭奇怪的雙卍字的屋頂，那斜屋頂應該是非常凸顯的，但是，在找路的路上還是看不到，因爲一路都完全是極空的草原和極滿的大樹枯枝，就像一種幻覺。

「這棟著名建築是為了紀念當年裕仁天皇擔任皇太子時去過臺灣而總督府為了慶賀他的婚禮才捐建了這座日本皇室裡唯一的中國建築。不但所有的老杉木料完全來自臺灣深山，連涼亭西端密密麻麻的臺灣杉林也是臺灣總督府費心栽種成濃密綠蔭的某種殖民地臣民呈獻給天皇，臺灣閣使用部分閩南建築樣式的特徵，用屋頂燕尾起翹和瓦的顏色，甚至是入口的石柱石鼓組簇的造型來對於整個臺灣的懷念，包括整個涼亭的木頭裝飾的格紋和美人靠，事實上屋頂上的木頭甚至是從臺灣的紅檜做的，天井的材料是用臺灣杉做的，那是皇太子結婚的時候，臺灣感念他大正十二年一九二三年的臺灣之行而募款來蓋成的，由總統府的建築師森山松之助設計。」

但是，對我而言，這些太過官方的說法之外才是更有意思的弔詭的歷史，因爲那時代是日本正極度不懷舊地過度汲汲於對未來的張望，在一九二七年蓋的這個在東京的御苑，天皇竟然完全放棄了日本古代庭園的傳統而採用了一個法國園林家設計的融合歐洲風格的近代庭園，那體現了的正是那個時代日本正想從舊時代邁向新時代的一種嚮往，但是弔詭的反而是一生都在做西方風格建築的森山在裡頭卻竟然反而做出了這一座完全是仿中國閩南傳統建築式的亭台樓閣，用一種復辟的近乎復古的奇怪鄉愁，做成了古典園林的斜屋頂木製狀態的老調調，而且整棟老建築就蓋在日本皇室庭園中心的玉藻池心。遠方看起來它起翹的屋頂兩個卍字交接的點，顯得非常的突兀的可笑，甚至正中間有一個圓形的屋頂，像是一個小小的印度浮圖長在中國的歇山重簷屋頂之上，底下的混凝土主體完全是重新撐住上面的屋身，但是從湖這邊看過去倒影還是很迷人，因此，這一個臺灣閣的風格是一種極怪異的建築的「末代武士」般的姿態，因爲充滿了末代的木頭磚瓦和斜屋頂，末代的浮印雙喜字樣的老瓦工細節，也還有末代的傳統建築圓窗所鏤刻著末代的篆體漢字：「於物魚躍」。

因此，我始終覺得這臺灣閣是我姑婆她當年說服森山所做出來對於臺灣最後的想念，或是對於我姑婆的最後想念。一種對「末代」太過眷戀的想念。

甚至，所有的建築細節即使暗藏了某些西方式異樣的御手洗馬賽克冰裂紋或上頭有奇怪的符號，其實我進到這個舊御涼亭之後，竟然從某些角度還看得到某一種更「末代」的圖騰建築隱喻。

那是一百年之後的我的重新發現，在突兀的時間提醒下找到這老建築裡充滿了的種種對「末代」的緬懷。一如我老想像當年我姑婆在這裡跟森山那日本建築師打理著每一個把臺灣閣蓋起來的木頭與磚瓦與石礎的「末代」建築細節時，他們看到了什麼或想到了什麼……

但是，在現場，卻已然完全看不太到了，那「末代」建築殘留至今，已然更爲破損，補朽狀況的描述說屋根盡失是因爲邊緣的木材腐朽，雨水使花窗牆壁腐爛的痕跡還有屋根材由於白蟻的侵蝕的腐朽，重新將木頭加了許多耐震的補強使得天井裡面和木造牆和金屬物補牆都有鋼骨和鐵件的埋入，那是一個已然失去「末代」的某種狀態，事實上之前整個涼亭已然就換裝上有玻璃的折紋窗，現在已經是全部冰裂紋的窗扇，而且亭中有幾個嶄新的石椅和雕花的花台和仿古董桌，取代了過去皇太子看風景的場景，我始終慢慢地在更仔細地端詳這棟建築，發現這裡已然完全地走樣了。

甚至，從湖的另外一邊看過來感覺得到湖中的那個假山和曲橋彷彿有著奇怪的老派的借景和風水的拿捏，而亭前的那棵小松樹和湖中島上的小松樹之間有著雷同奇怪的對位關係。

但是，最後我在那裡仔細地找尋，心中半信半疑，在所有斑斑駁駁的古地磚和木雕梁柱之間比對打量了好久好久，還是完全找不到姑婆說的那些古怪的更「末代」的破格風水和凶險建築細節，甚至，就只是看得到御苑已然整修成「現代」的仿古劣質木製梁柱那種種狀態的尋常，而充滿了失落。

但是，或許因爲如此地失落，輾轉反側了太晚地近乎失眠，而在天快亮的深夜最末端，在那晚旅館裡的悵然若失之中，我竟然才被姑婆託了夢。

由於姑婆在夢中爲我打開了某種更深沉的結界，才讓我看到了在臺灣閣的角落所還出現了這種種的「末代」暗示。

尤其是夢中所出現了太多那建築中我始終沒有找到的種種奇觀的奇幻……當年她所講的那種最奇幻的凶神惡煞般蛇頭式的紋路，那麼妖幻般地完完全全浮現了……一如寶島大旅社的某種梁柱角落的收頭細部獨有的雕花，埋藏在裡面的某一條奇怪的蛇的紋路，乍看像是樹枝繁茂的曲線，仔細一看卻是蛇身扭曲藏身於其中，眼神閃爍的某種更隱匿的杯弓蛇影。這種對「末代」眷戀的建築細部還有更多伏筆，就像陰宅陽宅左青龍右白虎式的地理師獨門文公尺寸拿捏的風水推斷，或像《古墓奇兵》像《國家寶藏》像《達文西密碼》般那種種歧路花園式的解碼，所有的臺灣閣變成了一個摺疊無限回皺摺的「末代」營造法式的終極版本，一種隱形呼風喚雨般的召喚，一種悄悄勉爲其難用術的緬懷，甚至在所有的亭台樓閣梁柱簷脊都埋下了最不可思議的末代妖身般的妖嬈。有些從屋梁之間四十五度角斜翹出的斗拱跟雀替在一個最複雜的砌口邊上長出了蛇吻，斗倒懸於拱的下面用蓮花紋做出來的垂邊收頭那整棟建築屋身裡最繁複的木雕刻主體即是九頭蛇形，仔細打量蓮花頭那蓮花葉還可以發現某種奇怪的好像蛇頭的還是蛇身鱗片般的古怪暗示，柱頭好像可以看到蛇信吐在那個斗拱的最末端。甚至斜屋頂起翹的屋脊線仍然可以看得出來某種巨大蟒蛇的蛇尾，一如在攻擊激烈的戰鬥中所翹起響尾蛇般驚嚇地方的某種敵意和孔武有力。更細膩而詭譎多端的斜屋頂跟通柱之間的多雕紋的斗拱和雀替埋藏了許許多多奇怪的蛇身曲線的工法，那是從我姑婆說的鹿港的龍山寺老師傅做出來的捲花雕工中偷渡出的怪弧線的最末端，種種「末代」建築一如妖術般的難度和美學上的講究在每一個藏匿的角落都好像還可以發現。

一如姑婆當年所跟我說埋藏在兩個卍字之間的地上的那塊打開的古磚，只要找到就可以打開古地窖中可以找到那寶島大旅社古瓷模型的一如埋藏佛骨鎮佛塔的最終寶藏。但是，愚昧的我找了好久好久，還是完全沒有找到，就在那種種蛇吻蛇信蛇身所現身而留下隱隱約約的痕跡中，我只依稀可以看到一個皇太子的房間入口和女兒牆之間的洞口，長滿了青苔，更仔細端詳那青苔上還有很多落葉還有完全潮濕到看不見磚石的某一些奇怪的斑斑駁駁殘痕，但是只能在磚瓦旁竟然還是可以看到幾個蛇的曲線所繞出來的某種奇怪的把手紋。

我拉了那沉重的石製蛇紋把手好久，就越覺得姑婆他們當年留下的奇怪的在這裡偷情狀態是那樣近乎不可能地古怪。

那把手的蛇紋還延伸到亭底更古老沉重的庭柱，那許許多多的老柱身也長滿了青苔跟爬牆虎，沿著弧形柱腳往上攀伸到女兒牆的部分連接柱角而延伸到湖中還有一個假山，我覺得幾乎是最漂亮的松樹大型盆栽的縮影，不只有一種日本庭園中借景的最好的詩意在裡頭，還彷彿將那蛇身的妖氣引入了湖底，彷彿那就是傳說中驪山老母傳下的最難最奇幻風水所引動的方術。

最後，在夢中，我彷彿還聽到姑婆交代的更仔細的細節。她說，你要注意方位中的兩個屋簷卍字交會的那斗拱木柱榫口下側身往玄關圓窗篆字的中心看去，然後仔細找往前一步下的雕花古地磚凹陷小孔，手指頭往下按兩個指節，才會發現有個小斜口機關，小心地拉起會打開而出現一個可容身步入的地洞口，如果你找得到也打得開，從那裡走下去會有一條又窄狹又深邃的地下密道，可以很隱密地慢慢走到那玉藻池的湖底，那裡是森山當年特別爲那御所舊亭所打造的一個古老的密室，官方說法本來是做爲如果空襲或災難時給太子在御苑避難用的。但是，其實是姑婆用來安風水鎮邪除煞。更後來，因爲那裡太美太動人了，她當年都是和森山在裡頭幽會，裡頭那充滿蛇身雕刻的古老木製列柱、迴廊、燈台、門扇，到了密室最底部竟然也出現了一張她當年長壽街老家房間底那種百獸古董床，她說有時他們看膩了亭前的日式水池湖光，就從玄關的圓窗那一帶沿密道往下走，在那密室的古董床上激烈地做愛，姑婆說：「森山自己才是野獸，常常把我用麻繩的極繁複的繩縛結法綁在那古董床老木簷雕花側身上，用盡各種姿勢和花招來和我交歡。但是，其實後來反而都是我在綁他，他就像薛丁山一樣地一開始很愛招惹，後來就很沒用。往往在更後來他沒有勁頭了的整夜時光，反而就求我施法術來凌虐玩弄他，已經被雙手雙腳懸空綁上了那巨蛇身雕花的床頂木支架斗拱榫口了，還一直叫我要再綁緊一點地欲罷不能這種『末代』的時光啊！」

「呵呵呵！」姑婆說，「那亭台樓閣已多回修葺翻新，但是可從來沒有人發現這密道與密室。」

一如當年的她所說：裡頭詭譎的「末代」建築營造法式的華麗發光，那是她從驪山老母學來方術的陣列，要用來安胎般地安放在這御苑湖底。而在這最後的交歡密室就是她當年所設下來的局，其實就是要爲這個臺灣閣的怪風水上的定方位。而最終的寶物，就是那充滿了符籙的種種小蛇身環繞用以辟邪的那寶島大旅社的古瓷製模型。

我彷彿還始終陷溺於那裡那種我從來沒有趕上的老時代的更神祕的氣味，但是這到底是詛咒還是祝福，是安慰還是感傷，對臺灣還是對日本，都太難解釋了。

對於當年他們所幻想的把寶島大旅社還沒有蓋完的或是始終沒有蓋出來的想像放入這個臺灣閣，進入東京，進入皇太子的一個最古怪的御苑園林的末端，甚至是湖中最核心的一個像徽章或是捧花般的憧憬，究竟姑婆在那裡安下了怎樣的一個離奇的老時代的結界，我老家族的，那個老時代的，百年來的種種滄桑及其不捨，到底被封住了什麼，或被打開了什麼……那終究不會被解釋，或根本不會被找到，一如那亭子裡昏黃的燈影中永遠散發出來一如夢般的光的太恍然而太迷離。

最後露出那一種太迷離微笑的姑婆跟我說：「這個『末代』的臺灣閣，一如寶島大旅社，總有一天你會找到的，但或許你永遠也找不到……」

旅社部。尾篇。殘酷劇場。上。

一

一如一生中太多的選擇及其可能不選擇，如果我們始終沒有開始，如果我一開始沒有遇到她而她最後沒有消失，如果我們都只是等待，都只是不選擇，甚至，我們從來都沒發現彼此，發現彼此也沒有選擇了在一起，如果我們始終沒有在一起說了什麼和做了什麼，一如當年如果我們沒去京都……

她說，我們都變了，但是，對於改變的狀態還是不清楚，自己改變了，但是不知道改變了什麼。

本來是爲了找尋，一如找尋過去所理解的愛或幸福或別的更完全也更容易解釋的什麼，但是後來所找尋的這個目的地般的目的卻變了，因爲想要抵達這件事有了內在的改變了，找尋到了更後來沒有進入這種叫做「抵達」的選擇。然而，還是要藉這個化學變化，才能知道自己過去期待的什麼始終沒進入那個最後的階段。就在懷疑的時候，終點就在前面了，但是卻反而變得不重要，想要跳過，或想要抗拒。因爲這些懷疑都隱隱約約地有關，還始終地隱隱作痛。因爲更沒有辦法知道更後面是什麼了。找尋，就一如那最後段的解夢，彷彿一直想知道夢的更後頭及其進出夢的過程中那種種迷糊的認知，或是夢中心裡不自覺的更深的懷疑。

但是，最後，不是找尋到了，而往往是對找尋的衝動終於消失了。

一如我始終想要找到她，找尋得那麼用力，其實就一如我找尋我的老家族，找尋旅社，都很雷同地陷入了這種盲目找尋的用力之中。但是，我卻一定要找回老家，找回過去，找回寶島。這些都已經過去了，以後也只就是這樣，不會再怎樣了。

這種找尋或這種回去是一種努力獲得到的恩寵，還是害怕失去的緊張復仇。

一如在我的或她的夢裡，或在我的過去，裡頭的城市往往都壞了，一如京都，一如我們老家的故鄉，可能所有的房子都老舊到變成古蹟或已然毀棄，那過去最熱鬧的老市中心逐漸頹敗成廢墟，那最華麗的老火車站變成了破爛的可怕骯髒的地方，但是，我卻仍然只記得那種以前的極繁複的老氣味，汗流浹背的酸臭，鐵路便當壞掉的剩菜剩飯餿味，鏽蝕的舊鑄鐵屋簷味。充斥在雨漬混合老舊木製的長椅上流浪漢倒在那裡睡了太久的惡臭之中。

但是，這些老城市裡的老房子對她而言怎麼可能卻仍然一如那些她的夢，充斥著不完整的結構，搖搖欲墜，或許是因爲阿修羅轉世的她喜歡的只是破壞的部分，喜歡緊張而壞毀的狀態，只更集中於注意在狀態的變化，而不是狀態的本身。

她所進入的狀態後面老還在變，用更多的可能來蓋建築和拆建築，對她的或我的家族，對我們的旅社或旅行，她對我的想念或不再想念，對所有的狀態的存在或不再存在，一如最後的她老是說的……我們只是從夢裡醒過來，只是點根菸，在床頭抽一口，吐一口煙，我們的故事就應該結束了。

回到這裡，看到什麼，再看到京都這古城，再想起種種我和她來過這裡所曾經滄海桑田般地浮現過，在時光的太前端或太後端，只是，我匆匆促促地來了，來過，又走了，所有記得的都只是模模糊糊，清楚變不清楚了的太多碎片般的殘影。一如四條通末端的開滿櫻花如大雪的初春那八坂神社後山的太過浪漫，祇園祭有巨型老輩和古代舞殿出演那祭亡靈祭成太瘋狂太著稱的近乎有整個七月那麼長，金閣寺銀閣寺的一如小說中縱火狂一去再去的太流利又太口吃般的故事的被引用，還有太多太多，這個古城太古太陰，太多幻覺的虛幻。使得一再重來的進入，都變得像是亡靈魂飛魄散只想重溫或僅僅又找回生前的某些角落的可能眷戀地出沒。

一再回來京都，只是更提醒了所有的眷戀都是無用的，相對於原始碼的重設，都是那麼古怪。第一次來京都是古怪的，之後是再來，半年，一年，十年，二十年，都還是古怪的，這古城只更像一個座標，參考點，甚至是更精密製造並封存的標本，封印到，只要有咒文般通關密語，就可以沒有時間設定的一再切入，一世，兩世，十世，一百年到數百年，上千年到所有的我理解的文明都還不是我理解的那樣以前，那種更多時空切割又重組後的混亂還找得到原始碼的起源，充滿可能，充滿暗示，但也一定有不明的危險或不能揭露的遠因或近因，但是，卻因而逼近了點。那不能說出看到的什麼，甚至完全不能用語言描述的什麼，但是爲何我看到了，在這時候，在前一世或前幾世都來過，然後忘了，想起來，又忘了，那種種無以名狀的玄奧。

因此，我想到她，或許這次來京都是因爲她，她以前提過她一直喜歡的日本，太多太尖銳的什麼。後來的她，到底有沒有離開臺北，來到了她想來的京都，我不清楚……但是，我記得上回來的時候，她說，她想來參加一個她在臺北聽過一個朋友來這裡看過的著名的京都地下前衛劇場，以殘酷劇場的殘酷著名，乾燥，尖銳，暴力和色情的更新版，舞踏的噁心漂白翻轉肉體，再加上更多縛師的繪聲繪影。但是，到底是什麼模樣，她也沒說出來，只說，有一個極殘忍的SM女王和兩個滿身刺青的男人一起演出，還有一個很胖的光頭女人。她們演出《哈姆雷特》的脫衣版舞踏，據說，問著to be or not to be時，有直接的舞台上的三P性愛動作和眞的流血不止的刀刺。曾被日本劇場雜誌推薦，頗受好評，很驚悚……。但是，到底這種殘酷……進了多深，去了多遠，她說她不曉得，只聽說這一個半色情的實驗劇團，在祇園某個巷子裡的大樓地下室演出，後來還被京都某大型脫衣舞秀場模仿，變成了很俗氣的純色情表演……。但是，想了好久，到了京都的我，或許可以去找一找，就算沒看到那實驗劇團，也還可以去看那俗氣的改編模仿的殘酷劇場。

但是，我什麼也沒看到，只在那古怪的京都湯屋旅館老房子舊木門旁，聽到了一個找不到大人的日本小孩對門外空的街上喊……一如想到小時候，長壽街的老家姑婆到姑姑她們那種用日文叫家人吃飯的老時代氣息，在日式榻榻米老房間裡或木頭走廊中永遠昏暗但寂靜的光線，那種拉長而充滿期待或溫暖的叫聲，對著天井裡還在忙的別的大人們喊著歐多桑或歐內將的那種那麼老那麼充滿光暈般的回音……一如這眼前的日本小孩仍然用一種有點因迷路而焦急但仍然天眞依舊的童音喊出的……多桑，歐卡桑。

一如旅館門旁我所聽到那一個小孩對門外空的街上所喊的童眞日文那麼老的光暈般的回音，我仍然還是無法回神，在那黝黑的房間，這幾年來始終一樣的太幽暗的光線，一樣的太空曠的走廊，一樣的無聲地仔細打理床褥的內將，彷彿在某種封閉到近乎難以想像的狀態，在那裡待更久之後，就覺得所有的我所看到的光景和聽到的聲音全部都是被設定的幻象，始終一樣的太擾動但又太低頻到難以辨識的空調抽風機重低音，一樣的吸腳步聲的太厚地毯上的不規則顫抖看起來像亂碼紋路的一條一條怪異粗黑線，一如一種暈機中但又吃太多還吃太快的不舒服。

二

然而，所有的焦躁仍然更焦躁，主要是時間感，時間壓縮到原來的空間，壓縮成一個噩夢般的擔心了。那天早上痰變多的我變得更累，電視裡的救災行動持續著，輻射問題仍然棘手。我就好像困在一個地方，像那部名爲《啓動原始碼》的電影，男主角困在一種金屬密室，八分鐘重來一次的任務出狀況，那種重播的重開機，再重來一次，拳擊第三四五六準備繼續被揍的上場。這次旅行，在京都的路上，老因爲她，所以一直好像有個參考點，或就像《啓動原始碼》式的重回原地的切割。

她也沒消息。但是，很多狀況，我仍然想法子上網寄信給她，始終完全消失的寄發，我在那日文電腦前的輸入，儲存，寄出。尤其，常用電腦貼文常會有問題，文字跳掉，照片上傳功能時有時無。而且，最重要的怪異，是我寫了一堆，文字，遭遇的離奇或不離奇，感覺像被診斷像上牙醫椅上動拔牙手術地連話都講不清楚地亂喊亂呻吟，好可笑。而且，一點都不合時宜。常常，我覺得看電腦螢幕，越看越像一個小方窗，看出去，外面的人地事物一切尋常開心。但我在方窗裡的精神病院囚房，窄小的密室，一直自殘，嗑藥，撞牆，尖叫。但沒人發現。

我一向還神志不清，變得很情緒化。想到那年跟她一起吃的旅館的早餐，有種窩心，出奇的完全照顧，完全悉心。那眞是一種太高規格到不像眞的狀態，像特殊效果的特技表演，不斷重來的幻象，文明最末端的凝結而無法永遠只能重來而無法再前進。

那天晚上作的夢，夢見我在一個旅館，他們安排另一個人跟我住同一房間，我勉強說好，但晚上回去，那個人的全家都來了，他年老母親睡一床，年輕小學四五年級那種兩男孩來探望，還跑來跑去，那男的道歉，說他明天要上工，今晚不好意思，我說，我換一間！篤定但客氣地，但心裡很生氣，說我也要趕稿工作，雖然也沒有，是說出來騙他的，但也不確定。因爲，事實上，在夢中，有牽掛的我好像卻是在等她來找我。後來，好不容易等到的她跟我走在海邊沙灘，看所有人搭起很大的一棟白房子，部分是蓋好的，部分還是鷹架，我是導演，正在煩惱，整個現場很大很混亂，雖然在拍電影，但卻很鬆散，有三批人馬來幫忙，但有人在玩，有人在混，我很急，但沒辦法。某一瞬間，我在本來就搖晃的屋頂，幾乎站不住地倒下，全身發軟，不太能動，才想到，這房子本身就像個機關，上去和下來都要像輕功或體操動作般地小心，才能移動，那時刻，我突然發現，自己沒力氣了，不知如何離開，甚至只是不危險地下樓，他們發現了，來救我，弄到後來，才把我救下樓，後來，經過下面混亂一如歪斜的樓梯，走道，一個個很像的房門，從臺北走進去一個對的門，從另一個門走出來，就是京都。

她出現，她拉我到樓下裡頭一間蒸氣室之類的小密室，問我怎麼回事？屋頂在玩在打球在高空彈跳，有人搬家具裝潢一個房間在追一個女生，我卻滿腦子在想別的場景沒拍的部分，有一場景是惡漢小時候在暗夜空街被母親遺棄，被流浪漢毒打，另一場景是，最後一幕，他長大了，出事逃亡，在火車上，看窗外的空鏡頭風景，不知要去那裡，種種，預算快用光了，片子只拍了三分之一，其他沒著落。她安慰我要忍下來，會撐過去，但要先整頓裡面的人，哪個人不像話，哪個人也很糟，之類，唉！我才發現她也不是眞的想幫忙，是因爲受不了裡頭的人。奇怪的是，我都快氣到流淚了，但卻發現自己只穿一件內褲，在這都是木製天花板牆壁地面的小房間，很暗，而且，看到自己的陰莖還是不爭氣地勃起，在很緊很時髦的卡文克萊內褲裡，性感的身體，很年輕，很瘦，肌肉很結實，像拳擊手，或牛郎……。她幫我舔陰莖，舔很久，但我仍情緒激動，煩惱，沮喪……久久不能自已。但是，再更仔細看，那個被舔的人竟然不是我……

想到那年一起去京都的她曾跟我說，她找到了的一件半透明的長T恤，很多個人體，但卻是半解剖圖，有的是肉身，有的只有臟器的，有的是全枯骨的，臉都枯瘦，像苦行僧，有白人，有黃種人，包頭巾的印度人，黑人，很多個這種好像被殺被剖的人就懸著或站著。但是，卻分開，分別地藏身在一個巨大叢林中。

那衣是某個京都的無名服裝設計師做的，店裡竟然陳設都像裝置藝術或行動藝術，塗鴉的畫極大極驚人，也常出現很多骷髏金屬怪物，像是潮牌或裡原宿設計群的旗手，教父，先知，但極年輕，是一種全新地以時尚來造反的世代的想法。街頭，科幻，魔，不著痕跡地用典又反典，骯髒又高貴，嚴厲又荒唐，殘忍又訕笑。更後來，她當年來試穿上時，打量鏡子裡的自己，突然不太能動，像穿上囚衣或精神病患避免傷害自己的袍子，甚至就像被下咒或下了降頭，伊藤潤二式的人間即地獄的調調的人困著的城，表情髒髒的灰灰的，害怕到最後，就不知道什麼是害怕的那種徒然。恍神，老露出不知爲何的微笑，而恐怖片式的漩渦出現的天空蔓延到微笑的更後頭，就這樣地忘神。

那個店更往上走好像到了另一個地帶，天又變冷了，店大多關了，我向前一路再走遠一點，看到左側一個小店，全灰牆，全玻璃，近乎故意留白到沒設計式地高明，裡頭，衣服極少，但品牌極好極貴，有些我沒聽過。整個空間很像美術館，空空蕩蕩，只有幾桿衣服，一些全白櫃子架子上的鞋和配件。整個店，一直在放一種極限音樂，但卻是用滴水聲去拉深拉沉，像在極大極空的山洞地穴中聽到那般。

但我印象最深的是，那件怪衣服的怪店裡的那店員所說的一個藝術家受邀來這裡做的一個名叫Dead End的展覽，作品故意不放牆上，而放在地上。用的是四塊厚玻璃，很故意地放好像不經意地放在地面，像搬運玻璃工裝窗戶時弄壞了，或地震震掉而破了，還沒找人來運走前的模樣。但是，因爲就裝在窄窄的入口門廳向前一點。藝術家故意用了必須經過的走廊，鋪了四塊近一米平方的厚玻璃，左側靠牆兩塊故意已從中碎裂開來，另外兩塊完好可以走。但，要走過去，只好硬著頭皮走上去。但是很忐忑，也很怕，好像不小心就會再踩破那般地走，實在有意思極了！

而且，就在一塊玻璃上頭，放了一雙不長不短的靴子，是用很好很厚的原皮做的。而且故意做成穿很久很破的那種模樣，但是腳掌拉到小腿部分卻是一般人的兩倍長，像大雪靴，或更像一個變種的獸人的腳才穿的大鞋。也因此，會有「穿的那人大概是一般人的兩倍重，所以才踩破了吧！」的聯想。但是另一塊破玻璃上，更殘忍！只是羅列如雙手打開般地放了眞人大小完全寫實，手指頭，腳趾，半個鼻子，乳頭，龜頭，陰蒂，用很細膩很老舊的皮，做成的，像極了切手指，切性器官，而那些器官……都像是手上還戴著手套，但手掌部分已然被不明的原因所切除，那種恐怖的又色情又懸疑……。還有一個電視螢幕，在放這些器官切除過程的短片，一開始，只是像一個脫衣舞孃表演，在一個舞台，髒髒小小的……最後脫下所有器官！

她說：「我想演的，就像這種鬼東西……。」

我在那裡看了許久，不太說得出話來。

三

「今日風月好，明日恐不如。」那是一個參差的古代及其附庸風雅，但在這裡看，還是太古典矜持的。因爲那裡全都是一本本破爛的老畫冊和善本書，更怪更小小的舊書或過期雜誌，那句子是我找到了某本隨意翻翻所看見裡頭登了些不太入流陶器書法的舊書，有一頁是古瓷器，瓶上有兩隻彩色但沒上好釉的鳥，旁邊兩句毛筆字也沒寫好的對聯，但卻還是有種老時代的講究和窩心。

因爲，她後來還帶我去看某家更後頭的很多老店，很小而且東西很普通到沒有像樣的古董級古物，但是卻有些有意思的歐洲老行頭，還有舊到二戰的老卡其破洞軍裝，我比較感興趣的是破爛的小物，舊金屬做成像陶瓶的茶罐，又破又小的鏽鐵剪刀，鐵線彎成的凹凸不平怪花籃，最意外的，是兩個又老又用到已然很多深深刮痕的舊金屬盒，但是一如我猜測的那老闆說那眞的是快一百年前的老便當盒。

但是，還有某排更後頭牆角的更多老書畫冊精選，有一堆日本當代建築戰後篇的全套老叢書，這舊書攤還竟有我小時候就看完的老日文手塚治蟲全集，《鐵人二十八》、《魔王》、《三眼神童》、《怪醫秦博士》……種種更多更早的有名或沒名的老漫畫。

我想起來我一如我爺爺當年在拍照的天眞，和這百年來世界的被拍的種種也太久沒想了的世故與悲慘。太殘酷了，那些往事被拍的都往往是可怕的。因爲，那些老攝影書裡頭大多就是那種當年講究的黑白人文關懷攝影拍照的終極版大全，老*Life*雜誌的當年新聞報導的照片，極度慘烈，世界大戰中的人文關懷的馬格蘭，以決定性的瞬間去拍蘇俄女子監獄、阿富汗廢墟、紐約毒梟房間、最前線的越戰或天安門事件的那些屍體的栩栩如生……我記得在更多舊書中有一本攝影集，極度誇張沉重的厚，名叫：《這世界應該是它原來那樣》。

更裡頭就全部是色情刊物了。舊寫眞集和痴漢之類的爛書滿坑滿谷，待久了更有種揮之不去的打從心裡的髒兮兮的感覺。更多因書頁捲起或水漬黏稠而無比骯髒的色情漫畫、人妻通訊、換妻俱樂部……大大小小破爛寫眞集……不勝枚舉，因而使那店裡的空氣中始終有種凝結混濁的氣味，彷彿精液乾燥了加書頁蟲蛀了加更多老時代淫念揮發了的揮之不去。

但是，我卻更被現場旁邊還有京都主題的一些更變態的攝影集所迷惑：許許多多的誇張名字：嵐山近親熟女的肉姦，京都偷窺大全，祇園惡女祭，禁忌的風呂夏娃，女陰陽師的淫祭台，美少女枯山水淫念寫眞，還有另外一本本小開本的當年人氣最高AV女優寫眞集：秋本詩織、小林瞳、朝岡實嶺……那是多年前我買過也看著她們手淫過的珍藏本，更使我不免想起這小A書早已丟了也不知道何時丟連丟哪裡都不清楚了的那年代，還有幾本的女主角長得都很像，有一個還有點像她，就是資生堂廣告模特兒那種臉，穿半透明的華麗式性感衣服，用極貴氣的拍法，連眼神光影場景都極講究而優雅地悵然，一如最有名的這裡也有的松坂慶子、宮澤里惠、飯島愛種種當年我買過盜版的而現在才看到泛黃的原版在二十多年後所不知該如何說的餘緒。

還有更多更激烈的新色情雜誌。一本是一九九五年*Swinger*的舊換妻雜誌，厚厚一本但印刷不太好，尤其裡頭所有的照片都拍得很糟。但是因爲都是讀者投稿，卻更有無限逼近眞實的想像感，所以反而更想看，那些裸體的女人眼睛部分都塗黑或貼網點，黑白或彩色都很粗糙，身材很糟做愛的地方很草率，拍攝的角度和取景都更離譜地走樣，那彷彿是在現場所看到的更令人好奇地怪異極了的好看。有一些專頁是讀者經驗分享的文章篇幅較短。但是精選小說卻是長篇的近八到十頁的故事，有種種聳人聽聞的性愛題材：三P的，辦公室同事的，團地妻鄰人的，共赴伊豆泡湯的……一如是眞人投稿到隨意看都有很多栩栩如生情節的迂迴和轉折。

雖然對我而言，這些文章都只有漢字看得懂，所以像在看詩而不像看小說，但是裡頭那種深入糾纏的性愛沉迷使我感覺到京都的更歪歪扭扭的病態深處。我想到這是在這種最奇幻最像震央的地方才長出來的更尖銳而更入戲的高難度變態。

尤其在這種餘震的時候看到，彷彿這是他們抵抗災難抵抗戰爭的療傷，這種不壯烈但無比激進的療癒感正是要在這種哀傷愁苦的毀滅現場的進退兩難的末世感中，才更栩栩如生地感覺得到。始終那麼拘謹也始終未曾歷劫的我或許也就只不過是像在偷窺，只像在意淫這些考古學文獻式的奇觀，好可惜也好可憐。雖然，我始終完全沒有性慾，卻始終老想到她……

最後一本是*EVE*，女王樣的SM雜誌，那期主打女主角叫麗華，穿寶藍色橡膠緊身衣，深藍吊襪帶，黑網襪，身高一七八，臉太慘白，髮太亂，故意露出乳溝，她正拿一根也是寶藍色的皮鞭，對著照片裡被她很高的高跟鞋跟用力踩著的一個男人怒叱。頁面寫著：預約制，完全前金制，入會二千圓，每回一小時二萬圓，店址四條某丁目。店名：M診所。仔細看這不就是在我住的那旅館對面，我路過了幾回，光看招牌我還以爲是什麼綜合醫院，設計極有未來感，還以爲是品味前衛的怪醫生建築，沒想到是這種的淫蕩的激進怪品味。那SM雜誌照片裡跨頁的M診所那高科技感的大廳中，極空曠而充滿怪性愛玩具的現場隱隱約約散發某種未來感的暗示，有一個男人穿著全身西裝，但倚在沙發前的地上，頭垂下，褲子被扯下一半，露出鬆弛的屁股，仔細一看，還發現了趴在刑具般的不鏽鋼病床而完全不能動彈的他正被女王插入肛門中的那一支假陽具正一面轉動一面發出紫色的螢光。

但這回的更瘋狂的華麗卻出現在天黑後，我去找她之前提過的而我們沒找到的那個傳說的古董店，本來沒什麼想法，這回，我就只是去那裡逛，沿地址就順路去找，到了，有點晚，門關了，但燈還亮著，我一直用手機拍照，老木門，門上懸一個舊皮影紙人手上拿一張英文紙條，寫著：暫時離開。那時候的天色正差不多全黑，門扇的古木框中玻璃投光在地上，那紙人影就也出現在地上曲面黑鐵踏墊的弧線裡，像超現實主義的畫或電影那種灑豆成兵的奇幻，仔細打量，那裡面的每一樣老東西實在太強大了，又聚集在一個小小的老店裡，像陰陽魔界那種故事的開頭，充滿伏筆，不知陰森的起點與終點。在那裡太多又太老的收藏，太傳神地令人恐慌，都是眞的好的古董，有老時代的京都植人髮的人俑，曾上過香開過光做過法的老佛具法器，畫著種種百鬼夜行的古畫，用眞人骨頭精密雕刻成密教佛祖的枴杖，玳瑁鑲嵌老玻璃的百年前的舊眼鏡和古懷錶，都出人意料地好美又好細膩，但是，不知爲何怎麼看來都令人毛毛的。逛了好久的我只看上了一個怪玩意兒，那像手掌可握大小的老銀製的蛇身圈團，但不知是做什麼用的鬼東西，她拿出來解釋好久我才聽出來，那竟是愛瑪仕的全銀馬鞭繞成薔薇藤環狀的老鈔票夾，一百多年前的古代款式，我老想到好愛蛇的姑婆，看到這像下咒的法器，吸血鬼家族的家徽，或就是眞的中世紀拜蛇神的密教的圖騰，又美又妖，令人不知如何是好……我想姑婆一定會被迷倒。

那客氣的女主人說，這些收藏都是她在老京都找出來的。但是，她放的背景音樂卻很新很怪，尖尖銳銳，冷漠而乖離，像是一種日本能劇改編的當代實驗音樂，不仔細聽還像拉壞拖長而走音的怪聲音，但聽久了卻令人有一種很詩意的平靜，和那地方的調子有種奇異的默契的吻合及發散，待在好迷離的那裡久了，彷彿潛入了老博物館的繁複與神祕，只是這古董店卻用某種法術般的技術將這結界摺疊入這京都這時代的這怪大樓……用全新的切換及壓縮來隱藏而揭露。

我仍沒心理準備會看到這些或感覺到這些好沉重的古物更後頭的餘震般的心有餘悸，看來都是眞的，有老和服店的華麗極度的古刺繡片，有能劇假面栩栩如生的老傀儡身，還有櫃身雕滿怪物的昭和時代老舊木櫥，所有的收藏都那麼講究而也那麼詭異，彷彿太專心注視就會快吸不到氣。

離開前的我走遠了點又回首看才發現了某種更令人不安的狀態，因爲那古董店所開的那高樓，竟是雕花極多極繁複的陰森舊建築，還看到另外別的鄰近舊大樓也還有一間別的古董店也有更多更怪的古物，竟然還有是極陰森的非洲面具，極古老的楔形文字石塊，極華麗而講究的埃及小型古木乃伊，都是極珍貴的古怪收藏。那時我從滿布陰霾的街頭走出來，在剛升起的夜裡看去，夾在一整區域後頭四條通的高科技百貨公司和企業總部的新素白銀灰大樓的尖銳天空線前，好怪，那角落卻像鬧鬼一樣地陰沉極了！甚至，在那老店裡看太久之後老覺得更不安！就像作法前夕的風雲湧起但卻死寂地近乎要命。

我跟她說，我老困擾的是，這種殘酷的狀態，怎麼被感覺到，被理解或誤解，我想了太久，看了太多，不斷地提及死去的家人和過去，用各種變形的視角或場景調度去懷念又懷疑，特效般的我的回去或回不去，都只是某種偷窺般的覬覦，想找回過去的什麼，但是越深入卻不免會越虛無，因爲，這不是抵達，不是等待，沒有神通，沒有夢，無法解，甚至，也沒有選擇。

但是，相對於這回首的更灰暗角落裡的關於死亡卻始終沒看到死亡的狀態，一如我跟她不斷提及的我這個老家的故事，越來越無力的我，會覺得這些凝視死亡的過程都是無用的，相對於那些死去的或即將死去的年老家人，我們能怎麼樣更依依不捨地幫他們療傷，或更同情地安慰，但是，到更後來，才能明白，那也只是對我們自己，不是對他們，而且，所有的揭露都那麼地徒然，因爲即使再怎麼不捨或掙扎，卻是越來越進入也越明白是沒有用的。

沒有可能的逃離，即使只是暫時的解脫，進入夠深，或僅僅進入，就會覺得連想抵抗都顯得可笑。不可能有任何可能的解脫，何況終極的解脫，連種種對解脫的解釋都很困難。死亡是那麼地難以進入也難以閃躲。我覺得死亡幫我想了一些我的過去和老家的狀態，不是想清楚，只是想進去得更深一點。也只有一點。對死去的家人顯得那麼地不敬而不捨，但也不能如何。

一如在夢中，我心裡感覺自己是在很久以前的老家裡頭，那像是一個像圓明園古代親王府的地方，長壽街姑婆老房間裡那百獸古董床的放大版，也像那天才去的那一個個氣派極了的京都老廟，南禪寺，東寺，銀閣寺，那夢中院落極深的花廳，小心地雕樑畫棟的老檜木製老建築，極其講究的古木門，但是，我還剛走進那大廳，卻發現狀況很混亂危急，一直有人喧鬧的聲音由遠方傳來，最後，有一群人像是瘋狂的暴民般地衝進來要搬東西，彷彿是殺氣騰騰的猖狂肆虐，看到廳裡的老瓷器，古屛風，太師椅，都搶著搬，連某些花窗櫺的髒兮兮的舊舊的小小花瓶都不放過，我在那裡，不知道發生了什麼事，也不知道如何是好。

等到我心裡想，反正再壞也就不過如此地比較平靜下來時，才發現事情很奇怪，因爲那些瘋狂而失控的暴民仔細看，卻全是我的老家親戚，拾荒的叔叔，勢利的妙子姑姑，老是在賭桌上的姑丈，還有更多我也不太認得但覺得小時候見過的遠房親戚。但是，他們好像都已過世了，怎麼會回來，還用這種方式回來。而且最後在一群人離開前還砸爛了所有帶不走柱梁礎雀替斗拱精雕的那古建築裡講究的亭台樓閣的最深處。

一如那晚，我心中沒有準備但也有準備，無辜而有餘辜。那晚那次餘震是那次三月十一日大地震之後，最大的一次餘震。那時我已然回到旅館，在看電視，搖的時候，我在床上。「終於遇到了！」我跟自己說，有點急，但不緊張？因爲還在搖，也不知道會搖多久？看出窗外也還好，旅館別的房間也沒有動靜，好像是一種額外的招待，店長或內將會親切地再送上一盤店裡招牌的小菜或飲品，那種親切，這是道地的日本店家做生意的眉角，窩心，「起默吉」，某種更深的交心。

在這種時候來京都，被招待餘震，或許是最切題的。我一直也很習慣到快忘了出過事大地震才過的時候。每幾天會再搖一次小震的那種複習，彷彿是重溫種種不該就如此撤退的提醒，用更客氣的方式再提醒這種餘溫般的震懾，叫做餘震。那是某種末世感不斷重來的最好描述，一如某種備忘狀態的持續，想像的介入眞實的技巧性操作，或更不斷重提的deja vous那種似曾相識的遺憾，擁有是不可能的，只能哀悼，相對於一次性總體而全面消失的不可能所提出的補充，一如告解那重大災禍後遺的症候群，每一次餘震都是再回去重災難現場的一種心理治療，而且是既恐嚇又安慰所有人的一種團體療程。其實，所有的傷害都很困難，因爲時間拉得很長，傷者比死者更長，因爲傷者的傷仍然還藏在看不見的地方，找都找不到，也可能都醫不好，而且一定要花更長的時間，長到可能是一年兩年也可能是十年二十年，或甚至整個餘生。

然而，這種餘生的餘震，老出現在電視裡，每一台都在左旁出現一行字，宮城縣某縣某縣皆震度六級強，仍然充斥某種潛在的緊張，因爲所有機器持續出動，有種要趕到現場但還沒到的那種等待……這次餘震有多傷害？有更多可怕的災情？有多需要再來一回之前的屏息？甚至等待的屏息要多久或多深？但其實，更眞實的屏息是另一種，因爲悲劇的第二次重來就一定會變成喜劇那種比悲觀更慘的可笑，夾雜著同時發生的歡樂，笑聲，無知，漠視，嘲弄，揶揄眞相來忘記可怕眞相那種可笑，或就是同時進行而不去談這可怕災情的那種假裝安心，假裝不會怎樣也不會再壞，或假裝再壞到那裡都可以補救得回來的療癒系的可能，假裝我們就都相信了這種療癒的所有可能，相信所有的餘生都可以被老出現的電視裡某種少女微笑般地假裝放心甜美那麼容易地被撫慰。

所以所有的節目都照常，所有電視的十一台都繼續，都假裝沒事，仍然持續地出現所有畫面尋常的開心：有可愛美女老師的風趣活潑英文教學，有跟諧星前往韓國古城探索，有綜藝搞笑中的校園美女選拔，還有很多尋常的分心，有CNN在播中東的戰火，有世界杯足球賽的歡呼，有京都古代名庭園的賞析……種種。有一個節目是一個坐在櫻花林中賞櫻的穿和服年輕女生跟桌前年長的女人請益，桌上老木盤有一手工陶碗的茶，有一個和菓子放在兩片葉子上，葉旁有一根削了一邊稍尖的竹棒。那家名店叫做鹽芳軒，其家中的名菓子，在老木頭框玻璃櫃中有一整排，春之山，都櫻，白之銘，筆之花，某種老派職人的氣息。北野天滿宮住持形容那菓子有一行句子，我只看得懂上頭的四個漢字，花，散，寂，感，在古書冊就有那和菓子的畫，書法寫著一個行書的字的名字。器物是用來做和菓子的木刻的大匙，有數十種壓花的橫紋，極古又極美。

怪鬧劇中，有一個黑人演的外國大統領降服，和做早操的女人，帶兩個少女聽著戴金色假髮的歐巴桑在鋼琴前演奏，旁邊站著一個淺圓柱帽的歐洲小廝打扮的男生，從頭到尾一直在搞笑地捉弄彼此……

另外有一特別節目，畫面中出現了相撲選手那般肥胖的酒店妹，腰腹有三四層肉圈，是眞的而不是化妝特效，所以很嚇人，她們招待客人往往四五個一起來，都穿的性感內衣，在她們身上都變得好小件，像玩笑，她們還故意坐到客人腿上，大聲地唱KTV的歌，還在桌上點了三四層的油膩膩食物：香腸，炸雞，肉排，而且就像貴婦下午茶的行頭。但裝的全是高熱量的餐點，大吃之後的她們接著開始跳舞，搖晃其極肥胖的身體，所有的胡鬧很古怪地嚇人。後來還有男扮女裝的虎太郎去幼稚園和小嬰兒玩，餵他們邊吃便當邊玩食物，美人雙子姊妹，家裡沙發上之作戰，一個去做菜，一個要接吻，還有另一對國際水上芭蕾女選手雙子面對假教練之特訓，在她們認眞演出時，那主持人卻視若不見而還惡言相向。後來還有九組少女比賽刷牙的美姿，每個人都始終吐舌頭，鬼臉，翻白眼，也都一直在歪歪斜斜地胡鬧，我不解地在餘震中看了好久，才發現，這是一種他們某種更進化的節目中的某種惡趣味，性感但有點走樣卻聰明極了，種種搞笑的意淫的綜藝節目中的流暢，令我分心而開心。

另一個節目，畫面有九個螢幕共列，裡頭有九組女孩的特別來賓，都用屁股寫字，而且完全背對鏡頭，主題就叫做「尻文字」，有很多不同女孩類型的區隔，胖妹，鄰家女，女大生，姊妹三人組。甚至，她們只都素顏也只穿邋遢的睡衣或運動服，就這樣在畫面裡背對著觀眾擺臀，但是，怎麼看臀的搖晃都還是完全看不出字，可是他們主持人還一定要特別來賓猜字。但是，我最後卻停在MTV那一台所播放正評選出的那年度最有人氣的MV，Lady Gaga的Telephone，畫面發生在監獄中，很凶惡的女歹徒和女獄卒一起發狠，在獄中放風的操場，正要發狠，惡幹一場，但是，所有的可怕的械鬥，群架的發動，突然變成一場鬧劇，認眞地，暴力美學是最性感的，在監獄欄杆，囚衣，鐵鍊，制服變成制服癖的性感中，她正開始用她金屬系的嗓音嘶吼，開始穿很少很辣地認眞跳舞唱歌起來。但是殘酷的是，那電視畫面同時出現的正下方跑馬燈，卻是福島放射控制即時報導：第一第二原發廠穩定下來，恢復注水作業，第三原發廠傷害狀態未定。字幕不斷地出現另外的災情：新幹線停駛，部分道路崩塌，落石，宮城仙台還有更多地方又全市停電。

我始終感覺房間好像還在搖。那晚上看的電視裡頭，之前電視中的特別追蹤，還拍到高校生野球隊決心去幫忙救災，他們認眞地去幫民家清理地震和淹水的殘骸，都是泥濘的土地和塌陷一半的牆，他們毀壞了的床墊搬走的過程出現了很多字眼，日本之力、信、共濟、廣告、日本加油、東日本大震災、募集、二十四小時。

但是，同時出現的卻是洗髮精廣告，校園中慢動作甩頭髮的學姊A子爲什麼一向吸引所有人的眼光？還有《現代驅魔師》和《花邊教主》兩部電影即將上片的廣告，那斯達克股市的蘋果股價掉了百分之二十。然後，再回到利比亞戰事分析，最後又回到福島電廠的後續追蹤。放射性水流出已終止了，那圖還在，電腦動畫，房屋切面，附近捕獲的魚，輻射量高了極高，千萬提醒……完全不能再吃了。

但是，後來電視還是在演一個療癒系的美少女歌手的MV，後來是另一個激烈性感的倖田來未，還有很多團，其中有一個更花俏的天團是AKB48，歌名是：〈我想你我要你〉，音樂是那種很流行的電音歌，歡樂，流暢，動感，MV開頭是一個鑰匙孔看進去，有一個蘿莉塔少女正在巴洛克風的臥房脫下蛋糕裙，裡頭露出來的，也是蘿莉塔風的吊襪帶和網襪和性感內衣褲，後來鏡頭一拉開，發現，好多好多女孩都在那房間裡，都穿這種又可愛又性感的衣著打扮，開始動感地跳舞，愛麗絲夢遊仙境般地夢幻，甚至，彼此玩耍，走跳，對嘴親吻，眼神無比嫵媚，楚楚可憐地動人。

四

又想到那年去過的古老的著名京都博物館，看裡頭所有的極老極講究的古木雕佛像，金碧輝煌近乎令人屏息的巨幅浮世繪，繡織大奧上百幕府將軍夫人的極昂貴和服，還有更多鬼斧神工的古漆器和老瓷器，絕世大師鑄造的絕世古武士刀，陰森神情又那麼楚楚動人的古代大大小小人偶，就這樣我待在裡頭太久太久到幾乎完全無法呼吸但卻也不想出來。但是，我還是沒看到佛像好多的那一帶，最後，就坐在館前抽了好一會菸，喘了一口氣。之後，我只好跟著人群走，跟著在庭園水池旁的老人們看落櫻。更後來就發現了一整條小吃攤的街，就在另一端的廟門，但是到了攤位後而坐在地上席，看更有老派氣氛的滿天的櫻花，落滿了廟門前的斑斑駁駁石砌路徑和泥地，在老舊石燈旁的老小吃中吆喝的店家，形成一種老時代的想像，累而走路困在廟和樹之間的林中的有意思！幸好，這一路都有櫻花，也都有食物的香氣。我點了一種沒吃過的碗中有不斷冒煙的古味熱湯，吃了才知道是一碗加了不明動物內臟的濁濁的蘿蔔湯，很腥又很香。太餓的我還是把那奇怪的煮爛的像種種肝臟腸子睪丸的古怪器官一直大口大口吞下。

但是，我還是只能鬱鬱寡歡地離開了，只能往更旁邊走，那是一個極大極美的湖泊，池畔都是櫻花樹，很美的池心還有蘆葦，有野鳥，烏鴉，還有一條走道可以走進池心，很多人，也還有更前頭另一區的很多小吃，大家都很開心地玩，或就是專心地吃。路旁有好多食物，章魚燒，鹿兒島餅，烤魚，烤番薯，炸丸子，還有看手相的。我一面走，一面跟著人群移動，大多是尋常的家人或朋友出來玩。最奇怪的裝扮是兩個歌德風打扮的年輕情侶，從後面看，好像，都穿全黑，都長髮披肩，都穿緊身皮夾克黑牛仔褲和長馬靴，雖然手牽著手，但，走路都是歪歪扭扭的，都一副嗑太多藥隨時要跌倒的模樣。後來，他們在池邊要拍照時，一轉身，我才看到正面，原來女生是外國人而男的雖然是日本人但卻化濃妝，兩人都是粉很厚而眼圈很黑的那種熊貓妝，我很想笑，但是忍住了，躲開。

而且，這一帶也有很多流浪漢，太多吃不飽，又髒兮兮的無家可歸的中老年人，都聚集在公園裡，他們大多坐在路旁、池邊，馴良，沮喪，落拓，和一般的遊客不同。事實上，還有很多人，還更也有很多怪人，路上，看到一對老夫婦，手牽著手坐在樹下，男的穿老式不合身的西裝，女的穿洋裝，撐洋傘，但是，一聽他們說話，才發現，那老太太是男的，應該，是個老人妖，他們也沒有在開玩笑，好像完全正常，完全不在意旁邊的人們的看法。

在廁所，有一個邋遢的年輕人也很怪，明明那感應式水龍頭沒水，但是還一直在那裡伸手，好像眞的在洗手，許久許久，不知爲何，又過了好一會兒，我進去上廁所出來了，他還在。這回，竟然水龍頭眞的有水了，但是他還是站在那裡不走，變成一直洗一直沖，不走，就站著，不知爲何，就是還一直洗，不離開。

更後來，才發現所有的人，都聚集到那條兩側開滿櫻花的路，不願離開，像中邪一樣，因爲櫻樹枝幹長到兩邊交會在一起，所以，櫻花叢就全面地盛開到整條路上空，很低的上空就像個甬道，美得令人難以想像地逼近又逼眞，像電腦特殊效果，喚醒的花神正盛大的蒞臨，綻放到有種太絢爛而華麗的近乎不祥。在這裡，太開放地自由自在，空氣中的氣息是那麼歡樂地無法無天，還有媽媽帶小孩來玩的一路尖叫，公司七八個穿西裝的，一堆穿高校服的，一起聚著喝啤酒說瘋話，忘記上班上課，還有老人們、流浪漢們疑神疑鬼地走過去，大家好像都放鬆到不像話了。我發現，樹下的我旁邊有一個女孩睡在地上搖不醒，三個男的一直在鬧她，叫她，還是沒醒，但也沒人擔心。更後來，也就在櫻花道下，我坐了好一會，入了神。後來，我終於決定也喝一些酒，應景，或入夢，也就是更深入地入了戲。

賞櫻，果然就像中了邪般地入迷了，或說就是和所有的人一樣，有一種奇異的幸福感，在胸口，在腦海。但是，或許我很昏就也有點很不太一樣，因爲喝了酒的我就無力地躺了下來，在路旁鋪的塑膠藍布上，自己一個人閉眼竟就昏了，還寤寐地一直睡到了爬不起來的狀態，有種古怪的緊張又鬆懈，不想動但又覺得不安，心裡感覺很舒服也很不舒服，這是前所未有的，甚至到了更後來我已離開上了車，電車，人很多地擠到車廂接處，後來有座位，半睡半醒地坐回到旅館，馬上倒頭就睡，但是，好像仍然還在那裡，在公園櫻花道的櫻花下。

這些更深入春天的動人又宜人的幻境，就這樣地忘記煩惱或忘記災難，忘記人間的更多，只是在櫻花如夢盛開的風光中，小憩而昏迷，閉眼或不閉眼，就是入迷到情緒和腦袋都短路失控，引發了某種像這裡的流浪漢的流浪感，自暴自棄但又有種離奇地開心，就這樣地恍惚著，許久許久。看到櫻花落下的光景仍在，旁邊也都還是人，大家都還在也都仍在用賞櫻的藉口相聚談笑，吃好吃的小物，作好甜的小夢。

我在恍惚中看到她去森山的那東京御苑的舊御涼亭通湖底的古建築密室裡，找某個深通茶道的高僧，那個高僧長得就像我，但我還是在旁邊看，就在茶道表演之後的小段時光，他們到密室裡那百獸古董床後面偷情，激烈做愛，插入到抽動時，和服撩起下半身，僧服拉開一部分，都沒脫下，在日式紙門，木頭地板邊，從後面，插入，另一段在榻榻米上，她被用僧服繫帶纏綁住雙眼，雙手合掌，一如禮佛手勢，但被綁起來，如此，纏住繡花極精細的佛用繫帶之外，是全裸的她，跪拜，求高僧幹她，流淚，呻吟，很美又很色。後來，場景變了，變成一場場他們野合的現場，好像在臺北圓山飯店的V樓層角落，也好像看到我剛剛走過的不遠方的……洗心的千手觀音廟，半毀的國立博物館，修不成的寶島大旅社……，浴佛節裡被我用油澆熄而浴的小釋迦牟尼佛後頭，他們就在這種種暗暗的角落，換場景般地一場一場地……激烈地做愛。

夢裡頭，後來她發現我了，太久沒見了的她還是那麼的動人，但我並沒想過要跟她說什麼或做什麼，她已然消失太久到我已經沒有感覺了。

但是，在夢中，這次反而是她引誘我，但我並沒那麼想。但，後來，又不太對，不做愛好像更不好，就做愛了，奇怪的是整個過程很模糊，甚至沒什麼印象，只有那百獸床是那麼地栩栩如生，像是在長壽街姑婆老房間也像是在舊御涼亭密室裡。後來，房間始終有某種干擾的不明雜音就分心了，只記得她的身體還是很美的，後來，她換下和服，換上了馬甲、長靴，變成了SM女王的模樣，但後來做愛到一半，她開始拿出奇怪的性器官，穿假陰莖，從我的肛門插入。但是，我雖然開始流血，而且是極傷害的撕裂性的傷口，但我並不覺得疼，她用力地抽送，還用皮鞭打我，有些鞭痕看得到，有點痳，但其他的部位的傷，並不明顯，甚至，完全不記得，之後，她認識的一個攝影師進來，因爲這是在京都出外景，訂在這個旅館，他說他在幫一個SM雜誌拍，主題是殘酷劇場，我有點擔心但沒有問這到底是怎麼回事，後來的整個過程我老是有點怕也有點期待，但是整個狀態心神不寧到近乎恍惚。

一如我一開始在百獸古董床上，尋常的她也仍然維持剛才的姿態。只是，整個氣息好像變得緊張又亢奮起來……我本來有點忐忑不安到沒有情緒也沒有更多的表情，但她被拍的時候，卻突然瘋狂地笑了起來。突然，我變成不是在和她做愛，而是和她內心被召喚出來的一個SM女王肉身做愛，那麼地野蠻而華麗，冶豔而動人，那是我一開始在臺北遇到她時，最希望她變成的模樣。但是，現在她變成了這模樣，我反而有點害怕，倒不是因爲她凌虐我，鞭打我，而是，我發現我自己雖然很痛但又捨不得叫她停手。

在這種入神又出神的狀態深處，我才發現到我已然變了，變成了我從來沒有發現過的自己，極度的脆弱，極度地期待被害，而且是期待被用極度殘酷的方式對待，而且還越殘酷越好。更後來，我印象最深的，反而是她像某種異形女王的恐怖姿勢，臀部坐臉的像異形幼蟲爲下卵而纏在我臉上的那種不太有色情感的動作與晃動。還有那個攝影師的男的也很慘，他也被抓進來，後來他近乎喘不過氣來地，哀嚎著，尖叫著，很激動，他說他自己大概因爲是M男類的。

她充滿輕蔑，玩弄那男的，拔乳頭，打陰莖，後來，她變成兩個分身，有兩個女王一起的，像要拍「殘酷劇場」的短片集，要很多部，很短，三五分鐘，中間隔開，華女王與麗女王。後來，變成我在拍，攝影機器看來有點舊了，但是她們演得很自然，我看現場在鏡頭裡被拍得粗糙，但是這樣應該更有眞實感。也因此，就只是看，那些動作，特別逼近一些狀態的逼眞，是一般用演的A片所沒有的。

越拍卻越怪異地千頭萬緒，我本來還滿喜歡這種SM風格的，精美而漆亮的馬甲皮衣高跟鞋皮鞭，但對暴力有點害怕。後來，在拍的時候，才發現自己想太多了，一旦到了那凌虐的又亢奮但又恐怖的現場，所有的輕忽，或亂來，或亂玩亂丟，人的親密與敵意，都在，但是，全都不一樣了，這種相互試探也相互纏鬥，又傷害又療癒，又險惡又誠懇，好神經啊！這不是A片或一群玩樂的圈子的人的玩法。我跟她說，我覺得你這些狀態都很奇特，是某種有療癒性的SM，調教是修行，暴力是愛護，種種更不確定的什麼。但是，或許這種不隱約的入迷都只是一種修行。

她笑說，你想太多了，這不過是某一類與另一類……的玩法，你別太認眞。我心裡想，就只在一晚，災難是潛在的，淫也是潛在的，天快亮了。我太多妄想，但沒有夠多的憂傷！但有和服，有僧服，有古屋，有茶道，有這些古代的背書，淫念變得深沉，或離奇，不解，邪念揮之不去，也沒有發生。我們就這樣，繼續做愛，繼續，我們瘋了，像是在街頭表演。一如後來的更多天我們在電視裡的京都的城市現場畫面前，這幾天走過的地方，快轉那些古廟，清水寺的木棧廟埕，銀閣寺，哲學之道，東寺，大街的畫面前，邊做愛邊拍，很眞實。

但是我卻一直只在打量那場景、那衣的古代的儀式感的日本感，覺得都太栩栩如生，太動人，比肉體，比偷情，更入戲地色情，發光到發暗，到後來他們兩個人都不見了。甚至，空中出現了他們的僧服和服飄在半空中，旁邊還飄浮著許多的被解剖的屍體，甕中的木乃伊，仍蒙著眼就站起來一跛一跛地走，發狂的被附身的千手觀音銅像，揮著法器古刀古劍亂殺亂跑，又沉又恐怖。但是，一如《神隱少女》或《倩女幽魂》裡那種百鬼出巡或普渡法會的熱鬧，幻景，在櫻花如風吹起的花霧的美麗中，更動人也更懾人。就這樣地，都重來了一回也又消失了。那些淫靡，那些妖異，那些保佑，那些神鬼的古代與現代的紛紛擾擾種種，突然都遠離而去，就像前世，像夢境，我仍沒睡著，但我也仍沒清醒過來。最後，我對穿著SM女王裝的她說，我很累，不想拍了。

但她說不行，「你跟我做起來是沒完沒了的。」

五

在自己來京都的這回旅行中，出了太多事，也因爲前前後後太多的變故，而已然和當年與她來的時候的狀態完全不同了。這彷彿是一種喬裝成近乎陌生的異地險灘搶灘般地登陸，一種故意以完全不認得這來過太多回老地方的歪歪斜斜迫降般地降落。一如，我故意住進了這家造型就像太空船般死白的膠囊旅館，因爲太空曠又太冷清，所以老覺得自己彷彿那晚上就已然死過一次，進了太平間般的艙洞，甚至，第二天醒來都還有恍若隔世的恍惚，那種狀態會使得整個人都好像失控到裂解了，要花很大的力氣才能把自己拼湊回來。

那種古老頹廢的京都感在這太新太科幻的怪旅館裡突然完全走樣了。整個以前來過的這古都的懷舊及其引發的種種窩心暖身的感覺都不太一樣了。但是這一家就叫九小時的膠囊旅館竟然開在藝妓最多的京都四條祇園這一帶最老的城區，或許，這旅行有種既古老又未來的什麼會出現。

因爲這個死白旅館中狹窄冗長的走廊電梯浴間的窄小尺度太吃緊，地點也在太偏僻太深的巷尾而找不太到，繞了好久才勉強找到，勉強打尖地安慰自己大抵就是爲了打尖而匆匆促促地迫降。

那幾天的我後來常常在死白的大廳沙龍的什麼也沒有的空長桌黑塑膠椅上邊上網邊充手機的電，像極了某種科幻片裡一群太空船裡的人在人工睡眠幾年的旅程中醒來一直嘔吐的狀態，不知路上有什麼差錯，失水過多，器官停用太久，所有的肉身的重開機跳電了那種停擺，尤其剛剛去泡了那個也完全死白廊底的湯池，像一個不存在的底部，所有感官的末端，沒人，沒路的路最後的死角。我老在那溫度過高的湯中開始恍惚，天啊！想起所有的這一天的諸多波折，這一年所發生的那麼多事。死白而無人，無聲地在池的末端同樣的死角的我到底怎麼了？

一如旅行的第一天剛下機場往另一端走。那一路上的長落地窗外是海邊，從一樓大廳往外看去，有一台機械吊臂在堤岸邊，像有工事，堤上有一長型跑馬燈在海前頭已很怪，我看了一會兒，竟出現中文的一行字「你的關空」。一如一種籤詩般的預言或暗示，我一路走還一路找路，找了更久的好一陣子，在老城的老街中走了好久，京都變得好陌生，我雖然來過很多回，但這回心情很不一樣，我不再像過去那麼景仰這城的那種經典的傳奇……種種迷人。這回我老像逃出來而想只找一個老地方落腳。

那旅館的入口落地大玻璃看進去，清楚的只有一個鏡面，其他都只是白桌白椅白櫃白燈白椅，建築很高但完全沒窗，暗灰近黑，沒有光，退進街道一點的地面和牆兩側也全灰，只有店名9hours小小的黑字透光，像工廠或醫院，大藥局或大停屍間……那種什麼怪怪的地方。尤其在四條通轉入的路小小的巷中，對面是掛吊很多毛筆字燈籠的老廟，旁邊是AMPM那最庸俗的便利超商，就更怪。

這膠囊旅館就是太白太素太乾淨到好像假的，像布景或像樣品屋。裡頭的睡的地方，更窄更緊更暗到像蓋好還沒使用的船艙房，隔離病房，禁閉室，苦修僧小間。有一樓是浴室，小間小間，和寄物櫃，毛巾大小放牆面一整排，像更乾燥更死白的無印良品上架，光太低沉到只有鏡面和灰地灰牆金屬門把垃圾桶和椅腳的隱隱反光。待久一點到只有一個人時，還會只聽到空調的風聲和更沉一點的壓縮機低音和自己的呼吸。或說就像是太空船裡。

我會不斷想起一些畫面，曝光過度的，《惡靈古堡》或《幻影殺手》或《關鍵報告》裡那些先知或戰士所陷入的實驗室、密室、手術室、高科技的神祕現場，或庫貝利克《鬼店》和《二〇〇一太空漫遊》的更神經質地慘白，寓言或噩夢般地嚴厲，文明的最初或最末端，恐怖的無法再升級的終極版本。設計得近乎病態地精準，完整，細膩才出現的那種純粹美的切工極細的鑽石，或巨型冰雕或蜘蛛網或水母足出現的顯微鏡面下的華麗。但，另一方面我卻只也一直想到龍安寺枯山水，那麼簡單安靜到出奇會讓人一專注就突然因馬上的入定而驚喜而驚恐同時出現。在這種地方落腳好嗎？想到那天出發，甚至在關西機場時，都還沒決定要去京都或大阪或別的，三天前才決定走，好像到了一種快出事的狀態。

想起那晚在那死白旅館所作的那一個夢。一開始的空曠場景中也是死白的，但是有十多個學生模樣的年輕人來自不同的小學校，但是要到了另一個學校來參加競技對決。他們穿著怪異的像僧服又像劍擊服般的車工極仔細的近乎慘白老式制服，不知是哪裡來的。雖然是年輕人，但是，完全地沉默近乎死寂，而且全天都一起進出，一起作息，像是戒律極端嚴厲的某種極限運動員，某種特工，某種祕教團體，甚至，某種恐怖分子。但是，卻也都不是。在那太多的集合和太合群到近乎不可思議的行動裡，最令我吃驚的是，有一個部分，其中一個人要洗澡，是其他九個人幫他洗、擦，在一個很白很大的房間，那裡本來不是洗澡的地方。他們的所有行動細節都像演練過太多回的熟練，像出操或踢正步地異常整齊，像啦啦隊疊羅漢式的某個基本動作的停格，或像跪拜或朝山的虔誠到每天早晚課儀式那麼衷心。而且，我看到的還是奇怪極了的慢動作。那個被洗的人目不轉睛地完全不動，其他人則像洗車或飛機進場般地碰碰碰就上去執行所有的細節，有人抱起他的雙臂舉過肩或有人努力地抹泡沫上肥皀或更後來用水桶一桶一桶地從頭往下倒，角度速度都一樣地沖水，然後才是很多條毛巾靠近他地開始快擦，而且竟然是同時進行，所有人都認眞地來幫他。中途，竟然沒有人笑，甚至沒有人說話。

我在旁邊看，覺得實在太奇怪了。但沒說話，也不知道說什麼地看呆了。最後還有一個像是隊長的人拉出他的陰莖用一條小紅毛巾，慢慢幫他擦拭，從陰囊慢慢擦到龜頭。再用嘴唇吹氣，吹到最後終於乾的時候，突然他勃起了。然後，隊長對全部的人大聲地像下口令般地喊著。

「完成……。換下一個。」

她老是說：最重要是……等待。

她說，京都就像是那種永遠的等待的狀態，永遠在仍然是等待但還是沒等待到的種種變化中的狀態，一如在那古老的廟的同一個場景的用不同攝影角度拍，太遠或太近，用廣角鏡頭或望遠鏡頭拍攝，調整對焦與失焦的狀態，那種極精密繁複但又極其細微的種種變化，一如她老是在講我們的過去時所提及的等待那過程種種邊前進和邊後退的再剪接的最繁複的變化。

彷彿人的腦袋是有晶片的，死後，被取出來，但是壞軌了，使得影像檔不斷地有亂碼或重複地不規則地閃爍出現，而且還不斷重來，一如一種怪異而始終一直重來的……夢。

其實我早就死了，一如在不斷倒敘生前的一部電影裡，我還困在裡頭出不來，還以爲自己仍然活著，但是，為什麼，所有的人都怪怪的，都不相信我還活著。

所有的人都不斷地想要解釋我已經死了這種狀態給我聽，但是，我還是聽不懂，也不相信，後來，他們變成迂迴曲折地滲透來透露這訊息，或是用各種不同的暗示，一如我的父親和母親的過世，一如更多的我老家的遠房親戚的離去……

一如，到了最後，竟然是她，她竟然用她的消失，更逼近地更激烈地來告訴我，所有我對她的回憶，對她的不捨與想念種種都只是我死前殘留的回憶局部的倒帶重播，用我自己習以為常的喜歡或不喜歡的方法，用我自欺的狀態來辯解。

一如在美麗地綠草如茵山光水色的天堂般的山谷中，在京都枯山水的庭園的風光中，因為就只是在裡頭。為何那夢中還會有不清楚的部分，離開，為什麼要掩蓋，不完整，是否因為我的創傷症候群，選擇看不清，看不見，只好透過託夢。解夢是經過事件，結構，來描述和討論，但是，到後來，會更深地了解，那些剛相遇時的選擇跟態度和前進的方式和後來的我們都不一樣。

有關非現實的現實解釋，一如魔術的破解，一如她在夢裡的自設關卡，一如她提及的所有的情節中故事和人的關係及其矛盾，到了夢的後段，都一定都走樣了。

一如當年一起來京都的那時候，我們在一個嵐山的老店喝抹茶歇腳，有一種新茶，名叫「茶桂緣起茶」，看到他們店裡電視上的一個廣告，一如一個古典的MV。京都名店的這家老茶館。在枯山水老木頭建築的和室裡，扮成傳說中老茶僧千利休的老人正表演茶道繁複的泡茶的所有細節動作，煮熱水，撚碗，倒熱水，攪拌，鞠躬，奉茶，許許多多的小動作，一如所有人都被催眠或打從內心地感動了起來，或就是一如一個禪修到最深的打坐祭典，所有人一一喝過古茶碗，都頓悟了，或都釋懷了。就這樣子，喝完之後，鞠躬。但是，最後一個女主角卻不太滿意，就在茶室的最角落重新開始表演另一種新茶道。她專注地從他們店裡的新茶「茶桂緣起茶」茶盒中慢慢地拿出一顆新型膠囊，剝開之後，竟然從裡頭倒出茶粉。煮熱茶水的溫度之後，再泡一杯新茶。就這樣子，大家再喝一輪，竟然還是對鏡頭一致道好，還說更好。害千利休很生氣，就氣昏在現場的榻榻米上。

我跟她說，當年我曾經看到過電視上影集那不知已然到第幾季的《京都地檢之女》。在裡頭所出現的著名的古廟前頭某一個茶道十幾代目的老店裡，雷同的那鏡頭的停格特寫。在我的過去印象中，這個半偶像劇式的推理劇，眞正的偶像主角，都是京都，因爲以往總會在殺人和追凶的情節中有點有意無意地賣弄京都的某一種極古老的行業如花道如劍道如懷石料理，然後故布疑雲的凶案現場或過場總會和某一間古寺或某一個名老庭園或某一個古城堡天守閣有關，藉此查案過程可以津津樂道地用典這個古都的歷史或傳說的某些典故及其往往不祥的過去恩恩怨怨，那種案內案外的種種平行或不平行的懸疑都極爲膾炙人口，我以前有一段日子極迷這部推理劇式的用京都說懸案的離奇。但是這次那電視裡案發最後的畫面不太一樣，因爲大概也已然到了最後了，只有在一個老和室裡頭的榻榻米上，那一個邊憂愁地說話邊近乎低泣的犯罪男人在跟那名熟女主角檢察官說他的彷佛已然不能挽回的過失。沒有再出京都風光的古剎名園的外景。兩個人只一起在一個家裡的老佛案前焚香懺悔，近乎完全地絕望。

我跟她說，我老因而想起以前看過的一部奇怪的日本A片。就叫做《一個京都人妻》，那女主角其實長得很端莊，有點年紀，但肌膚和身材仍然保持得很好。那人妻一開始只是寫了一封信給製作單位，說她童年在京都長大，很喜歡這個古都，甚至，和以前的初戀情人曾到很多老廟去幽會，所以，常常有一些異色的聯想，希望能有一回跟拍，到每一個古蹟景點去拍性感露出的A片。所以，就開始這部電影的企畫。有一大群專業的工作人員和攝影機認眞地跟拍，還刻意地選擇很多個京都的最著稱的名勝古蹟角落，清水寺、銀閣寺、平等院、三十三間。而且要求女主角要穿最老派的傳統和服，還拿著一把舊油紙傘，妝好濃又好細，梳繁複的古代髮型，還穿老木屐，走路搖搖晃晃，極爲辛苦，然而，那個色情的場景和時光卻也就更故意地切入這種懷舊古典優雅的狀態，因爲那女主角每每到了某一個老廟山門口的極冷門端側，或櫻花開滿的樹蔭某轉折深處，甚至某一個枯山水庭園的最死角，她都被要求在每一個選擇最有京都感的那風光極美絕的地方，悄悄地拉開極度正式而端莊的華麗裙襬，只對後頭的鏡頭露出裸身的下體，然後臀部很明顯地翹高特寫，在某種特殊的日本演歌伴奏配樂的假裝浪漫的怪節奏下，就讓一個特別挑選長得極猥褻的光頭像變態的AV男優從後頭插入，露出馬賽克陰莖的他一直假裝也露出很到此一遊之類的又滿足但又搞笑的姿態，然後一邊抽送還一邊對鏡頭比Y字形的手勢，還有時叫女主角被姦淫時一直回頭一起露出拍照式的微笑，她在那種淫蕩的狀態下就仍始終很緊張，也很尷尬，但是，也就這樣一路拍，有點荒唐也有點可笑。

那幾乎是一個超乎想像群眾荒謬劇的荒謬絕倫，或一種藝術家進行她的行動藝術式的前衛而勇敢，但是，都不是，那只是一部A片，一部充滿自以爲無邪想像的故地重遊般懷舊老片重拍，其實是一種快轉了這時代最深的花街入戲感而把京都給姦淫了的夢想，一種因此色情被極度地壓縮又切割地放入了古代的妄念裡所出現這時代堪稱最夢幻的幻境。尤其每回來京都也去了那些名寺古庭，就因此越回憶起那些畫面的荒謬就不免心中忐忑極了地又想笑又想哭。

尤其那人妻每回一開始到一個老廟，都會去抽一支籤，再摺成紙馬，綁在廟埕的旁邊那綁紙極多極美到像盛開櫻花的光景。然後，再極虔誠地回頭往廟口神明再拜一回。有時還拍到來參拜的參參差差路過的路人們，甚至，有一回還拍到出來認眞要掃落葉的老和尚。那老和尚還走過來，打量著因爲被發現而突然非常害怕而緊張的女主角和整群工作人員，年紀很老而滿頭白髮眼睛瞇成一條線已看不太清楚的和尚還正面對著鏡頭大聲地問：你們在拍什麼？

六

在這回匆促成行的旅行中，我竟然又在京都才想起來寶島大旅社這家族內部更大更麻煩的分心……或許我也只是一直在用最土最累的工事或航具偷渡但沒想到眞的到了閘口。我感觸好深那祖先們忐忑不安的故事來得那麼不容易到都是賠上累世身家般地那麼深。因爲，過去我是從來都沒眞的進去，甚至都從來不知道沒進去。直到這回在京都，因爲她，也因爲我的沒法再逃或再閃躲，因爲更怕而更陷落，而終於逼近了種種沒想清楚到後來的比較清楚。

我到了京都現場才明白這種進入就像惡夜孤行而開的家的累世冤親債主是多麼地可怕，這鬼門洞大到就像目連開枉死城救母那麼嚴重，他爲了母親而同時放出一百萬餓鬼使他要下輩子投胎成黃巢再殺一百萬人還回地獄去的那種業報。那時候是不了解的，種種夢中的妖嬈姑婆或金髮父親或所有遠房親戚及其老故事的開始喚出，是那麼地駭人聽聞又那麼地自然而然，然而我還是太擔心，暖場入戲也還一直在兜圈子，而後來更久以後才發現那是被過去或過世的他們下了咒般地陷於完全結界的困住，完全沒有辦法回去開挖更核心的種種，近百年來老家族出事那時候密封的棺木在這種撿骨而不小心揭封印到更再往裡頭更久以前更小而光更暗的遺址。

我的童年少年或沒有弱冠的成年禮以前，一如一個少爺還沒出事的成年以前的二十年的敗家子要敗的那個家的更早更深，一如某種不知後來會如何失控的毀亡的首部曲，一如回到過去殺了叛軍首領和他的母親或祖先就沒事了的那種不斷回去，一如一個倒地就睡的又髒又臭流浪漢已然忘了他還沒流浪以前的人生的輝煌到滄桑，一如更恐怖的某種前傳人魔太小時候因爲戰時被迫吃了自己妹妹的肉而完全崩潰那般地忘了。

這次來京都，彷彿不同了，滿腦子還是消失的她，不過也因爲切換就有更多關於我老家的雜訊或新的怪頻率，或許也只是出事的我因爲太虛弱要彷彿中毒到開始有幻聽幻影，但是這些幻覺卻都不虛幻反而很眞實像接到天線而收到四十多年前的音訊那種老式擴音器擴大機前後級的電線都是銀線而音質不曾失眞的更多更古老更深刻的舊日音訊。

這些幻覺般的眞實或許只是以前聽不到，但卻也使我因此想到好多更小時候的氣息的種種氛圍，一如我祖父是日本小學校校長的太多後來換語言換時代到像換了天空的歷史苦難，一如姑婆姑姑她們在我的小時候回憶中所有重要的大人的事在更隱約或更傳神的時候他們都會說日文的祕密感，一如一種更早的畫面的旁白中連說敬語時含笑頷首低身鞠躬禮的極端客氣的姿態。一如全部以歐巴桑歐巴將內將歐吉桑多桑的那些我小時候老家人家族倫理劇重新搬演一回但是卻全變成日文發音的不斷有人死去的可怖推理劇。一如《華麗一族》的大宅門如何鬩牆崩解而後使整個當年最氣派華麗的寶島大旅社變成一個還不知道那裡那麼恐怖的恐怖旅店。

甚至，在京都，我老是因為日文裡頭涉入太多太多像迴然不同的童年的回音，而想起更多藏得更深的我的餘緒或家族的祕辛，一如母國的母語那種希伯來文只能在讀經的聖堂才能說的密語，更多更多藏在裡頭的身世縫隙的幽暗與幽微的更多喚回。

這使得想要再挖更深的在京都這裡的我，老覺得自己只像個隔空取物的投機者，或許也可能是徒勞無功的，就像在切換不同層夢境來找保險箱裡心病的任務的種種重新潛入地潛回，只是我始終都還沒準備好，始終還老是出事。

也更令我想起了父親最後那幾年常到日本的旅行，尤其京都，父親在死前幾年每次心情不好或每次越到他人生難關而生悶氣到沒辦法面對或解決就會來京都，在這裡安下心來而找尋他可能下一步的出路。那遠非我們可以想像的身世或生意困頓的沉重，彷彿可以在這古都被療癒。甚至，在京都的一路上仔細回想起來，我一生都沒看過我爸爸生氣，太壓抑太困擾而永遠諸事纏身的他一定也是跑到遠方，夠遠了夠陌生了，沒熟人沒親人也就是沒家人時他才可以放心地生氣。

我始終記得母親近乎痛心地說過我父親死前的最後那一年，他已發現自己有癌症但也同時才發現他的大生意已然進入最深的矛盾到近乎眾叛親離，一如那種幫派或行會併吞合夥不然就對決的兩難，然而卻又發現這種最大的困局卻又發生在他身體最糟的那時候。這是太大的進退兩難，完全無法全身而退的一如祖父當年死前的雷同局面，只是變天的是另一種近乎必然要像胡雪巖捲入朝廷內鬥而終至散盡絕世家產的末路。

父親生前做生意一向是很小心地不投機近乎大生意人那種不貪不追不冒險。這最後的困局使他完全地失望也非常灰心到近乎難以面對過去一生的叱咤風雲。後來，他就到京都住了一個禮拜，之後一年就完全拚了地更忙更累更想在生前把生意撐起突圍，沒想到生意在那年垮得那麼快，而且他病情惡化也那麼快，更後來他過世了，我家就完全地破產了。

但是，多年之後的我回到這裡，會想起父親最後的那年的那個禮拜到底他在京都發生了什麼？在這個古都裡，他是如何地使心情變好或變不好，他也可能去過那老城老街裡逛老人偶店或老茶器店或老鋼筆店或老煙具店或他的老懷石料理店或什麼都老的店，會他的老友人或老情人而一起去過東寺清水寺銀閣寺看滿廟滿山櫻花翻飛盛開又如雪般驟落，去過北野天滿宮抽到和我一樣的下下籤，在祇園那一帶的花街舊町被穿西裝的皮條客拉客，在四條通看到華麗的大丸或伊勢丹百貨公司門口看到更多那時代最開到荼蘼的時尚盛世風光。

或許他還更去了更多祕密而無人知曉的京都老友人或老情人帶他去的老地方，去了我不可能知道的哪裡？去了哪裡找了哪些人？做了什麼？沒人知道。只知道他離開京都就決定了，就從此下了非常難的決定，那個使他一路到死的決定。

七

在京都那太風光明媚到同樣令人依依不捨的最後一天，我自己又去了一趟我們當年一起去過的宇治。那裡有一個太著名的老廟平等院。尤其是屋簷上頭站起一隻銅鳳凰的國寶古鳳凰堂，我在那裡頭走了好久又看了好久，始終注視著那個龐然的古代貼金箔的阿彌陀佛頭的驚人，更貼近還可以看到那些斑駁金漆在古佛臉龐的雙頰，那極古金箔竟然彷彿是脫皮中的疤痕用種種怪異的形貌在褪色剝落，乍看就古怪得像某種更怪的鎏金老人斑或古銅蛇蛻皮，有種極華麗又說不出的玄機在更裡頭。而且那斑斑駁駁的破落金箔竟然就攀生於那古佛頭小圓丘堆的釋迦髮下，就幾乎是難以想像動人的殘生祕境，另一種神通的特徵即是那大佛耳朵極大極彎的弧度修長到垂肩。那些金箔貼滿臉色的沉浸莊嚴外，還有祂正一如閉眼般地垂目。

那是極優雅美麗的日本古廟建築，然而因爲古代仍然太逼眞地作祟而出奇斑斑駁駁地陰森。

我在那古廟裡想到八卦山的大佛，那裡的古代撤退太久了，所有的混凝土糊出而不斷走樣的佛身卻也留下了另一種我的童年所作祟的天眞殘念。

最後我還到了一個《源氏物語》的博物館。我走完前頭展廳中那所有故事的古人古場景所喚出的更逼眞的古代裡，到了展廳最裡頭的地方，竟然碰巧遇上正要放映一部電影。那是《源氏物語》的其中一段。名爲《橋姬》。因爲就在一個獨立放映密室，入口還故意設計成有一座老拱橋而人走過時還會從橋下冒出鬼影幢幢的慘白的煙霧，而且在觀眾席個別方形深漆木製椅底下還都有一個洞，裡頭點一根光影閃爍就看起來很像眞的假蠟燭，放映前等候時會看到好像是點火的石礎，幽暗浮動的光暈使整個放映場的密室乍看就像個古代法會充滿召靈般的靈驗現場。

其實放映的那電影也始終陰暗地沉湎於某種揮之不去的古代裡，開場就是無比優雅一如大和劇般的片頭，日本古樂器群的磅礡演奏，甚至一開始還有斗大的漢字寫著：男與女，愛與恨。然而，正式的電影畫面一開始就是一群古儀式中戴翅膀的跳舞男童的近乎筋疲力盡的痙攣飛舞，充斥難以明說的詭異氣息。

那一部極端精密細膩的古裝戲，對在那裡的我而言，就是一個極端精密細膩的古代。尤其，在那一個最著名的橋段裡，老宮殿的巫女在林中月光下暗路的夜行中遇上男主角，經過了夕霧的別業，女人到佛祖金身前的參拜祈禱而彷佛死去地難過，在坐轎離去中傷心欲絕。兩人有許多眼神的內心戲，後來還有更多節外生枝的旁人嫉妒而憤怒地在中君寢所互傳鬼話，中傷她好不容易生下而老在哺乳的小孩，也中傷她在瀑布邊故做美人的泛舟，中傷她在和尚小野之庵或在午寐之中的二條院別棟念咒。

電影中有許許多多的宮廷內鬥的陰謀，有太多女人和太多線索的始終離奇，而且那片裡的旁白即使始終聽不懂，但是應該完全不解的我卻仍依稀可以猜測故事而入戲，尤其當男主角在宇治的古橋上穿古裝騎馬在雪中過橋，或是另一場渡橋下的宇治川上浮舟密談，然後莫名跳接的場景竟然就在河畔的古亭中做愛，最後那做愛中的女人變成巫女而原來的女人卻泡在河中溺斃的死屍還淋雨在那宇治橋下。但是在橋上的那巫女折箭作法使天色變血紅也使眾人害怕地在橋上祈求，在那櫻花季竟然全然盛開但卻開出滿山遍野可怕的紅花的恐怖。所有的人都在宇治川旁死去的最後，巫女才坐在老木橋上呆看河水仍然湍急流過而遠去，只能在那裡有種人世滄桑生靈業報而只能孤自望天的嘆息。

我不太記得那原著的結局是否如此殘酷，一如我也不太明白《源氏物語》裡的那橋姬原著故事歷史中人物遭遇是否也如此糾葛歧異。

然而，我卻彷彿因而更陷入那小說中的古代，京都變得那麼地栩栩如生起來地逼真，即使那可能也只是一如某種更怪異的杜撰或改編而僅僅摘錄地搬上銀幕。

但是，那老物語在那宇治的古城中別有一種吻合的玄奧，在那憂愁而彷彿被詛咒的電影裡，我卻因此才更入戲到眞正深入的古代，才召喚得回那本來這古城裡古人貪嗔癡慾的華麗與哀傷。

我陷入了那密室的狀態太迷，也陷入在源氏物語博物館那巫女的鬼電影太深，才更驀然地想起，或許就是這個宇治川上的橋姬或許才是這段旅行的最底層祕境的現場，才是我深入京都的最高潮和最低潮，一如我去看的那鳳凰堂古廟斑斑駁駁大佛那麼地充滿懸念，充滿了我期待的京都最著名怨念及其揮之不去，也就是召喚出更老時代裡那充滿了鬼魂的仇殺下咒而死靈不散的最終極現場。

最後，一路看著宇治川流得太急，還眞的有種恐怖感。走之前歇腳而只待在橋頭的抹茶老店。待在那一家當年和她來過的已然傳了二十四代的名店，我們點過一種含三串和菓子的一碗老抹茶，和另一種的最貴最複雜的宇治金時冰。喝了好一陣子，才感覺到其實抹茶不是茶，而和菓子也不甜，都只是一種很花心思的料理般的對古代或對京都的更走樣的離奇想像。

最後回來京都，卻在市場的一個賣流行公仔的小店看到一個小電視正在放的極新的流行歌曲MV。是流行的天團BIGBANG的新歌。名字就叫Fantastic baby。對我而言，那MV的太潮又太不在乎實在太厲害了。就像是一個極反諷但是又極切題的古代的出口。那是唱歌的一群花美男。歌詞一直在重複fantastic這個字，但是他們都好自負自己的美貌與傲慢。造型極誇張到令人不解。太多重口味古代風格的混合。有的穿華麗軍裝，有的穿緊身太空裝。有的戴長刺的金屬貴族頭盔，背著多色受動貴重綬帶，別滿各種戰功純銀徽章。他們都體態妖嬈但極美麗又壯碩到有二頭肌和腹肌。有的染金髮、紫髮。有的設計成切半禿頭半及肩長髮。有的戴著中世紀西方皇冠坐皇座，有人還留血紅長髮及地，穿著歌德風黝黑長袍，戴上骷髏手環，鑄黑鐵鍊。

其中有一段是一個暴動現場的混亂。有一堆暴民戴防毒面具，對抗另一堆抗暴警察，兩側都想推倒蛇籠。後來，他們邊打邊在廢墟工廠和旁邊的廢車場，跳起精心練習過舞步極難的群舞，有一段還出現了傳統日本能劇中古代怪獸的那種舞獅長毛獸兩隻，但是，後來就跟著節奏極強的電子音樂搖擺不定而竟然一起跳起極怪異的混合古代舞踏舞步的街舞。就這樣，所有古今中外的角色都一起開始合奏合唱亂舞亂跳。進入了一種狂歡的華麗風。在那些變裝的剎那，我一直擔心找不到的古代，不但沒有消失，反而卻變成了最潮的現代。尤其是接近最後的一段，那一個眼神最凶惡但最俊美的花美男，剝下全身衣服裸體露出全幅宗教圖騰式的極精密刺青，還帶心經全文的咒語環繞，他變成了居中蓮花座的佛祖，而且旁邊所有本來在跳街舞戴防毒面具的舞者也脫下半臂的泥彩裝一如頭陀般的打扮而環繞著他坐下來，每一個人都突然也盤腿坐地，和他一樣雙手合掌比出手勢佛印，一如我這幾天在古廟中看到的姿勢，極度精準動作的專注，但是，然後，那全部花美男們的姿勢就停在打坐手做拈花指的剎那，在最後一句歌詞加強的時候，唱出最後一個字，fantastic。

旅社部。尾篇。殘酷劇場。下。

一

想到那晚在京都作的夢。

夢中的那個少女我以前好像見過，但我記不得了，但是，仔細想，就是消失了的她。她再出現的時候已然是一個女忍者殺手了，還幾乎是無所不能的好身手，一路被追殺還是毫不費力地逃走了。後來我也發作了，就完全無意識地在黑毛衣上寫黑色的字，寫出了一個那地方快發生的災難，然後，我醒來之後跟大家一起趕緊想法子收行李。因爲上回是整個地方塌陷一如山崩，我們幾乎是在極不可能的危險中勉強逃走的。但是，這一回是更多無名的黑衣人騎摩托車群殺來。所有的事發生得太快。幸好她回來拯救我們，尤其是她太強了，身手太好，破壞性又太強，一如特務或某種有神通的，甚至，就在逃離的那追殺來的那列火車車廂上，被她用一粒炭渣，就瞬間地投入鍋爐爆炸而擊毀了那一整列車。

最後，在旅館大廳等電梯時出現，她染金髮，叫我，她看起來還是不像外國人。她那時候才對我笑。我想起她的笑。

才突然想起來，我彷彿從小時候就認識她，還曾和她去小學回老家路上那家老店吃水果冰。她叫的冰和我叫的冰是一樣的。我們一起等待些什麼會發生，即使她預知太多事，一如我，但是，還是不知道爲何我們會變成這種人，知道未來，卻還是不知道我們所知道的那種近乎不可能的未來會發生的巧合是爲什麼？因爲，那一次我們曾在去小學的路上，躲到學校後頭通往八卦山麓裡去找大佛。

找了好久，還是沒找到，但是，我們沒去上課也沒人發現，就這樣過了一整個下午，一直到快放學了，才往山下走，我們在一路上看到好多葉子和蟲子，也一路撿和一路追殺牠們，有種變態地好開心，但是，天快黑時，下山的某一瞬間，我突然看到我家以後會變成廢墟，我問她有沒有看到，她說沒有，並安慰我，你看錯了。她吃完冰我送她去車站等車要回家。後來她就全家搬去外國，沒再出現過了。我想起來她就是那時候笑了的。

但是她卻一邊笑一邊流著淚。那時候的我還不知道那是爲我家變成廢墟的後來而流淚。

在銀閣寺遇到變大的雨，所以困住了太久太久，甚至完全不能動地枯坐在那裡看枯山水，那風光極美的後山始終沒走上去，只在看那老銀閣被稱爲是國寶的觀音殿那唐朝佛殿樣式，古老木製的屋簷和牆身和兩層微微起翹的斜屋頂，花頭窗洞是奇特的剪影鐘形，糊白扇而閉鎖，而最上頭站著一隻黝黑展翅的純銅鳳凰。東求堂和持佛堂是檜皮葺是現存的最古書院造，那裡甚至還是草庵茶室之源流。在林中走了一小段路最後就只好停在本堂的廊前，因爲躲雨就在那個足利義滿的東山殿庭園的木頭深廊坐了好久。面山和雨的自然，聽蟲子亂鳴，青蛙呱噪，烏鴉啼叫和池波流動的湍湍水聲。

那是一個極氣派的和室老建築，堂上一個老木橫匾，上頭金漆的毛筆字都斑駁了。不知從左到右還是從右到左。樂山水上月，或，月上水山樂。寺旁的後山已然起霧，苔蘚很濕很野，天快黑了的逐漸暗下來，陰氣越來越重。我仍然只是呆坐在那裡，一直在看那裡號稱以富士山爲題的向月山和波紋銀沙灘的枯山水，那是一個京都治園的禪僧的名作，但是我始終覺得不夠好，圓錐形的和波紋的橫行展開都招式太花俏而太外顯，是太切題又太露鋒芒的美麗，我總覺得枯山水的難是在不藏拙的拙，更鈍更素地枯，是更高明的。

待得越久，我卻始終越覺得自己看到的越少，像是終於發現自己是被迷住般地困住了，永遠看不清了。因爲根本不可能住進來，活在裡頭或甚至像是葬在裡頭那般更深入地融入這裡的日夜晨昏。

一如廟祝在裡頭修行那般更從容地待下來。我跟她說，這種園根本就不應該這樣子來，這樣子囫圇吞棗般地一路走一路趕。應該是要更緩慢地待下來，待上完全不動一如在現場打坐參悟的數個小時數天數月數年，越久才感覺得到園子的越深季候變幻那種氣象萬千地吞雲吐霧，吞吐時光一如吞吐自然，但是，我們雖然來過京都那麼多回來過這個廟那麼多次，但是，感覺上卻仍然老還是在趕路。

尤其看到銀閣寺在最後關廟以前的一個近乎數百年來沒有改變過的畫面，那是那麼動人的某種告別的狀態，在裡頭的一個穿老吳服的枯瘦老人，他有點踉踉蹌蹌地走過枯山水旁舊木製長廊，慢慢來到了本堂長廊尾端，拿起一根牆頭懸起看來很沉很舊的桃木槌，在閉目屏息的某瞬間，空氣彷彿凝結而沉重近乎死寂的狀態中，他開始用一種忽重忽輕，忽大忽小的敲法在那巨型老木魚上敲，像一種自成節奏的古樂敲擊曲演出，整個過程是那麼地專注，一如被駐守在這老廟的老守護神靈所附身般地專注，甚至就完全不在乎旁人，只是深呼吸，一如某種古老舞蹈或拳術自然而然的流露，起手和歇手都對那斑駁的老木魚深深鞠躬，那是某種令人費解的動人與迷人，一種傳了好幾百年的禮數養成的優雅與從容，好栩栩如生的一種殘存的古代。

再後來，出了廟就走到哲學之道上，太多的櫻花樹旁的老店新店，沿著盛開的櫻花而展開蔓延。沿路走發現有家賣宇治金時冰的攤子叫仙太郎，還有家賣衣服的老店，門口有塊很大的舊木牌，上頭寫著書法的「洗心」兩個字的那老店名。我還因而想到在京都更多更多心事混亂的撲朔迷離，我心始終都那麼地糾纏混亂地骯髒汙穢，始終都沒洗過！

後來，一路上有些許的冷清的人影，有個中學生匆匆忙忙地騎腳踏車路過，有一個年輕媽媽卻邊晃邊抱小孩在散步，還有一個老人穿老衣服還撐油紙傘在緩緩地溜一隻也有點老的柴犬。

那天一直是雨天。在下午更晚時，雨又變大。但是，沿河畔的路旁樹蔭仍然濃鬱而且好多種不同的花很盛開。顏色極冶豔華麗。但是我最後就坐在哲學之道旁的小咖啡店歇腳，店也沒人，雨沒有更大，但是天快黑了，那店的風光很好，就在河旁路邊，可以看到來回走過的人跡。但是，有意思的是，店裡的音樂是爵士樂的小喇叭加弱音器的怪音和黑人女聲慵懶而尖銳的婉轉，鋼琴亂彈般地跳躍，太鬆鬆垮垮地鬆懈。一如林中許多不知名的鳥在天黑時的心慌亂叫。

這條哲學之道變成太熱鬧的路太久了。今天沒人，反而讓我想起太多過去的事。

或想起她，想起這回來京都，想起有點混亂但也不怎麼哲學的疑惑。一如我怎麼會來這裡？怎麼會走這條路？我這回怎麼會在沒人的時候來？我是來找古代的但爲何卻又一直用誤入的法門在找？一如，路旁怎麼會有一個很多小石像穿被淋濕透而充滿雨漬或霉點的舊兮兮慘白匹布綁在上頭的放成的墳堆。每一個布身上都有名字，還有一個特別寫著，奉納。十二歲。大輝。還有很多個流浪漢在地鐵車站那一帶流連，因爲那裡仔細裝潢過的全新商場極大又乾淨，但是髒兮兮又神經兮兮的他們往往就躲在柱旁的角落椅子末端盤踞。我一直在留意那一個流浪漢，他有種很奇特的傲慢眼神，像是極爲自負的藝術家或哲學家，手腕有時會不自主地抽搐，很久沒洗的臉上表情也忽專注忽渙散，但是，卻一直在翻動並從身體附近的大大小小塑膠袋裡找東西。最奇怪的是，他彎腰時，因爲他戴的那一副眼鏡，像一對眼珠，目露閃爍的凶光，因爲那是某種可以翻起兩邊的鏡面反光的鏡框機關，如果垂直地向下，使得他打開的那兩個眼珠，反而好像就在面向正前方地瞪著我。

我更仔細看，他那太久沒洗澡打結糾纏的長髮和全身黝黑又大件又龐然的身軀之間非常地像某種伏行的野獸在長廊底死角的故意低落中，但是，翻起的臉孔中的暴亮反光的眼珠，卻出奇地駭人。使我在某一剎那中，因爲不小心瞄過，還以爲是某隻驀然現身在鬧市中的全身暗黑但圓形眼珠暴出強光的怪物。但是，他卻什麼也沒做，只是從袋子中找出一碗泡麵，然後再繼續找筷子。

最後，回到城裡，就沿大丸百貨公司後的錦小路往回走，暗巷了。舊市場裡有家老魚店。大多的店都關了，燈火都熄了。我想起上回和她也來過。但已然忘得差不多了。後來吃唯一開的某小店最後剩的現做章魚燒，乳質極純的老式霜淇淋。最後，吃完了，決定要回去了。就從店裡出來，往旅館走，最後的暗暗的路上，發現的那一家魚店，鐵門拉下來了，門口僅僅放了兩袋，那是垃圾透明塑膠袋裝的切剩的切壞了的魚。在那弧形袋身裡裹著緊緊貼近纏身的許許多多已然碎裂或砍斷的魚頭、魚身、魚鰭、魚骨，那麼多死魚的殘骸，堆擠在一團，應該要有種腥風血雨的腥臭或蟲子蒼蠅繞飛不去，但都沒有，在暗黑的巷中，只是寂靜地成群安詳躺在那裡。就這樣地路過，完全沒有憐憫或好奇，沒有喜歡或不喜歡。但是，奇怪的是，所有的死魚眼在某一個剎那的某一個角度，竟然像是都一起憤怒而猙獰地正注視著我。

二

我還始終記得那回和她一起去吃的那個懷石料理的老店。她說，那是她一輩子吃過某一回最極端的料理，像一種只有她自己了然在心的妖術。對於以前斷食過的她而言，這種懷石的飢餓，是那麼地不一樣，使她回去之後竟然有種很奇怪的感覺，就是什麼都不想吃了。

我跟她說，或許，飢餓本身就近乎修行，而懷石是爲了感覺飢餓。最老的時代，懷石本來就是佛教僧人在坐禪時在腹上放上暖石，那或許不是爲了對抗飢餓而是爲了接受飢餓，進而用感覺飢餓來進入更深的修行。一如京都那最道地的那種完完全全地抽象而絕對，一如那最極致枯山水般地完全再不能多一點或少一點的狀態。懷石的飢餓應該是一如清風明月秋雨冬雪那般自然而然地好像應該就是那樣地自然的。所以那種懷石料理的體驗就一如會完全改變了原來料理所有參考的重力假設而進入一種太抽離的失重狀態，一種近乎空的狀態，一種會完全改變人對吃的理解的狀態。

一如，最後來跟我們客氣地打招呼的那頭髮斑白的大廚說，懷石料理不講究進化反而講究退化，什麼都不要，什麼都不加不做，只留下最原始的料理的狀態，最生的魚和肉和山菜，最少的烹調，一如退化到料理的最樸素極簡的食器、刀器，來理解，用最極端減少的工法和工具來思考料理。我感覺得到這種彷彿是極端偏執狂式的理解。一如飢餓到底反而就完全不想吃了，變得沒有動機也沒有欲望，只剩下某種空的狀態的持續和擴張。

那個老店位於京都旁的嵐山。我隱隱約約記得小時候姑婆曾提及森山帶她來過，就在老廟寺在河旁一條寂寥異常得近乎荒涼的小路，路旁只有極少的日式老房子及其庭院景，但是每一戶都是木造老建築，而且都是近百年的古蹟，嵐山那個懷石料理店極著名但是建築卻極低調到完全隱入山中，林蔭裡看去只是沒有鋪張的裝潢，極普通的木製古厝，家門中悉心的內庭座敷全是最傳統和式部屋，屋內房間的榻榻米和紙門紙窗都極為考究細膩，走廊邊緣和環繞每個用膳房間的窗外都是清幽的日本古式庭園。讓客人可以從房間長桌看出花園，尤其是那回我和她去時，還正好看到夜櫻花徐徐如鬼魅般地飄落。

一如那最著名的懷石料理名店都講究著四季的不同眼花撩亂的菜色，命名一如花月雲山那般自然，一如那個我們在那懷石料理老店的老地方，我跟她說，那裡頭的人們都穿著古式的和服，讓我們坐在房間裡看出美麗優雅的古花園，一如眞的置身古代，在老花園前用膳，做出來的每一道菜都是最老的口感，每一道菜都照顧到一如百年前料理的原味，一如一種古代的藝術，連座位都可以看到一如百年前的老廟及美麗的山嵐，連潮濕近乎霧的空氣也凝結在那種古老的狀態裡。

那大廚說，近百年前開那老店的老主人一開始把天皇的御用古菜單找出來，糅合他那時候一個茶道大師的所有極端規格的打理，因此有太多太美到近乎詭譎的菜色被發明出來，他甚至要求店裡的廚師們全部要上禪師艱深的佛學課，研究食器花器茶酒器的藝術史課，還要日夜早晚課認眞地打坐，以勤練書法來檢討其內心平靜與否的測試，那甚至是比僧院或學院都講究到令人不安地嚴格玄奧。入口旁側廳有一個小型的房間，正是那老店的食器極繁複到具有種種考究的收藏，有老陶器、古董瓷器和昭和時代留下來的漆器，還有極老的盛玄米酒的古器皿，盛生魚片的不規則手工老陶碟，最老派的各種彎弧斜口形貌大大小小尺度的長刀短刀的名器，仔細端詳都像是最極端專家等級的珍貴收藏，甚至就像是一個京都料理最內行的博物館。

那第一道奉茶暖胃，櫻花水鹹鹹的還有淡淡的花香，凍的清酒好醇，然後溫的米酒是他們自家所講究的最窩心的溫度和口感來自所特製的米酒，由於釀酒的米去其頭尾各三分之一只留下中間精華所釀。再來是完全應時當令的最鮮活食材的原初感，沒有加工而只有提顯原味的蜜汁黑豆，生魚片小拼盤，用海苔包裹的生鮪魚。

後來是很新食感的茶碗蒸非常滑嫩順口，烤鮭魚肉跟蓮藕片，湯豆腐和鍋物也是以凸顯高湯清爽，豆皮捲，山藥，紅蘿蔔。草莓微酸也微甜佐醬，後面是沒木瓜味道的木瓜，連高麗菜及青豆也清淡入味。像是一種種莫札特的裝飾音的奇幻優雅。有一道是小陶盆中以烤熱石頭鋪底維持上頭嫩雞肉的微溫，慢慢烤雞會在口腔中變化出不同的味道。銀魚切成長方形醃製白蘿蔔配來自山形縣的米飯。石斑海鮮湯非常鮮味，加入海苔後石斑的味道更出鮮味更濃，石斑和墨魚身爽滑，口感配上橙色的醬料，陶盤旁邊加上柴魚片和竹筍，圓形的竹筍球極奇特。之後就是那最著名的和牛竹筍飯，竹筍飯有淡淡竹香還配上菜昆布的口感入口，飯中的和牛肉汁被鎖入，有種難以言喻的肥美而不油膩。烤的痲糬烤得不油不膩的滑嫩口感，配上美麗葉狀高貴羊羹繁複帶橘皮酸的甜點，加上最後的瓷杯裡的頂級帶苦的宇治抹茶，是最終的味覺和視覺。尤其是刺身盤那極薄的生魚片只要含住就可用自己微溫的舌溫將那薄片融化掉，就像是一種沒人看見只有自己了然在心的魔術或妖術那般永生難忘。

但她卻因而說到了她的斷食，她後來折騰了太久而時常發暈。飢餓對她也更深入地影響到甚至開始發生內在的作用，但是，不是太想吃的飢渴，反而竟然變得好像什麼都不想吃了。

她說她以前被她母親帶過去好幾回另一個以和牛出名的老店，她那憂鬱症谷底的母親拉她去陪吃，因爲，她完全沒胃口，除了那懷石料理老店的和牛，但是那料理連一人份她媽媽也吃不完，只能吃幾口。她就會跟著去，她一開始始終只記得那另幾種極致的前菜是數道頂級生蠔、鴨肝、香檳醋生菜，一路各種的醬料變幻，柿子醬、蒜味手工美乃滋，極嫩極小心調理的南瓜、蘑菇、薄柿片、黑炭餅，種種配菜都是獨到而獨自的料理，瓷白餐盤，透明玻璃器皿，主菜的龍蝦和鱸魚都極爲細膩，尤其是那裡的和牛，還是米其林認定的等級，肉身即是九級中的最高級，那店裡的第二高級的沙朗牛肉已是很好了，但是卻只是第五級，而且只是那和牛的一半價錢。

她說到她每回吃過和牛，後來就不太能吃肉，那是沒想到的變化，也不是刻意的，但是，這種變化太離奇地發生，而且是有過程的，一方面她那段日子太忙，身體太糟而吃太少。而且老是只懷念和牛的口感。後來，她越來越感覺她母親說的對。那肉太好到像一種詛咒。因爲她說，吃完那頂級和牛的人後來口感的內在變化會發生了，而且一定會越來越慘，一如慢慢地更近乎厭食地口感惡化的副作用，一如某種心病的後遺症，某種太內在的厭倦，吃了太好的料理之後的完全被寵壞的晉級挑剔，最後太講究的舌頭對吃只變成一種永不甘心的不歸路。第一次吃只是覺得太好吃了，從來沒有吃過這麼好吃的牛肉口感。第二次吃，雖然太昂貴但還是跟別的牛肉太不一樣地値得。第三次已然沒有之前的驚喜感覺了，但已然吃到別種牛肉就老覺得不對，也就是完全沒辦法吃別的牛肉了。第四次吃到之前，甚至覺得所有的肉都腥，味道都太難忍受，甚至，就完全沒法子吃任何的肉。因此而甘心忍受或接受著某種更像懷石的……飢餓。

後來開始吃素，或就什麼也不吃。

那懷石料理老店裡的大廚對我們說，種種世界料理的奧祕他都想去理解，但是，他們對於吃的想法都不免是錯的。

因爲，尋常的吃只像是汽車去打很貴的蠟裝上很貴的引擎或甚至是收藏到一部很貴很美的名車……。那都只是某種收集癖的蒐奇，或是，另一種人所追求更古怪的料理一如追求某種更新的料理技術，源於冰凍某種乳品或烤箱或爐身金屬的更複雜更進步的工業技術，發明號稱爲好吃死神口味冰淇淋或烤乳鴿烤雞更快更深的火候烤物，也有人想吃某種吃了全身上下都燒起來的中國或印度或那種古老極端濃烈辛辣的內臟熱湯，都有種難以置信的排洩物重口味，才能蓋過其他的肉和料理的佐料，還有更辣的湯頭就像湯的重量級拳王一喝致命的可怕。但是，那種種終極收集癖般可怕都是懷石料理所懷疑的。

因爲在懷石料理中，他反而是希望使人充滿懷疑，而且是非常清楚地讓吃的人更不清楚，使吃什麼都以爲很清楚的人反而因爲困惑，而更可以開始享受那種不清楚吃了什麼的更後頭的奧祕。

懷石料理，一如做枯山水或修禪學的大師，就是爲了要讓人理解這個世界的奧祕。但是，困難的是，這種理解反而是令人對他過去的理解開始懷疑，開始覺得更不理解，或許就是要讓世界的奧祕更奧祕，這樣才能比較接近世界的奧祕。

他說，一如他那懷石料理的師傅當年就極愛看的太多殺人事件裡的種種著名的殺人狂，沒有原因殺人，殺人只為切下那人的美麗手指或四肢或五官或內臟，用來收集成他珍藏的標本。一如和牛的近乎生吃是那麼純粹的味覺末端溶解，和河豚的毒是用來麻痺舌尖的某種近乎神經的口感，都是懷石裡的一種逆轉口感而反璞歸真般極玄奧的理解。

但是，一如最後老店女中在外面目送到看不見客人前都微微鞠躬不動……而使得每個女中的腰都長年下來就完全壞了那般地隱而不言。這種奧祕是一種要用更昂貴的代價去換取或補償的，一如一種玄機般地詛咒，用最艱難昂貴的吃來換取飢餓的體驗，或是用最曲折犧牲的命，來換取這種料理的奧祕。這是業，也是報應。

最後那一生都付出在那懷石料理老店的大廚說，他的詛咒在他的最有可能接他衣缽的那極端聰慧的兒子，對所有的料理都有過人的敏感與天分，很小很小就跟著他在廚房裡跑，可以辨識出很多成人都沒法子嘗出的極深的口感，但是，他卻是一個從小就有病的小孩，自閉又過動，去看醫生談了很久，開始吃藥但是效果很有限。試了一種藥好了一點點，但是過一段日子又有點狀況。他問醫生有沒有別的藥，醫生說雖然有很多種藥是可以換，但是一次只能試一種，而且也不能亂吃，吃太多顆也不行。病和藥沒有這麼快。他說他的小孩後來去學校，還是不太行。一直安靜不下來上課，甚至常常會跟同學或老師起衝突，他本來想只要他平安身體還好，可以好好活著就好了。

但是，有一回換藥，小孩嫌藥太大顆，他在那老廚房用刀把藥錠磨成粉給兒子吃下去，但是竟然就一直咳而停不下來，在那懷石料理老店的庭園枯山水前木廊上躺坐休息，然而，即使就在這他最愛最常在那裡徘徊停留的那麼的唯美而優雅的風光前，他還是仍然一直不停地咳，甚至咳到後來臉色發青發黑，後來在送醫的路上，竟然就嗆死了。

三

身體就是旅館……她說。

那年，在京都的旅館或懷石料亭裡，我們彷彿住在那種更「空」的對身體的幻象中。她跟我說，她還有更多關於身體的幻象不斷地發生，不斷地像過客般地進入旅館在裡頭發生更奇怪的事然後才甘心離去。

那是她完全無法忘記的一種啓蒙般的啓示，那一回聽到的震撼極深，或許因爲那是達賴喇嘛說的，但是一開始，她卻老只是想到她自己那時候的暴食與斷食。

她知道那是在說活佛轉世這種神通的可能的比喻：「我們的意識和身體都不是我們的，靈魂與肉身在一起也只是暫時地在一起，因爲心就只如同一個過客，身體就如同一間旅館，過客也只會短暫地停留在旅館裡，如果我們更深入地理解了這種狀態，原來人間看來的眞實將會消失，因爲當心中沒有偏見地發問也就不會刻意尋求答案，這樣反而才更可以清明地思考，心中如果不追求任何形式的安全就不被任何形式的恐懼所捆綁，這樣才能更清楚而簡單的直接理解。」

她說，或許我們的身體不是人的，是神的。心中很激動的她最後說到體驗這種神通最快也最好的方法，對她而言，就是斷食，那幾乎是一種無法描述的接近神的神祕經驗。

她說，一如深入找尋「空」的佛教，那是某種人和現實的關係假設，一如大和尚對小和尚解釋，年輕貌美不是像你想的那樣，換視野角度或換時間變幻就不是那原來的意思，小和尚被美女迷惑時，大和尚就作法讓美女在他面前瞬間變成枯骨來點破他的無法進入空的執念。

她說她充滿迷惑：一如一開始有一段時間，我甚至進入一種更怪異的吃的自虐的狀態，我不停的吃但其實我對吃什麼已經沒特別的喜好，我吃進去的也沒有覺得好吃，但我也是還一直吃，但我卻仍然不停地塞不停地塡我的胃，我曾經病態地吃到不能再吃，就去廁所吐，吐到不能再吐，吐完再吃，吃在嘴裡一樣沒有什麼味道，但不停地重複，直到有個晚上我的胃液逆流到痛醒了，但是，我竟然還又去冰箱翻東西，我吃著任何會更引起胃食道逆流的食物。你完全無法想像我到了後來，進入到每天都在嘔吐的狀態，每天的嘔吐都不一樣。

甚至，在吐到最後的時候會有太多種匪夷所思的更內在的身體不是人的那種反應，有一種是不管你忍不忍得了食物就會被胃推擠出來到不斷地吐，不停地嘔，直到鼻塞後，甚至太過用力到會因爲用力而流鼻血，臉上會出現紅色的斑，微血管破裂造成的卻只很像喝酒醉的吐法，但喝醉會連膽汁都一起出來還停不了。

另一種是你會有吐不出來的幻覺，近乎難以想像的是明明就吐很多但還會一直覺得自己仍然沒吐，那天吃太多了我怎麼還都吐不出來的錯覺。同樣的用力，同樣的快接近鼻血快流出來的感覺，可以聽見更深更沉的心跳，而這心跳卻被某種東西給罩住的那種震動。

我有病，我也太有自虐的天分，所以甚至最極端的狀態，最瘦的時候三十八公斤，最胖的時候六十五公斤，我這麼愛吃但我卻一點也不迷戀食物，我一點都不喜歡吃，我甚至認爲吃是因爲人不吃活不下去所以才吃，我把吃這件事當成是一種不重要卻迫切需要的一件事，那時候我吃得很繁複精細到懷石料理或米其林餐廳菜那般地講究深刻，但是有時候我又可以只吃荷包蛋連續好幾天，甚至一個星期每天都吃完全一樣的爛食物。

如果不是太飽大概都不會想吐，但一旦超過飽我又會想去吐，明明還沒到想吐的點，我還會想盡辦法讓自己吐，用手挖或是喝更多的水，讓飽的感覺過了就會吐了，這是一種更內在更不直接的傷害。後來，這種再內在的傷害變成完全逆轉的斷食，因爲，我的身體一向會懲罰亂用的自己，身體像是有更內在的什麼在和自己交換而甚至更注入感情。

本來我會失眠，會只喜歡身體懲罰自己的某種狀態，因爲那段暴食過了的時光，反而只有斷食使我睡好一點，因爲自己不能再像以前老是逃過可能懲罰，也不能再陷入種種的過去的牽絆，更後來就只能靠斷食來使更內在的懲罰感進入或改變。

斷食之中，某種身體內在力量的流動比較可能發生。彷彿自己會變大而世界會變小，自己的身體彷彿會像氣球變很大而手腳變很小。甚至會感覺到更深的一如流汗或呼吸或長頭髮……那種種自然又直接而且無法抗拒的身體更細微的變化。感覺到舌尖近乎過度敏感，口感對液體純度要求到近乎苛求。在斷食中，才感覺得到過去的暴食是那麼地殘忍，吃對身體是那麼深刻地從進入到沉澱到排出，就像風吹撫而過或雨淋漓盡致地淋下地把人就會變得像植物地被翻飛被灌溉。應該就像是陽光或大地對草那種更自然也更大自然式的重要。甚至，到了更後來的日子，那種斷食的更底層才會出現，呼吸會常常很急促，要不要繼續會常常很懷疑，心裡常常會閃過的念頭是：「你不能再這樣下去地欺負自己。」斷食還會發現竟然飢餓可以使頭腦清晰到看人看書都看得更細微。到了更後來更不用擔心吃，不吃往往都只是開始，安慰自己雖然知道很好吃但不一定要吃，放身體變輕，心也會變大變寬，了解但不煩躁。碰到撞牆期時，飢餓有時不會情緒化反而是用另一種狀態來懲罰那更專注更內在的身體。困難的反而是斷食要抵抗的幸福感，抵抗過去的身體殘餘的回憶中的種種吃的美好時光，不一定要吃一如不一定要擁有，是那麼難那麼衝突。甚至斷食會只使自己從尋常進到一種透明薄膜之中看著外頭應該是熟悉的地方，看到熟悉的人們在熟悉的生活中，卻彷彿只看到一群毫無表情的臉孔的行屍走肉，只聽到毫無溫度的語言，只像走錯了房間般地切換到不曾到過的時空，在時空太過混亂地交錯中懷疑或許所有的切換都失敗了。

偶爾喝了水水的蜜汁竟然就感覺胃有瞬間激烈極了地往下沉，就像重新開機一般地緩慢無感但卻又同時感覺更強更深，一如打開洋傘透入的午後光暈，一如櫻花飄落所散發的櫻吹雪般的幻象。一如斷食的某一天醒來到再睡去之間永不停歇的昏眩。

斷食一如一種承諾，一如飢餓會告訴自己：心情不好或身體不好都不是目的，而是試探，而是找尋。因爲斷食比暴食更尖銳也更殘酷，不吃可以撐很久，不吃是來自內心更深的部分，來自意志的極限，來自納悶並好奇地欣然接受這種「空」是什麼？從哪裡來？往哪裡去？對自己做了什麼？

這種看起來彷彿簡單但卻無比困難的狀態，我說，或許對你而言，飢餓就像一個等待兌現的夢，但是不能預知也不能點選，就像一個福袋或一個錦囊般地祕密又不解，但是又充滿期待又託付的什麼，就像情侶在很久以前就約好要一起去旅行但是不知道要去哪裡而且事先也不能問的那種天眞純情的許諾，就像甚至剛認識不久也不知道到後來他們是不是還會在一起就還是愛上也迷上了那般地更耽溺式的甘心。

細微複雜到無法說或描述。暴食或斷食或許都像是我正跟身體做了另一種爭議與協議，另一種實驗或另一種旅行，或許，也就是另一種「身體就是旅館」的更深沉而更殘酷的參悟狀態。

一如她在那天晚上最後有點山嵐侵入而空氣極爲潮濕的懷石料理老店裡說：暴食之後的斷食會甚至使那種下雨的早上變得很激動，我常常會因之而突然變得很渴，誇張地難以描述地渴望，像是殘念後才又不甘而惡毒地發願，像亡魂在猛吸無法吃到普渡牲禮祭品所飄散大街的肉香餘味，甚至就算只吸到一點點柳橙汁竟然變得像在吸血般地有著那種吸血鬼的滿足，彷彿只有在那一口吸入的什麼才感覺自己還活著。

四

因爲太多天在京都的一路迷路，也因爲想起太多關於她的往事的一再出現，我老是有種想更自暴自棄的激動。

或許，其實是一路的迷路是爲了想找尋她老提及的那家她想去表演的名爲「殘酷劇場」的怪店，她說那是在京都那種藝妓舞踊演出的更神經或更神祕的脫衣舞孃翻版，但我也始終不確定是不是像她所說的那麼離奇尖銳，因爲聽說的怪版本有很多，號稱裡頭前衛演出的怪劇碼用當代疏離劇場的觀念性表演來重演種種……肉體和靈魂的離異，殘忍的古老又現代的裸體天譴，色情的女乩童的舞踏，陰陽師的古代SM上身，淫蕩惡鬼糾纏不清的神劇。

但是，我始終懷疑著……或許這些她提過的劇碼都只是以訛傳訛的色情劇噱頭或謠傳，所有的關於殘酷或關於劇場的說法都那麼地誇張離奇，有太多的可能及其不可能，即使那殘酷劇場眞的存在過，但是或許後來也已經倒閉或已經更換劇碼，所有的狀態都那麼地不確定，使我也更沒有期待，或許也就只因爲對她的更多殘餘的餘緒，在京都待了好久也考慮了好久，所以就還是來了，想想就算什麼都沒有找到或看到也無妨，這個找尋彷彿就已然是一種對她或對我自己的最後等待果陀般的承諾，一如一種意外的旅行中必然迷路的上路。

因此，對我而言，找尋那個殘酷劇場，反而就一如在京都找尋一個老廟，一種老節日，一種古老的祭典或慶典，或許就是找尋那個廟所有神通的再出現的可能。只是，這個劇場的劇的登場或許會演出某種再意外點再怪異點再變態點的什麼，充滿了更殘酷的允諾及其可能的背離。

就這樣，我在祇園的夜裡一路走，一路都很混亂很荒唐。連看到經過的那些老街的老店老廟，都只是意外路過，雖然走一走老地方的古蹟古建築仍然那麼迷人華麗，但天太黑太晚到大多的老店都關了。而且我越來越不確定我找到店名和地圖地點，是不是原來我想的那樣，越走就越不清楚要去的路怎麼走，太晚了的那一帶那些老街都變得異常冷清，或許那殘酷劇場已然倒閉或已然變成另一邊老街上也一再出現的料亭居酒屋甚至有人拉客的酒店夜店風月場所的種種地方。

但是，在那一帶還有一些太老時代留下來的異樣風光，一如我在路上還看到了很多古怪的老店，髒髒舊舊的老吳服店，老手工書店，老刀具店，老木屐店，最後，我還因爲好奇也走進一家路過的老式情趣用品店，那眞是一個充滿好恐怖，有太多種太古怪的玩意兒，像老式的羊眼圈分成兩種東洋眼圈和中國眼圈，各種規格各種長度的專業蛇縛龍縛的麻繩和紅棉繩，陰莖形狀長鼻的老舊木製鬼面具，精密繁複刺繡著滿身春宮圖浮世繪的舊和服，還有好多好多的某種蒐集來的奇形怪狀老時代淫穢器物，但是，這種半古董式的色情一點也不色情，這種老派或髒東西般的挑逗反而更令人不安。

還有更多店裡的行頭充斥在暗淡昏黃的店家深處，那屋內角落底的髒亂玻璃櫃裡，還陳列了許多更令人不安的收藏，鏽蝕金屬手銬，斑斑駁駁舊皮鞭，漆皮剝落的SM裝，已然發黃破裂刮傷的矽膠假陰莖，看起來都有種令人發噱的髒兮兮。甚至還有早期的VHS大型錄影帶的色情片，太多殼身都發霉破損。但是片名都很像也很熟，漢字寫成的許多字樣，奧樣的午后出會，痴漢冒險全集，美少女淫戰士，私女王的收藏館……種種更早時代的彷彿啞彈的老彈藥庫庫存或壞排氣管廢五金破倉庫成堆的當年風光但是現在已破爛不堪的過去。

另一破角的大紙箱，裡頭有很多白紙的紙包，乍看像中藥的藥包，但是仔細打量卻是少女內褲，標價是一件二千日幣，但是泛黃破舊的塑膠袋看起來完全不知是多久以前的貨。還有一玻璃櫃裡懸起一件還有繡字而一點也不色情的舊女高校學生制服，但是上面奇怪地標示著非賣品，那店長走過來跟我解釋了很久，說了很多為什麼不賣的原因，他越說越激動但我還是聽不懂，或許那是他的女兒還是老情人的行頭，他只是懸掛起來當成懷念或紀念，而我太冒失地打量而使他覺得很不好意思。

那店裡頭眞是一個淫物的陰陽魔界，而且店裡完全都沒有其他客人，沒有其他動靜，所有的色情感都顯得陰森，連空氣都發霉到令人呼吸困難到太像一個太荒廢的廢墟或博物館太深的密室。

後來離開那店還走了另一段路才發現走錯了出口，認不清方向地一邊走一邊認還是找不太到，有更多條路出現，有頂篷的或沒頂篷的，有商家有民家，但就是不確定那條路是往那殘酷劇場，就這樣一路找一路走，還竟然看到了一家很老很大的古廟，廟口那巨型古燈籠眞的很龐大，但我一點也不感興趣。我反而刻意地留意古廟旁那一路上的流浪漢們，他們人很多而且每個人都很熟，彷彿是那老廟老時代活到現在還栩栩如生的羅漢護法們。他們在暗夜廟牆旁還每個人都雷同地用撿拾到的紙箱圍出來的一個紙屋子圍成邊，有的人頭正從其中伸出來開心放聲地和另一個人在聊天，雖然老廟旁大多走廊全黑了而老店也全關，只剩下廟門正對面有一家老料亭，但裡頭也都沒人地蕭條。

或許也因為地震，因為想到前一晚電視報導提及那年櫻花季在京都觀光客比往年少了四分之三，但是，對那暗夜迷路的我而言，那一帶也因此更像是一個所有的人都因種種原因而已然撤退而逃離的古代。

那種老廟門前的狀態讓我想起前一晚上在京都所作的夢。

在那一個夢中，我一開始還沒發現，但是後來天一黑我老感覺到某些怪誕狀態的持續發生，有時是時間完全停留的不對勁，停止在某時光前前後後的晃蕩或重複地回到之前狀態的恍惚，像是跳機或跳針的老唱片咔滋咔滋作響，或是嚴重卡帶而迴帶故障的螢幕畫面的始終在同一個動作lag式殘影地來回重播，但是並沒人發現。

後來，我跟停住時間那瞬間突然出現來找我的那一群忍者們開始說話：我不知道你們怎麼把這裡調成這樣，但是我也不太吃驚，因爲我作過太多離奇的夢，已然太多好像也沒什麼沒夢見過的了，我對他們說，更奇怪的夢中還有時可以像重回現場那般重建現場地所有狀態都再來一回式地重現，一如一種推理劇的神探推敲而使得每一個故事疑點的細節和場景的細部，都可以被精密操控地再重播出來。

雖然發現了但是不知道眞正夢的操控可以到什麼程度，忍者們說這還不是難度最高的，光影的折射反射，下雨的強弱，空氣的潮濕或枯竭，所有的人的相遇相戀而愛而恨甚至仇殺災難種種生老病死都是可以被用最小的單位切割切換到每一個瞬間每一種巧合都可以小心翼翼地被操控的。

但是，其實操控的更高階狀態，或許更精準地說是讓事情彷彿沒發生過。忍者們說他們處理過太多太離譜的狀態，在某些時候爲了避免更多不必要的節外生枝或殃及無辜的後遺症狀般的巨大麻煩，他們會做出危機處理，雖然不能時光倒轉地重來，但是，他們會在第一時間近乎不可能地硬生生地停止時間，讓現場所有的人昏迷，讓出事的事不要再惡化，約會等的那要傷女人心的男人在門口就被藉故帶走，撞車的十字路口斑馬線上將會被車撞死的人在瞬間先被故意切換的紅燈擋住，甚至，不得已只好讓撞車那剎那停止，使那人的肉身還來得及撤退。

甚至，有一回還曾讓一個強暴女孩而剛射出的精液重新回到那男人的體內。

最後我在那老廟門上畫得極華麗精密的古浮世繪壁畫前端詳了許久，晚上的光影幽幽暗暗，但還是可以看到古圖中的古老故事，有很多個畫面中交代著很多那老廟的老故事，大意是因爲一個和尙從河上撿到一個舊觀音像，後來上岸蓋廟多年來虔誠信眾祭拜後顯靈而極爲靈驗的救苦救難故事。一如我小時候在八卦山大佛身裡看到佛祖降生悟道涅槃種種故事的那般神靈活現。

最後我在那老廟廣場的一個舊木製籤臺去抽籤，那老時代留下來的精雕細琢的木籤彷彿一定更靈驗，但我抽到的籤號是四十六，從老籤詩木盒的許許多多放籤抽屜中抽出之後，在黝暗的廟門燈火前，我勉勉強強地讀了籤詩詩文，眞是一如我這回來京都的一路找她找不著而找路又迷路那種種波折的無窮無盡。

「凶，雷發震天昏，佳人獨掩門，交加文書上，無事也遭迍。」

五

看著那張她從京都寄給我的完全沒有署名的明信片背後的黑白照片，我始終有種在凝視屍體的擔心，在更多嫉妒或羨慕或感傷或懷念的種種情緒發作的尾端。心裡有更多的疑問，甘心或不甘心，懷恨或祝福。她終於找到了她的殘酷劇場，有種SM的想像的更暴力也更變態的歡愉在使她更專心或更分心……然而在這有更多的光暈與更多的暗影的殘酷劇場中她找到了那個她想找的遠方了嗎？找到了她想找的人了嗎？找到想愛也想做愛的人或狀態了嗎？她找到了她始終懷疑的淫的出口是否就是死的出口了嗎？

我有種更莫名的擔心，或是她等待那麼久眞的等到了，但是或許因此她可能也已經死了？那黑白照片更深入地打量會彷彿進入了一種暗黑舞蹈劇場的暗黑之中。照片中她的肉身以一種極高難度瑜伽近乎不可思議印度唐卡上的女神姿勢，濕婆的又淫靡又肅殺的某種扭曲。黑白攝影的反差層出不窮的層次那麼地繁複，舞台太空曠太像是最高等級的攝影棚內由最陰沉老攝影師掌鏡一如懷石料理大師庖丁解牛般下刀的精準冷漠但是又極想姦淫她的勃起激亢又隱忍的不忍，那狀態的更深，一如最怪密室殺人事件的最深恐慌。但是，上身那微遮掩乳房的濕濡透露薄衣更色情，陰毛的在肉身最末端死角的亂生，一如頭顱的亂髮飛揚跋扈又無比無力垂危。

蛇縛的麻繩索身那麼像殘酷劇場的最終祕密武器但又那麼像女忍者揮舞神女般法力舞衣的更暗部的下咒。

我想像著那或許正在殘酷劇場的現場，在許多觀眾正在照片外的暗地中窺淫著她，甚至拍她的人或許剛跟她激烈地做過愛，留下髮絲上的汗滴，或從她被綁的兩腿之間插入抽送地邊拍邊幹她，侵入她那削瘦的緊身曲線深處或從中撕破的韻律服所露出乳頭乳暈與下體，更離奇地單薄抒情卻有種冷酷異境般的質感，或甚至一如刀片割裂地冰涼而凍結那種極度的可憐又可怕。

但是更細膩地端詳卻又像一種刻意的唯美，如果以特寫畫面般更深更近地放大，會發現那老照片式的黑白粗粒子質地調節是以現代主義早期攝影那麼老手法所營造恍惚光影而散發出某種刻意的懷疑而疏離。但是我覺得那種疏離對我而言卻更是一種最催情的春藥般的注視，一如她在某種舞台跳著瀕死卻冶豔的舞的凝結最後一瞬，使得即使只是那麼詩意優雅又略帶憂傷的畫面，那裡頭的邪門又淫蕩的死亡感仍然那麼地清晰而逼人……

畫面中的女人仍然沒有露臉，或許那照片中的女人不是她，但是我內心的感覺深深地明白那就是她，從黑暗的地獄般深淵所伸手向我的她，但是照片中的她不像在呼救反而像在狂歡，或是她正深入了某種更混亂更冰冷的閃躲或擺晃，或是她過去時常跟我提及她最期待的那種可以在性與死的邊緣震盪所引發失神的狂喜，那種像遊戲又像祭典地著魔，與男人一如與人間般地既緊貼又分身，既擁抱又離棄。

這張照片中的種種狀態的著魔，彷彿是種召喚也彷彿是種逃離不了的詛咒，這種種不忍與不捨或許才是我這回來京都找她的主因。

終於在某條古怪的老街深處找到了那個古怪的地方，但是，我還不確定那裡是不是我所想的那個殘酷劇場，有些雷同奇怪而猥瑣的人們在髒亂不起眼的鐵門外徘徊，這是家京都的看起來像破舊電影院的新古典風格的舊建築，有種落拓但仍然氣派的老時代氣味，我始終懷疑著這裡眞的是我所想像的那種冷門的前衛小劇場嗎？

我錯過開頭了，因爲剛進去時裡頭彷彿昭和時代風格那種既古典又現代的華麗老建築令我分心，就在玄關和騎樓走廊許許多多的精緻動物石雕的梁柱種種轉折的角落流連，有種莫名好奇地打量，端詳牠們的神情姿態的都還栩栩如生的離奇，但是或許年久失修而諸多傷痕，在灰塵蛛網密布臉龐之中竟然有種既優雅又猙獰的荒誕感，而且在走入某個最深的死角，竟然還有一條巨蟒的蛇身石屛風，蜿蜒盤旋到整個天花板的弧形，顯得出奇地詭譎，這令我不安，但又想起寶島大旅社當年的大廳也有雷同的種種變形的蛇形雕刻及其離奇。

那彷彿是一種時空錯亂的更離奇巧合及其不知道喻意是什麼的隱喻，狀態的更迷惑或離奇，難道我眞的到了一個異教古剎或一個誤入的結界，但是，當然也可能只是個當年建築師的古怪噱頭或意外的巧合。

但是，這還是使得我更久之後才留意到現場的演出，迷幻的舞曲餘音和空中恍惚光暈中那老劇場頗爲怪異而撐高的老派舞台使得所有演出變得更爲出奇地華麗迷離。我才找到極偏遠的座椅低頭坐下時，竟然就被完全吸引了，因爲看到了在舞台上的美女們正專注地在打近乎鬼太鼓的鼓隊陣容，有種不可思議的力量，鼓聲很強很悍到有種令人不安地動人，整個鼓隊都穿很考究的古式鼓裝，極專心而美麗的所有女人連辮子髮上都刻意斜插兩木頭鼓棒做髮簪，她們還出奇認眞地打鼓到動作太整齊太有力，甚至近乎不可能地震撼到使那整個龐然場子裡的空氣都接近凝住。某一瞬間我還幾乎完全忘了我是來看某種彷彿脫衣舞孃或前衛劇場的表演的動機，反而就像誤入了一個隆重而盛大的廟會陣頭而被打動而駐足流連忘返。

我納悶了好久，也坐到更裡頭的地方，因爲始終在後面不知道還會發生什麼地等待，就這樣子，一直到了最後最激烈的齊聚擊響鼓聲在最高聲戛然而止地停住了，燈光才瞬間暗下，就在所有人都鼓掌忘情地叫好之餘，她們的陣列隊形開始變幻而讓後排的其他女人一個一個退場了，只留下一個仍然凝結於某種高潮狀那站在最前頭的女人，仍然吆喝仍然擊鼓一如一個阿修羅般地凶狠激烈，然而她長得就像綾瀨遙那麼文靜甜美，但動作卻很誇張而肅殺，直到所有人都離去，燈火再度曄變而進入了完全另一種有點曖昧而迷幻的閃閃爍爍，她才緩緩地低頭下來用某種天女散花的姿態翻身而坐臥下來，眼神突然低垂而羞澀起來，渾身汗流浹背那猛打太鼓的古裝衣著竟然開始慢慢地滑散而挪動，甚至在那有點變奏的幽暗古琴配樂節奏飄散中也有點不經意地慢慢地滑落，一件一件地從肩袖領口依序地晃晃然解下，充滿了某種慵懶而甜美的女性示弱的誘惑，最後連辮子和鼓棒都很柔弱無力但卻充滿抒情地放下。她用眼神用手勢用指頭繫髮帶，在很多很多挑情的小動作之後才慢下來，汗滴的肌膚出現了細膩打光的舞台尾端的轉盤，舉腿或抬手地露出美豔的乳房和陰唇之後還很刻意地用心迴旋轉身來轉換成另一種舞衣散飛的挑逗，充滿了接近尋常打開胴體的打量方式終於出現了，但是又不知哪裡有點古怪。

看到這時候我才更入戲地開始有點惋惜，因爲那太鼓聲把我帶入的古代某種餘緒的沉重就慢慢地抽離了，但是，或許也是更被那舞孃另一種剝離的什麼所勾引滲透式地入迷了。彷彿不只是美麗胴體而也是古代同時被打開，同時被召喚卻也被剝離。這麼多天在京都的旅行之中，我始終一直陷溺在這種對她或對古代種種餘緒的汲取與抽離的矛盾之中，但是從來沒有在這麼古怪的光暈炫目的場景前被揭露地那麼赤裸裸，那麼清晰到近乎難以逼視，一如那張她寄來的照片，使我感覺到某種悵然若失但又難以明說椎心之痛般地殘酷。

六

那時候我還正在那最角落的舊販賣機旁，正留意到髒兮兮的麟麒啤酒廣告牌邊緣還懸掛起的很多個老派深漆色木牌上的名字，きよ葉，アキラ，ひなきく，櫻井，Pai Pan。還有更多更多我看懂或看不懂的名字，這些名字對我而言，就像一群被供奉的遙遠女神祇們，太充滿神通的神祕，出現或不出現都那麼地迷離而奇幻。

這裡或許和原來想像的殘酷劇場明明完全不同，但是對於在京都待了太久的我卻仍然一直覺得有許許多多的和外頭典雅千年古都的全然迴異的離奇暗示始終若隱若現，而且那太多角落的暗黑迷幻和太多舞孃舞步的淫靡華麗卻讓我不禁老是想起她。

我老是會分心，因爲留意到太多細節的古怪，御手洗的字體太老，滅火器禁菸的號誌顏色太花，喇叭的包藍塑膠紙的日光燈管太閃爍，提鈴鼓在旁伴奏的老女人在甩手露出的眼神看著我的時候太疲憊不堪。

更後來的換場休息時，我發現了許許多多的怪人，但是有一個很老的老頭更奇怪，他竟然拖他的行李箱去洗手間，還站到小便池旁調姿勢調很久，連拉下拉鏈也拉很久，而且尿完了還一動不動地站在那裡，頭頂著牆，彷彿醉了或睡了地打盹，我一直擔心他或許就會馬上昏倒在那裡。

一如我多年前的一個夢，那夢的場景彷彿是在一個永遠走不出來的空曠老停車場，龐大到看不到邊界的混凝土造的上個世紀初那種粗糙的工業用建築，模板拆除後就沒有再粉刷的牆垣拉開數十層樓的車道，其實剛落成就已然灰暗而老舊到像是廢墟了。何況是又被擱置在時間的末端早爲人遺忘到一如擱淺在灘頭奄奄一息的龐大灰鯨，那麼地悲涼。但是，我發現我竟然在夢中也很老了，老到聽不太清楚，也不太能動了，就只好坐在輪椅上。被載到那個地方完全無助地枯坐的那種狀態，彷彿在等人或在等待什麼。

我發現自己變得很老，或說，變得困在一個很老的身體裡，還竟然說不太出話來，所有的動作都變得困難，變得沒辦法解釋。

那是她，變得極爲海派世故的她到那老建築裡來找我，看到她的我很開心但是我沒有辦法和她說話，這使我想起來當年的太多事，我們曾經很要好過，她很聰明伶俐但又很練達客氣到彷彿所有事交給她就放心了，一如過去。或許，她現在已是眞的變成她想要變成的重要的人，變成一尊當護法神像般的觀音，或變成那穿古裝的SM女王。

但是我那時候已然不行了，完成已退化成是老人癡呆的人球。

所以，現在我只能看著她，完全沒法子說什麼，彷彿是一種太快流逝的雲彩形狀的美麗，或空中飛人拋繩而出懸空的那刹那的令人屏息，但是，就過了，也沒法子描述了。心中充滿複雜情緒但完全無法說的我也就只能輕輕地在空中揮揮手，眼神沉陷於某種不忍，但就讓她離去，免得越看越難過。

只剩下我自己一個人，坐著輪椅，待在那巨大空曠的混凝土廢墟中，看著遠方的天空發呆，繼續等待些什麼，繼續發呆。

在那殘酷劇場裡，那中場休息的時間裡的大家都假裝沒看到旁邊的人而只是發呆。

但是在我也假裝發呆時，竟然有三個穿西裝風衣的男人指著我說話問候，然後還就從對面觀眾席走向不知道是怎麼回事的我，後來我才發現他們是要找坐在我前一排另一個也穿西裝的男的，但是他正閉上眼而沒看到他們。後來叫醒他的他們一起去買飲料邊喝邊談笑，就像下班共同的一起去居酒屋般地開心而分心，那時候的我才鬆了一口氣。

更後來的過場音樂變得更大聲，是那種很流行的日文歌，很多上班的歐吉桑都只坐在椅子上也閉眼，假裝發呆。

更後來觀眾席還進來了一個老頭竟然全身穿體育服還戴墨鏡，就像個老時代最世故的老教練，但是走路卻佝僂地彷彿隨時會跌倒，這時候，全場的背景配樂突然從緩慢哀怨的演歌換成了某首西洋老歌，男女聲輪唱的I can open your eyes, A whole new world，我仔細回想，這不是《獅子王》歌舞劇的主題曲，最後還大合唱般地所有團員都再唱一遍。而且，還從後臺傳來很多那些舞孃們也現場跟著唱起來的美聲，跟唱的她們的清唱竟然有種回音及其餘音繞梁的極空蕩而唯美。

我還記得，那第一個女太鼓手暗幕退場下台之後，舞台在黝黑了一陣子使所有的氣息彷彿還在醞釀也還在預示些什麼的死寂時，碰地一聲，光一閃爍，後來出場的第二個少女卻馬上使所有舞台上的狀態變得更怪異地炙熱，因爲她穿了另一種馬甲式的性感忍者裝身影出場，雖然個子嬌小還娃娃臉的她是極搶眼的，因爲故意露出小蠻腰的她竟然有一個極大極誇張的蛇身刺青在肚臍到左腰身，而且精心梳理的髮髻還有應景的忍術飛鏢頭長簪，然而在所有古老能劇舞步的種種變化的律動之後，她最後還蹲下來打開那種極色情的M型腿而露出陰毛也仔細刮剃成飛鏢形的下體。然而即使大腿私處都淫靡地露出的她仍然是那麼地開心帶勁，連笑容都還像小女孩般地那麼天眞。

後來，更多變化的種種戲碼和角色的不同扮裝就一場一場地上場，從舊木地板的舞台前伸到的觀眾席，像某種時尚走秀的怪場子，或魔術和馬戲團的更聳動的招搖。

有一個女人跳豔舞的曲風和扮裝都是印度式的流蘇和粉紅色的金屬片，很多肚上胸罩下，應該是肚皮舞雙手合掌雙手腕上的環，比畫著捻花指和更多佛的手印開始淫靡地扭腰，舞台上的燈影還在背景音樂變成印度風之後有古怪的星星月亮大象彩色黃光的轉動，但是，一轉念，我竟才看到了她換裝而變成下身流蘇下沒穿的下體，那是一件橘黃紗在胸口中間打個死結但穿一種怪字型的性感。音樂還是印度流行歌地一路快轉到使她近乎跌倒，她其實跳得不好個子也不高，而且臉是很乖女孩的那種。

後來終於換歌而慢下來，另一個出場的個子嬌小到像童顏巨乳的美少女仔細看左頰有一顆痣，她在燈變紫變暗之中脫下性感的胸衣和內褲，乳頭有點怪怪的大小太淡到像幾乎沒有或像貼胸貼，乳暈也很淡像假的。我始終覺得她像個人偶般的鬼娃娃，但是又那麼地春心蕩漾般地晃動豐胸而露出淫笑。

另一個女孩出場和謝場都提鈴鼓晃動奏樂地充滿療癒系少女般的甜美微笑，但是接受了鼓掌的同時，我才留意到她手腕上綁著亮片鑲嵌的脫下的性感粉紅小內褲，而且還就刻意地橫躺到舞台前處而開腳對觀眾頭下，換成趴下的更挑逗姿勢時，更後來提腿太誇張時，我竟才發現在腰部環細銀圈垂下兩胯的她竟然把胯下所有的陰毛剃光了。更後來那天的出演者越來越華麗，有一個穿和服，只有上半身和服的襯托胸部更大，下半身故意布身變成半透明的蕾絲使很長很美大腿半裸露出來，她的臉不美但笑得比較甜，在大家激烈地拍手之後，出場的她還更摘掉了頭紗露出羽毛的頭花，摘掉了耳環項鍊那一整套繁花盛開般的行頭，繁複髮飾珠花亮片甚至耳環鼻環也都竟然是櫻花銀飾，最後還拉下上身和服露乳溝又拉起裙襬地亂舞旋轉，充滿了惡女花魁般地野性奔放。

在一個個充滿華麗舞技又完全迥異的性感演出的最後，她們在某首終曲般的謝幕歌響起時，就慢慢地從角落旁現身而終於全部站出來在舞台上，而整群妖嬈女郎照顧場面而最後出來招呼的女主秀也是裡頭看起來最從容世故的女人是極搶眼地動人的。她仍穿得很性感的鑲碎鑽到bling bling的全身三點式的比基尼，但還是全白的下半身是半透明的薄紗長裙但仍然像穿晚禮服，就那般既淫靡又體面地出來招呼大家，她的全身都那麼地閃亮地出場，所有其他美女們環繞著她而露身，那一個極辣女忍者半跪著，另一個凶狠女太鼓手近身趴下在她的腳下，那一個豐胸和服女站著踩地，小蠻腰印度舞女的半身流蘇裝倚身在前，所有妖嬈美女都以她們極不同的性感風格但雷同炫目地一起出現。

觀眾們也因此開始激動了起來，熱烈地鼓掌之後，有人不知問了什麼問題，所有的妖嬈女郎們就開始站靠一起入鏡來讓客人全拍，底下的男人們其實都年紀極大或極猥瑣，後來有個長得很醜很肥的上班族歐吉桑要求上台去合拍，後來別的穿西裝的中年男人們也一個一個輪著拿數位相機，但每次每個人都要求不太一樣地充滿惡意地意淫，或更扭曲地耽溺貪婪，始終拿相機送貼紙換記憶卡的美麗她們卻不可思議地極有耐心地微笑，充滿善意到一如在拍全家福或畢業照團拍，露出那種大家一起看鏡頭保持嘴角微微翹起的僵硬又客氣。音樂仍很快但是略微低聲近乎嘆息。更後來的她們所配合拍照的中年男人們所做動作演出才是更難堪，有一個橘色內衣的少女雙手比出像貓的動作，她像女學生但穿的學生服卻都很精心地窄版低胸短裙式的性感，肥男又也跟著裝可愛地伸出兩指比吔的手勢使我覺得很難耐，但所有的人仍然都安靜地等待，好像在名醫院看病排掛號或排剛出爐麵包那麼有心。

那長相甜美的療癒系少女故意穿粉色高跟鞋出場，但因爲站舞台的太旁邊，還被逼近的肥男趁機偷拔了一根頭髮！

最後一幕，終於出現了那個她提過的那殘酷劇場的殘酷場景，但是並沒有她說的那種乾燥而尖銳的暴力和色情的畫面。也沒有更新版的舞踏般噁心漂白翻轉甚至再加上更多縛師的繪聲繪影的古怪肉體。

只有那背景舞台在那瞬間突然轉換前後景到變成是一個降下的古老建築的剪影弧形就像清水寺的古廟身，某種斜屋頂的兩側屋簷揚起而血紅色屋身紅柱上斜光打上去地又詭譎華麗，甚至就像是有邪氣而近乎鬧鬼的老宮殿，或荒蕪後花園充滿妖狐作祟的舊御涼亭那種古代水榭樓閣的狀態，甚至，就在那舞台上打光打得太誇張地投射在屋頂正中的一顆寶石折射而旋轉而亂竄時，我突然想起了更多更恍然過去的我在過去所歷經的種種變幻無常的奇幻。

更多恍然的荒蕪作祟的老建築及其老傳說比脫衣舞孃們更爲離奇妖嬈，一如火燒圓明園般的圓山飯店建築起火與我的不捨張望，一如寶島大旅社在姑婆那時代的種種壞毀出事與我的悼念感傷。這些殘酷劇場般的傳說總是找到了我所錯過的殘酷場景，使我老是那麼地好奇打探著那些狀態的既恐怖又華麗。在這麼多旅行中一再的喚回與遺忘，一再一路的找路又迷路中，原來，老京都和我老家的鄉愁那麼像，那麼雷同地古典繁華，但又因爲太多時差般的誤差而使得種種的打量都走樣了，甚至使我的懷念變得扭曲而竟充滿誤差。

一如在這殘酷劇場裡如此現身閃爍那麼荒誕地殘酷，一如在舞台上，終於出現了一個極殘忍的SM女王在演一如樊梨花一般的中國古代女將，扮相那麼地華麗凶險又威風凜凜，那麼地充滿奇幻又令人不安地迷惑。那眞是一種不可思議的巧合，一如某種對我的更深的內心召喚，對我的更遠又更早的過去的喚回，那舞台上出現的那女人所穿著的戰袍是那麼既古怪又變裝式的性感，因爲她那美豔的胴體就穿著中國風的大紅色繡龍的肚兜當馬甲，丁字褲，吊襪帶，長馬靴，連皮鞭也都是血紅的，使她就被用像八爪椅的雕花轎子抬出來，那兩個滿身龍虎刺青的精壯猛男演出成她的大內高手式的男妾而極爲恐懼。

最後，也還眞的有一個很胖的光頭女人演她的隨身宮女。但是她們演出的不是她提過的《哈姆雷特》的脫衣版舞踏，而是穿著繡滿諸多瘦長龍紋但乍看就像蛇紋清朝宮廷的旗袍，但是她們在花園裡邊賞花邊唱遊，邊調情又調教，使得這個殘酷劇場的原來脫衣舞秀場突然變成了有點荒謬劇場的很新很不尋常的疏離氣息，她們沒有問著to be or not to be，雖然有直接的舞台上的三P性愛動作，都是旁邊穿和服和忍者服的舞孃們在跳舞，只有最後高潮的樊梨花女將軍在和兩個刺青男妾做愛時被嫉妒的胖宮女刺殺。

在那現場，舞台上充滿了假的噴血和假刀刺入的動作，但是並沒有她以前提及的那麼驚悚，只是噴血時還是有點驚人，因爲那就在背景的古代宮殿建築布景的閃閃發光前，這些宮女或男妾的引用，使我在想到火燒圓山飯店或火燒圓明園的引用，在這殘酷劇場裡卻竟然還變成了既華麗又色情的場景。

我老還在注視的那每一個瞬間想到了我姑婆當年跟我說過的太多樊梨花神通的極其離奇，或她跟我說過的她雷同神通的極其妖異。

一如我也還記得妖異在她回京都之後消失了的那段時光的開端，我常陷入了某種完全死寂的等待，某種不明病因導致低頻而手指開始莫名微微顫抖地枯等。彷彿是一種召喚或允諾進入了更迷亂而尖銳地變奏，一如信鴿飛回原來的破鴿舍的半空中跌跌撞撞飛行的遠方感應，或是更深的內心頻道或超音波或超靈的無名又無明的聯繫。

每一天在等待或想念她時的腦中總是始終浮現著她正和某個男人激烈地咬噬綑綁抽插地交歡畫面，鬍渣的刮刺，或汗流浹背的淌流，或尖酸刻薄的慧黠話語與體位變換的交鋒。她鎮夜爬到他肉體舔食他的巨大陰莖用她一向邪淫專注的眼神與蛇信般的舌尖挑釁他，或是用高難度的瑜伽動作更摺疊絞身扭轉地纏繞他的抵抗，太久太凶狠的邊交歡邊吞噬，最後咬下他陰莖末端腫大火紅的龜頭，噴血濺出一如利刃刺入內臟翻出器官那麼驚悚驚人，或許那些性愛狂歡的現場也有種種古代或不是古代的建築場景的閃閃發光，也有某些觀看她凌虐他一如敗將或男奴的淫靡又可怕，一如所有我曾經對她的幻想無窮無盡的引用，那麼地既華麗又色情的殘酷。

但是，或許遙遠的我也只是幻想，也只仍然那麼地虛弱而冥頑落敗，那麼地傷感只是想一如過去地跟她敘舊，聽彼此有意無意的訴苦，或說起近來自己的身體近乎敗退的忙和人生，說我的壞毀的家族和死亡邊緣的太老的家人或提及更遙遠的我老家的寶島大旅社的過去的太華麗艱難。

但是，我仍始終老想著她如何用力扭坐在那男人身上，正用全身纏繞的肢體扭轉她的豐乳蠻腰用力地像巨蟒蛇妖，汗流浹背的汗滴散放一如雨下地潮濕而狂放，肉體深處極端地撞擊一如最妖幻術發作地無窮無盡，在最後的快轉又慢轉的最精美特寫畫面中，幹了他然後殺了他。

七

在那劇場現場的最後，所有的舞孃們都上場還完全地排開，我心裡想，這算是謝幕嗎？她們就排開在各舞台角落，蹲下，打開雙腿拉裙子或M型腿，提臀提腳，和服或忍者服或太鼓手服叉開露出沒穿內褲的大腿，身上有汗水反光地更性感更瘋狂，甚至有好多個女郎當眾玩起彼此胡鬧地摸乳遊戲，還拍拍子打大腿再同時拉裙玩裙掀起放下加上鞠躬向左向右再向前地角度一致地撩人。但是我爲何又老想起這還是一個歌舞伎糅合能劇舞踏種種日本古代劇場所重新打造的歌舞劇般的歪歪斜斜地重新登場。

這些登場，或許只使得背景古建築的古代在荒謬時差的引用中變得更爲走樣而嘲諷，變得越華麗越淫靡就越荒唐地殘酷。

整個謝幕，竟然就一如一部性感化的《大奧》或《後宮甄嬛傳》那種女人縱橫宮闈的預算最高電視偶像劇的華麗海報定裝照，或最昂貴香水廣告名模全部裸體那一個個身形精密修飾到充滿詩意抒情的令人屏息的燈箱片輸出畫面的最高級魅惑，或就是GUCCI當季豐乳蜂腰肥臀女星穿著性感內衣吊襪帶種種行頭的光澤構圖姿勢無懈可擊的集體出場那瞬息萬變的最後瞬間。

最後，因爲應觀眾太熱情的安可安可喊聲而在謝幕後還加演了一場，那時候的舞台現場的後頭巨大閃閃爍爍的主燈又轉起來了，投射燈和風扇正用繁複的光影閃爍得更誇張更生動……彷彿是另一個歌舞劇的大型收場，也更像一個圓明園般的中國古代花園的狂歡夜裡的人鬼共舞，這使得現場的觀眾更是歡呼鼓掌的，他們好投入好激動。

所有的殘酷劇場竟然就這麼歪歪斜斜卻又切題喚回地出現，一如我在京都這回一再一路找路又迷路的差錯，然而又那麼地充滿奇幻地隱喻，關於她，關於古代，關於京都所引發的所有的隱隱約約的殘酷及其遭遇的不測。

在這時候，我才不禁想起這一路中我的始終忐忑。因爲我對京都一如我對她都還有情緒，而且還不能讓情緒出來，這使得我更不知道我怎麼感覺這裡頭更深的殘酷，我打開了卻又馬上關上了，或許還要更多時間來收拾所有的過去傷害的更內在，收拾更多的體諒和接受，收拾所有的追究或不追究，期待憎恨的不再擴散與放大，這種種的還在發生的療癒的努力，使我有種更內在的無力感發作。

因爲這値得努力挽救的深處是我太自以爲的找尋她或找尋京都最深的理解與誤解，不過在這殘酷劇場的荒謬中卻揭露了這種理解是這麼脆弱而不堪碰觸，而且這過程如此地險惡，所有的遭遇都仍然只可能是在放大我自己的恐懼，所有的狀態仍然是餘震中的雜音和恐慌環伺。

這裡頭逼我看清楚了沒有太多可以更付出天眞付出感情付出浸入肌膚一如雨水般的我覺得最珍貴而最原始的對她的懷念與傾信。

或許，這種對她的懷念本來就那麼地虛無，一如承認那深入了更深的愛的終究可怕，一如某種更內在的感情的託付及其必然準備的被背叛。這些就算是那種曾經閃現過，我們曾擁有過，都顯得那麼地奢侈了，那麼地接近一種幻覺。

最後來到了京都也來到了這殘酷劇場的最後的我在一路的迷路中或許終於才能夠去打開那種我的脆弱，但是我卻發現自己終究承擔不起又不願承認，而只好退步只好離去只好沉默一如死寂地看著舞台上的SM女王樊梨花的她，那麼沉著地演出著也揭露著這一切的荒謬與絕望。

然而，就在這時候，那眞實的更驚人的殘酷卻才眞的發生了。因爲就在那裡的那時候整棟古建築竟然開始異常激烈地晃動，更後來竟然出現了更大的地震，震幅太大晃動到大家都害怕極了，但是只有那個正在狂跳的SM女王樊梨花仍然沒有停，大家都不知道怎麼辦地只能繼續看著舞台上的她那般沉著而華麗地出演。更後來現場還越來越巨大到突然大家從安靜而尖叫了起來，雖然地震一開始震幅不太大台上台下也都沒人在提，但在舞台開始激烈地巨型晃動時，那個在跳樊梨花舞的SM女王卻仍然一點也不害怕了。在這奇怪的狀態發生時的我突然在那一瞬間內心深深覺得演樊梨花的那SM女王就是我找了許久又一直找不到的逃離了的她。

我就這樣看著那兩腿打開的她，竟然在那裡還仍然沉著地忘情演出，在死亡的前頭卻仍然那麼地入戲緩慢，一如一個眞正的有妖術的女妖或女將，一個最終爲末日的殘酷露出微笑與訕笑的孤高女王。

然而害怕的我卻只能仰望著她一如仰望著舞台上那大火中怪神殿建築一如我童年仰望寶島大旅社那般永遠的炫目華麗。但是，就在那裡困住落陷而逃離不了的我，也就跟著她雷同地笑了。終於想清楚了這是那麼絕美的時光和遭遇，想到在京都一如在一個殘酷劇場或在一個永遠醒不過來的噩夢裡的我，始終是那麼地又淫靡又恐慌……那麼地又亢奮又感傷地注視著殘酷。就這樣，舞台因爲更巨大的走火而更深地起火了，一如那幾天我看到的地震和因爲之前發生的海嘯和福島核廢料外洩的種種恐慌的災情的擴張。或許，就一如末日眞的降臨了……現場開始每個角落都開始燒了起來，而且煙霧瀰漫得越來越誇張，所有的人都太惶惶不安到不知如何是好。

但是，我心中有種萬念俱灰的絕望之後反而看開到竟然開始覺得這些災難現場的離奇是那麼奢侈華麗的終極演出，就這樣，我眼中的所有畫面都變了，一如慢動作凝視中的更多更緩緩爆炸中的炫目特殊效果的極端驚人，那煙火式的煙花反而燒成炫目的舞台，殘酷劇場的殘酷變成狂亂的狂歡，就完全是預言中的末日降臨般地激烈而恐怖。

但是，就在那時候，大火更大的蔓延燒起，而搖晃近乎巨震般地終極驚天動地發生了，所有老建築華麗玄奧的從玄關長廊深入殿堂最後舞台的雕梁畫棟都開始著火而激烈地崩解，炙熱的越來越深的空氣，近乎窒息的我彷彿看到了所有的銀閣寺清水寺平等院種種最美麗古建築一如最巍巍然的古代都在那一瞬間也同時地崩毀裂解，千年如一瞬地完全無法明說地永遠消逝，命運多舛的永遠逃離與解脫，一如更龐大的預言即將兌現的謎般的華麗到不可思議的末日現場，充滿了煙花最炫目的花開荼靡的絕望又永遠的想望。那就是最後的狀態了，在那整個老劇場就開始令人恐慌地完全崩塌地垮了下來。

我仍然注視著她的令人斷腸般的妖嬈絕美一如注視著永遠無法忘懷的殘酷。

或許，這就是永遠的詛咒，遭遇末日的詛咒，就是我找到了她的最後的一眸。仍然是那般炫目華麗地流露謎般的微笑。

尾聲。夢與解夢。

解夢。零

她跟我說，我心裡的感覺，那老闆娘就是來託夢的你姑婆。

那晚夢到你在那山上的日本老房子，她說，我上山找你，你留著長髮，及肩、中分、烏溜滑順。應門的是一位豐腴肥滿的穿和服的老闆娘，我說是來找顏先生，她便用一種聞到騷味兒的眼神上下打量著我，塗著豔紅色唇膏的厚唇微噘著說：沒這人，便要甩上門，你就從裡面出了聲說：讓她進來，那是我的老朋友，她這才推開個縫讓我進去，裡面陳設非常居家，連一點日本味都搆不上邊，甚至地板都是拋光地磚，你就坐在吧檯旁的椅凳上，唯一支撐椅子的木桿細得令人不安，細看，它是三支似藤蔓般扭曲的木條，由下往上貪婪的盤踞至椅面成一張巨大的木網，像一張落後部族裡巫師座椅，藤枝上全是大大小小凸起的樹瘤、枝癤，你卻全然不在乎，仍舊舒適的倚坐著，你腳上套著鮮紅色露趾拖鞋，鬆鬆的拎在腳尖，小腿交叉纏繞在長滿肉瘤的木桿子上，老闆娘妖嬈的走向你。似乎就是她應門前的姿勢，我默默的走到你旁邊，揀了張整棵檜木橫鋸成兩節的板凳坐下，這才發現你除了上身那件墨黑紗的寬袖短罩袍之外，下半身是全裸的，肉就這樣被那些扎人藤枝緊箍著，甚至擠壓至把樹網填滿了，像菠蘿麵包上的圖樣，老闆娘雙手撫弄著你，在身上不斷游移，隔著烏黑紗上衣一路往下，我慌張的看你，你卻一派閒適，拿著手機，繼續看著，但是看也沒看我一眼，對老闆娘的動作好似全然沒感覺，老闆娘也不在乎，依舊捧著你的臉吻著、舔著、咬著，像隻餓極的狼忍住不讓獵物太快吃下肚，反而極其溫柔不捨的舐著，在你的頰上和耳畔留下一行行濕溽黏稠的痕跡，她雙手向下握去，你沒有勃起，像攤軟乎的嫩肉，她用近乎沒有掌紋的厚掌暖搓著，沒等它硬便急切的塞進自己裡面，低低的發出滿足的嘆息，而你還是面無表情，既不看我也不看她，兩眼緊盯著螢幕，她開始激烈的晃動，膝蓋跪在那椅子上，被粗糙枝節蹭得快出血，紅色凹陷的肉像被樹枝狠抓過的印記，咖啡色的波浪捲髮因爲過大的搖擺，紛紛從後腦勺上的鯊魚夾縫隙散落，我嚇得不敢抬頭，想努力轉開視線，卻又被眼前的景象迷住，尤其是那雙被磨到快滲血的膝蓋，好美，當我再將視線看回老闆娘時，發現，她也正狐媚的睨視著我，伸手對我說快，一起來。

她很難過地對充滿疑惑的我說，或許我完全是錯的，我對她的描述，我對她的想像，我對她的回憶，所有的我以爲我和她在一起的狀態都完全是錯的。

因爲我們只是在某種隱隱約約的潛意識狀態裡相通。所以，或許我們從來沒有在眞實中相遇，只是一直在想像中的旅社裡甚至只是在夢中相見，最後，我們以爲的要從夢中回來眞實，卻也只是走入了夢的另一層而還沒有回來，更久之後的找尋與迷路之後，也不知道怎麼走出夢或離開那種狀態，或許始終想等待夢的更後面的什麼，但是等太久了以後才會明白或許夢就是夢，本來就沒有夢的更後面的什麼，一如我們的在一起是一種夢的狀態，沒有眞實也沒有夢以外的世界。

但是始終太不安的她卻仍然不斷地設下種種關卡種種守護靈來保護她自己和我，使我們始終只是在說話或是只是在做愛，即使每個旅館每個房間都不斷地切換，但是卻也只能不斷地重複這些事。一如跳針的唱盤的始終無法前進或後退，一如所有發生過的事都彷彿只是那種種記不清楚的過去太久的往事或甚至是前一世的業報喚回的失事。但是，或許那其實是同一種狀態的一如《一千零一夜》裡的天亮前始終一再說起故事的華麗奇幻但是又無法逃離的困難。

她老是會用這種更不安狀態的切換來使我開始懷疑起，她，到底存不存在，我們去過的或吃過的或做愛過的種種地方到底存不存在，在京都等待太久的我越來越無法說服自己了，因爲在這旅行中始終在找的仍然還沒找到，因爲那些地方可能不在了，或甚至從來沒出現過。

那種完全逆轉的可能，去找尋或去拼拼湊湊地拼圖，拼馬賽克拼出所有的暗示，她有神通，所以會發現並在意這些暗示，但是，沒有神通的我還是沒有發現。只能等待，有時會忽略暗示，因爲要想找到的念頭太強，所以反而忽略了一路細微而歧異的提示。

因爲她其實不存在。

因此所有的更深入的關於她或關於京都的找尋，都必然是枉然的，因爲，所有種種更深入內在的找尋，就只能等待，那不是種選擇。

用那種追凶者到最後反而變成就是凶手，捉妖師最後反而變成就是妖怪的必然意外與離奇，來等待。

她說，在幫你解夢的最後那幾天，我自己也老是又進入了我夢中那幾個漏水的建築中在京都山邊的那座老旅館，其實在那老旅館旁的小徑是通往森林的密道，以迂迴的方式讓從老旅館方向過去的人得以進入嵐山更裡頭的祕密森林，對我而言，那裡是那麼古怪地熟悉，彷彿是以一種前世就灌注的方式而深深烙印在我腦袋中的路線，就像我就已然是住在那深深的密林裡的那種感覺，然而，一路上仍然充滿了某種令人好奇的出奇，那意外進入的祕密森林更深處的山谷兩側死寂得像極了傳說中有魔法駐守的古代森林。

但是，有另一種更奇怪的心情的轉折在這死寂的狀態終於發生，一如我多年來的等待，那是一種我選擇的終點，因爲，那就是我預備要飛行的山谷下方，我在那裡遇見了更多更奇異而謎樣的飛行怪精靈，牠們都有個別特色的羽翼和飛翔的狀態，種種完美的一如鳳凰般展張翅膀的弧度與比例，但是有一種比麻雀大一點，比貓頭鷹小一點，牠們深黑色而看不見頭的捲曲身軀竟有著長出的長弧翅膀是絢麗地透明，一振翼飛行起來就如此優雅但路徑卻又有點像是昆蟲般的輕盈迷幻，使我注視著牠那翅膀的太極度地一如幻覺的迷幻，卻竟然開始害怕猶豫……

因爲，那時候的我有種預感，因爲牠們是爲我們而出現的，那狀態是爲我們而發生的，那兩隻我跟你在那夢裡所遇到的謎樣的飛行怪精靈，一隻將要靠你的衣領像拎起你離地，剩下這隻是像螢火蟲的亮光身體，我知道只要牠靠近我的衣領，我就可以飛翔，但那種拎起來的離地的引導並不是眞的會讓我們飛翔，而像是一種起步，牠開了頭，而後面就要看我們自己如何啓動自己而持續在起飛後滑行而進入疾飛……牠們的出現，對我而言是種暗示，是種你準備好就看你了的最後暗示，但我卻怎麼也不知道怎麼飛，我回歸不到某個對的感覺可以適合飛行。

因此，完全無感的我就在最後的夢裡拒絕了，我沒有否定不受限制的舉動，沒有感覺的我還是否定了。後來，你很不忍心，但是，你已然起飛了，而且所有的狀態已然完成了，甚至，另一種更未知而更殘酷的風暴來了，你如果不飛走，就將要非常悲慘地墜落，那是某種我在解夢前就隱隱約約感覺到的結局，即使你充滿了依依不捨的餘緒。

她說，在夢中，你最後還是落淚了地飛走了。

開天眼。解夢。一

在京都的那個拔釘地藏的老廟前，那長相太清癯削瘦的老法師比著劍指，在我那麼小的臉上用一種我完全不了解的古怪手勢比畫了很久變幻的手印，口中念念有詞，眼神死寂般地死盯著我，讓我有種更強烈的激動與好奇，雖然我仍以爲那是某種那時代的彷彿最玄奧又最自然而然的保佑，一點也不知道害怕，甚至也不知道發生了什麼，只是看到那老法師臉色沉重而肅穆專注地用劍指在空中畫符，對著他的神壇沉沉作揖之後，回頭注視著我的雙眼，盯住我有點恍神而好奇的天眞眼神，然後就重重地在我的印堂點了一下，那時候，我完全不知道這是什麼意思，不知道他爲什麼要這樣做。

直到多年之後，我才知道那天我被封印了，被這個老法師蓋了魂，蓋住了我太激烈發光的天靈蓋，或說就是封住了我的陰陽眼，一如他走進我的夢中來保護我，保護太小的我在這很模糊暗黑的危險地帶不要太早曝光，他並沒有解釋，不蓋的話我後來長大之中會出更大差錯，爲了不要讓自己暴衝而出事，或讓自己神通召喚來更多糾纏，但是那法師是那麼地小心翼翼，他沒講出來，這種蓋魂是那麼地充滿風險，因爲如果作法中岔了神而蓋壞了那麼那個人就將會完全地變傻，廢了，但是，或許那法師也始終沒有交代得那麼清楚，他對我微笑地說：「這樣就可以！」那種充滿慰藉的眼神我到了多年後的現在都仍然還記得那麼清楚。

那天帶我去的外婆在我們家族就像你的姑婆，她對我說，那是她拜託那老法師把本來開天眼的我封起來，這樣對很難養的我比較好，但是，我仍然對這件古怪的事充滿了夢如何被解夢般的猜測，因爲我的另一種懷疑，相對於他們所想的或許剛好完全顛倒，或許，我本來的難養只是天眞的混沌未泯，那老法師反而是在那玄奧的法事中不小心幫我開了天眼，或是更離奇地意外發生了，他在封印了我某種令人不安的神通的同時卻又不小心同時開了另一種神通，因爲，後來的我老是覺得我出了一些我也無法描述的差錯及其更紛歧的副作用，但是，我內心彷彿仍然感覺到某種躁動未曾停歇而沉寂，因爲那種神通即使潛伏了也不可能完全或永遠被封印的，在太多後來更離奇地重新回來而發作中，我才比較明白發生了什麼，因爲即使小時候被封住了，後來的神通可能隨時間改變而突圍而找到出路。一如夢是不可能解不出來，只是那時候我的腦袋還沒發育好，或神通還沒有找尋到對的狀態出現，但是多年來的等待也讓我明白，開天眼或封天眼都並不靠別人或自己的神通來完成或突破那種狀態，那都是天意。

那像是腦中的破碎混亂的天眞團塊期待的覺醒可以再加快點，像是在等待什麼的飢渴不知爲何地越來越深，那是一種鬱悶太久之後所引發更大的召喚，像攔壩了的大河那種風雨水位暴增的巨大洩洪，像更龐然的可怕垃圾掩埋場所掩埋太久的沼氣廢氣變幻成了妖氣般地咄咄逼人。

然而，在那老家族的時光逐漸地發光或暗淡裡，在種種充滿懷疑的追憶似水年華之中，到底是外婆或老法師或什麼更大的天意刻意把小時候我的神通切斷了，對那時候的我而言，都不免是太過離奇了。

因爲我小時候就是神童，有太多奇幻的神通，除了可以過目不忘，可以和所有的動物說話，可以看懂好幾種從來沒學過的外國文字，可以看到所有來找我的神妖仙鬼魑魅魍魎之外，甚至，即使被蓋魂而忘了大多的神通，但是我到現在還記得幾乎三歲時所有的事情。

一如我始終記得那一次在外婆家出的事，所有的記憶的細節都還很清晰，那是在焚燒後悶菸草的薰間，那間古老菸房的後頭，那老房間一向很陰霾而古怪得彷彿有靈驗的過世祖先在看守，那一回卻竟然還是發生了，我覺得那是祖靈對我的教誨或戲弄，因爲就在走上老木頭樓梯的樓梯間是空的，外婆不小心地撞倒了一個圓杯狀的菸灰缸而掉落，竟然就砸到剛在木梯往上走的我的腦前額。

我痛到大哭之後，老家族的人都嚇壞了，一直怪外婆，只有我心裡知道那不是她的錯，後來抱我去急救，流了非常多血，送醫後縫了非常多針，至今還留下非常深的疤。

我還記得那時候所有的畫面，空氣中濃郁的菸草嗆鼻的氣味，木製樓梯把手和踏步因年久而斑斑駁駁到木頭都凹陷成下彎形但仍然充滿了老杉木年輪弧度質地的動人，那清水寺清水燒的瓷菸灰缸上細密勾勒國畫的一隻長得像怪獸的蟠龍在狂風暴雨中飛行那種掙扎的眼神，甚至，我的前額那被砸到那剎那皮開肉綻的肌膚裂解和鮮血噴出的聲響，那些祖先的亡魂在老菸房屋簷深處死寂地打量著我的眼神，至今對我而言都還仍然栩栩如生。

我還記得去蓋魂那天，舅舅載我走的，只記得騎在路上，有點怪怪的一直不知爲何有點想哭，那一天還路過了京都古城外最大的墳地之前。他喝了一點酒，我在路上還太奇怪地竟然看到一隻貓頭鷹，全身太華麗的羽翅，眼神太神祕又太美，站在一個墳墓的墳頭，牠始終一直盯視著我的接近和離去，彷彿要跟我說什麼但又始終沒說。舅舅也始終在騎摩托車，疾風般地騎進京都，只在路上一個老店買了一個桃花和桃枝一起長出的桃色和菓子給我，但是我捨不得吃，只是從後面抱住他，一直到遇到和離開老法師。但是，之後，回到我外婆家之後，我彷彿忘了很多事，甚至連忘了什麼或發生了什麼，都不太清楚了，後來就昏天暗地過了幾天幾年，怎麼樣都想不起來了。

有時想起來沒有道理，我連那麼小的時候的事都記得住。但是，也沒法子了，更久之後，就不再那麼地敏感或那麼地容易激動，彷彿有一種覺醒或說有一種沉浸，在裡頭，空白了，感覺不到善惡是非，甚至全部死白，但卻沒有光。老想到小時候的那回被蓋魂了的那天那一夜一如那幾年就變得有點空白了。開始不跟同學講話，開始在學校被某些人盯上，我太遲緩不可能有交情，被整整欺負了一年。有時心中只是覺得很煩，但不痛苦。後來我又開始了更多的逃避，但是更被欺負，一如我討厭跑步，就假裝腿傷了或胃痛生理痛了，一如假裝看醫生逃離宿舍，但是都被告密而失敗被抓。我雖然惹禍但因爲我心中覺得自己不是惡人，又不偷不搶，所以並不內疚也不難過。那時光，沒有幾個人聽得懂我在想什麼，聽完了，卻怎麼都聽不懂，後來我才知道我說的話不是每個人都聽得懂，大家都很簡單了，之後就不要提到我在想的，這樣就不會被討厭，不會交惡。我想通了之後，想好過一點，就開始假裝，之後傷害就降低了，他們覺得我變得溫和，同學們才開始友善跟我講話，然後，我也就比較正常一點。他們要去哪裡我也跟著去，嘗試變成他們那麼地合群一點，體諒地妥協，安分到不要別人讓我付出而覺得不值得。雖然我內心裡是習慣沒有人了解，不代表我不需要，同學或家人們還是有可能愛我，這我知道，但是，他們還是不懂我內心因爲神通而帶來的忐忑不安及其引發的黑暗。我其實就只是不想擺出曝光的狀態，但是，後來就慢慢地發現這種沒有發光因而若無其事的人生也很好，但是有時也會有種更深的失落，因爲感覺得到後來爲了常常符合別人的期待，就會感覺到那個內在的自己正慢慢消失。但是，那時候的自己有時候也很樂意，因爲對於太尖銳的有神通的人生深深感覺到無感而無力。

那個感覺就像腦袋裡住了好幾個人，分了狀態不明的好幾區塊，每一段小時候的變化過程都變得更模糊。尤其在蓋魂以後，像是淋巴攻擊入侵的細菌，像是腦門深處的守護靈，爲了保護自己的更深的大腦機制，在出事的狀態中，祂才跳出來了。而我小時候開始就一直在碰撞很危險的不同時期的覺醒，才被自己內心也不清楚的覺醒區塊所支配，那種神通被封印後的能力和意識都被控制的那時候，使得我對所有混亂引發的是非都很疲憊。一如腦中覺醒的區塊在啓動的時候，我卻不能動，那種時候的人生是最累，那種種大小不一的區塊已經覺醒，而且覺醒的部分還不自覺的驅趕其他尚未覺醒的鄰近區塊。一如夢，是腦門深處不同能力的覺醒，唯一可以解釋的被區塊支配。我覺得我小時候一直到被蓋魂之前，彷彿都還滿好的，而且對於要或不要都完全不會被支配，永遠是清醒的。即使那時候還小也還沒發育完成種種能力，但是，後來當這種能力出現的時候，才又再度找到出路而被影響。這種影響出現的時候也不好，我進入青春期的跌跌撞撞，又一次地狀況越來越糟。那一塊未覺醒的區塊變形又變態地發作了，不像自己的時間越來越多，晚上常逃家跑出去，但常常逃出去了還是卻不知道要去哪裡，就這樣維持了二三個月，父母帶我去看心理醫生，他們就把我當神經病那般地處理，看了一段日子，他們說我有憂鬱症和解離症，有時候會完全地低落沉溺，甚至有時候會有一整大段記憶會不見。越來越糟之後，他們要我吃藥，我心裡想著但沒說出來：「你們要我吃藥我就吃給你們看，爲了要跟你們相處的時候裝成你們要的樣子……我也可以。」但是當他們越處理我的時候，越用這種愚蠢而危險的方式，那終究會是最後一根稻草。但是，天意是玄奧的，因爲，解救我的，反而是那些抗憂解的藥，一如另一種他們完全無法想像甚至我也完全無法想像的解藥，因爲吃了一陣子，我開始回想起去找老法師作法蓋魂前的某些更小時候的自己，那時候發生的我不了解的種種，彷彿又把我被封住的某些腦中的團塊給再度打開了，天眼的神通反而因此奇怪地又更歪歪斜斜地覺醒回來。

一如那夢中的覺醒越來越清醒。一如我提過的那五個滲水老房子的夢。在夢中的睡魔說祂不再認識我了，我對祂說你從來沒有認識過我吧！

我對祂解釋夢中或我後來一生中的那些欲望不是欲望，那些困擾也不是困擾，我一直沒有解釋得很清楚。一如我一閉眼就在懸崖旁邊。大米迦勒天使叫我跳下去。像京都嵐山秋天滿山楓葉的河畔山谷美景，但是我還是不願意。因爲我不相信我可以，但是那好幾天我和祂都在那同一個房間，越來越擔心，我變得恐慌，一如神棍般召喚各種護法，因爲我太害怕，看不到我害怕的。那時候關心我的那個通靈的朋友是基督徒，他找來那四大天使來加持我。我就是知道大加百列最討厭我，我始終從一開始就知道祂很不舒服，祂最討厭我，祂不是不喜歡我這個人，而是不喜歡我的態度，不喜歡我的不願相信神通，或許那時候的我太難過了，老覺得神通就像癌症，我身上的神通太糾纏了，既不會消失又不能拒絕，即使我在長大，但是那在我身上埋藏的神通也在長大，也在用另一種更長大的後勁反撲。

從小時候就不斷地沉浸在這種和神通糾纏不清的狀態，令人不安也令人厭倦，那是一種自己跟自己的對抗，最後變成有點像在虐待自己，想拒絕又拒絕不了這種超能力，一如有太多種我內在的病態，在腦海中的不同區塊寄生埋伏，不知道何時會冒出來，有一些神通不想出來，那些病態們還會討論，一段時間讓只有一種神通出來，一如我所有的人格都是病態也始終分裂。

一如在那大天使旁的我好像也長出了翅膀，一如那個病態狀態的太過尖銳地清醒卻又極度混亂，一如夢中的那個朋友牆上充滿鬼臉的家的威脅，仔細回想，那都是我有意無意地在某種狀態把自己結界打開了，一如蓋魂也一如開天眼，有些神祇天使的祂們進來了，別的壞東西也進來了。一如那老朋友太擔心而叫大天使們來守護我時，我才回想起來小時候其實我自己知道怎麼叫，後來就不叫了，直到後來陷入困境時太害怕了才又每天都召喚祂們，其實，我明白所有的狀態，只是不太記得細節，一如每天來的天使都不一樣，一如祂們來了我會知道，因爲空氣會改變，溫度是暖和的，不像惡靈是冰冷的，像是水伸入水缸中摸到那透明液體的水質是軟的或硬的，我竟然是感覺得到的。又剛開始時，有時候爲了試探自己的神通是不是應驗，或爲了想要知道誰來了和我感覺到的是不是一樣。就做了四個天使名字的籤抽出來，但是，每次都一樣，而且連抽五六次都同一張，都是我感覺到的那一個。

一如我始終感覺得到那大加百列的翅膀是最華麗的完全雪白，混血天使不是生來就有，祂們的翅膀是灰的，但是都很想念我，想念還沒被蓋魂以前的我，因爲聽祂們說我從小祂們就都在，只是後來魂被蓋了的我選擇不再感覺到祂們的。

第一個夢。洪水。

夢中，那種災難發生前的最後一瞬間，某種滅頂前的心中倒數，因爲我正好就在那神明廳老窗口往外看，大洪水就快要接近了，用一種滔天巨浪的驚人高度急湧向前，然後眼看著就將要淹入了窗口，淹沒了那個長壽街頭的我的老家。

但是不知爲何，我心裡明白，那是我始終沒有在場的最恐怖的八七水災，但彷彿因爲是有一個什麼未知的差錯，所以那個可能的最可怕結局並沒有來臨。後來，也或許是一個個別的差錯仍持續地發生，使得最後的毀滅始終都沒有出現。

差錯還有更多的暗示，或許是有一個個老家的親人應該在淹死的現場，可是他們都沒有出現。或許一開始是父親和姑婆和更多疼愛我的家中長輩應該要爲我在這裡犧牲，但他們都還沒有死。某一個作惡多端的老家遠房親戚應該要背叛所有人自己逃離現場可是也還沒有發生。本來我應該要愛上一個會死在那洪水裡的女人，可是我才剛遇上她而還沒有愛上她。

到底是哪裡出差錯，我一邊這樣想一邊納悶著。這是死神應該煩惱的事，而不是我。

甚至，我不是只就是終究會在這洪水中死去的那麼多受難者的其中一個嗎？

後來，我仍在那洪水前的窗口等待，那瞬間，我想起小時候姑姑要教我殺雞或小學老師要求我要解剖青蛙，但是我都拒絕了，因爲害怕或因爲不忍心，因爲我都辯解成那違反了我不殺生的信仰。

那麼小就那麼地堅信地對於死亡的種種猜疑，但是，我老是覺得我老是愛看的《福爾摩斯探案》、《七俠五義》、《小五義》、《施公案》、《彭公案》，種種好看的老小說，都是一本本應該叫做「如何和死人好好一起生活」的書。

一如小時候的我在小學升旗典禮或在家裡神明桌旁寫功課時，就時常感覺到自己不小心就會浮在半空中，而穿學校制服的我卻竟然就開始在那邊快樂地跳舞，縱使配樂是那種嚴肅的國歌國旗歌愛國歌曲或母親放的大悲咒或普門品的誦經聲，對我而言卻都像是某種非常歡樂的小學園遊會的音樂，只是爲了讓小朋友和家人在那園遊會裡玩的喧譁配樂。那使得在我心中出現了歪歪斜斜的折射，明明是某種莊嚴肅穆的典禮，對我而言在一轉念之間卻突然就變成一個無比喧譁而歡樂的沸沸揚揚現場。我就會因此而莫名地開始惡意地大笑起來，使得家族的長輩親戚或學校的老師教官，很尷尬地忍受，或也只能在旁邊束手無策地旁觀我的失禮，但是，我在那個古怪的夢中，心中是知道，他們不能對我如何是因爲他們有些是太老了但是有些已經死了。

我甚至覺得那一個小學校操場的老司令台底下，一如老家裡那一個神明廳裡的老神明桌前，都住著一個個的神明，祂們爲了抵抗外頭來的惡魔和災難，就只好叫我出來當犧牲。

一如在神明桌前的三牲祭祀的肉身等待著奉祀，一如現場等待著史上最恐怖的大洪水的降臨。所以這個彷佛是災難片的現場那一個最後災情就一直往後延。我也就在那個窗口，一直看著遠方大洪水要來可是還沒有來。但是我始終記得我在那個窗口前的彷彿瞬息萬變的瞬間，胸中鬱悶而沉重到幾乎無法呼吸的感覺。

我怎麼會知道沒發生的老家的那些人和那些事，我怎麼會這樣想，怎麼能這樣想，甚至，我心中出現了某種更自毀或更自溺的猜疑，難道這些災難都是爲了我才發生的嗎？

一如，小時候我常常會用盡全身的力氣地把頭深埋進枕頭，用力地壓頭壓臉壓眼睛到開始會有某種暈眩後的不明幻覺，彷彿看得到又看不到，甚至彷彿自己就飄起來，浮在半空中往下看埋頭一如死屍的自己，一如嬰兒床上那種一圈懸浮的玩具木頭製小鳥，沿著圓圈而離地搖晃，一如有人拉風箏般地拉起我，拉一條繩索綁在我身上，不然我就會飄浮般地飛走，那種懸吊使我常痛到無法忍受但是又不知道發生了什麼，

在失神之前，只跟自己說，快回來，快回來。找一些極累的狀態來過渡，後來在試探極端的骯髒，有時候還忍耐地好幾個禮拜不洗澡，甚至惡臭到自己都聞不到。忍受自己始終滲透出來的種種更汙穢而近乎刑求的不堪。每一個細節都不放過的折磨，身體轉到一個角度就那裡癢。進入某種骯髒的一直掉頭皮屑的頭髮邊緣的癢

與潮濕，忍受腋毛的，陰毛的，分泌出來的種種更不堪的噁心的油膩與惡臭，後來開始流出不明的體液，老是過敏地坐立難安，後來就一直死命地抓，一直癢到完全無法平靜下來，更無法入睡。

完全不控制那癢，而乾燥不了地始終油膩膩的，不擦任何白花油或萬金油那種藥來讓癢安靜下來，更後來，就只能可笑地依賴拍打用痛來止癢或完全死寂地打坐來面對癢。就像老夢到噩夢的同一橋段，就是完全控制但又老是失控地癢得一直笑。

飛行。解夢。二

「入定可以是夢的入口。或許，因爲我是一個只要幾秒鐘就可以入定狀態的人。但，我也是很後來才明白那是禪定，不知爲何，那時候完全不了解這種狀態是一種過人的神通。因爲，我以前小時候只要完全專注地看著一個眼前的凝視點，眞的幾秒鐘就可以入定。

後來，年紀變大就需要比較多的時間和力氣，在專注於凝視一段時間後，如果沒有分心，或許可以用心入神地想法子從完全無心的發呆到另一種有心的入定。更後來，如果進入狀況的話會看到那一個注視點到甚至開始覺得眼前的畫面會晃動，再過一會兒就會使那現場更內化地開始變幻而走樣了，那種空氣的瞬息萬變地凝結，光的細膩結構的轉換，某種更繁複又更浸泡所有視野角落的反差色澤，而最後因此出現的那種出奇的潤澤過的空間感，就這樣，雖然所有在場的別人都沒有發現，但是，對我而言，那禪定後的現場跟原來的現場已然完完全全地不一樣了。雖然，我的眼睛始終是張開的。」

「那對我而言，還是一種神通，因爲，我花了好幾年，打禪七好幾次，每次閉眼凝神好幾天，也只有在最好的狀態能入定幾分鐘而已，那太不容易了。」

「但是，我每回入定太容易也很苦惱，因爲如此，所以我常常會看到壞東西，一如之前說的看到朋友家裡的那些鬼面具的場景，一如更多一直換一直換的鬼地方，然後旁邊一直有霧有雲也一直晃晃蕩蕩。有時可以睡著，或可以在入定後入夢，但是，很久以前剛開始的時候我並不知道。」

「我有遇過幾個朋友跟我講過這種入定的狀態是一種需要練習才能進化的過程。有一個人說他是用練習飛行開始的，他說，在夢裡可以飛，是一種神通的暗示，或說一種可以掌控神通的指標，一個人可以飛起來是一種演化的狀態，如何起飛，如何降落，如何加速減速，如何失速，種種飛的進入和離開的可能及其被操控的程度。都可以被解夢成那個人在夢以外的現實之中是如何理解自己的，那種神通是一種對自己更深而且更難明說的理解，某種自己對以爲不可能卻想冒犯或冒險的人生的期待，某種對更內在的自己試探如何演化的想像及其限制。

或許，也就只是一種夢。一如他一開始覺得我可能是個可以練習飛行的人，結果我卻在多回完全不能進入之後完全放棄，可是，我的確是在他講完那件事的好幾年之後，有一回才比較有意識的回想起，一開始要飛的時候都非常的痛而且辛苦，在那邊一直練習而且爲了加速地跑要飛起來就常受傷，但是，後來就不一樣了，在後來的某些夢裡，我眞的飛了起來，雖然現在想，那多年來的變化都只是像一種探索更內在自己的狀態，或許，就是我斷斷續續在以前作過幾次飛行但不斷失敗的夢的演化。」

「我曾經遇過一個朋友，一如你，常常會陷入危險，因爲他對夢的理解太淺，很容易把現實跟夢境混淆，他在潛意識裡很容易出事，一如只要一作夢他就會覺得有鬼或壞東西壓他，甚至在夢中他常常到了另一個空間就會有點回不來，而且往往到了最後他就會墜落，每回就在一直往下掉往下掉的驚嚇中醒來，越來越慘，有一回，我同情他所以才跟他說，或許你要在你入夢前的床頭放一盞燈，而且要用心記住那個燈的樣子，然後當你在往下掉的驚嚇或是被壓到無法呼吸種種回不來的時候，就可以想法子回頭找光。或許，那是矛盾的，因爲在夢中的他並不覺得他在作夢，可是他必須覺得他不是在作夢的時候才可以控制夢。就是，這種夢反而可以控制他，然後他，因爲他好幾次都這樣子，他就一直往下掉、往下掉、往下掉，掉到另外一個空間，告訴他在夢中他或許可以靠這種方法拯救自己，但是他也不一定相信。就算他相信，這種回頭找光的祕密方法或許可以帶他回來。但是，他也應該知道那也並不一定每回都能救他，所有的狀態都會改變，不能太認眞做也不要勉強自己去進入神通，甚至要進入神通這件事情是不能想得那麼地必然而絕對，如果把剛剛講的那種狀態的演化先歸類成某一種神通的練習。」

「一如你說的神通的進步，我那時候作飛行的夢每回都不同，也不連續。那些夢是在好幾年之前斷斷續續地發生的，後來，仔細回想起來，那種種在夢中的飛是有演化，一開始是完全飛不起來，怎麼想都不可能，後來有一回是在飛機裡面往下跳，有一回是開一台很複雜的滑翔機，還有過是穿上一套拖曳傘那種跳傘般的裝備，或是搭上一種奇怪的飛行器，所有的狀態都是靠很多人工裝備還很不容易起飛，還常常一失手就墜落到摔死。可是最後幾年的我所記得的幾個夢裡面，不知爲何，飛行竟然變得非常地容易，轉換的最關鍵的那一回，大概就是在夢中的我有一晚回到那小時候就很斑駁老舊的寶島大旅社，那不小心遇到的姑婆給了我一個符，還帶我去那古建築的又黑又暗的屋頂，她說，不要擔心，就從那旅社屋頂最高處的蛇雕洗石子山牆缺口直接往下跳，就可以。後來，在我咬緊牙關地站到那女兒牆上，往底下很多人的長壽街奮力一跳，但是，好奇怪，不知爲何，那晚就在那跳入的夜空中，我彷彿進入了一種入禪定的凝結的空氣中，所有空氣的光和色澤都變質成一如浸泡入某種膠狀的液態地充滿浮力，甚至連空氣的手感和溫度都變得如此緩慢而溫暖，在躍入的半空中，我一點都不需用力也不需掙扎，就竟然像在水中，非常輕易的游入般地飛了起來，不用機具或裝備，彷彿有人在用神通反重力地隱隱約約地托住我的全身，那麼自然而然地就可以飛，甚至沒有意識到我在飛那般地飛起來。」

「甚至，我自己也還在演化，到後來有時我入禪定的時候，可以看到自己睡著，我的眼睛沒有閉而且身體也沒有起來，但是，我卻可以看到自己一如飄浮在房間頂端往下看的樣子，甚至，離開身體的我還可以起來然後慢慢離開房間，一如你所說的沒有意識到自己在飛的飛行。但是，所有的神通也可能有不能勉強的進步和退步，一如所有夢的玄奧和費解，一如我曾經有一段時間擁有一種神通，一開始在練習的過程就會變強，也變得容易控制，但是不知爲何，過了一段時間，這種神通就會慢慢不見，或是，可能過幾年又換成另外一種神通。

一如現在，我又退化到完全不會飛了……」

第二個夢。女鬼。

我想到了一個我的困住的夢。

在小時候的老家，一個仲夏夜的天剛黑的晚上，我剛從外頭回來，不知爲何，一說話，就被母親吩咐，要我隨後就去神明廳要跟一群忙忙碌碌又專注的大人們念經上晚課，彷佛是爲了做大水在誦經，或是正在要開始進行著更重要的什麼法會或祀典，但是，我不清楚，因爲，在夢中，我還是太小的小孩子，而且就只好跟著準備要去大廳念經，水懺，那最陰森的關於超度累世冤親債主的人面瘡來報仇的故事。

但是，那時候，太小的我並不了解這些可怕的因果，而只是悄悄地走進了我小時候的房間，本來只是要換衣服，就這樣無心地打開衣櫥，但是，太令人不安地吃驚了，我竟然一找找到好多這四十多年來買的古怪衣服，紐約SOHO潮店買的半透明蕾絲上頭有盤龍紋印花的刺青裝，米蘭找到的二次世界大戰時代的舊卡其軍裝大衣，京都廟前買的極細膩老絲綢的古著僧服，蘇州巷中老店裡找尋到的老湘繡花開富貴的華麗嫁衣，還有更多更多我也不記得的行頭，滿滿的整個衣櫥，這光景令我不知如何是好地楞住了，看到這些太美麗又太世故到充滿滄桑的驚人衣服，我完全不敢相信，到底發生了什麼事，我忘了，還是我還沒開始的人生找上門來了，我怎麼有這麼多衣服，這麼多怪衣服，就這樣，那時候還小的我就站在那裡，一直分心，一直在試穿，但是，仍然還一邊聽他們的上晚課梵唱的迷幻的聲音，所以，不知如何是好的我還是遲遲沒過去，因爲，法會進行好久了，媽媽吩咐姊姊一直在叫我，而我一直沒法子決定要穿什麼。

另一個夢中，一開始是清明要回去拜拜，但是，在路過老天井前的那個長壽街舊房子所改裝潢成的貴婦下午茶咖啡廳裡，電視畫面上卻始終一直出現一個彷佛剛上市的化妝品廣告，裡頭出現了某種口號般的字眼始終揮之不去。漢字，但是用我聽不懂的日文說出，在狂放的森巴舞曲配樂的那麼野那麼挑釁的旋律中，畫面中不斷地有人影恍惚地晃蕩，但是正中間卻始終有一個一直放大佇立的血紅字：「激」。激是美人之激瘦，激進，激生，激突……種種漢字如跑馬燈字一般一行地從畫面跑過去，

那咖啡廳裡所坐著的幾個穿得極其妖嬈美豔的女人們始終在大聲說話，她們好像一直在交流一些她們所知道的沒人知道的什麼事，什麼訊息或流言，什麼緋聞或祕辛。

用一個祕密要跟另一個女人交換另一個祕密或交換些別的什麼，就一直待在那個咖啡廳裡，後來甚至就不走了，或只是在談一些別再猜也別再一直吵這種事，最後，就只是在討論要怎麼想辦法出去，但是又始終不離開……後來，不知爲何，有一個女人有點著急，彷彿是什麼事的最後一天，因爲另一個在那老房子咖啡廳現場裡的外國女人提起了，在想她第二天要去另一個地方，在另一個城，她在想要不要去，問她們要不要跟她一起去。但是，後來也就不去了，整個過程都在某種荒誕的狀態之中發生而且是甚至近乎不可思議地胡鬧玩笑，但是卻又那麼地自然而然，也並不令人不快或不安，或許因爲她們是太常來的常客，或許因爲她們是不能得罪的貴賓，或許也只是因爲她們太過美麗而所有人都讓她們，所以，就像她們在一個空舞台上賣力演出般地誇張，但是，就這樣，還是沒人太理會她們近乎驕縱地談笑。彷彿那裡就是她們的後花園，她們的家。

即使，我們正在用最繁複古老的祀典在老神明桌前準備祭典的三牲供品認眞打理所有拜拜的細節，更後來，天井燒香和燒冥紙的煙霧已有點被風吹散而瀰漫到她們那邊了，但是，奇怪的是，她們並沒有發現，或許她們也不在乎。

更後來，在長壽街舊房子的地下室最破爛而年久失修多年的老倉庫裡，回去清明掃墓的等最後擲筊燒冥紙的空檔下去找她舊衣服的我姊姊，找得太深太裡頭，還竟然無意地發現了很多小時候的鬼東西，甚至找到了許多以前拍的一堆黑白照片的早年手工沖洗的破印樣。

我看姊姊所拿的那些斑駁泛黃相片中的那些女人，那是什麼時候拍的嗎？應該是我拍的吧？但是，我卻完

全不記得我有拍過這些奇怪的照片，在這些奇怪的地方。像是某種不存在的青春時光的離奇宿醉夜遊甚至一夜情或偷情私奔但是一回到現實就都假裝什麼都沒發生過那種忐忑不安，但是，這些照片並不是這種僞裝，因爲，到底是怎麼拍出來的，我是眞的一點都不記得了。甚至我懷疑更可能不是我完全忘了而是從來沒發生過。

但是，更奇怪的困擾卻是裡頭全部都眞的是我的情人，在每個不同時代的，從小到大，斑斑血淚的那些令我傷心的女人們，像我葬禮蓋棺敲釘的最後一刻前才應該出現來爲咒罵我或嘲弄我或流淚或惡笑的她們……

有的情人是小學從鄰家巷口那裡等了好幾年才等來的，有的是初中寫信每天近乎癡狂地寫很勤才追到的，高中一起辦詩刊校刊裝硬蕊文青憤青才贏得的，大學電影社泡著的一起看費里尼柏格曼的學妹到念研究所到後來論及婚嫁但兵變的，一如那些太老派或太落寞的青春尾聲的無奈所留下來的註釋種種我的當年完全不像話的初戀的，暗戀的，單戀的，苦戀的，始亂終棄的她們竟然都在，太可怕的愛情電影大全，太不純情的戀愛博物館型錄，太不願提起的前妻們，即使我始終沒有結婚，但是就眞的一如快轉了的一部爛港片那種太濫情到又哭又鬧，或就像女鬼們找上冤親債主累世的遺緒全部倒帶重來一回，但是我仍然逃不了，心虛極了，彷彿是辜負人家那般地不知如何是好，因爲我內心總是覺得自己往往是被拋棄的啊！但是，姊姊在旁一邊看老照片時一邊嘲弄我，她們眞的是我每個時光的活菩薩，她們眞心地待我愛我到支撐不了我的浪子人生，才算渡完我，往往也是很不容易才走的，你還把人家當女鬼。

或是，畢竟我在裡頭老是自以爲是扮演那灰頭土臉地一如《男人眞命苦》的寅次郎總是一開始把她們當成女神或當成活菩薩般地百般敬拜款待但是總是因爲人間太多無奈而最後還是摸摸鼻子落寞地離去。

但是，在這些重新找回的老照片裡，好像時光封凍了，時差並沒有出現，所有的她們仍然停留在當年我和她們在一起的時候的模樣，還是那麼地令人不安的美麗妖嬈著。

而且，彷彿她們答應被拍的條件是一定要在當年我跟她們一起去過的某個太甜太唯美的過去一起造訪過的風光前，某個太浪漫的時光荏苒的最終落點，某個不再能擁有甚至挽回的心碎般絕美的勝地。

有的在無人清晨太空曠的海邊古舊燈塔門口旁，有的在大學某草原一棵巨大近乎神木的老榕樹蔭下，有的在一個荷花滿開太鮮豔的老池塘邊，有的在那古城裡明代古蹟的老石橋上，有的在京都開滿櫻花正在慘白地落櫻如雪的林中，都像是要一起去殉情的地方那般地纏綿悱惻而美絕近乎夢幻。

而且，更奇怪的是，她們還竟然對著鏡頭做同樣的一個奇特的危險動作，所有的人都做了一個近乎不可能的姿勢，身體面向前而兩腿直立張開，但是卻倒身而後彎到頭顱近乎碰地般地往後凝視。

我完全不記得這些狀態了。不記得爲什麼要這樣拍，爲什麼一定要用這古怪到近乎翻轉上下前後那般不眞實的變態姿勢……拍這些活菩薩般的女鬼們。

先知。解夢。三

我會作預知的夢，小時候，我常常作到那種夢，夢裡的事第二天就會發生。甚至，我媽媽過世之前一個禮拜，我就夢到我媽媽出事了，那時候她一整年一直躺在床上，病情時好時壞，我們都很擔心但是也沒想到會那麼快走，而且，狀態是混亂而怪異的，我媽是基督徒，常常躺在床上禱告，有時還會因而好轉些，雖然那時候的我覺得很不安，也覺得我媽那個教或許是一種邪教，我很反對她做的那種禱告，有時太失望到就想法子勉強接受可是不喜歡她這麼做，那夢裡頭的意外太突然了，當時她還沒有惡化但是我就夢到某種惡兆，那個晚上她又在虔誠地禱告時，癲癇突然發作，然後在花園昏倒，在我家的院子的花園圍牆旁邊有一棵棗子樹，那棗子樹被砍掉所剩下露出那個樹根和剛砍掉樹枝的尖端，她突然發作時就撞上樹而當場刺穿流血不停，就這樣離奇地被那種枯樹枝誤傷到重傷。

我是被夢裡的血泊淹沒了整個花園而後來淹入家裡的我的房間的畫面所驚醒。

後來她就過世了，那時候我才國小六年級，那一刻我有多害怕，而母親是因我而死的，就這樣，因爲還小也害怕自己這種預知的神通或許就是種對別人的詛咒，這使我不自覺地把所有可能縮小，盡量不要再跨越那條線進入可怕的夢，所以之後夢裡可以預知的神通就慢慢忘記，我覺得我如果不要有意地限制自己，那種預知夢的能力和架構會更大，使我知道的事情會更多，也同時會更困擾我，一如要面對那種很誇張地夢見飛機失事或更可怕災難發生那麼龐大的困擾。

一如那一部我們始終談起的叫做《水中的女人》的電影，那是一個來自另一個世界的人，一種先知，她要幫一個人寫出一本改變這個世界的書，因爲他寫不出來，一如她跟他託夢。那水中的女人來自一種有更高神通的族群，他們會啓發人類但是啓發的過程危險潛伏，因爲變得殘暴的人類早已忘記聆聽，還有潛伏的毛毛的怪物們很凶狠而巨大恐怖得像殺氣極重極邪惡的獸，牠們是用暴力來維繫那個藍國的內在秩序。但是那水中的女人仍然想嘗試幫助人類，一如那部電影其實是一個印度導演導的，那個印度導演是一個潛伏的神經病，他的所有電影都跟輪迴跟夢境有關，他和那電影裡那水中的女人一樣，根本就是一種巫師，他通靈，而且據說在他拍片的時候都會在那邊自言自語，像是有人在旁邊跟他說片要怎麼拍。

她說：我知道我的過去，不能自暴自棄，我不能變成普通人，我知道未來，知道一些會發生改變而且是會深植人心的改變，但是因爲我的夢或許預言的狀態會激怒很多人，後來我可能會出了事，有人因爲這種先知的神通而殺了我，但是我沒法子相信一個人可以影響每一個人，這種懷疑和害怕完全超乎我的想像，世界會走回正軌或宇宙會給予好的徵兆……這種狀態始終困擾著我。所以，那電影一如我多年來的預知的夢，不斷地問起我內在更深的困擾……人類值得被拯救嗎？她說，我的那種神通後來就被我放棄了，只侷限在某種狀態，只侷限在感覺得到第二天會遇見什麼事或要去吃什麼或看到什麼，有時候到了某一個地方，然後我會在轉角的時候遇到什麼人。

第三個夢。武器。

夢裡的我誤入了一個聖地般的禁地。那是某種深入地底數十層的高科技混凝土方樓的中空天井。後來，找了很久，才發現那是一個戒備森嚴部隊的地下基地，他們在裡頭用極祕密的設備在操練兵種研發武器。在那一個老四合院下頭，他們後來用來更地下地布置與開發，更後來的數百年後，這裡竟然變成了一個某種古祕術加高科技的兵種總部。

後來他們告訴誤入的我，這種的狀態並沒太多人知道內情，只有行家會來看起來像古蹟的軍火工廠這裡買貨，但是，貨太神祕也太昂貴了，組裝要由最資深的長老操作示範。甚至不只是手動的精準和神乎其技，而且，更詭異地是要用一句成語或一段密語的四個字，甚至就像咒語，才能切換成一套可拼組的接法，邊念邊拼的古怪武器零件才能再進行更繁複的內部組裝。

那種武器的外貌很不起眼，只像是一種看似老派料亭送料理或古董商收古物般的舊木櫃行頭，也像一種古時候流傳下來放料理多層便當多層古物珠寶之類的老木箱。

但是，如果是由長老現身操作才能發揮其更離奇的狀態，再打開有許多規格古怪的抽屜還暗卡許多夾層的老武器箱。甚至念對咒語會像希臘神話的電影的那種特殊特效。武器會出現，神通會發功，不對的打開者會夭折，但是，如果是對的接班人打開，可以喚醒裡頭鎖住的結界，那麼將有羅漢般的神明會現身下來教這種神通。

這種神通的修煉，極高難度的體驗。而且神通太神祕了，很難學到完成，甚至大多修煉到很後來的人都還可能會失敗，甚至會死。但是，那已然是很久以前了，在後來的很多戰役還沒有發生以前，現在大多武器卻都沒了。打太多仗而且大家都沒力了，或下山打完。放棄。我到的時候，已然是很久以後了。

那老四合院末端有一個老廟，有好幾尊斷手斷腳的羅漢神像，舊到長滿蜘蛛網的香爐木魚和旁邊放供奉老法器和傳說極靈驗抽籤詩的破木製架臺。我記得我以前來過，要問什麼，但是因爲某些原因我沒問，也沒抽籤，或抽了籤也沒找人解籤，只是找不到，後來更久以後，那裡更老更舊地變成廢墟，也就更找不到了，這個找的故事的某種替換並沒有完成。

以前曾經在老時代有很多傳聞，四合院裡本來是個家族世代相傳練兵器練神通的聖地，後來式微了，離開到只剩一兩家，大多家族的人在戰役的太慘烈過程都離散了。

在更老的時代，曾經還有接近神話的說法，在老四合院舉行每一代三十年的法會，所有家族的聚集祭典，比武較勁，甚至，有人說，那也是種近乎謠言的神話。所有的晚輩都在等，這個掌兵符的長老如何封下一個接班人，然後這個功夫和法術最高的長輩，將會站上屋脊的蟠龍飛簷最末端，用一把祖傳神弓將一支古箭射入合院的那裡，那裡就會長出某種更犀利的武器，或長出某種更神祕的神通。那時候，我站在那個已然破敗多年的舊四合院裡，想著更早的問題，如果前好幾世的當年的我眞的在場，在這個聖地般的禁地中，如果眞的是我受封了，那麼我的武器會是什麼？而我的神通更會是什麼？

靈驗。解夢。四

我跟她說，有時我不太確定那是不是夢那狀態，太逼眞了，夢中，那一個城市被一種恐慌所籠罩，彷彿是一種無名怪物即將肆無忌憚地肆虐，或彷彿是一種更巨大的災難逼近到無處可逃。

我本來是在那家彷彿小時候我家開的彰化大戲院的電影院裡，但是，聽到一些怪異的遠方爆炸聲之後，偌大的電影院就完全停電了，只剩下緊急出口的殘餘燈號在幾處角落的邊陲微弱地閃爍，我在太慌亂之中還是只能想法子跟上撤退的那一堆人往街上逃走，但是，更奇怪的是，因爲這種還未發生更大災難前但卻因此已戒嚴了的無形壓力的壓縮，天空烏雲密布的暗黑近乎窒息，市街旁所有的店家房屋因爲停電而都已然關閉，甚至，到處都有說著陌生語言的外國軍隊接收而占領了空曠而荒涼的大街。我跟著慌慌張張的人群，就從大街往窄巷裡疾走，不但路越走越偏僻，還要小心避開很多路口背M十六黝黑機槍穿防彈衣那種空降外國正規部隊的巡邏，更後來，沿路找路，最後只好往那一帶廢墟很多的近乎荒廢的老城區跑，那裡一向有充滿廢五金工寮或黃昏市場或雜草叢生的破舊公園附近的流浪漢、流鶯、毒販或更多繪聲繪影，和附近不遠群聚更多紙紮陪葬品店、老佛具店、棺材行、算命攤和拜狐仙或龍王或城隍那種更古怪老廟旁的種種流傳的救苦救難極靈驗又極不祥的那一帶，但是，由於一路都是太風聲鶴唳的逃離，彷彿也沒辦法走避地就逃進了我極陌生的這一帶。

後來，又在暗黑大街上越走越離散，我終於落單了，還竟然無意中來到了一個老街區唯一還有點光的怪異髒亂的老雜貨店，已然走得精疲力竭的我實在支撐不太下去了，本來想跟他們求情或求救，至少找地方歇腳打聽到底發生了什麼事，或是現在發生的事有多慘烈了，但是，往更裡頭打量才發現，更深的店底有很多當地的老老小小都聚在一起，還擠滿到了二樓的露天陽臺，那裡是整個街廓的轉角，再過去就是更黝暗更怪異的港口浪潮打上岸的最邊緣，那一帶一直散發著海水汙染太久種種廚餘流出浸泡到冒氣泡加上動物屍臭混濁著化學廢料的噁心氣味。

但是，露臺上也正在點起某種嗆鼻到近乎令人一直想流淚的劣質香爐焚香的異味，甚至在低級汽油揮發起強烈攻擊性的化學氣味中，很多火把正燒出某種在黝黑的全城廢棄狀態中唯一完全不同的令人戰慄氣息，在那裡，那些上半身黝黑赤裸而打赤膊的肩背全部都是精細而華麗的龍紋刺青的老老小小男人們正在一起閉眼念念有詞地起乩般地作法之中，某種更古老也更古怪的守護又抵抗的狀態正在發生，在這極爲令人不安的近乎粗魯但意氣橫厲的祭典中，一如一個祕教祭壇的殺氣騰騰的祭獻活人儀式，一種原始部落出草前斬殺雞首大量噴血的血祭，一間墳地旁的大眾廟般最陰也最靈驗陰廟的最招搖普渡焚香……那是一種太久以前的恐慌才會出現的更恐怖的祭拜，我想起我小時候在八卦山後山祖墳旁的某一回極大的震災後有看過這種祭祀起乩中種種雷同陰森的恐慌及其恐怖。

第四個夢。兒子。

夢中，在完全不同的地方和時光了。那是在父親去世以後我和母親和姊姊剛很淒涼地在破產的陰影中搬到臺北那時候的某一個晚上，我在睡前從黝黑衣櫃裡打開找某件睡衣時，發現了有兩個肌肉男少年躲在裡頭，那老木頭衣櫃和裡頭多年的舊衣服，都是彰化長壽街老家帶上來的，甚至，還有一些父親留下來捨不得丟或送人的較講究的那個年代的手工西裝，我十分地珍惜但又不曾穿過的許多行頭。就在那老老髒兮兮的樟腦味瀰漫的老木頭衣櫃深處的暗淡中，我十分不解地打量著那兩個少年正肉體糾纏不清地抱起彼此地站在最深處，那是好久沒遇到的L，和另一個年輕的身上有刺青的男孩K正在裡頭汗流浹背地激烈做愛，我有點吃驚，但是不願意張揚，好意地沒說什麼只是叫他們離開，別在這裡那麼刻意地亂來。

後來，他們走了，我才有點忐忑不安地去睡，輾轉反側了一晚，到了快天亮才睡著，作了一個怪夢，在夢中我穿著父親的老西裝去機場，但是等了好久還等得汗流浹背了，仍然等不到飛機，不知爲何，發生了太多莫名其妙的狀態，使我就是沒法子上飛機。

更後來才發現自己在一個極小的城，要去尼泊爾之類的更高的山上的城。所有那登機看板上的文字我都看不懂，像楔形文或阿拉伯文，連登機起飛的時間數字都不是阿拉伯數字，後來，等好久，太晚了，沒等到，問了一個站裡的老人，他才說，要先坐機機在大一點的城再轉機，但是，沒人跟我說，等太久了，走出來，才發現，那機場小得太離譜了，只是像個破爛不堪的小站等冷門路線公車的小亭，在夜空中的某一個舊棚子，有一張極老式木椅。雜草蔓生的空地，又坐下來等了一陣子，發呆看遠方的像跑道的更大更遠的空曠的遠方，還是一直沒看到飛機。

但是從夢醒來，卻彷彿鬼壓床般地有一個男人壓在我身上，我仔細看，才發現竟然是K，這個脫光衣服裸體的孔武有力的肌肉男少年，好像極熟練早就按住我的雙手，已然到床前，低聲對我說，不要抵抗，不然會痛。還在寤寐之中的我心裡閃過一個更驚心的念頭，難道他眞的是要雞姦我。K說是他的情人L給他鑰匙的，之前他就進我房間和家裡每個角落，裝偷看全家人所有生活細節的監視偷窺機器。我抵抗而逼問他到近乎咒罵，說我過去對小時候的他雖然沒那麼好，但是也有誠心誠意地補償過他，爲何現在長大會變成這樣變態地報復我。他後來有點懊惱而不好意思，就和等待在落地窗外的L一起從房間外的陽台跳下，拉著看不見的繩索飛躍如蜘蛛人般地離開。後來，我開始仔細地尋找他們安裝的所有可能隱藏的線路和鏡頭，但是，因此感覺自己的房間的所有角落都變了，變得如此陌生而令人不安。那兩個肌肉男般的少年都已是又高又帥又聰明又痞又賤的那種男人。

他們的報復是一回事，但是，彷彿他們其實商量過，是隱約覺得我該被啓蒙成Gay而想幫我，一方面也當然是一向很痞很賤的少年時光的他們在想玩弄或想更冒犯些什麼。但其實我覺得最被冒犯的不是他們想侵入我的肉身，而是他們侵入我的家，那夢中家裡的姊和母親都還在，她們會因而變得緊張害怕。

但是，更裡頭的心情的晃動與懷疑，或許更因爲內心的我也可能眞的是Gay，只是不想承認，或不願意被用這種強迫的狀態啓動，甚至，這裡頭的我到底是誰？到底是哪一種的父親和兒子之間的我，這個夢同時在召喚什麼和抵抗什麼。或是多年來跟我們關係裡的信任與被背叛的可能。

L在模糊的我的回憶中竟然就是我的當年和某個分手情人生過的私生子，本來以爲她已然人工流產但是她就因此傷心地和我分手而離開，到了很久以後他長大了我才在另一個狀態中重新遇到他們母子，後來有補償他們地陪過他一段時光，才明白所有離奇的L成長的過程那種種脫軌，強橫而魯莽，充滿危險的可能，那始終是我沒法子面對的成爲父親的風險，二十多年來如此地害怕成爲要爲另一個人另一個小孩叫做兒子的狀態負責什麼，或許是即使想去而始終沒去，或就是抵抗著想變成而始終沒變成的進化的下一個階段性的狀態。

後來那情人又帶著L消失了。她大概明白我的害怕但又無法接受也無法諒解。

但是，夢中的我想起來，那也是多年前的事了。

也想起來那些好不容易從破產的老家所帶走的父親的舊衣服，兒子和他的情人怎麼可以在那些充滿過去時光最後餘緒的衣服上撒野地野合，或許，其實我在另一種心情上雖然不承認但仍然就也還是個被遺棄的孤兒，而他們用這種激烈做愛像逼供般的行動逼我承認。

當然，我掛念的，還有我的完全不知道我有私生子的始終眷顧我的姊姊和母親，她們彷彿是我和過去身世的最後聯繫，和家族的某種精神狀態的出海渡口或回歸小站月台，再遠離就是生死未卜的汪洋或荒漠或外太空，但是，另一個我彷彿又始終不願意承認這種牽絆，因爲那使得我對自己人生想像的最終端的限制因此而出現。

何況，她們還是需要被保護而照顧的，她們是父親過世而我們離鄉背井之後的遺孀的等待救援，貞節牌坊式地撫養我們長大，或等待我的茁壯到回去重新光耀門戶，甚至是基度山恩仇記式地復仇或澄清當年的因爲破產而被欺凌的眾叛親離狀態。

但是，我其實逃離了這種太沉重的孤兒長大要成器而重新啓動了結上一代恩怨的託付，而更只是完全地自暴自棄，甚至決定孤獨絕後終身，不婚不娶，但是，那可能也只是某種自欺的不負責任的託辭，所以，這個家的被同性戀兒子及其情人的侵入，是太多太多暗示，或更揭露了某種更深的渴望與挫敗，我不願意承認的餘緒，關於父親，關於兒子，關於我在上一代和下一代之間的斷裂的缺口前徘徊而不知所措。

一如我始終記得那鬼壓床般的時光，某種近乎無法呼吸的窒息感，那裸身的K那粗大陰莖和龜頭已然抵住我的肛門菊花洞口時，他那亢奮而沉重的鼻息和額頭那滴入我瞳孔裡的汗水。

我始終睜不開眼，K卻始終在淫笑。

威脅。解夢。五

她說：「那個日本老房子，是在我們剛認識的時候我所夢見你出現的地方，那就是一開始以爲是會在海邊的日本和室裡頭，但卻是一個更華麗而神祕的天守閣般山上的古代閣樓，閣樓裡頭是完全手工打造的古木作，還有一個可以看出整個山寨風光的龐大窗戶，甚至有一幅用金漆繪成祥鶴與白虎在洶湧河水兩岸對峙日本浮世繪古畫的老屏風，然後你坐跪，就是一隻腳跪著一隻腳屈起來的，然後露出你的刺青，臉色發白的看著我，但是那個窗戶是面山的，可是很奇怪你可以感覺得到那是在海邊的一個窗戶，可是其實這個房子是在深山裡面，然後都沒有人，你跪坐的地方有一個榻榻米，然後牆角有一個日本式的老舊佛龕。」

她說：「另一個你不在的房子裡的那團怪東西到底是什麼，其實有點模糊，就是一下子這樣一下子那樣地不斷變形，然後那個隔間，甚至我不曉得那是隔間還是薄膜狀的什麼，整個狀態詭異到內外前後的邊緣都是不清楚的，就感覺像隔了幾層紗或霧或玻璃。」

「你說的是日本房子嗎？爲什麼你在房子的裡面？」

「我在夢裡一開始所看到的就是在榻榻米的正中間，我知道我在房子的裡面，不是在外頭。但是，我其實都看不到房間外面，可能是在同一個地方，然後也是在不同的夢裡面都出現的同一個地方。」

「所以你說地上有很多雜貨的那個地方是我有出現的房間？」

「所以，只有一個地方是你剛剛說的日本的老和室的場景嗎？所以這個在地上有雜貨的是另外一個地方？」

「是另外一個地方，但是，另一個夢你是沒有在場，但我覺得那是你家或是倉庫之類的，而且裡面的所有東西是接近黑色的，就好像會有那種邪惡的霧氣，只知道那邊有深黑色形狀的怪東西擺在和室正中心，但是一種暗黑到有種不祥氣息的霧氣，然後這種霧氣都有形狀，可是你看不出那些形狀是什麼。我狀況不好，但還始終可以在某種控制夢的狀態，我那時候大概還在念書的時候我可以控制那個夢使外婆還有小舅舅跟七舅舅都在夢裡出現，雖然他們都過世了，但是他們卻全部都同時出現在那一個我夢中某條美麗而湍急的溪邊那長得很像京都古老木造的日本房子。」

「他們在那邊做什麼？」

「就像以前我小時候長大的過程裡面活著的他們在做的事情。」

「那他們的樣子是你小時候看到的樣子還是他們老的時候的樣子？」

「像之前我記得的他們還沒過世以前的樣子。」

「有沒有其他沒有過世的親人在場？」
「沒有，就只有他們。」
「所以你說如果講錯一句什麼話，你就會醒來，或是說你要做什麼事情的時候，才能控制那個夢。」
「因爲有時候我會想我要說什麼，那是本來在夢裡面不會出現的話，那些話就是我醒著的意識要去控制的狀態，然後就會醒過來或者是講不出來，但不是每一次都可以成功。」
「你所謂的成功是指什麼？」
「一如，通常就是常常會遇到有人要追我，然後不知道要做什麼，那種感覺是害怕的，可能是很奇怪的人或獸要追我，然後我一開始就跑，跑到後來就看到有車或有路可以讓我逃開。」
「那通常這種夢會怎麼醒來？」
「就是被抓到，有時候是切換，有時候是被發現，被他發現我在那裡然後他快要靠近我的時候醒過來。」
「如果沒有逃走會怎麼樣？會被吃掉？就醒來這樣？還是會是什麼？」
「沒逃離就必須要面對那個奇怪的人或獸，然後整個面對的過程會很害怕，但其實不知道害怕什麼，那個人或許也沒對我怎樣，但因爲他的樣子可怕，或所有發生的狀態可怕，彷彿是某種更難以明說的威脅。」

第五個夢。比劍。

夢中，大雨，在旅行中，到了那個好像長壽街的家門口，和一個長相奇怪的小孩比劍，他留著我小時候的髮型，眼神黝黑而銳利，有種奇怪的深沉和靜默寡言，我們在等雨停，用地上拿起的兩根路旁斑斑駁駁的舊竹子當兩把想像中的竹劍，完全沒有心理準備，還只是陪他等他媽媽時打發時間，後來他卻認眞了起來，我本來無心也無意眞的過招但只是虛晃陪玩地拚打，但是年紀還小卻很倔強的他卻竟然就硬拚了起來地越玩越凶，像是拚命三郎般地亂揮亂晃，更後來就完全失控地砍殺攻刺，在一個太大的跨步向前，我去扶他時還被他撞倒而兩把竹劍刺到彼此的臉，他開始大哭，其實，他的左臉頰上也只是有個小洞滲出一點血，但是他那突然出現在現場的母親卻異常地歇斯底里地緊張，彷彿是她兒子已然毀容重傷得無可挽救那般地大呼救命，我也去幫忙看護他的傷勢，其實她只是害怕，我邊安慰母親邊安慰小孩，但是小孩卻只是裝痛，從那眼神仍然的銳利看得出來。他好像就是我的小孩，或就是小時候的我。

然而，這一切都發生得太快，也太突然，我還不知道怎麼道歉或善後，或就是安撫這種彷彿充滿善意又也充滿惡意的模糊狀態。

更後來，那老家般的破舊房子外的雨越下越大，但是，後來，我發現我頸上也有傷，才眞的離譜地劇痛，像那刺穿頸動脈般地血流不止近乎噴血地更誇張，一如我被一個莫名的童年的自己所重傷，但爲了安撫他而完全沒有發現，而且，雨還是一直下。

逃離。解夢。六

我跟她說，那一天我突然才有點明白這種逃離，現實太殘忍地沉悶，或是自己也沒弄清楚鬼壓床般壓住的到底是什麼，但是，那是太冷清孤獨的奢侈才能清晰感覺得到的，或許是人間失格般的定格及其切割的悔恨，或許，因此我才更想到，夢對沒神通的我而言，可能也只是一種逃離。

那天的早上六點一醒，就沒法再睡，也沒法再做些什麼，心中一直有種說不出來的什麼，充滿了沉重到不知如何是好的狀態，只覺得好像自己的內心某一個更深的角落崩塌但又不太清楚出了什麼事了，所以後來就決定下山了，需要逃離這種逃離。或許，也可能只是之前幾天快轉太快的忙完的累、餓、雨的陰霾，覺得需要一點更尖銳的補償。心中有個很裡頭的憂鬱或躁動完全沒有出口，我想我再待下去會悶出病來。

後來下了山，上了自強號，最貴最快的還是看起來髒兮兮的舊火車廂座位發出令人不快的異味，潮濕的襪臭混著便當沒吃完的餿味，頭髮太久沒洗的阿桑帶著壞了一半的滴水摺傘和行李破爛角落發出的怪味，小孩一直尖叫發出怪聲童鞋用力踢我背後玩踏板，肥滋滋的男車長一直在問要不要補票，歐巴桑匆匆忙忙走過那買菜的菜籃撞到我她也沒發現也不在乎，有人一邊玩手機電動一邊發出極油膩的最台最殺搖頭舞曲，come on, come on, come on, my baby。

我跟她說，但是，我作了那麼多夢，卻越來越失控，其實最令我感覺到奇怪的是那夢裡面的人，其實乍看是我小時候的某個親人，但是卻換了完全另外一種模樣出現，可能是他的穿衣服或講話方式，或說他們本來在我小時候是一個很客氣很有禮貌的人，可是在夢裡卻變成是痞子或惡人，甚至，我爸爸的變化尤其誇張，有時候是他在我生前就有的改變，從一個比較年輕的他到後來生意做得很大的他，甚至到更後來過世了的他，在我夢裡出現的樣子都還有太多的難以想像的變化，有時候還是以前那種大生意人穿那種很體面講究的樣子，可是有時候就會出現很落魄到跑路的樣子，或是我最後這幾個夢甚至離奇地出現他變成是一個惡棍，一個流浪漢，一個老同性戀，或是，就是他變成另外一個我難以明說樣子的壞掉的人。

也就是說夢中的他投射某一個我對他想像的改變，或甚至是我對自己的想像的改變。

「你沒有遇過這種狀況嗎？一如我姑婆，以前小時候我看到的已然很老的她是裹小腳沒有辦法正常走路，可是後來在我的夢她變成了一個沉迷於花而始終爲了照顧花而走來走去的狀態的年輕小姐。」

「有，對，一如夢裡第一次我看到我爸爸的時候，也是在一個老日本房子的榻榻米上，因爲我爸受重傷而腿已截肢過，老了之後還常連接洗腎機的管路，但是在夢裡面他卻完全病好了，肉身沒有傷殘或生病被可怕地因治療而進行的凌虐，他變成極開心的和過去常因病的疼痛而長年憂傷完全不同的人，然後他整晚都在走通向二樓的老木頭樓梯然後再走下來，走了一整晚還都不會累。

但是這也只算是一種投影，因爲我記得我印象很深刻是連續作同一個夢，然後像是在看連續劇一樣，一如當年的我媽來陪我，那時候我一個人在臺北，然後工作也是很累，跟我爸關係也不好，然後那時候我媽來陪我，我記得好像我先來六天，然後她就在我住的地方，我一開門進去，她就在裡面問我說你吃飽了沒我弄東西給你吃，就只是這樣子，或許，這就有點只像一種更不自覺的自我植入，植入更抽象的感情或想法，或許只是想念著某一個人，可是如果植入了這個想法在你的潛意識裡面，它就會反映在你的夢境，卻是用別種方式去反映這個人的出現，那個人的出現你沒有辦法去控制他會做什麼，但是因爲原先設定就是我媽對我很好，我忽然想到她這個人，所以她的方向就會朝這個方向去演出，她就會投射在上面。」

「我剛剛的描述也是這樣，可是到後來有時候出現的方式也可能跟我預期他要出現的方式是怪異或顛倒的，一如那個人本來應該對我很好可是他對我很壞，有時候更不太一樣到很難控制說他會是怎麼樣的人，那裡頭，一定是有什麼東西被改變，或者是我們當初想法的不太清晰，所以潛意識沒有辦法辨別被投影出來的這個人是好還是壞，一如充滿了誤解的太多解釋。」

「我覺得還有另外一種更可怕的可能，連我也變了，那就是在夢裡我的角色並不是我原來眞實世界的角色，走樣般地變態了，就是我參與或進入的過程與狀態都完全不同了，一如我本來是一個小孩子，可是在那個夢裡面我變成是一個老頭，或是我本來在家裡是最乖的一個人，可是在那個夢裡面我是最壞的一個人，太多變卦發生了，使夢裡的我本來要理解或參與這些事情的狀態和我醒著的時候我是更難想像地不一樣的，一如在眞實世界我從沒想過要害人，可是在那個夢裡面我就一直想要害人，然後那個動機會改變那個夢裡的更多假設，使我甚至到醒來都還會覺得很奇怪而納悶著：那夢裡的我怎麼會變成那樣的人，那這樣的話就算那幾個我的長輩或是出現的親戚即使沒有變，因爲我的角色變了，或是因爲我要害人，所以那裡面的東西就會改變，這個就更麻煩了，這跟剛剛的翻盤又更翻盤，變成你好像是找一個反派去演一個你本來正派的角色，然後所有內在的關係就改變了。」

「這感覺就很像在夢裡殺過人，那其實我沒有要殺人，我可能很生氣但我沒有要殺人，我不是這樣的人，我連殺一隻雞都不太敢，可是我在夢裡面我竟然一直殺人，而且我在殺的過程非常冷血，本來應該會在心跳很快很緊張的狀態下去殺人，但是我可以感覺我的心跳是平靜的，有種太熟練之後無法描述的平靜，甚至是有種莫名的快樂在殺的時候，即使我身上和手上都沾滿了血，即使我因爲去殺人而讓自己受傷，我也沒有因此感到疼痛，我曾經這樣，這令我醒來之後更納悶。」

「然後還有一種的怪異狀態，因爲在夢裡我只是一個旁觀者，我看著那件事情發生，可是很奇怪，有時候夢裡面的人物好像看不見我，我好像是透明的，可是有時候又忽然看到我，我曾經作夢，就是去找一個日本的木造房屋，大概就是你開始提到你夢見小時候寶島大旅社的那段時間，在夢裡我去找一個黝黑的老日式木造房屋，進老房子的和室紙門之後，有一個穿西裝白襯衫和黑皮鞋的人，他死白的眼神始終看著我，打量了很久又交代了很久的更後來，才帶我去見那一個老婆婆，結果沒多久他就在木造房子裡面的另一個小偏房，這劇情就很詭異，這一個穿西裝的管家在我的後面把我的手腳綁住，那個老婆婆有點像我自己變老以後的憔悴又苦惱的模樣，她對著我念咒語，但是，我不想要在那裡，卻也沒有覺得害怕，只是覺得很麻煩，就是裡面應該要有遇到這種被綁的時候你其實應該是要害怕生氣，可是其實在夢裡面沒有。

這是第一次遇到這樣，那夢沒多久就醒了，然後其實隔兩天我又夢到我來到一個有點像是同一個古堡那地方，所以我應該是在房子裡面，那個房間有一扇很大扇的古歌德式玻璃窗，斑斑駁駁而太過陳舊到隨時可能會掉落的那種玻璃窗，有點像古堡的那種極高的玻璃窗，鑲嵌馬賽克格狀的半霧面分割，可以稍微看到格子狀外面的場景，那裡太空曠又太荒誕，像是在死寂的極大的湖邊，湖邊更遠的地方有一座沉浸在死寂裡的更難以辨識的模糊的彷佛有鬼或有神駐守的深山。

然而，窗外的世界看出去卻不知何時竟然變成了完全的死白般的黑白。

那原先第一次夢到的那個男的變了，他的衣服原本應該是極講究而乾淨卻變成極噁心而骯髒的離譜，頭髮和臉神也一樣地像是更因某種不可抗拒的內在原因崩塌了，他沒有打領帶了，但還是穿又破又舊的爛西裝站在那馬賽克老窗旁，最奇怪的變形，更仔細打量才發現，竟然是他的變形到近乎恐怖的嘴巴，因爲牙齒是磨尖的而且出奇的長，嘴唇幾乎裂開到耳邊那麼誇張，但他並沒有感覺到自己的改變，然後，近乎小心翼翼的體面謹愼變成混亂失神的他就對著我說：其實，我在這裡等你很久了，那回之後你就一直沒有來。

他最後對我說：你要去做你應該要做的事，我在這裡等太久了。但我內心知道他不是善意的。」

「他說叫你去做你想做的事情又不是善意的？」

「他不是叫我去做我想做的事情，是叫我去做應該要做的事情，好像在夢裡面我有些更等待我的任務必須要去完成，但是我不知道是什麼。」

「我的夢裡頭有盞燈，有一張慘白但昂貴極了的小羊皮手工打造出來的老沙發，老沙發上有一張中東貴族的暗紅色喀什米爾古毛毯，那是我一個老朋友的家，更後來幾次我就發現好像都是他家。」

「都是同一個人同一個地方？」

「不同地方同一個人，但是我沒有告訴他，只有第一次我跟他說我夢到你，然後他說那是我家的客廳，前一天晚上他還眞的拿那一張暗紅色古毛毯放在皮沙發上頭，從那時候開始就變得沒有意思了，因爲，自己已然發現了。

你知道電動遊戲《沉默之丘》裡有一個像死神的守護，他老是拿著巨大鐮刀，他的頭也是一個斧頭的樣子，所以我就想像自己的潛意識可能是一個迷宮，每一層會有幾道門，每一道門後面又可能會分成幾道門。」

「那是幾歲的時候？」

「那是最近的事情，我夢見看到朋友房子沒多久我就開始夢見《沉默之丘》的那種死神，或許，支撐我潛意識的是想像，而不是眞實的。那種狀態就好像我們在一個山洞裡面看到三道門，第一層沒有守護，但是在第二層第三層還就會這樣遇到死神。」

「可是你不是說你爸爸去世那時候，你開始就沒有辦法去控制，那是比較早以前的狀態嗎？」

「就是我夢見是什麼就是什麼，那我說那《沉默之丘》的死神狀態其實是我覺得我開始看到夢見我朋友他家的樣子，我覺得那樣子的情形很詭異，一如我的潛意識是通到別人的地方的，好像是我自己把那密門打開，但是卻又覺得這樣子其實很危險，所以我去製造很多門，然後在每一層進入我的潛意識裡面我再設定了很多層，而每一層每個門都可以放一個《沉默之丘》的死神來守護。」

「所以這是最近的事？」

「這是最近發生的事，但是夢到你家是以前。」

「那種你朋友家跟你自己在設定死神守護的迷宮狀態有什麼關係呢？聽起來，因爲你這幾個月又開始可以像以前一樣可以控制一些夢裡的東西。」

「只是它連結的方式更複雜也更沒有控制，夢還是夢，是我在作夢以前加的那個東西，告訴我自己說我的潛意識可以變成這樣。」

「那在夢中可以一直這樣操作嗎？」

「有時候不太行，有時候只能轉換，一如《蝴蝶效應》那樣子地混亂，譬如說我現在夢見我在陽台，我可能要往下跳或是陽台沒有圍牆我可能要掉下去了，那麼我就有意識地轉換那場景，但是不知爲何現在不太行，雖然有時候還可以。」

「可是這樣還是很厲害，我覺得我在夢裡面是完全沒辦法控制任何事地被帶著跑。」

「沒有辦法，現在我也沒辦法控制任何事情，其實之前的那種夢的操作是集中在某一個片段的畫面或是某一句話的影響，也只能是這樣子。或許之後你每一次想法子加入一個比較小心的東西，或是你影射一句夢裡面不應該會講的話的時候，那個場景就會換就會變，故事就會變，而夢卻也會因而失控，而就在這般變換成不太一樣時就醒過來。」

「老會變成這種狀態，是以前還是現在？」

「以前，夢的控制也不是每一次都成功，不是想要講什麼就可以，可是我不曉得是年紀大還是發生了什麼，後來就不太可以。」

「可是你講的死去親人的狀況，是說他們來的情形跟你預設死神出現的方法不符，他們就是要來就來要走就走？」

「可是更後來我爸爸過世，然後是我大舅舅過世，更之後就是我二舅舅過世，就這五六年，應該就是這三個人過世，但每一次我看到他們的場景都很雷同。

第一次所夢到的是我在我的房間，然後他就開門進來問我，你要不要吃東西？我說不要你吃就好，就是在老和室的榻榻米房間，他有點傷心，就黯然離去。

然後第二次的時候，是我夢見我大舅舅，然後也一樣我在我的房間，那房間也是一個老和室的房間，就像是日本一間一間的斜屋頂木造老房子，然後前面有一個神祕兮兮的枯山水老庭，然後他拿了不知道什麼東西過來說要請我吃，很開心的樣子，我說我不用你吃就好，他也很難過地走了。

第三次是一個像桂離宮大廳般更大也更深的和室座敷前頭，然後是也過世了的我媽也出現在榻榻米上，但是她就走過來問我說，你要不要吃東西，我還是沒吃，但是我們都很開心，而且都是在雷同的那種老房子。就像小時候在日本住的那種老和室，那種一間一間的木造座敷的房間裡。

但是，我心裡也明白，那日本老房子其實不是我家，也都是在完全不認識的另外人家的老和室裡。」

第六個夢。弓箭手。

凶狠的弓箭手群包圍，我還是一個小孩。

在一個蚊帳中，拉開慘白的網布幕，看到森林中的一大群已然張弓箭在弦上的古代武士群圍繞地箭對著我，而我剛睡醒睜開眼睛。路上，忘記帶的雨衣和傘骨有點故障的雨傘，大雨的日子在趕路。回去找，在木製的廊側座椅旁的欄杆找到了，但不知爲何，我不想拿。像是看到一個逃亡中的故事，那武功極高的小孩和他父親，我在裡頭，但一直無法專心，去面對並接受這種慘烈的追殺。

就像看到用英文發音的一部功夫電影，一個仇家追殺的過程，本來是極恐慌而緊張的，但是，卻也出現好幾種版本的演出。有些部分是英文的，就變得怪怪的。不像眞的入戲。甚至有的還是鬧劇的版本，還有笑鬧的橋段，戲弄對方的落單的弓箭手，一一擊破，卻可笑極了。

就仍在被追殺的路上。還是一路跑。卻一路流血還一路笑。我在夢中，一直分心，無法描述這一場逃亡，或許只是放逐，但是，在夢中，太驕傲的我對父親說，這卻是我這一生第一次完全不知道要做什麼，或去哪裡。他並沒有回答我，只是聽我說。承認迷路了或失敗了，至少可以開始回去找出發的時候沒問的比較深的問題。雖然補償已然無法挽回的傷害，但只要找到對的逃離的路或躲得開，找到方法藏匿，或許至少是個重新的可能，開始。後來，竟然回到一個老家後院的花園，我睡不著的時候常來這裡。

晚上。解夢。七

她說她要講一個會解夢以前的故事，她小時候某個狀態的故事：也不是那麼特殊地奇怪，只是剛好講到墳墓，多講可能會再講到我更多小時候的更黑暗的內心矛盾，跟你提過我家在京都城郊，是個極小的老村子，旁邊沒有太多人住，或許只能用荒蕪來描述那種空氣中的空曠，有種和京都人煙太稠密的城裡很不同的荒野或荒涼，那種很難形容的遼闊近乎失焦的狀態，對我而言，大概因爲青春期或內分泌失調，老覺得在那個家沒辦法正常呼吸，父母並不是不好，但是當時的我說不出所以然的感覺，於是，有一晚趁我父母睡著我跑了出去，村子以外沒有街，只有兩旁無邊的芒草，我記得當時我走到村子口，往左走可以到街上比較熱鬧的地方，往右走是更荒廢的偏僻公路，當然要走到公路是非常遙遠的，往右的公路只是一個方向的註記，右邊在公路前，會經過一個老墓地，那個村子的人都葬在那個地方，於是，我選擇往右走，所以我還是往裡頭走，雖然在墓地的入口猶猶豫豫了一陣子，我走了進去，那時候的我是那麼地無知魯莽地勇敢，不是那種過度爲難自己的逞強，而是彷彿想更用力地找尋什麼或找回什麼。

到現在，我都不知道到底眞正的動機是什麼，爲什麼那晚我會離家、會出走、會去那裡，過了入口，那有幾條柏油路，我沿著最大條的路走，接著，很奇怪的，那個範圍有煙，比香煙的煙霧範圍大一點，比山嵐小很多，薄的，大塊的，還能看見絲狀的線條，但，煙是不動的，我開始害怕，想走出墓地，我往回走，但墓地不知道從哪邊開始又長出來，我走了越來越久，但是，彷彿永遠走不出來了，但我還是走了出來，再走回家，我出門的時候是半夜十一點，到家的時候是四點，快天亮了。一路上，我感覺自己的心跳很快，那種勇敢是害怕到了極點的時候，不知道叫什麼，一旦超越了害怕的極點到底叫什麼的勇敢。

那是很奇怪的事，從一開始我決定要跑出去的時候，尤其是在家墓附近的那種好像冒犯了祖先的恐慌，我可以選擇往左到熱鬧的地方，可是我卻往右走，那墓地其實離我家不到一公里，那好像是我人生的縮影，超害怕，表面是已經不害怕，但我相信有更龐大的可怕，或許，這是我喜歡廢墟的更早更潛伏的自己也不曾發現的動機，只是不知道叫什麼，或應該有什麼樣的表現，更龐大的可怕？

也許我說的是心理的狀態，你該害怕的，很怕的，超越了「怕到極點」的時候，是某種更龐大的可怕，就這樣，那一年，十三歲的我從那天開始常常晚上跑出去，嗯！那是無以名狀的過去，那是某種至今的自己也沒有辦法理解的狀態。

第七個夢。挑片。

我在一個破舊的學生宿舍裡醒來，發現那個房間好大，巨大而斑駁的　砧石塊所砌成的老牆角，很空曠的像監獄又像城堡般的囚房遠方，還有三個有點陌生的老室友，長滿亂髮和鬍鬚，我好像也在那髒兮兮的地方待太久到同樣地狼狽不堪地太不像話。但是，不知爲何，我心裡就是很清楚，這兩個老傢伙是那種讀博士讀得太激進偏執而才讀到這麼老還沒離開的學究。

我甚至記得一個是在研究日本幕府時代以來京都的古代油紙傘竹骨到老廟的竹製茶道茶屋的構築雷同斜撐

的最繁複而講究的工法技術。

另一個是研究宋代的卷軸古佛畫和古活字版印刷術的舊書所蛀壞了的書頁如何修補。

他們彼此都瞧不起對方做了一輩子的研究，甚至，早就不講話很久了地充滿敵意。

我在那老囚房床頭彷彿充滿跳蚤的草蓆上發呆，不知道爲什麼我也待在這裡，或我是不是什麼老東西的研究專家，會修補什麼或會用古法提煉什麼……但是，我卻完全想不起來。

後來，我不知道我怎麼出來了。

一如我竟然來到了一個我從來沒去過的租片的地方。那裡是一個小巷中的尋常房子，小小的屋身裡，隔了許多廉價的書架式的陳列木製格架，窄窄的走廊中夾雜窄窄的充滿了光碟片的薄木板身的隔牆，彷彿所有的架空的薄牆裡頭都還有夾層都甚至還可通往某些更祕密的密室。

甚至，光碟隔架間的窄廊就在慘白又閃爍的白蟻繞飛的滋滋作響像隨時會爆裂的日光燈管下，所有的電影竟然都是我沒看過的，又皺又泛黃的DVD塑膠透明包裝那廉價的髒兮兮封套上面有我從來沒看過的古怪文字當標題，字樣往往極浮誇到近乎象形文字，像一種玩笑但又像一種符咒。

封套畫面上充斥那拼拼湊湊出來的許多畫質很差的極小圖片，某種奇怪長相的太空船或坦克或機關槍前，站著某些沒看過的梳油頭穿白西裝或迷彩裝的花美男或肌肉男，還有旁邊總會有趴身依附的穿比基尼近乎半裸的看起來全身都整容過的豐胸肥臀金髮陌生美女明星，那旁邊往往還有更多的像泰文或埃及文般楔形文字的影片簡介，奇怪的是，那裡頭竟然全部是我沒看過的片，像是在東南亞或印度或中南美洲學美國拍的歪歪扭扭的B級類型片：荒腔走板的警匪片、動作片、戰爭片、災難片，甚至恐怖片……都極爲誇張地暴力或色情或鬼怪得令人不知如何是好地恐怖。

而且更令人不安的是，整間死白角落近乎暈黃光影的DVD店所有的灰白牆上不知爲何，卻塗寫滿了那些雷同的不明文字的塗鴉，令人不安極了，像在空曠無人的龐然大物又荒廢的汙穢高架橋底混凝土柱身或太偏遠太老舊的落單一定被搶的那種紐約地下鐵站樓梯旁的牆頭……

果然，在我緩慢而不解地徘徊在古怪光碟架身間的忐忑不安中，竟然眞的從門口衝進來一群拿M十六衝鋒槍的歹徒，指著我們這群在裡頭的客人作勢要開槍。

還對著光碟店那肥肥髒髒的老闆說：對不起，他們看到太多臉孔，要滅口。但是那滿臉橫肉而且一點也不害怕地瞪著他們看的老闆正在抽雪茄，一口一口慢慢呼的那種不慌不忙，而且架式看起來更像幫派大老的他一邊冷笑一邊對著他們大聲地叫喊，好像在不屑地對開始手腳發抖的槍手們說：這是誰的地盤你們打聽一下，不信邪的話可以開槍試試看啊！

老家。解夢。八

「每天都很晚出去，不是爲了看見美麗的風景，那年紀怎能可能明白什麼是美麗，只是『不想待在那裡』因爲『那裡』太讓人難以招架，這是十三歲的自己所能想得到的理由，某種招架，某種解脫，某種海的更遠的召喚及其令人比較可以釋懷，或許，動機仍然不明顯，就像只是不自覺地走而只爲了可以看到海，或即使到了海邊還會不自覺地往海的更裡頭走，還不自覺地想浸濕自己的腳之後再拾起一顆石頭往海裡丟，充滿種種沒意義又想做的事，心裡深處明白不只是那樣而已，還有個說不出來的理由盤旋，不停想著不自覺更內在的理由到底是什麼？」

「後來晚上還有遇上什麼怪事？」

「以那時候才十三歲的狀態而言，那是前所未有接近窒息的痛苦，清楚自己還不到可以完全脫離，因爲始終還有依賴的情感在裡面，也許就在半夜開始訓練自己離開的能力，凌晨再回到那個家依尋常的人生態慣性進行，直到不被抓到且出走成功爲止，家在這種逃離又回歸的狀態的日夜反差中，就變成了某種更難解釋的莫名其妙的地方。更後來，國小四年級，我爺爺過世，從那時候開始，沒隔幾年，我家就有人過世，每一個人，我都會夢見，你記得我們剛認識的時候，我說過夢是可以控制，開始第一次晚上出去之後，我常出去……」

「你可以控制你的夢？」

「對，可以控制，因爲我常常夢見每一個過世的家人，夢裡雖然不會有窒息的情感，但現實確有無法理解的沉重，所以，我不出去的時候，我試著在睡前寫下夢境，我設計了我的夢，然後在每個夢境轉換的時候，像是到了迷宮入口會有幾道門讓你選。」

「你怎麼控制他們出現的情節或過程？」

「我會寫下我想在夢中發生或遭遇的方式，寫下的夢可能就在眼前三道門的其中一個，有時我會寫下前一晚的某個夢境，然後加上自己再增加的想像，但不是每一次都成功的轉換到我設計的夢境，甚至，有時候要到了某一種狀態，那場景才會出現我所預設劇情的對話和段落。」

「但是，那些老一輩的親人怎麼會聽你的話演出？」

「他們不會，有時候是我說話，所以在夢裡他們說話，有時候不說話。那種狀態就像是我回外婆家的感覺，房子一樣，人物有時會因爲有人過世增加，大約是我二十五歲前後的時候，可以扭轉到另一個場景，那時我已經不在睡前寫下我前一晚的夢境或是想說的話，前一晚的那表示是連續的場景，我會記住當晚夢見什麼，在隔天睡前，增減夢的內容，我會連續的場景，但也不是每一次都成功，只能稍微改變劇情，其實那樣不算成功，那麼會出現的親人也可以控制，親人那部分我通常就是等著他們自然發生。他們會說話，但是他們不常說話，不會跟我要東西，也不會哭或鬧，那像是在另一個世界的很正常的生活，而我像小時候一樣在週末回外婆家，那房子在河邊，是個木造的日式老房子，大部分在一樓，或要我吃飯或喝茶，要不就是在河邊站著，不像捕魚，而只是像一種儀式那樣地站著，但是那不是眞實的地方和眞實做過的事，我就站在河邊，那個地方我沒去過，但感覺跟現實差別不大，只是那種在夢裡的不合理是合理的。」

「那你怎麼控制呢？」

「我不控制，有親人的話，我就不控制。」
「所以，你只控制場景？」
「沒有親人的夢，像是一開始我設定了意識和進入或遭遇的方式，還告訴自己，我可以改變增加。比如，夢裡常會有人追我，妖怪殭屍或是莫名恐怖的人，我會快跑或有工具出現來解圍。」
「所以，你是某種可以設計夢的人。」
「應該說，只是會找到並使用某種工具來設計夢的局部，其實或許我並沒辦法完全控制地設計夢的場景，但我比較可以是小心轉換到另一個場景，某一個我不認識的場景，等於作一個新的夢，像是到那夢的另外房間的感覺，像線上遊戲的作弊來破關的軟體程式設計師，但是，夢裡還是充滿未知的危險，有時候還是不知道會有更奇怪的什麼出現，甚至也不是每一次都成功可以轉換，後來，我試著在遇到噩夢或是我不喜歡的夢時可以馬上醒過來，因爲完全控制比較困難，但是轉換場景或是醒過來會比較容易一點，但是，只要是有地方出現，那轉換的場景和時空就和你想出來的有點不一樣，跟醒的時候所架構的場景不同，有時就是完全反方向或另一個環境，但是不行了你可以選擇馬上醒來。」
「爲何現在不行了，不知道，到什麼時候開始不行了，可能根本就是潛意識裡不再有可能的噩夢，大約三十二歲之後。」
「三十二歲發生了什麼事？」
「我爸過世，你還記得我們剛開始講話的時候，我提到了神通……那時候開始，我發現我夢見朋友家的場景，後來我在夢見的場景，我都沒有去求證，有時候和朋友說話時他們會自己講前一晚做了什麼，我才知道我夢見的就是什麼，接著我會開始想像我的腦袋裡有好幾道門，可以看到別人在另一個地方發生的事，我不確定是不是所有狀態可以完全控制，但是有時眞的可以看見，一如我曾經夢見到過你老家……」
「我老家？」

「你老家是完全漆黑色的，可能是因爲沒開燈，或許因爲那是你小時候的家或當年的寶島大旅社？但是在地上有很多東西，要走到別的房間都要越過地上的同樣漆黑的不知道什麼。一如另一回我有跟你講過的那個日本旅店，那房間裡面有個面山的大窗戶，但那樣的窗戶應該要面海，你在裡面坐跪著，露出你的刺青。我曾經告訴過你，更後來我夢見你家，我不知道是不是，但我感覺是太昏暗的黑，感覺好像是連所有房間裡的牆都是恐怖地漆黑的，你曾經在裡頭做什麼，地上有很多東西，看不清楚有什麼，像個老雜貨店在地上擺滿東西，那時候我感覺得到你已然不在裡面，但是透過玻璃看進去，那房間裡頭還是隱隱約約可以從昏暗的光暈中依稀看到，透過玻璃窗還是地上的玻璃碎片的折射，但是那種昏暗不是開著燈的那種光，而比較像是用玻璃隔絕外頭的感覺，那個夢很久了，有點忘記，有張有點年紀的斑斑駁駁木桌在榻榻米上，但看不出形狀，所有房間裡的樣貌都在但也都不明顯，就仍然只像是做了特殊效果的老照片，影像的邊邊有點霧掉，或就是像你說的十三層廢墟裡空氣中的薄膜，都在抵抗外頭的什麼。或許這個夢一如所有的夢的狀態都始終模糊不清，就像是我們在找通往潛意識的捷徑，是用所有被禁止的願望和沒有實現的願望所組成的。」

「我常常在想爲什麼有些導演會出現來導出那種和夢的神通有關的電影，因爲或許那些神通是不應該被看到的。」

「應該說他只是拍，不是爲了讓人家看到或說出來到神通被這麼地看清楚，或許，他拍只有他看到的。」

「但是我覺得他們是有使命的，那種揭露夢的神通的電影。」

「有時候信仰出現矛盾的時候，會需要藉由另一個出口來解釋。他像是個上師被派來說法的，出口？來解救沉淪沒有靈魂教徒的出口，教徒需要出口，縱觀所有的宗教，對啊！這是對神通的解釋，只是他做這些事情的背後的目的，可能連他都不知道，只知道要這麼做就對了就是那種感覺，被安排好的。」

「我好像不該說……但是對你而言呢？你的神通背後的目的是什麼呢？」

「一些也許不可以被人類知道的解釋，必須藉由某種奇特的觀念，分別在不同的事件出現，只是沒人去整理出現的所謂的『觀念』，像是《聖經》上的預言，像是你那變態的寶島大旅社，及變態的老家族歷史，或像你的那些變態的夢，裡頭所有故事的順序，表面上的順序跟實際上被解夢後的順序可能是相同的但也是不同的，我們的夢一如我們的人生眞正的背後目的我們還是不知道。」

「我只是懷疑神通的狀態，懷疑神通背後的目的及其後座力或後遺症，那會影響以往我們對於夢的認知到什麼樣的程度還是不知道，或許夢一如人生的這麼複雜的狀態是不應該被說出來的。」

「一如夢，也一如人生本身，也許在我做了什麼之後，我還必須等，等待下一件事情的發生，甚至是下下一件事的發生，常常是這樣漫長地等待，要等到事過不知道多久或又發生了幾件別的事之後，我心中才會有種雛形知道爲什麼，但是即使知道爲什麼之後，也不是頓悟般地領悟什麼，更不可能是完全地想通，或許也只是能解釋之前發生的那件事情是什麼意思而已。」

第八個夢。棺木。

我跑出來了，還被一大群人一路追殺，追出跑過古城門的斜樓梯的太斜又高又陡的城垛，追過老房子延伸的斜屋頂的屋簷瓦片踩踏步地艱難，還追進那兩側舊屋身逼進極窄的狹長老街，就在那麼多老城老房子前沒命地跑。但是，我卻覺得一點也不累也不吃力地飛簷走壁，像是輕功極好的高手那般地從容，後來就擺脫了那些衝鋒槍殺手……然後，一停下來，就發現我到了一個老廟的廟埕口，而且這個現場更古怪，追上來的竟然是一群穿古裝的歐巴桑，她們每個人都拿著某種竹子做的古怪武器或暗器向我圍伺過來，但是卻只是假裝跟我對殺，並用眼神示意我躲進廟埕末端大榕樹旁的謝神戲搬演的那木製老舞台底下的舊布幕裡頭。

我一躲進去，才發現那舞台底下有很多機關般的枕木所架起搭建的地道，一往更裡頭走，就離地面更遠。之後，我就沿著地道和不遠的火光往前一直走去，又走了好一陣子，我已然忘記了我在被追殺，而反而像只是去看一場太逼眞的演員逼近觀眾的劇場表演。有點誇張又有點炫耀的某種入神的廟會或法會，不小心在老鎮遇上老慶典的某種不安，一如太巧合地在大街上遇上了七爺八爺那種大仙神仙戲偶出巡或臉上塗抹上妝花臉上陣的八家將正擺陣前行的怪異步伐與沿路沿祭壇堂口祭拜的隊伍。

我也越來越搞不清楚，也只是跟著一大群人走，才發現那個廟前舞台底地道通出去的地方很大也有很多場正同時在演出，而且用我還是聽不懂的語言和從來沒聽過的唱腔在演出，異常地熱鬧而喧譁，而且得到現場大多數人激動的共鳴到甚至又笑又哭。

但是，我內心還是極爲不解，而且完全無法分辨那現場到底是個什麼樣的狀態在發生，但是我卻始終有種直覺的懷疑，這其實只是一種譁眾取寵的爛表演或了無新意的廟會的例行出巡。

但是，我仍然尾隨所有人走了好久看了一整天，還看到了最晚在廣場最末端的一個戲碼。就這樣地被要求小跑步而且一個跟一個戰戰兢兢地跟一整群人跑進了一個空曠而老舊的木造大倉庫，所有人都極爲不安地等候，彷彿隨時會被整那麼緊張地等候出事。就這樣，我就跟全場的人在看那個表演。事實上就是我們自己在演，我們到底在演什麼？從頭到尾都跟隨的我還是看不太懂，只記得整個演出的最後，我們一群人圍坐在那舊倉庫最遠端極度骯髒而噁心的死角，所有人都不能動地牽手而自己雙腳盤坐，兩眼注視著牆角上用很厚又很髒的破爛厚保麗龍板所搭起的一如老廟的神明桌子母桌般的形體，然後，從神明桌下一起搬出一具也用保麗龍削出的曲線很誇張的老式棺材，而且拼裝組接那厚重的棺材板即使很粗糙草率甚至黏合的樹脂白膠都還沒乾。但是，還是可以看出那是一副很老派的那種極昂貴的等級才會出現的曲度造型。但是，即使是不祥的死亡的行頭彷彿充滿了暗示，但那坑坑窪窪保麗龍削得很多沒磨好磨細的弧度仍然因此令人覺得又可怕又可笑。

就這樣，打開的棺材蓋下出現了一個等人身的棺木洞口。

所有人都圍在旁邊往裡頭看，那棺材裡躺著一個女人，完全裸體，全身都塗上白油漆，臉孔五官和手腳四肢甚至連頭髮腋毛陰毛還有陰唇都塗白了，她好像是在演一齣戲也好像在做一種法會，只是我還是看不懂。但，我認出來了，她竟然是多年前失蹤的我最念念不忘的那個老情人。

更後來，戲到了最末的尾聲，老舊的大倉庫越來越黝暗，快半夜了，在現場所有圍觀的人都太疲憊不堪了，等到最後，全身死白的她竟然站起來，而且，不知爲何就走向我，跟我說，換我了，就叫我躺進去。還一直碎碎念：「可記得躺進去前要塗上白油漆，大家會幫你，連你那巨大勃起的陰莖也要塗白。」

東西。解夢。九

「我這樣講並不能解決事情，我並不能預知什麼，我腦袋也沒有什麼印象說你即將會發生什麼事，沒有，我只是知道你必須要這樣。」

「你知道嗎？相對於你的神通，或相對於我的夢，或許我只像是臺灣的小陰廟裡的某種桌頭！而你是天上派來開示的仙姑。」

「你是桌頭！要幫我當翻譯嗎？」

「然後我可以把你講的一句話解成籤詩，然後拿去騙人般地騙財騙色。」

「這種事不能開玩笑的，如果你眞的想明白得更深，那我再跟你講一件眞的很怪的事，那怪事甚至就像一個夢，那因爲我有一個朋友她在京都的一條老街租一整棟三層樓，她住在三樓，一二樓就是賣古董，她本身就是設計師，因爲那時候剛認識她之後，我就覺得我不太喜歡去樓上，她的房間在三樓，或許因爲認識久了，我就開始問她晚上睡得好嗎？然後她就看了我一下，我只說，你不要去抵抗什麼東西，你要做你現在該做的事情。但是，更後來那一段時間更嚴重了，因爲我會在心中感覺到她下一步要做什麼，雖然事實上我並不是清楚她下一步要做什麼，而只是告訴她，你現在想的事情要去做，你要等，會有你想要的狀態在未來發生。而後來眞的就會像我想的那樣發生。但是，有一天，我一進去她的店裡就覺得不舒服，那一陣子我一直有事要找她，可是每一次我到她店裡我就不想進去。雖然心想還是該進去，但是其實對我自己更內心的感覺而言，會老覺得這樣子就不行了。就像之前我去了的那一個著名廢墟，覺得在最高最深的某黝黑角落的門洞走入最後的那裡，即使我很不好意思不過去。但是還是沒法子，還是彷彿覺得是有什麼等我……」她嘆了一口氣地問著有點困惑的我：「你知道『禪定』是什麼嗎？」

「我知道，以前打禪七我有進入過禪定，雖然時間不長也不深。」

「我可以藉由禪定知道她是在什麼地方，有一段時間可以這樣，但我後來卻放棄了，也完全不想知道她的樓上的房間有什麼？因爲，那是力量非常大的一種我也無法解釋的東西，我姑且用東西來說，因爲到了更後來的某一天，那東西就開始找上來了。

在尋常的日子，我是那種十秒鐘就可以禪定的人，我只要坐著發呆或心中平靜我就可以禪定。但是，那一回在我入睡之前，眼睛一閉起來，就開始看到她房間裡牆上所懸掛起的各種恐怖到近乎離奇的鬼面具，像日本老能劇的種種古代惡鬼面具，甚至，就像一個一個人頭般的鬼頭顱懸首而浮現在那慘白長牆的前方空中，甚至，每個鬼面頭顱還會同時出現更多更離奇的難以名狀的變形，所有恐怖的臉龐還在每一個剎那之間不斷地發光而進入更深的臉皮更深層的扭曲轉變，所有的人形五官也終究會跟著模糊起來，最後種種的變貌之後還更進一步地顯樣成血色或紫色或烏青色的往往猙獰還往往有獠牙或尖角長出的更凶惡的惡鬼模樣。

就這樣，那時候因爲她的房間，有一段時光中我老是會心神不寧，而且持續了一段時間之後還甚至開始有更戲劇化的狀態出現。尤其是更深地禪定之後。那一回太詭異了，禪定的我竟然就看見了那房間裡出現了一隻怪物般的動物，一隻像某種猴子但又不是猴子的獸，牠的臉是一個很滄桑又很世故而且眼神異常詭譎的歐巴桑，可是牠的身體卻完全只是一隻猴子，後來，牠看到我在注視牠，就從老木窗旁邊往更遠的庭院深處的那棵老槐樹上跳，而且，就在跳的同時變成了一隻毛色極華麗奢侈的銀白色的狐狸，然後，就在疾飛上樹的那剎那，就又一溜煙像所有老神話的無名神祇回天宮般地往天上騰飛而去，牠那太優雅又太玄祕的身影在夜空中拖得極美極長，從雪白到銀白的近乎透明狀態的身影非常漂亮，然後，在某種令人恍神的晃動之中，牠就在一瞬間完全消失在空中。

或許因爲她跟我之前說過她曾經在她房間裡頭被咬，然後我去我朋友那裡，因爲我不斷地告訴她那段時間只能忍耐，過一段時間才可以搬家，但是，那天禪定而看到那樣恐怖的畫面和狀態之後，就沒多久去跟她講，是不是像一個猴身女人臉龐的獸的樣子，然後在咬她。

我講了之後的那一天晚上出事了，牠竟然找到了我的房間，那個晚上的空氣異常地混濁而沉重到近乎令人不安到難以呼吸，午夜的牆上掛鐘敲響了十二下之後，在某種鐘聲最後的回音裡，我就聽到我的客廳的外面有人穿著我家的室內拖鞋走進來，那因爲我側躺面對窗戶，背對著門，然後我就聽到走路的聲音走進來，然後接著就是躺在我的旁邊，你可以感覺到那個床身下陷，是眞的有人躺上去然後牠拉我的頭髮，輕輕地拉，但是，我卻極痛，但是又完全說不出來話來地掉落眼淚，又過了感覺很久但是又不久的一陣子，我聽到穿拖鞋的聲音離開了，身後那人的感覺消失了，痛的感覺也消失了，之後我就極疲憊地近乎完全昏迷地睡死過去。」

「所以你覺得那晚是那獸來找你？」

「我覺得不只是來找我，而是來告訴我某種訊息，牠有一點具威脅性的敵意，一如一開始接近那房間我就始終覺得有種被預警危險的暗示。」

「那後來呢？」

「更後來，我就沒有再跟她說什麼了，因爲我內心始終覺得所有事情的發生是有原因的，我們所遇到的每一個人相對於我們更後來，都或許會有人生內在更難解的原因，所以，那個晚上使我彷彿必須要改變她或改變我自己某些什麼，我必須扮演某一個訊息，因爲那可能是我朋友沒辦法解讀牠的暗示或牠的思考，雖然事實上我可能也沒辦法解讀，只是我就因爲這晚上對她傳送了訊息，但是，更奇怪的是，那一次之後牠就消失了，所有的那晚出現或令人不安的東西都消失，更後來我朋友也搬家了，那獸就再也沒有出現過。」

「所以你幫助你朋友做了一個決定。」

「或許是，即使我並不知道那個訊息是什麼，而只是以更抽象的我的或她的狀態來解釋。」她緩緩地說：

「甚至，發生了這麼多怪事，我還是從來就沒有進去過她住的那個房間。」

第九個夢。獨唱。

有一回在夢中的我還很小，不知爲何，被找去要參加一個歐洲的獨唱聲樂比賽。自己在練的時候，一個那老歐洲音樂院的老師跟我說，太用力，太多技巧，該更樸素的。

那是一個極老的合院天井，如茵的草地，古典巴洛克風格老建築旁。極安靜到近乎死寂的迴廊。我的聲音還是兒童的極純眞的聲音和唱腔，但怎麼練都不對，那老師唱一段給我聽，很不同的質地，乍聽很接近，但是，卻是完全不一樣的發聲法，後來沒時間練了。更後來變成二人重唱，和已然在那裡念音樂院的哥哥搭配，他太忙，也沒機會練，一直有事。被人指責投書，說我們有問題，在我們來自的國家，那彷彿是某種很令人不安的指控，一如太尖銳或太投入般的態度，始終太認眞用力，那教授評審問我們狀態，不知如何辯解的我們說沒有。就只好一直待在那一個大學的古城裡，住的某一個歐洲老旅館老闆的鉛筆畫的草圖，原來那長形建築的加蓋，一個甜甜圈形，一個口紅形狀。但是，我老是想到以前長壽街頭那家老雜貨店裡賣的玩具口紅和難吃的沾滿糖粉的外號叫牛懶叭的臺式甜甜圈。

降頭。解夢。十

「或許，夢是現實通往潛意識的途徑，好像是佛洛依德講的。」

「我不在乎佛洛依德，我比較在乎你的神通，因爲我回想起我的童年和老家族，總是有太多已然遺忘甚至早已模模糊糊的邊緣，一如我在太多夢裡又回到過去，甚至很多夢裡面的過去還有夢中的夢。所以，我老是很好奇你怎麼解釋夢的出現或是你怎麼控制夢，因爲我總覺得我對夢這部分的理解和掌握一如我對過去的狀態始終只是在一個比較低階的狀況。」

「我也沒有多高階。」

「但是，你可以控制夢。」

「夢其實並沒有一個版本中的範本，我覺得可能只是一個遺忘的已然植入過的想法，藉由這個植入想法到潛意識去裡面去引動另外一個內心不想面對或不想承認的層次，我覺得只是這樣而已。」

「可是對我而言，這樣的操作已經夠複雜了！甚至，你可以在夢那邊辨識種種要出現的死去家人或友人的角色，然後你先想好一個腳本或場景，甚至你會預設那個拿鐮刀的死神在每一個地方當守護者的狀態都已經太複雜了。」

「爲什麼要這樣做或許是由於太多我自己的害怕，一如那天忽然夢到我那朋友的那充斥鬼面具的客廳，然後接著幾天他也說他夢見我，雖然說這不是現實狀態中的我，可是我覺得某一個現實的狀態可能因爲我打開了什麼，而讓別人可以無意識下地連結上某些更深的結構體，所以我只好去潛入我更深的潛意識，然後去讓它變成是更深到好幾層的深度，一如有好幾層的迷宮，然後在每一層關卡都把路又再變得更複雜，再預設死神的守護著，或許是因爲我太害怕別人也可以透過這樣子的夢來看到我夢中的什麼或看到現實中我的什麼，而去做更深的設定來保護我自己，怕別人偷看我，雖然當下我還是意識到或許不是每個人都可以這樣，但是我也不確定這一切的潛入和設定是不是那麼精密準確，或許我只是太害怕而擔心到碰巧夢見。但是，我也沒辦法解釋爲什麼我可以夢到他的客廳，或爲什麼他前一晚眞的是開了一盞燈拿了一條我在夢中看到的古毯子？所以，我覺得已經作夢到進入這種狀態的時候，要更小心所有狀態的設定，進入夢的途徑雖然很多也不是大家都可以上線，但是我開始覺得要去做，或許是把這個夢加一個密碼鎖，或是加一個死神當保護者或某種更抽象的管制人或是凶狠的保全在那邊看守，或許這種害怕那被人家偷窺的狀態和夢的看守人或是植入的途徑都太像《全面啓動》那電影的假設。」

「但是，一如那電影，萬一你困在夢裡面要出來怎麼辦？或是說如果你可以再下到另一層夢的那種切換的假設是什麼？那部分在電影裡面的虛構就是變成那機器，所有人要連到那機器就可以到下一層或是透過另一種震盪就可以回來，可是夢眞正的操作連那樣子可能只是被設定的，一如可以解釋成像佛洛依德的狀態，或類似解釋成催眠，拿一個鐘擺搖動就可以入睡入夢的類似版本，或最古代的版本被重新解釋成最現代的更荒唐的誤解，一如我看過一個香港片所拍的一種奇怪的降頭術，那部爛電影用很爛的特效拍一個泰國的降頭師跑到香港報仇的夢，他在太多的廝殺作法過程中出了事歧途地生了邪念，因爲在後來報仇的時候竟入魔地看上仇人的漂亮妻子，降頭師就用入了的夢裡去偷看她洗澡或和她做愛，可是這件事情眞正的困難就是那個降頭師的法術要練到隔空取物般可以作法一如作夢，而在不同的空間和她做愛的那種神通，是極難的一種神通，甚至，是一種更邪惡地要用那種死掉的人的血淋在自己身上的凶狠鬼降，所以他後來放棄了多年的修煉還殺了人把血淋在自己身上來練成那種鬼神通，但是，故事的最後仍然充滿了恨悔與意外，因爲在最後的隔空和她做愛時失了手，因爲當射精的時候他的神通盡失最脆弱而就被對方殺了，那裡頭的太多神通引用與誤用的設定其實也是一種進入與離開夢的設定，更混亂也更荒謬，但是，裡頭一定有更怪異的神通，也一定有某種犧牲和懲戒。那比較接近你的神通裡的更深的害怕，而且也比《全面啓動》複雜。」

「所以，你想學會控制夢，那麼你小時候作過的關於寶島大旅社那些夢就可以這樣子繼續作夢下去。」

第十個夢。荒村。

到了一個前不著村後不著店的荒村。走了好久，天快黑了，想找地方住，有人從路旁的二樓某一個破舊的斑斑駁駁木格窗口招手，那是一家甚至看不出是民宿的人家。還有個落漆的斗大舊式金屬看板，上頭畫著一個顏色已褪色很久的湖，上頭還是一艘小船，整個本來應該是華麗風光的畫面都生鏽太久了地殘破。

後來開始問那旅館的狀態，因爲天更黑了。我才發現我們一行人都是老家的人，還老老小小的在裡頭慌慌張張了起來，後來還在想要幾個房間才夠，要求先看地方的狀況，那破房子所準備的房間還是有點令人不安地不解。

後來年紀很老到走不太動的父親來看，要做最後的決定，我極不安，因爲擔心，那房間會有問題，連從門口走進去都要走很遠，路太古老而崎嶇，沿山壁爬行一段山路才走得到，就這樣等好久。

那是口音很濃重的大陸人開的，後來覺得太危險了，那房子太破。

甚至，走完山路到了房間前頭，帶我們去看的那大陸人老闆的女兒，就打開了一個地洞往下，她跳下去好久才狼狽地拿了四條舊電線出來，而且，要我們一大家族的人就一個一個順電線爬下去，天啊！我問她，難道，沒有樓梯。

阿修羅。解夢。十一

「夢裡的自己變得太容易同情而導致軟弱，或變得太容易激動而導致暴怒。但是，在夢裡回到過去或回到老家族裡的我跑太遠太久，也累了，也傷了，也出事到不能不過度地又暴怒又軟弱。只是我不願承認，在夢裡的我彷彿一再切割了我的眞實人生了，無家，無產，無父母，無子女，無土地，無故鄉，完全地懸浮，那是種狀態，一種只能自己跟自己承認的狀態，而這樣的狀態與深入的深度跟勇氣已經沒有太大的關係，只是種狀態，有時候，在夢裡會遇到太多過去的老家族的人，所有的人生就好像又快轉了一回，輪廓又大抵出現，我往往會彷彿剝了一層皮般地血肉模糊，那麼深地變態地變形記了一回，死去活來，像妖異又沒神通地跑了一大趟無人的馬拉松，但是卻又回來了，使得在夢裡的人間一如過去就像輪迴再來一回的狀態中那種平行宇宙的切換，雖然內心彷彿比較熟練但是還是常常有情緒，因爲太習於入戲太深而很難無感地去進入或離開夢裡的這些餘音繞梁的餘緒。我不敢跟自己說，我厭倦自己的人生好像以前的跑馬燈般地人見人愛，喜歡和厭惡這個世界的方法都好像也好陳舊，一如一百年前，其實記憶體裡也有一大團塊這些殘存的雷同部分，但是，我想有一天可以像夢裡的自己那般變成蜥蜴一樣地斷尾求生，但可能也會因此而常無故當機或終究會流落成流浪漢般地暴屍街頭。在夢中，好奇怪的感覺是我可以接受老家族甚至親近他們一如一個客氣的好主人，招待他們或被他們招待地那麼熱絡親切，老家族的人們比我要誠懇而願意參與這個世界現存的更理所當然的狀態，本來我也是這樣長大的，但是後來的我故障了，我沒辦法說，我孫子出生那一年我用他的名字當我的店名，我娶了太太生了小孩開了店所以我決定待下來的那種動機或投入。或是以這地方描繪人或城的所謂認同或扮演或入土爲安式的安心，我出事了，一如被植入了某種我也不會用的軟體，不會用的功能，無法辨識的不安，或就是花粉熱或更無名而難以辨識的過敏，一如你提及的某種夢的危險狀態和承認的困難。」

「有一本書裡的男主角提到他有一項特別的天賦，但是他不知是用禮物還是詛咒來形容這個天賦，因爲他的腦子可以接上別人的腦波，而進入內心最深層的那個位置，那裡有眾人不願承認的事實，除了事實以外的那樣的事實就像後面還有個怎麼樣都不想說出口的祕密，往往藉由表面的事實來安慰自己還在正常運作的世界，書中主角能到達的位置，就是事實的背後不願被承認的事實，人們爲了保護這表面的事實，總會沉溺其中，甚至成功建立起自己的表象。」

「或許我本來是最可能進入也被接受在這種狀態的忐忑不安可以更深的人種，一如你說的這種天賦或詛咒，但是，大家都把這狀態解釋成你說的這種正常世界可以承認的部分，簡化，收編，或許，我也太熟練這種隱藏，只是我過去連自己都騙過。」

「只要揭開事實的表面，那將會陷入某種無法恢復的破壞，而毀壞的程度遠遠超過自己無法預期的恐懼！大家只是很安逸的待在同標準的安全範圍內，以防自己深入被吞噬的地帶，而你像魑魅魍魎蟄伏在這個世界跟那個世界的交界處。」

「但是，操作這種不想說出口的祕密事實和隱藏成表面的護航安全範圍，太久，我也忘了我還曾經是鬼，或我仍然是鬼。被吞噬的恐懼依然隨行啊！我沒有我自己想像地那麼順手，所以書中的主角是痛苦地關上這個天賦，只像正常人一樣地當個普通的補習班老師，我們都選擇安全的話題，站在安全的位置上，說著安全的事實，是鬼，是魔，終究本性顯露的看著。」

「每天我看我的夢成了形，就像看到養了一隻怪物已然成精，放出會毀滅整個故鄉的尾獸。」

「我甚至很難解釋這種和你或可以像那男主角一樣地關掉這神通的渴望或不忍，但是，會看到的人就是會看到，不用解釋，我記得很久以前，我說你有你自己養的魔，你心中的魔是你自己餵養大的。」

「一如這夢，長出歧出的可以看到整個海景全景太黑暗又太華麗的樣貌的露台已然全空了，沒人了，只剩下我，還在掙扎地寫最後的魔的苟延殘喘。遠方的雲層更遠大團塊深處有悶雷光影一直在閃，山裡發生這些總有點危險，日本房子裡的我沒什麼期待，只是想再待久一點，不想跟人們一起馬上回去，可以再找出一些怨念！」

「我們差不多地被誤解，放掉你現在的夢裡的魔，再另外養一隻，所以，我又怎能殘忍又準確的告訴對方，所謂的事實?他們相信他們看到的，那種『看到』卻是跟我一點關係也沒有。」

「其實，我該學你先什麼都放著，好好地等一段日子，夢的那通道其實只是爲了最裡面的人出入，裡面還有危險的支撐著的走道，只用這裡那些太複雜的出口入口，用歧路和迷宮雛形的路徑，用歧路亡羊的字眼那種想像來找尋夢或離開夢。」

「這些控制夢的神通對我而言是退步的。因爲我前幾世還曾經是阿修羅，你應該要遠離我的，免得被我毒死，至今的我人生彷彿就只想解剖別人的夢一如解剖人家的屍體，一不小心很容易就回到阿修羅狀態，甚至我有兩世是阿修羅，那師父說別人一世阿修羅就不得了，你還兩世。」

「我還滿慶幸沒在你太年輕時遇到你，一定更阿修羅。」

「不知道有沒有跟你提到過，我是當了一世的男阿修羅極醜，一世女阿修羅極美但害人無數之類那種老會引起戰爭的禍水。一如你提到的，我太年輕的時候眞的非常的混帳，殺氣太凶了，滿腦子鬼點子無處發洩，那是個劇烈痛苦的過程。那廟裡的師父跟我說阿修羅在佛教中是六道之一，阿修羅這三個字太迷幻了，是欲界天的大力神或是半神半人的大力神，他說我這阿修羅一生易怒好鬥，驍勇善戰，當了二世阿修羅，還殺得不過癮。但那師父說這是很慘的一件事，當了兩世還成不了神，還沒修完？因爲阿修羅不屬於地獄道，地獄裡面沒有阿修羅，阿修羅沒有自己的一道，他是依照生前的福報擴散分別在四道：天阿修羅、人阿修羅、畜生阿修羅、惡鬼阿修羅。他說阿修羅道略高於人道但略低於天道，這一道中的眾生福報極大，壽命又極長，與天界眾生分別不太大，所以阿修羅道亦稱爲非天。阿修羅世界與天界中的部分相連，而且阿修羅眾生也常會與天界中的某些眾生爭戰，生於此道中的眾生，通常是有當生於天界的福報及善業力，但瞋恨及妒忌心強者，雖有極大的善業力，卻因其瞋恨之習氣，所以不能生於天界而生爲阿修羅這一種似天而非天的生命形式。他教訓我應該是要更小心也更用心的！」

「我想像的應該是像線上遊戲裡的你老選黑妖白妖那種很殺的角色玩，感覺好像把神通亂用。甚至，沉迷在現在還有的《阿修羅之怒》的線上遊戲。似天非天，感覺像六福村裡上下擺盪的大怒神設施，太荒謬了，把大怒神當成阿修羅，或當成夢的廢墟，那變得一點都不莊嚴，甚至帶點愚蠢的邪氣！」

「後來我退化到只會打小人，但是我打小人詛咒太強的，沒死都被我咒死了，有時候我覺得我根本是怨念太深的亡魂寄身之類的，有一年我爸病了，我急忙跑回家去陪他，但是後來我也生病了而沒法照顧他，接著我的鄰居伯伯跑到我家對我說，你爸爸要死了你都不去陪他，但我才剛從醫院回家累得要死，他一直念說我爸爸要死了，於是我的怨念越來越強大，我對他憤怒地說，死死死，一直說我爸要死，要死也是你先死啦！過了一個星期他就中風過世了。我甚至還有個地方像是被詛咒一樣，這麼多年我不太敢剪短頭髮，也許是巧合，但是每一次我覺得剪掉長髮時，我家就是有人過世，我像是某種恐怖片裡的主角，後來我就不剪，也不敢隨便叫人家去死，在內心的深處，我好害怕，因爲我這種人或許根本就像是種武器。」

「我不太知道外頭的人對你們這種武器的人裡頭的想像和可能的誤解，描述這種種限制是人們或我自己的更單薄的焦慮不安，但是回過頭來講，這單薄的焦躁其實只是沒有必要卻又必須存在的一種面對你們這種人的過程或階段性的行爲。」

「可能叫做阿修羅，也可能叫做靛藍小孩，那是一種特殊的人種，有一種描述也很接近我這種人，他們都有特殊的使命到地球，像是外星人轉世一樣，每個靛藍小孩都有神通，這樣的小孩常常被以爲是自閉症，他又不同於靈媒，看不見靈魂，但是卻知道靈魂的所在，常被視爲擁有某種特殊意志力或超自然能力的孩童，靛藍小孩生來便具有與地球和其他人連結的能力，然而由於孩童的溝通能力有限，靛藍小孩們與生俱來的特殊心靈感應以及異於常人特別敏銳的感知能力常常會因爲受到壓抑，他們對於罪惡感這個部分常常是不會有反應，很多被認爲是靛藍小孩有很多的樣子，外表的樣子跟氣質還有眼神是相同的。」

「我覺得你之前說你還在等的那種理解自己與安頓自己的狀態，這種小孩的描述是比較接近我想了解的。」

「我小時候就有繼承到這神通？我外婆是一個通靈的仙姑，我小時候很壞，還用來詛咒同學，在京都念小學三年級的時候有一個女生聯合別人說我壞話又欺負我，然後我把每個人的名字寫下來，外婆警告我不可以叫人家去死也教我要留口德，比如說第一個愛說謊的再繼續說嘴巴會腫起來被老師發現她說謊，最討厭那個再繼續說他的壞話就會轉學，結果三個小孩有兩個無預警地在學期沒結束就轉學了，那時候我不會把所有的這種狀況都當作是一種神通，我還是會找出別的解釋。騙自己說因爲我沒轉學，所以他們決定轉學，反正那時候自己還是小孩很好騙，但是或許我也沒有騙自己，我像是在解應用題，尋找任何的可能，很多事一體好幾面，我只是找出任何的可能，但是可以選擇我想要的解釋，這一點我沒有說服自己，也是讓自己從小會去思考多方向的可能說服或解應用題，每種解釋都是合理的，甚至可以解釋成我在夢外的現實中也可以植入夢裡的那種想法而啓動了不同方向的可能，當然我也不掩飾任何可能的解釋，讓自己挑選，小孩對於這樣的植入比較簡單，沒有雜念，可以相信任何可能，所有的邏輯其實只是個理論，我也沒有去證明這個應用題，我只是當成應用甚至申論題去解，對於我，有時想解釋就解釋，不想解釋就放著，已經到了沒有合理跟不合理的部分。」

「我跟你說，跟夢一樣。能控制夢的，就不用解夢了。我只是一個訊息傳達的人。或許，你是造夢，解夢是我這種人的事，你是訊息本身。像第五元素，完全不一定會被發現的元素。解夢再高都只是讀訊號的軟體，不是訊息本身，解夢或許背後也要有龐大資料庫才能解，我或許只是不負責任那種解夢者，但那也只是人間的麻煩。」

「對啊！都可以直接下死咒了的我太危險了，是個殺人不著痕跡的武器，對啊！至少可以打小人，我不太想變成到這種狀況，別去害別人或嚇別人了！」

「奇怪，這樣子的你應該要比現在更虛無才對啊！」

「我帶髮修行當尼姑好了，我沒插電啦！插了電就虛無了。」

「所以我只是個便宜的翻譯機，你可是宇宙無敵亂碼，然後我也搞不清楚密碼，還被警告輸入太多次錯誤密碼。」

「別這麼說，翻譯機是很聰明的。」

「但是可能我只是一個混亂的失憶神棍。」

「好了，別亂你自己。」

「付出代價，要犧牲很多，小時候想會覺得遺憾，會覺得只是過往的一個回憶的人生彷彿一直在作一個個的夢，只是那種夢在找什麼。」

「奇怪的是，或許夢其實完全不需要找也不需要解釋，想不通或完全沒有反應或沒有被歸類的狀況也很自然，其實每個人的故事每隔一段時間就會拆開來，在不同時間對不同人講出來，丟出去的東西後面還會有人會丟東西給你，像拼圖，雖然結論不重要也不能格式化，每一個人和每一個故事都可以獨立出來，只挑你喜歡的，用不相同的感情丟出去，你的焦慮只是一個過程。你在心中選擇在什麼時間打開，越來越後期，有很多人會出現，很久不見的人出現跟他丟給你的東西會幫你植入一個一個念頭。他給你一個念頭，但是啓動完全在你自己，你不用思考，不用害怕這種解套的解夢般的被啓發，因爲換了夢，就像換了新的負擔，需要時間來換新的習慣。一如你的夢裡或你的老家族的所有問題都可以回答，但是，或許，是你問錯問題了。你問錯的種種念頭也會影響了自己，提醒自己，那是某種最後階段的提示。即使位置有點動搖，你就想像自己在中間，打開那一個就那一個，不要在乎誰是誰非，即使感覺上你的位置是不對的，不用煩惱不清楚，你和我的分別在於我只是等，不用焦慮要拼拼湊湊的拼圖，只是藉由想法自己發生化學變化，就放著就好，隨便它發生。

「我想像你是把狀態當成就像只是操作型定義來描述接近的過程，就像夢裡頭一樣，幻想沒有完成的過程。一如開始要幻想的時候，就是某種人生拼拼湊湊的沉淪，藉由夢，但那最後還是會拼湊成一個故事。」

「不可解的過程，要耐心等待，你不用對夢的後面有沒有解釋感到焦慮。一如我雖然有神通，但是選擇不去用，還強迫自己關掉，那是因爲要打開接收地選擇接受太痛苦了，但是有時候那種狀態的內部還是會自己啓動，像自己的細胞，但是即使不抵抗不招惹，還是會出現，就像是有聲音也有對象，也像是有人在我的腦袋打字，我不知道是什麼，但是會進入不同階段的人的語言和不同等級的夢，彷彿在一群人圍成的一個圈圈中，有人把訊息丟給我，夢裡的每個人都是結局，都是一個可能，一種碰觸不到的可能。而我只是把東西丟出去，要解開神祇的全體訊息太困難了，因爲我的能力不夠，或許只是我的記憶體不夠用了。」

「或許那種神祇的訊息是不可能被解開謎團的！」

「不，不是不能被寫出來，其實沒有不能被寫出來或不能說的部分，所有的這種訊息一直都在，只有能懂和不能懂。一如夢，只有能解或不能解。」

第十一個夢。古堡。

那是一整群飛行的羽族動物，疾風知勁草般地繞飛一座古碉堡，斑斑駁駁的高聳土牆的塔樓，再仔細端詳，是一群賽鴿，近乎不可能地像在賽車場般地原地迴旋飛行，繞飛那土塔樓。

但是，出入口，卻在土塔樓的極高處。只有一橫小縫隙讓鴿子飛出飛入。

領賞的地方，也是一橫縫隙，太多的蟑螂從裡頭一直爬出來也一直掉落。我跟著去看，那個人快受不了，一直拍打掉在身上的蟑螂。

另一個古老的沙漠一帶。完全看不到邊緣地空曠，四野完全地無人，山丘，不，沙丘起伏地綿延太遠太遠，但是一棵樹都沒有，一個房子或一點點的人煙都沒有。但是，不知為何，我在那裡出現。

我和另一個人。破舊一如纏繞木乃伊過的紗白棉布就包住半個上身的身體，但只露臉。露出下體，我的陰莖已然被曬傷到長出破皮的乾裂死皮，還有很多沙漠的沙持續滲入墜落中的陰囊龜頭和包皮裂縫縫隙，我已然完全痛過太久到後來完全沒感覺了。

但是身旁的另一個人下身卻很不尋常，沒有性器官，而且雙腳沒有大腿般地只有小腿那麼高地站在那裡，整個身體怪異地極瘦小而短一截，像是侏儒，或是小隻的妖精，我們在等待什麼，不能離開，但是身上並沒有被綁住。

雖然心裡好像感覺得到這是一種懲罰。但是不知做錯了什麼，就只是呆若木雞地站在那裡，汗流浹背，不知如何是好。

第十二個夢。外星人。

我跟她說了一個夢，說到這個荒謬劇般的現場，讓我想起我小時候作過的一部類似兒童怪獸片的夢。那像是一部怪電影，或說是一部假電影，像一種完全不可能的疏忽才會在京都拍出來的一部雖然既魔幻又科幻但還是很愚蠢的電影。或許，也就像是一則不可能販賣的謠言或謊言或就只是傳說中的假故事。

但是，這仍然只像是一部荒謬劇，電影裡頭的狐狸和鹿和機器人已然一起統治了人類，但來自外星球的星艦降落了，本來外星人要毀滅地球，但是因爲狐狸和鹿帶領外星人和機器人坐在清水寺的懸崖木製廟埕前的櫻花林打坐，那裡打坐的風景最好。要使他們對地球改變想法。

裡頭有兩場戲，帶外星人在古老的的古董市場買古董，然後在古董市場旁另一個清水寺前打坐冥想。

雖然，夢裡是那麼混亂，演那些狐狸和鹿的人們也就在裡頭穿著各種外星人服、太空服、獸服、機器人服，他們都一起坐在那清水寺的廟裡的老木製廣場練習台詞。

狐狸對鹿說：「我們要想辦法說服這些外星人可以想像出來的打坐後變好了的人類，但我們不要當人類好嗎？打坐很累吔！」

鹿說：「京都這地方以後會因爲教外星人打坐拯救了地球而被傳誦的！」

狐狸說：「沒人知道人打坐之後可以變成什麼？變成別種動物？還是變成外星人？」

外星人說：「人們到底都跟什麼神打坐？會練成什麼？或自己就會變成什麼樣的人？他們自己知道嗎？」

機器人說：「即使打坐之後來不及拯救災情太慘的人們快要毀滅，我們都願意爲地球犧牲，以身相殉。」

狐狸說：「打坐所看到的這些風景太美了，但是，這些人類太笨了。」

外星人對他們說：「人類這種打坐，以爲自己可以猜到神的意思，但是好像只是好幾種動物在猜對方的意思，都在做自己和對方都不知道的事，這種猜測太笨了。」

機器人說：「人類雖然會打坐，但從來沒有像不會打坐的動物們那麼喜歡拯救地球。」

鹿說：「動物不會打坐，沒有勝算，但是還是非試試不可。」

狐狸說：「可是我也已經超過了一百歲，我不想打坐，好累，你不用羨慕我，我早就被外星人發現了不是人類的身分。」

甚至，最後櫻花長得太遠，從寺裡長出來寺外，長滿了整個京都。

最後，看著盛開的櫻花的那個演狐狸的人脫下那獸服說，打坐個屁，這誰寫的笨劇本，對白都好好笑。

第十三個夢。小孩。

夢中，我還很小，從小學校放學去一個同學家的廚房，看他媽媽煮了一桌菜，一大群小孩吃了好久，但大家都吃不完，後來吃不下了，她還叫我打包，很熱情地要我帶了裝湯的塑膠袋回長壽街的家，一路我都怕塑膠袋破了，湯會流出來，很擔心。

回到老家，偷跑到那後院的老廚房，我想要把涼了的湯放在鍋裡再熱過。但是，沒看到姑婆，而姑姑她們好像都沒看到我，而正在乎地在廚房裡忙著走來走去，正要著急而緊張地準備些什麼，看起來是要張羅給一個重要客人的一頓飯。

我走進黝暗的我們家在二樓後端的舊房間裡，姑婆卻疲憊不堪地在睡覺，可是在床頭有一個小孩在旁邊想鬧她，那是哥哥的小兒子，但只有一隻猴子那麼大小，他有一點忐忑不安不太敢動，就在旁邊看著睡著的我姑婆的臉。我想叫他離開可是又不太確定他到底想幹什麼，那百獸古董床的老房間仍然還是很陰暗，而且姑婆看來很疲倦，所以我希望他都不要吵她，但一向太好動的他不聽，哥哥不在，而我自己也還是個小孩。

那是我們以前住在長壽街的時候我還很小的一個神明廳後永遠很黝暗的房間。

第十四個夢。青春痘。

那晚的夢依然緊張，夢裡頭，在路上，遇到一個認識的瘋狂老女人，她跟我炫耀她在亂塗粉紅色加紫色的壁畫色母，要用狼毛筆偷偷地描畫一些妖怪在牆上。但是，住的那京都的異人館老房子是她租的，房東也是老太太，但卻是很保守的歐洲貴族，所以要留意她會來干預，她要我幫忙把風，只要有風聲就跟她說，那時候我們在那老房子弧度極美的老彎道樓梯間，鑄鐵花草雕刻藤蔓欄杆旁有個天井，她要動工開始畫了，還一邊唱起一首好像小時候聽過的臺語老歌，聽到這裡我突然變得緊張，但卻也不知如何逃離地只能看著那空的圓形天光流灑下的空曠天井，一動也不動。後來，我把風到一半，才想起來，那畫妖怪的老女人不就是我姑婆嗎？她怎麼會在這裡？

後來，從天井往更裡頭走，才發現，這異人館好大好華麗，整個大廳正舉行著青春洋溢的盛大宴會，但是，我只想找洗手間，在這一個混亂的場子，避開了太多人太多圈子在派對裡的寒暄，看姑婆還偶爾下樓走了好幾趟，到處熱情地招呼客人交代下人種種上餐的細節和更繁忙的應對禮節及事情，有人在等她上菜，有人在等她開場，她還是叫他們等，但是她還依然掛念太多瑣碎場子的依然混亂。

我也開始意識到自己是很緊張的，因爲場子太大，我不免因爲種種牽掛而焦慮，太多事的太小心，擔心很急躁地不免犯規，怕身上發出味道而不自覺的臭，怕懶又怕亂，也怕拖累別人，怕犯錯到甚至不知道錯在哪或根本沒有錯還是怕，這個京都異人館盛宴對不小心在場的我而言，一如《天才雷普利》那種一開始是去接近後來誤殺之後的人間蒸發，接著自己取代了那個人那貴族般人生的揮霍，取代了種種太多曲折歧視的玩世不恭與美麗情人，但是歪斜扭曲了的他最後也因此眞的竟然就換了另一個奢華人生，可是卻陷入了一種從頭到尾完全的焦慮不安之中。

一如我到了洗手間，卻在鏡中看到了我的頸上好幾年沒癒合的傷口，刮痧又藥布過敏起疹子，看起來又像擠破而始終沒痊癒的青春痘疤痕，而且也想起這疤痕常常一熬夜或一過度疲憊就會癢而疼痛，一直沒完全好那是這幾年的一件怪事，即使我皮膚從小就不好。但是也沒有這麼久的傷口！

但是，卻也因此想到一件怪事，溫暖而荒誕，想到更早的小時候，媽幫我擠青春痘，也永遠一擠就擠好久，但她堅持一定要擠到膿的白頭出來，不然就會再發作，那是我進入青春期或說長大成人前，最後的對她的回憶。奇怪，她並不了解我，也不了解那時候長滿臉青春痘的我眞正的擔心什麼或抵抗什麼。而且，我已然去念教會學校，很久才會回家一次，也就是，我已然離她越來越遠了，或離家越來越遠了。她並沒有發現，我也並沒有發現，一如她要幫我擠青春痘，是一件多麼令人不安而難堪的事，尤其對一個少年，對一個剛開始對自己長相在意而感到自卑的少年。甚至，她並不知道她是錯的，我也不知道。但是，我也沒有阻止她，常常弄得滿臉是血。痛的時候，她老是會安慰我，笑著說，人帥痘就大顆。我並沒有被安慰到，但是我也並沒有在那時候就感覺到，其實，那是一句謊言或嘲弄，或就是我變成人之前最後的玩笑。

但是，在那異人館的鏡子裡，我就在焦慮不安中看到那青春痘彷彿不斷地擴散化膿，在我不小心一擠時就汩汩流出了慘白的膿汁和暗紅的血液，滴滴答答地流到我的腳底，越流越誇張，甚至噁心的兩種分泌出混合成惡臭但粉紅色極美的體液流滿了華麗的巴洛克式洗手間馬賽克地磚，越流越快，最後，甚至血肉模糊的黏稠汁液還從我的臉的破洞激射而出……

第十五個夢。兄弟。

回到老家，長壽街老房子竟然已然改成清水混凝土的建築，牆都是斜的，故意做成歪歪扭扭的，某種幻覺般的狀態，彷彿是亂視斜視的不是我們家了，走到門外頭，我們還遇到以前的同學，寒暄拖好久。但是不知爲何開始下鍋煮飯，我想離開了。

但找到以前的衣服好幾袋。哥和堂哥他們幫老家在擦窗戶、掃地，我越來越不耐煩地到處走，找到一顆印，我的老東西，那是一個玉石印章嵌入一瓶玻璃瓶小試管的不明液體。

後來，收拾完老東西的我們去小學校要一起參加考試。那眞是千鈞一髮。在最後一刻，我們坐著他的VW的車開車衝進學校的考場參加考試。

一開始我和我的情人跟他只是同車，正要從另一個現場趕過來的。三個人一起趕路，有種過去一起經歷過什麼的不明的革命情感，或是，我也記不太清楚了。甚至，爲何要去考或要考什麼我都記不得了。但是就像過去人生太多雷同的考試的不得不，就只好跟著用力用功或跟著愁眉苦臉地煩惱。無可奈何地入戲。

但是，那一路都很緊張，甚至校園淹水。下大雨中的所有事情都很模糊。我甚至不記得要去考的教室是在哪裡，怎麼走，何況在這麼急的時候，但是，他竟然完全地精準，趕路中認路，我們要去的地方在某一棟，在某條路的尾端，他一路加速，轉彎，甩尾。極快到一如特技表演那種近乎不可能的速度感的精準，最後，我們竟然趕到了。到的時間是才開始考但還可以進場的狀態，太過分地緊張。

那時候，我才發現他穿著很貴氣的鑲金手工縫製的華服，長相極度俊美而有種奧匈帝國貴族的氣息，是一個德國人，老了一點，但溫柔優雅而聰明極了，是一個客氣親切但不太熟悉的人，但是，我心裡卻完全覺得他就是我哥哥。

後來，在車裡的後車廂裡，我發現了他的祕密，但哥哥的行李袋裡都是準備好的做愛的行頭，有件她穿過的丁字褲就藏在袋裡的夾縫，或許，已然很久了，只是我不知道，或許，那是一個很不容易描述的困境，只是不明的偷情的暗示或不倫的可能，還是不很清楚，我覺得哥哥在後來的某個慌亂或切換的時刻，不知如何地和我的情人有染，一定和肉體有關。不一定是做愛。但是，一定是祕密地進行。

或許是她用肉體幫他想通了一件事，抽象到無法明說。但是，或許她幫他完成一個困難的關於性的試驗。他們都沒有說，也沒有人發現，我也沒有說，但是我知道，那或許是他們也無法對他們自己承認的一件事。

我知道，但也沒有再追問。

後來，就在老家裡開派對，不知何時，長壽街老家變成了那種很老派但卻很氣派的怪風格，折衷主義的折衷太多太怪的老德國早期古典工業風。很多舊金屬窗框的多格大玻璃窗改變裝潢成的殖民式的老房子。

在裡頭請客。出奇的海派，出奇的忙忙碌碌，而且不知爲何，來了太多有頭有臉的名流，穿著打扮入時極了，甚至，許多人許久在沙龍的貴氣華麗的古董沙發上，抽老菸斗和古巴雪茄，喝高腳杯裡的紅酒。

奇怪的是，怎麼有個很像Gay花美男調酒師在勾引客人。有一些性的暗示，連在夢中，好像所有現場的人都跟娘娘腔的他有過祕密的肉體關係而緊張著，但是，我心中也知道，他其實就是我哥哥。那眞是一個混亂的時光，所有的人都和裡頭另外的一些人有交情但是也有著不能見光的事。

我一路在接電話，打點貴重而難纏的客人們，交代派對裡的太多細節，餐的小點如何不著痕跡的進出，大閘蟹的蒸籠火候，蘸的薑汁和最高檔的日本京都找來的醋的酸的口感。所有老茶器和深山頂級普洱茶的杯皿的最好定位，某些法國餐的馬卡龍和小型普羅旺斯派最後甜點的小心進場。

太多細節太難照料，令人不安極了，尤其熟人太多，我招呼得太累，就想法子抽身一下。

走之前，還只好就叫我哥哥想辦法打點。

後來，我疲憊地從四五層樓老天井，悄悄離開。想辦法走出房子外，去透透氣。就在路上，看到很多老店、老行號，甚至有一家舊電視上正播出一如恬妞或香港和臺灣的一些整形過的老藝人拍的瘦身廣告，老家長壽街變成了山邊斜坡旁的老市場，人聲鼎沸而叫囂。太多老人在吃熱騰騰但髒兮兮的早餐。又哭又鬧小孩擁擠的亂跑的舊豆漿店，下麵下得一身汗又一直在罵人的老山東腔漢子的刀削麵店，那是一個賣魚賣肉的老派早市的前頭，我就這樣沿著路走，很多來買菜的又胖又俗氣的歐巴桑，騎腳踏車邊載貨邊吐檳榔汁的穿夾腳拖鞋的糟老頭。

就這樣，在老市場尾端的又臭又髒的那個汙水老流入的死角，還是買了那一個八卦山下老店肉包李的肉餡已然沒以前入味好吃的小肉包一路吃，但還是幫小時候很愛吃這家的我哥哥買了另外兩個肉包，準備帶回去給他吃，而終於才覺得開心了點，甘願地走回老家那場子。

第十六個夢。小學校。

那是一整排極老而極神祕的長老怪物們列席，在小學校八卦山後的山崖往下看著山腰操場上的成群小隻怪物排練某種古怪的妖術，有種奇怪的凝重，然而那些小怪物是人身獸頭的，雖然，背影看起來還是很像小孩，但是頭顱是猙獰的，有的是複眼，有的是獨眼，有的長滿臉的螢光綠鱗片，有的頭頂耳側還有尖刺倒鉤的觸角，只是眼神仍然有點天眞而恐懼。

後來，我突然想起來，我以前也長得像牠們，也跟牠們曾經一起生活和上學，就像小時候和所有同學在朝會的那小學校全校集合在那裡那種空曠但又擁擠的狀態，在那個演講廳聽太久了所以東西好亂好多在椅子底，後來要走的時候大家都很匆忙，我還跟一個好像是很愛找麻煩但一路照顧我的怪物告別，但是牠有一點匆促而古怪，我要跟牠要地址，可是牠找不到，那是一種應該要依依不捨的時候，但是整個狀態就是在太混亂地離開和撤退之中。

後來，我在山崖上看了很久，那彷彿是對那些小怪物的某種極嚴厲的考驗，極肅穆的怪異成年禮或煉妖術的測試，但是，所有的狀態仍然持續地失控，甚至，有一隻瞬間長大後動作遲緩而始終分心的獨眼怪被一個女長老當場殺了，還將牠那淌血而龐大的屍體就扔入那山路旁的木製舊垃圾箱中，也馬上招惹了成群的蒼蠅來爭先恐後地噬咬血肉模糊的傷口。

看了心中有種難以明說的難過的我想離開現場，那也是我的充滿血腥和暴力的身世嗎？我怎麼也變成獸頭的怪物了，那是教授妖術的小學校嗎？不知爲何，竟然縱身向下跳就飛起來了，而且，就一路低空但疾速地飛，然後轉身而隱身般地潛入在八卦山的一個極隱密的山洞窟口，還飛入了更深的洞中暗黑的內彎迷宮般迷亂的惡地形之中，而且繞了一段不短的彎路之後，就開始加速起來，而且眞的在又長又黑的地穴裡疾飛，繞過彎道上的水面，避開很多又很骯髒的種種障礙物，有些是堆滿混亂的廢五金，有些是毀棄的山壁塌陷，有些是洞穴掉落的亂石，都很龐大而惡臭，沿著弧形而曲折的水道側身出現，但是，我仍想法子在疾飛中瞬間閃躲避開，然後在不斷的地形變化中繼續加速到近失速的狀態中往前飛。

在疾飛中，我感覺到自己變成的複眼前所出現的幻影，而且滿臉的螢光綠鱗片和耳側的尖刺倒鉤觸角也都很明顯地長出來了，在太疾速的風中還覺得如刀割般地刺痛。

在夢中，我從來沒有飛得那麼快過。

第十七個夢。醫院。

夢中的長壽街尾，我被姑姑她們叫去又髒又亂的老雜貨店買春聯和過年用的某些年菜去送一個遠房親戚的長輩，因爲那時候老家出了事而請他幫忙的事但是他完全沒有幫忙還因此得罪了另一個更麻煩的遠房親戚的長輩。事情很尷尬，也不能收場，只好叫無心小孩的我去送禮了事，但是，不知爲何，我內心完全明白那些大人心事重重的牽掛，卻一路還是裝成什麼都不知道地去送禮。

而且，竟然在路上意外地看到了新懸掛上的那一部彰化大戲院的嶄新電影手繪海報看板上的新片子，竟然是我姑婆和森山演的有點色情的日本妖怪片，我突然想起她露出邪門的微笑跟我說很好看，我也只好忐忑不安又不好意思地附和了一下。

那奇怪的時間差在夢中我並沒有發現。甚至，在那夢裡的我好像早就已然認識她了，但是那時候的我其實還很小，彷彿心中就有她這一個祕密的情人，而且她長得就像是我姑婆年輕時候的模樣，我問她是不是要買點什麼東西，也想著是否過年終於可以找她到寶島大旅社來玩，那個小時候的我不知爲何心中老是不想待在長壽街那老房子，一直到她剛剛搬過來那一帶的醫院，而且才開始打開行李在整理東西，要長住病房了。

我有點不知如何是好，尤其她說的時候神情有點怪異，彷彿有點傷心又有點開心，不知道怎麼回事地憂喜參半。

原來她出了事，後來才想起來的我問她傷有沒有好一點。

但是，她卻竟然給我看右腳膝蓋已經挖空了，只剩下骨頭，綁上了繃帶然後還在滲血。我不知道她是什麼時候受傷的，也不知道她是怎麼出事的，但是，就因此而在那長壽街我老家旁的老醫院入院，我有點爲她擔心，而且看到她就有點心疼。但是也不能怎麼樣，這令我更難過。

我突然想起她那彷彿重傷入院在長壽街一家老醫院的那段古怪時光，我後來還常常去偷偷看她，大部分的時光裡，閃過我心中只有一個極令人不安又不忍的畫面，那是在暗淡而模糊的黑白剪影，她正望出長壽街的老舊木製落漆窗扇的窗口前，那老醫生常常在她病床上懸吊著很多個不同的點滴的畫面，她始終一直癱瘓在那裡，但是她不知爲何在心情落寞之外，始終有種古怪的詭譎的微笑藏匿在臉孔後頭，只有我看得出來，雖然我也始終沒講也沒問，就這樣，一天接一天的日子就這樣很快的帶過了。

夢中的最後，卻非常地驚人，因爲她竟然就從窗口往外跳，我後來才知道，那是一種古怪而難以明說的狀態，彷彿那傷只是一種修煉，如果可以克服，那麼就彷彿只是她用某種自殘到近乎不能被外人想像的自恃在展露她已練成的一種神通，所以，在那個病房的窗口，只要她飛得起來，就可以彷彿重新投胎般地變成女妖，而且她的神通也終於不用隱藏了，之前發生了受傷的事，只是一種她刻意的轉機，一如重溫那個可以重新投胎的故事，從肉體的傷而進入內心內在的切換轉移，進而完成了某種祕密變形的變身。

最後的畫面，就是我看著她竟然眞的從那窗口跳出就從長壽街上空飛起來，頭也不回地飛走了。

第十八個夢。父親。

那是某個太充滿暗示的畫面，光暈昏暗地難以辨識，然而所有現場困住般的情緒都還那麼地清晰而激烈，卻又那麼地隱匿而死寂，在那長壽街老家的長廊末端，在那個父親的多年前的房間。

一如所有的時間都遺忘了的不再意料到太多的意外，我竟然想起這一個近乎難以描述或難以想像的夢。我夢見我自己穿著難以描述的性感內衣，但是，我心情很奇怪，有種欲說還休地不曾抗拒，甚至有點期待，或許就像是要等待被臨幸。

那性感內衣是某種設計極繁複精密細膩的全身網襪，黝亮的黑色純絲綢質地，圖案是猙獰巨蟒的蛇紋被纏身在蜘蛛網暗黑線索的濃密糾纏。一如老時代的連鱗片爪牙都極端寫實逼眞的刺青，或是被下咒或下降所浮出的肉身圖騰，那般邪門地華麗美豔。

那等待著父親的時光是那麼地漫長，彷彿某種儀式的刻意冗長，充滿了我也不太理解的暗示，那是每天的某個長日將盡的時刻的隱藏版地離奇加長，在那段近乎慢動作的凝結太久的我的凝視裡，父親還正在天快黑的天色中從外頭回家中，空氣無限凝結於溫暖但是又混濁的鼻息，伴隨著他那部賓士老車的低沉引擎聲響逐漸地由遠而近，他用遙控器開了那時代少見的完全手工訂做一如蝙蝠俠般祕密安裝的電動車庫，機械的庫門齒輪馬達低響推開了鑄鐵輪軸滾過滑軌的低速微微震盪，最後像一陣一陣悶雷的完全沉默才終於停歇在寬敞前院的末端，步下車門，然後下了車的腳步聲緩慢地走進家門，在整個從家的外頭往裡頭的那近乎所有的細節都太熟稔又太窩心的接近行程中，使那躲藏在那房間裡的仍然還是小時候的我充滿了某種衷心，太過專注等待近乎太深入的款款深情般。

所有的妄想，或許只是過度期待父親可以打從內心地更注意到我，被我吸引，甚至被我撩起某種類似性慾的莫名好感，關心到關愛的底層所揚起的某種擁抱或手勢，甚至僅僅是眼神也好。或許那更是無法解釋如何奇怪的切入點，我並沒有被侵犯的感覺，甚至那性感的內衣也並沒有猥褻的氣息，連肉體的獻身或更直接的性交的發生都沒有，反而更像是一種結界封入的法術最靈驗但又看不見的狀態，沒有任何的更陰霾充斥的痕跡。

到底我對我父親的想像是什麼？對他的懷念或懷疑是什麼？甚至多年以來日夜相繫的家人也沒人發現。躲藏在那個房間死角的我仍然躲藏在那裡，那性感內衣仍然穿在尋常的小時候的白白淨淨的小學制服裡，沒人留意到我的異樣，雖然自己已然因為太忐忑不安到全身發汗到微微顫抖，彷彿做了太見不得人的壞事那般地羞恥而心虛，但是，所有的隱情只有我自己知道，犯罪感般的潛意識潛伏太深，莫名的罪與罰的如何量刑，種種內緒太難以啓齒甚至太難以相信，然而更奇怪的是那我隱匿卻滿懷期待的更內在的內心戲，甚至連我自己當時或許也還不太明白的更怪異的情緒，還是有點貪心也有點擔心，害怕會被其他家族的人發現，會被揭露。

或許父親會因此就不想要我了。

或許，這種種餘震般的餘緒都僅僅是我所妄想出來的，不曾被他發現或理解，不曾被他打從內心地有過一絲絲的更深入地接受或珍惜，甚至，或許他更後來就不再想了，或已然忘記了，因爲，如果這種極端隱密的近乎變態的疼我的方式也消失了，那對那時候的我必然都是一種最錐心之痛般的遺棄。

就在我永遠擔心那被遺棄的一瞬間，時間變成了某種溶解的囚房，一如那父親的房間，一如我穿上的下咒刺青般的性感內衣，一如我的眷戀太深之後太沉默的瘋狂，我出不來了。

一如溶化在那太沉重的液態的窒息密室裡頭。那像噩夢般逆行的春夢對那小時候的我而言，就是挖骨還父挖肉還母的不可能的情感移轉，就像是壓穿琵琶骨廢所有武藝的那種刑求，菩提樹下的苦行打坐群魔入腦，對抵抗廢武功或苦修僧的漫長到近乎不可能再撐下去的湖底地牢或結界黑暗時刻的一再被撥開，試煉。

一再威脅般地提醒那種種我小時候曾經擁有過的人生如此美好或溫暖，都是一種幻覺，一種自欺，人生其實那麼哀傷那麼扭曲到一點都不值得活著或不值得悍衛那般地自暴自棄。

這好像就是一個最後的回答了。其實我想像的過去，是我的童年裡的人們都死了或都瘋了，我的過去在現在的更快轉又更壓縮的自欺版本。彷彿在提醒著一千零一夜式的困境的永遠無法消逝，昨晚你的命是撿回來的喔！別忘了，今天也別放棄！

或許夢中的「父親對穿性感內衣的我的色情變態想像」正不斷貶值又不斷急於兌現。一如最後通牒般地對夢中的我逼供。但是，卻不是父親想要我的什麼？反而是，到底我想要父親的什麼？因爲，那種種時間的降臨可不再是線性的平滑般滑行，而是頓號，一再的空襲般的頓號，那種敲門巨響般重度地襲來而產生無可抗拒地剝落，剝離自正在發生的當下某時刻的理所當然，過去到未來可能的有跡可循的進化或退化的考古史學，往後來會演變成什麼樣的小獵犬號上不安探問可能褻瀆神明的純粹演化，那麼沉湎而波瀾在惡夜的死寂湧動，悶雷在烏雲密布的天際不斷閃爍，令人髮指地擔心著歷史觀及其教訓式地將以何種樣貌的出現，那虛幻的期待的末端。

但是，這些時光的眷戀感或許都太老派也都太迂迴曲折，這時代變得太快太晃動，不再那麼專注緩慢地凝視等待我的忐忑探索，而只是一如砰砰砰地重重撞開門地衝進一堆恐怖分子般的特務或幹員或十二隻猴子那種未來的救世軍密探以天使般的姿態，在我穿著性感內衣色誘我父親之前，就又凶狠又哭又鬧地緊急把既擔心又傷心的我架走。

困在那個祕而不宣的密室裡的我到底想挽回什麼？父親的什麼？過去的什麼？

或許，這個夢是一個很可憐又很可怕的瞬間，沒有寓意的寓言，充滿了反諷地最後也最厲害的童年的尾端，那是一個被遺棄的兒子想要挽回父親的愛，用最扭曲而深沉的近來荒唐的扮演，性感，誘惑，隱藏的無人知曉地等待救贖，但是無法救贖地陷入了某個最深也最遠的童年的死角，等著不常回家的父親終於回來，性的幻想與幻滅，被眷顧的可能，及其犧牲只想挽回些什麼，但是，父親已經死了那麼久了，他卻仍然活著，開舊賓士的那台沉沉引擎聲響低音接近的那幾秒鐘的忐忑不安。

那或許就是我的過去的完全縮寫，描述我身世涉入了更深的雷同被種種時代所遺棄的那三代近乎一百年的縮影，所有的人都陷溺在某種摺疊扭曲到不成人形的情緒及其消失太久卻不曾消失的餘緒，像一股怨念的重新喚回，以更爲濃鬱的滂沱大雨的況味的深深陷入，

沒有期待也沒有再切入的可能，或許是徹底的逃離或許是最終的遺忘。甚至，也不覺得那時候的離鄉背井，被家族放逐或更後來自己到了更遠方人生的飄零，和父親有任何關連，線索都斷了的不再可能，像回憶被刻意洗掉了，有一個小時候長大過程的家人不見了，但是不太記得他的模糊模樣。

但是，我太久都沒再想起這個夢，因爲太多分心，也因爲這個夢太變態太噁心，裡頭的內心戲太過糾纏不清到我也無法辨識的闇黑，一如我小時候曾經潛入我父親房間的衣櫥裡找到過我父親買給我母親的許許多多性感繁複華麗的在日本旅行時買回來的內衣。在那時代，那像是某種天上才有的奇花異草式的珍藏，一如他買回來京都的手工到頭髮都是眞人移植的歌舞伎人偶傀儡，或是最昂貴的祇園西陣織的刺繡滿滿櫻花盛開一如櫻落

雪般和服的迷離。

我就常躲在父親房間的衣櫃裡手淫很久很久，射精很多很多回，望著那紫色的，粉紅到暗紅，金光閃爍，灰暗如烏雲密布或沉黑如墨跡的種種性感的胸罩、丁字褲、吊襪帶、絲襪、網襪，還有古和服內裡的性愛絲綢圍布肚裡。太多太多像一個性愛博物館在那密室裡的最稀有珍藏，甚至，有羊腸做成的最頂級保險套，古怪一如假睫毛的羊眼圈，甚至抽屜最深處還有一支極昂貴矽膠做成的假陰莖。那時候的剛剛去念教會學校的初入青春期的我，以爲那是太過耽溺於女體，性的一如糾纏不清的毒癮，或許，就是戀母情緒的延長到最深的死角。我都無法提及說出，甚至太久太久以後都忘懷了。

然而，多年之後的這個夢的餘緒所牽引出的，反而是翻轉成我對父親的更病態的更抽象眷戀，或是對被遺棄的家和身世的更深沉抵抗與無力挽回的折射內緒。

在那個夢裡的更早以前，我在父親那暗暗的房間裡到底發生了什麼事？

在那一個發生在那個房間的夢裡，我始終還又回到了小時候，也又偷偷溜進去那種奇怪的心虛的時差裡，在沒人的父親房間裡，我睡那個龐大華麗柔軟的絲綢床單的床，因爲想偷看父親的床底的VHS錄影帶裡許許多多的色情片。然而，更奇怪的是，明明家裡沒人，但是旁邊的房間的聲音很大。而且還是激烈的喘息呻吟的性愛聲音，我感覺上不是從我在看的色情影片發出來的，爲什麼他房間發出了淫蕩的激烈聲響，或許還可能是眞的，父親和母親或帶別的女人回家了，正在激烈地做愛。

但是，我並不想驚動鄰房。所以，也沒起身去問。空氣中充斥著曖昧混淆的氣息，但是，我卻仍然只是一直在端詳電視裡的奇怪女體幻象。無法離開視線像中邪了般。但是，在夢中的時間感是錯亂紛歧的，因爲我卻竟然始終覺得自己還小，還困在小時候。還停留在某種時光的緬懷恍惚。那是國中那種從教會中學回家，家裡沒人而我溜進父親房間裡的那種光景，空蕩而暗淡，有些偷看父親放在床底色情錄影帶的那種心虛和忐忑不安。

那段日子是段怪異的時差，青春期和教會學校的心情常常是歪斜的切入，哥哥已經上大學，而那時候父母親和姊姊卻長時間待在家裡開的電影院很忙要到晚上才會回來。從臺中的教會學校放假回來彰化，我有時會在這種時差中，自己一個人在家。所以，就會沉湎在某種懸置的時空裡。虛度、晃盪、迷茫。但是，那一天，在夢中，我仍然是恍惚的。更後來，就在那怪異的色情畫面和鄰房的色情聲音中又睡了過去。那夢的更後段，我好像醒了，但又醒不太過來。手淫到昏睡了過去，還一再賴床或失神，無心的無辜。但是，卻又在可笑又愚蠢的犯罪現場被當場發現，那是那麼難以描述的被寵壞了的幸福時光，充滿了更撒嬌或撒野的可能與被容忍……

那一個夢的後來，一直到父親走進來，我才覺得或許這回太過分了，無法被原諒地……糟了。但是，他並沒有生氣，也沒有驚訝，甚至沒有叫我。就在那恍惚中，我注意到了某種更潛在的空氣的流動，在暗淡的氣息裡，他悄悄地走進房間，穿著整齊的西裝，也就是他當下賓士車回到家剛打點完所有生意的那種最體面打扮。我從暗暗的房間光線中緩緩醒來，只看到他的身影。甚至，我沒看到他的臉，心裡還想著疑惑著，父親怎麼會這麼早就回來。那天的那時候，天都還沒黑。我一開始沒留意，後來清醒了一點，仔細想起來，就更覺得內疚。我偷偷進了父親的房間，還睡著了在他的床上，越想越心虛。就趕快起來，慚愧地跟父親說，不好意思我睡著了，我不該進他們房間也不該睡這裡。

甚至，我還穿著性感內衣在等他，用一種我也不了解的變態的依戀……然而，最後，我也太不孝了的內疚終於出現，因爲那更深的內疚是來自突然想起父親，好像已然不在了。

那時候的心中充滿悔恨好怪，更充滿時光拉了更長之後的不安又不忍，因爲心情的底層才想到，才打從心裡喚回那個我始終不願望接受的現實，那就是……父親已然死了，而且死去很久了。

然而我的時差就因此困在他死去的那一刻，彷彿他死去的多年後和多年前都封印在那暗暗的華麗房間裡，夢中老只就是停留在我國中的那時光，那是父親生意做得最大而活得最風光的時光。

或許也更是不願意再想起之後的無限拉長的被遺棄之後家的慢慢地沉浸的悲慘，而我也不願意離開更早的父親未過世前的那虛幻的近乎夢境般的幸福感。

或許，我就因此仍然還夢見我自己穿性感內衣，躲藏在那房間裡衷心專注等待父親，仍然那麼怪異地難以名狀地款款深情。

然而等待的時光中，還是始終充斥著離奇的另一種同時荒誕的莫名暗示，因爲父親的房間裡電視上仍然還在播放著……從我進去一打開錄影機後一放片子就卡住了使影片卻跑不動，因此只是始終停在的那一個古怪的畫面，那應該是色情片的場景中，畫質模糊不清，只是隱隱約約還看得出來是裸體的女人，但是卻是一個變形的畫面，那是一個女人身體的扭動曲線，四肢環繞，不成人形，只像一團肉。不太認得出手腳，但是沒有血肉模糊皮開肉綻的可怕或噁心。甚至，沒有眞實感，像假的。但是，肢體卻仍然在移動，不仔細看還以爲是某種肉團在流動著。因爲太抽象了，畫面上看起來不像眞人而只是電腦合成或影像的特殊效果，沒有突起賁張肌肉，沒有毛細孔。甚至沒有皮膚的細節，就像靠近打量百貨公司一樓化妝品專櫃的巨大燈箱片上的修得太過火太虛僞的女星的臉部肌膚，會發現的某類似笑非笑、優雅卻做作到令人不安的那種美麗，疏離。但是，眼神卻必然晶瑩剔透，甚至在臉孔的肉團流動的某一剎那我彷彿看到了變成了我的臉的模糊模樣，但是卻又在下一個瞬間馬上消逝……

我不知道我在房間裡頭待多久了，也不知道電視爲什麼會出差錯。或許，我始終還沒有離開過，也還沒有醒來。然而整個電視的畫面凍住了，雖然仍然是動人地懾人，而且光影太繁複地流動，使得那女體肉身過度地陳橫迴繞到，竟然像是某種做太誇張了的海報上頭的奶精在咖啡上的繞動迴旋，空中漫散反光折射到沒有死角的滿天極光，或是偶然閃現黝黑線條的肉團上，也彷彿流露出我身上那性感內衣極繁複精密細膩的猙獰的蛇紋纏身在變形之中……仍然出現的濃密糾纏那般邪門地華麗美豔。

第十九個夢。肉浮屠。

一如在夢的一開始，我彷彿還小也只是跟著去，跟著大人們，走進老家，那已然是廢墟的長壽街老家，只剩燒毀的焦黑屋簷梁架，露出磚瓦碎片的古老牆垣，出現在那小時候的天井，但是才發現我沒有我想得那麼小了。

因爲遇到了小時候一起長大了的小孩們都老了，只是大家都沒發現，也沒提及，實在因爲太久沒見面了，大家都變得很客套寒暄，許多堂兄弟姊妹都有點走樣了，頭髮斑白，胖了點，憔悴了點，連所帶來的姪兒女更小的小孩們都也已然大了許多。但我們還是形貌老了的小孩，一如過去，只是敘舊，有一句沒一句，像更多家人會一起回來的大節，清明、端午，甚至，就是除夕。

但是，後來，大家就開始商量起要進行的很大場面的狀態的準備，像普渡的拜好兄弟的數百碗長桌，端午節數十個一起包粽子，或就是更繁瑣的整個大家族都會來的年夜飯。

但是，我到了廢墟老家的大門口，卻看到了非常華麗而壯觀的奇幻光景，那幾乎是不可能的，對於我們那種極講究規矩講究輩分的家族，身體是很拘謹地對任何不小心的碰觸或衣著的暴露，都極爲不安！

但是，我所看到的所有老家的家人，都在，都來了，也不在乎長壽街的老房子已然全部燒毀了，反而熱中於那現場的某種熱絡。太不可思議了！那是所有人的集結，用一種近乎馬戲團或啦啦隊的疊羅漢方式的特技，一如很久以前夢見過坐貨車去長壽街頭吃芳月亭懷石料理那回，但是人更多，小孩更大了，就這樣地竟然就一個一個，一家一家，一代一代，交錯地站上去，一開始倚身，側靠，像拍團體家族照那般地站在一起，但是卻是完全地擁擠不堪地擁抱疊身摟臂爬到肩上頭上。

後來，越來越誇張，竟然越黏越貼到形成了一整團人球，纏成一團，汗流浹背地纏身，像印度廟身上的人體雕塑的密密麻麻，一層一層地往上往側長高攀升，甚至像腫瘤或腫囊般地長出來，疾速地，出奇地！像一個肉浮屠，用人體搭起的塔樓，太龐大而繁複，但是每個臉孔我都認得，甚至認識了一輩子，都是從小看著我長大的姑姑奶奶叔叔伯伯還有更遠房的叔公舅媽姑婆，所有人都在。甚至，死去已久的戴助聽器的有點重聽的三姑，綁小腳穿陰丹士林布衣裙的外婆，穿西裝穿得很體面的父親，甚至全身穿日本小學校校長筆挺軍服的滿臉嚴肅極了的祖父，也都來了，大家都脫光衣服，露出裸體，而且還極喜悅地站在那，彷彿是日常生活的一部分如泡茶吃飯般，持續地讓這極度糾纏的肉身團拍無限期進行著。

其實，我彷彿偶爾還可以從他們的已然撐太久而有點勉強的笑容中，感覺到他們的不開心，或不免的心事，甚至回想起他們這一世以來彼此所有的怨恨。但是大家即使在這種已然貼近到肉搏式地黏身，卻仍然保持客氣。所有的舊傷餘緒都並不提起，只是仍然露出僅僅的內心戲很多的禮貌性微笑。

其實，還有很多比較沒有心事的人，更晚輩的堂兄弟姊妹的小孩在往上爬，他們可是好開懷地攻堅山頭，像野獸或突擊隊，所有家人的苦悶肉身只是他們的掩體或他們的樂園的無限蔓延。

這荒誕的狀態，對當場的我彷彿是常態，也不以爲意。在夢卻只是完全沒有感覺地進行下去，只是像是跟著去廟拜拜跟著點香擲筊，在每個長幼親戚婚禮的幫忙牽婚紗當花童收點聘金再後續鬧洞房，或做頭七二七三七到七七那種種該披麻帶孝該叩頭該跟念該哭，那般地理所當然。

後來想想，好恐懼！但是，完全無法解釋，也完全無法揭發，因爲沒有人覺得這件肉浮屠的事是如此地荒誕到令人難以忍受。甚至，連我自己都沒發現。

甚至，天亮了，長輩們交代著，明天再繼續，還沒完，因爲，還沒有進入最重要的一刻，那就是……竟然，整團肉浮屠要後空翻的狀態，要一起抱緊屏息，起跳的同時後仰，要全部的家族老老小小以最迅雷不及掩耳的速度躍身。

所有人都要練習小心地收小腹肌肉，認眞地緊繃鎖住丹田，然後跳，然後做手勢比吔！然後一起騰空，就這樣地，凝身在半空中。

文學叢書 377

寶島大旅社（下）

作　　者　顏忠賢
總 編 輯　初安民
責任編輯　施淑清
美術編輯　黃昶憲　林麗華　陳淑美
校　　對　林其煬　吳美滿　顏忠賢

發 行 人　張書銘
出　　版　INK 印刻文學生活雜誌出版有限公司
新北市中和區中正路800號13樓之3
電話：02-22281626
傳眞：02-22281598
e-mail:ink.book@msa.hinet.net
網　　址　舒讀網 http://www.sudu.cc

法律顧問　漢廷法律事務所
劉大正律師
總 代 理　成陽出版股份有限公司
電話：03-3589000（代表號）
傳眞：03-3556521
郵政劃撥　19000691 成陽出版股份有限公司
印　　刷　海王印刷事業股份有限公司

港澳總經銷　泛華發行代理有限公司
地　　址　香港筲箕灣東旺道3號星島新聞集團大廈3樓
電　　話　852-2798-2220
傳　　眞　852-2796-5471
網　　址　www.gccd.com.hk

出版日期　2013年11月 初版
ISBN　（下冊）978-986-5823-50-4
（套書）978-986-5823-32-0

定　　價　550元
套書定價　1100元

國家圖書館出版品預行編目(CIP)資料

寶島大旅社（下）／顏忠賢著.
--初版. --新北市：INK印刻文學, 2013. 11
面；17×23公分. --（文學叢書；377）
ISBN （下冊）978-986-5823-50-4（平裝）
（套書）978-986-5823-32-0

857.7　　102017000